D1106852

ГАРРИ ГАРРИСОН

Билл — герой Галактики

Книга 2

АЗБУКА

Санкт-Петербург

УДК 821.111(73)
ББК 84(7Сое)-445
    Г 21

Harry Harrison
BILL, THE GALACTIC HERO ON THE PLANET
OF TASTELESS PLEASURE
Copyright © 1991 by Harry Harrison
BILL, THE GALACTIC HERO ON THE PLANET
OF ZOMBIE VAMPIRES
Copyright © 1991 by Harry Harrison
BILL, THE GALACTIC HERO ON THE PLANET
OF TEN THOUSAND BARS
Copyright © 1991 by Harry Harrison
BILL, THE GALACTIC HERO:
THE FINAL INCOHERENT ADVENTURE
Copyright © 1991 by Harry Harrison
All rights reserved

Публикуется с разрешения автора при содействии
Агентства Александра Корженевского (Россия)

Перевод с английского
Н. Михайлова, А. Иорданского, П. Жукова

Серийное оформление и оформление обложки
С. Шикина

Иллюстрация на обложке В. Еклериса

ISBN 978-5-389-12130-0

Билл, герой Галактики, на планете непознанных наслаждений

(В соавторстве с Дэвидом Бишофом)

Джо и Элен Донахью — с благодарностью

Глава 1
Рецепт доктора Д.

Сказать по правде, Биллу никогда не приходило в голову, что причиной всему — секс. Впрочем, время от времени у него возникали на сей счет кое-какие подозрения.

— Это же сатирическая нога! — прорычал он. — Чего скалишься, недоумок? Нашел над чем смеяться!

По счастью, доктор Делязны был штатским, иначе доблестного воина вздрючили бы по первое число. Ошеломленный красноречием Билла и запахом лука у того изо рта, врач отшатнулся и быстро заморгал, не сводя с героя Галактики глаз, спрятавшихся за толстыми, как днище бутылки, стеклами очков.

— Ты ошибаешься, солдат. Нога не сатирическая, а Сатирова. Сатир — в греческой мифологии получеловек-полузверь, наделенный неутолимой похотью, готовый спариваться с утра до вечера и всю ночь напролет.

Билл почувствовал, что понимает сатира, благо и сам ощущал себя на взводе. Направляя его сюда, в армейский госпиталь на Костоломии-IV, медицинская комиссия поставила в сопроводительном документе индекс ПП, который в действительности означал «покой и полный курс лечения»; однако солдаты расшифровывали эту аббревиатуру как «пьянки и потрахушки». То есть вполне естественно было ожидать: а) наличия женщин и б) изобилия спиртных напитков. Что касается второго, тут особых трудностей не предвиделось, благо в госпитале, по соседству с моргом, имелся бар с богатым выбором всяческого пойла. Но вот с женщинами дела обстояли несколько хуже, ибо все медсестры, к сожалению, оказались стальными роботами. Едва прибыв в госпиталь, Билл не замедлил героически надраться до потери сознания, а когда очнулся, обнаружил, что пытается схватить одного из роботов; разумеется, ни о каком удовлетворении не могло быть и речи.

Ладно, что было, то было. Билл провел пятерней одной из правых рук по редеющим волосам и уставился на свою ногу. Та выглядела просто отвратительно.

— Что с ней такое? — проскулил он.

— Хороший вопрос, — одобрил доктор Делязны. — Я как раз собирался взять образец клеточной ткани, чтобы убедиться, насколько обоснованны мои предположения. Знаешь, солдат, по-моему, ты подцепил ужасную космическую инфекцию, которая вызывается психомутагенным плазмоидным вирусом.

— Чего?

— Ты заимел ногу-капризулю.

— А, проклятый чинджер, гнусный шпион Усердный Прилежник! Подставил меня, мерзавец! Как он меня подставил! А еще говорил, что оказывает услугу! С его подачи я отказался от своей цыплячьей ноги, а теперь только и успеваю выпутываться из неприятностей.

Билл прикусил язык, сообразив, что распространяться о знакомстве с чинджером не слишком разумно. Вражеский лазутчик — вдобавок к тому, что доставлял кучу хлопот, — надоедал ему просьбами перестать воевать, предлагал изменить империи, стараться подрывать боевой дух солдат имперской армии, разлагать товарищей по оружию — словом, содействовать разоружению и заключению перемирия между людьми и чинджерами. Разумеется, Билл никак не мог нарушить своей пламенной клятвы верности императору, даже если бы захотел, поскольку в его мозгу, размягченном наркотиками и нейромодуляторами, подобные мысли попросту не задерживались. В результате, добравшись до ставки командования, он тут же во всем признался. Отцы-командиры настолько обрадовались сведениям, которые Билл выложил на допросе, что, когда нога героя Галактики начала выкидывать всякие фортели, отправили солдата на Костоломию-IV — лечиться у специалиста-протоортопеда, доктора Латекса Делязны.

— Совершенно верно. Мои выводы подтверждают неврологические образы, которые порождаются объединенными усилиями коры головного мозга и Ф-комплекса. Проще говоря, солдат, твоя нога полагает, что присоединена к телу существа, которое не помышляет ни о чем, кроме секса и выпивки. — Врач угрюмо усмехнулся и покачал головой. — Скажи-ка, это тебе никого не напоминает?

8

Доктор Делязны получил отличное образование: окончил медицинский институт сразу по нескольким специальностям с наивысшими баллами по офтальмологии и отоларингологии, а также с удовлетворительными оценками по ортопедии. Иными словами, он являлся специалистом по ртам и задницам, а потому среди его клиентуры насчитывалось множество юристов; он успешно практиковал трансплантацию упомянутых органов — ведь с юристами проще некуда, эти органы у них взаимозаменяемы. Но однажды императору, в приступе садистской филантропии, пришла в голову идея казнить всех до единого юристов в пределах освоенной Вселенной; доктор Делязны остался без пациентов и вынужден был искать работу на стороне. О своих злоключениях он поведал Биллу накануне вечером, в баре за бутылкой «Старого горлодера».

— Разрази меня гром, док! Мужик на то и мужик, чтобы пить да трахаться! Когда кругом такой бардак, без выпивки спятишь в два счета. А женщины успокаивают, как ничто другое!

Билл всхлипнул от жалости к самому себе и страдальчески вздохнул, припомнив своих старых — да и молодых — подружек. Закаленные в сражениях мышцы напряглись, стоило ему только подумать о Мете, которая торчит сейчас на какой-то занюханной планетке на краю Галактики — бьется не на жизнь, а на смерть с проклятыми чинджерами. Мета! Да, вот это была женщина! Какие глаза! Какая грудь! Какая круглая, аппетитная попка, способная посрамить даже зад Инги-Марии Калифигии с Фигеринадона-II! Впрочем, Мета явно не из тех женщин, которые шлепают босиком по кухне и рожают детей до конца своих дней. Насчет таких, как она, предупреждала Билла матушка; Мета превосходила его во всех отношениях и была настолько сексапильна, что могла свести с ума главный компьютер боевого звездолета. И надо же такому случиться: едва они с Биллом свели более-менее близкое знакомство, вшивое армейское начальство сослало Мету к черту на рога! Чтоб им пусто было, стервецам!

Билл принялся размышлять, что же с ним, собственно, происходит. Осталась ли в нем хоть крупица достоинства и человечности? Нет, это противоречило бы армейскому уставу. Способен ли он полюбить? Знает ли, как пишется слово «любовь»? Не к тому ли стремится? Не оттого ли стал прятать в обложку комикса «Кровавые порнографические слюноточивые истории», который читал на глазах у новобранцев, другой комикс — «Истинные космически-романтические мелодрамы»?

Нет. И потом, на что годится обыкновенная женщина? Среди солдат бытовало поверье, что женщина заставит мужчину бросить курить и пить в свое удовольствие, а также трепать языком по любому поводу и таращиться вслед распоследней шлюхе, — а для чего тогда, елки-палки, жить на свете?

Доктор Латекс Делязны вновь посмотрел на компьютерную распечатку.

— Восхитительно! Скажи мне, Билл, известно ли тебе чтонибудь об эндокринной системе?

— Вы про планеты с болотами и ядовитыми океанами в системе Кассиопеи?

Доктор Делязны раздраженно подергал себя за жидковатые волосы на загривке. На вид ему было около сорока. Морщинки в уголках глаз начали собираться в изящные паутинки, напоминающие различные геометрические фигуры. Безучастный к происходящему вокруг, словно его мозг выписывал внутри черепа фигуры высшего пилотажа, он гораздо внимательнее следил за этой акробатикой, чем за той клоунадой, которая разворачивалась в смотровом кабинете.

— Вовсе нет, оболтус в погонах! Я рассуждаю о человеческой физиологии. Эндокринная система, гипофиз, щитовидная железа, надпочечник... И так далее и тому подобное... И конечно, половые органы. Человеческая анатомия, понял, тупоголовый?! Тебя что, ничему в армии не научили?

Билл сокрушенно помотал головой.

— Эндокринная система, Билл, отвечает за важнейшие функции организма. Между прочим, я имею степень доктора медицины со специализацией по эндокринологии. Как потвоему, нужно ли это империи? Ба! Ноги да сфинктеры, сфинктеры да ноги — вот все, чем мне приходится заниматься. Какое чудовищное пренебрежение талантом!

Высокий и тощий, врач выглядел сущим пугалом; впечатление было такое, будто он спал, не снимая халата, что, кстати сказать, происходило достаточно часто. Однако при всех своих недостатках он мог похвастаться и некоторыми достоинствами. В частности, Билл проникся к доктору особым уважением после того, как Делязны накануне вечером расправился в баре с алкпи из системы Антареса.

— Знаешь, Билл, — продолжал доктор, перебирая распечатки, — если говорить о внутренней секреции, то твои нижние железы действуют весьма активно. Замечательнее же всего то, что тестостерона в твоем теле, солдат, хватит, чтобы даже у слона выросла борода!

Делязны окинул Билла восхищенным взглядом. Герой Галактики, сообразив, что невольно привлек внимание, почувствовал себя не в своей тарелке.

— А что с моей ногой, док? Я ведь из-за нее к вам попал...

Доктор Делязны прочистил горло, напыжился и авторитетным тоном заявил:

— Солдат, я назначаю тебе следующее лечение. Все свое свободное время, пока не кончится срок твоего пребывания здесь, у нас, ты проведешь в госпитале. Гуляй по захламленному пляжу, посети свалку, загляни на мусоросжигательный завод. В общем, отдыхай. Радуйся жизни! Наслаждайся всем, что только может предоставить тебе клиника «Грин-Н». А я воспользуюсь случаем и исследую клеточное строение твоей ноги.

— Так вы что, новой мне не дадите?

— Я бы рад, Билл, но разве ты до сих пор не понял, что военная медицина страдает от нехватки ножных трансплантатов? Впрочем, где тебе понять с твоим-то деревенским проспиртованным мозгом!

— Нечего было переходить на метрическую систему, — пробурчал Билл.

Если верить молве, что распространялась из сортира в сортир, еще недавно морозильники просто-напросто ломились от запасных ног, однако, когда с Гелиора пришел приказ перейти на метрическую систему мер, олухи нестроевые не поняли, что от них требуется. «Руки в ноги, футы прочь!» — вопили офицеры. Не разобравшись толком, что к чему, медики повыкидывали все до единой замороженные ноги.

Билл намотал на копыто портянку, сунул ногу в башмак, весь потертый и исцарапанный, и тяжело вздохнул, припомнив, до какого блеска начищал солдатскую обувь Усердный Прилежник, то бишь чинджер Успр, который прятался внутри робота и выдавал себя за новобранца, что шатается без дела по учебному лагерю. Да, в ту пору башмаки сверкали так ярко, как никогда потом.

— Может, вы и правы, док. Пожалуй, мне и впрямь надо отдохнуть. Поменьше пить, дышать свежим воздухом, питаться фруктами. — При одной только мысли о таком отдыхе Билла охватило неодолимое отвращение. Ладно, пускай этот долговязый хмырь думает, что герой Галактики смирился со своей участью, а уж он постарается смыться отсюда при первой возможности.

Увы! Билл вряд ли предполагал что-либо подобное, однако в космическом расписании на следующую неделю для него значился вовсе не отдых. Если бы доктор Делязны не упомянул о прогулках по берегу моря, возможно, на долю Билла не выпали бы те поразительные приключения среди мифических существ и богов, а также в Зажелезии, — приключения поистине умопомрачительные, захватывающие настолько, что повествование о них читается на одном дыхании: знай себе успевай переворачивать страницы.

— Да, Билл... Насчет геморроя, от которого у нас не нашлось лекарства, — произнес доктор Делязны, когда Билл направился к двери сквозь лабиринт хитроумного медицинского оборудования.

— Что? — с надеждой в голосе спросил Билл. Он так хотел услышать хоть что-нибудь приятное, что у него защемило задний проход.

— Дружище, боюсь, мы не в силах тебе помочь.

Билл обозвал врача-шарлатана столь обидным словом, что ему сразу полегчало, и двинулся в бар. Наступал Счастливый Час; к тому же сегодня был понедельник, а это означало, что в баре угощают бесплатной закуской — свиными ножками под маринадом; это блюдо было у героя Галактики одним из любимейших.

Оставалось только надеяться, что нога-капризуля будет вести себя прилично.

Глава 2
Чтиво

Биллу снился сон.

Ему снилось, будто он вновь заделался фермером и бредет, весь в поту, следом за своим робомулом. Будто его главная, единственная мечта — стать техником-удобрителем. Пускай говорят, что это дерьмовая работа; он такой ерунды не скажет никогда. Улыбаясь во сне, Билл видел, словно наяву, как бороздит космос, засыпая планету за планетой благоухающим навозом, кучи которого вздымаются до небес, а волшебный аромат щекочет пока еще девственные ноздри миллиарда осчастливленных крестьян.

Внезапно прежний сон сменился другим, и к Биллу, паря на прозрачных ангельских крылышках, подлетел Сгинь Сдохни.

— Тридеоигры, Билл. — Сгинь хихикнул и стиснул клыки. Послышался скрежет. — Твое будущее — тридеоигры!

Во сне Билл изрядно помолодел. Когда он был маленьким мальчиком, ему отчаянно хотелось отправиться с остальными ребятами в город, чтобы поиграть в тридеоигры. Он всегда побеждал своих товарищей — разумеется, то были шуточки воспаленного воображения. На деле же Билл ни разу не бывал в городе, поскольку не имел карманных денег; тридеоигры оставались неосуществленной мечтой. Поэтому, когда Сгинь, оскалив великолепные клыки, изрек свое пророчество, Билл несказанно обрадовался. Вот оно! Наконец-то! Сгинь развернул перед его глазами напечатанный на бумаге с блестками контракт, который сулил, что Билл станет величайшим тридеоигроком в истории мириад цивилизованных миров Галактики, и он, не задумываясь, подписал сей многообещающий документ.

Тридеоигры требовали не только зоркости, быстроты движений и крепости нервов, но и полной сосредоточенности. Игрока привязывали ремнями к креслу во чреве машины, которая представляла собой изготовленную из жести и пластика копию звездолета, причем копия была оборудована псевдолазерами и эрзац-пульсарными торпедами, а также всевозможными излучателями и прочими видами оружия в духе старого доброго Дока Смита. Затем включался трехмерный экран, и игрок начинал сражаться с трусливыми чинджерами, которые взлетали на своих грозных, смертоносных кораблях с планеты под названием Клоака Преисподней.

Во сне Билла чинджеры вновь превратились в семифутовых монстров с острыми как бритва зубами. По слухам, они питались жареными младенцами, которых поедали, лежа на осклизлых кушетках и смотря телевизор. «Смерть чинджерам!» — прорычал Билл и устремился в гущу врагов. Он закла-

13

дывал немыслимые виражи, нарушая все и всяческие законы физики, и, как и полагалось герою, без страха и упрека уничтожал залпами из излучателей корабли ненавистных чинджеров.

Внезапно откуда-то сбоку вывернулся вражеский эсминец, и выпущенный из его орудия снаряд проделал дыру в одной из панелей тридеомашины. Билл от изумления разинул рот. Это же игра! Как могло... И тут он сообразил, что угодил в ловушку, попался на удочку имперских вербовщиков и ведет теперь самый настоящий бой с настоящими врагами!

Выходит, игра была не просто игрой.

В брешь в стене полезли друг за дружкой сотни семифутовых чинджеров, вооруженных каждый абордажной саблей с лезвием семи футов в длину. Происходящее казалось невозможным — но у кого появляются вопросы во сне?

Он обречен!

Билл проснулся с ощущением, что голова у него расколота надвое, а черепные полости словно горят в огне.

Проклятая книга!

Гнусная дешевенькая разобранная книжка из госпитальной библиотеки!

Ноздри Билла широко раздувались, а в носоглотке будто развели костер или какой-нибудь маньяк-ученый налил кислоты. Билл поднялся с койки, подковылял к раковине, обхватил руками голову, застонал и одновременно попытался высморкаться, но добился лишь того, что жжение в носу усилилось. Продолжая стонать, он повторил попытку, шумно вздохнул, ухватился за край псевдофарфоровой раковины и попробовал снова.

Раздался громоподобный звук, и из носа Билла вылетела ромбовидная лепешка около дюйма в поперечнике; из лепешки торчали резиновые отростки, металлические наконечники которых тускло и прерывисто светились. Лепешка упала в раковину и с шипением заерзала по дну. Билл открыл кран, и струя воды в конце концов утихомирила мерзкую штучку.

Книга.

Она называлась — о чем свидетельствовали выпуклые буквы на верхней стороне лепешки — «Лоб в лоб» и принадлежала перу некоего Орсона Пуза Курда. Билл смутно припомнил, что речь в ней шла о слабоумном ученом-сервомеханике, похищенном злобными чинджерами, которые решили использовать знания пленника во вред исполненной благородства империи; но что было дальше, он даже не догадывался, поскольку книга застряла, не преодолев и половины носоглотки. «Не забудьте вынюхать замечательное продолжение, „Макароны обормотов“, которое скоро выйдет в „Мейс букс“», — гласила вторая надпись, поубористей первой, самую чуточку заляпанная слизью из носа героя Галактики.

По причине того, что среди первопоселенцев на недавно открытых пограничных планетах насчитывалось громадное количество неграмотных, книжные компании стали выпускать «клейкие книги», которые сразу же приобрели огромную популярность. Они издавались вместе со специальными автоматическими щупальцами, которые внедрялись в мозг читателя и, действуя затем как передатчики, снабжали беднягу словами и понятиями, необходимыми для понимания книги. После того как жертва заканчивала «чтение», устройство выбрасывало из себя чихательный порошок. Теория утверждала, что, для того чтобы избавиться от адской машинки, достаточно более-менее приличного чиха. Выпавший из носа агрегат следовало промыть; высохнув, книга оказывалась в полной готовности к очередному употреблению. Однако на практике применялась процедура так называемого разоблачения, суть которой состояла в том, что из книг извлекали опознавательные контуры, после чего переправляли оптовикам, а те продавали товар по сниженной цене военным и обитателям планет для умственно отсталых. Это было намного выгоднее, чем возвращать книги в издательства; впрочем, помимо законов капиталистического рынка, была еще одна причина, по которой упомянутая процедура распространялась повсеместно, а именно позорная и кровопролитная Галактическая война; при воспоминании о ней стыла в жилах кровь даже у ветеранов вроде Билла. К сожалению, зачастую вместе с опознавательным контуром из книги извлекалась значительная доля содержания; так что, случись вам попасть в госпиталь, вы, если попробуете прочесть такое вот, с позволения сказать, «специальное издание», обнаружите, что книга в лучшем случае обрывается где-нибудь на середине.

Нечто подобное, по всей видимости, и произошло с Биллом, который накануне вечером сунул книгу себе в нос, намереваясь почитать на сон грядущий. Вдобавок проклятая книжка оказалась не слишком чистой: от нее исходил достаточно сильный запах чужих соплей.

Высморкавшись, Билл смахнул выступившие на глазах слезы, вернулся к койке и проглотил изрядную порцию «Пепто-Абисмал» — «успокаивающего желудок антисептика и носоочистителя». Этот мерзопакостный госпиталь действовал ему на нервы! Книжки все без начала и конца, санитарные условия немногим лучше, чем в лагере имени Льва Троцкого, где он столько времени возился с новобранцами. Костоломия-IV относилась к тем планетам, которые открыли совсем недавно. Несмотря на то, что в ее атмосфере содержалось довольно много кислорода — что любопытно, в составе атмосферы обнаружились, кроме того, следы ароматных, переносимых по воздуху алкалоидов, наличие которых ученые объясняли тем, что некогда планету населяли ныне вымершие буддисты, индусы или хиппи; итак, несмотря на кислород и на то, что Костоломия вращалась вокруг звезды типа «А ну блесни!», весьма похожей на Солнце, на поверхности планеты не было найдено ни единого живого разумного существа. Сплошные заросли растительности, загадочный черный океан, частые приступы геологической активности... Поскольку Костоломия располагалась на полпути откуда-то куда-то, причем и то и другое было одинаково омерзительно, вполне понятно, почему армейское начальство решило построить на ней временный лагерь с пересыльным пунктом, публичным домом для старших офицеров и госпиталем на побережье черного океана, зловещие воды которого не ведали, что такое прилив или отлив. Вдобавок рядом с госпиталем возвели завод по дегидрации воды, который снабжал солдат водным порошком (нужно только добавить воды — и пожалуйста! можешь пить воду).

Билл запил лекарство водой, которая имела неприятный привкус, и плюхнулся на койку. Он задремал, но вскоре открыл глаза, опять задремал и вновь встрепенулся, и так продолжалось до самого утра: Билл не мог заснуть, ибо у него по-прежнему болела голова. Наконец подоконника коснулся розовоперстый рассвет. Боль слегка поутихла, зато появилась новая забота: по ноге-капризуле побежали мурашки, словно она ни с того ни с сего затекла. Пожалуй, подумалось Биллу, надо бы показаться доктору Делязны. Казалось, к его ноге притронулась своей волшебной палочкой фея Динь-Динь и внутри копыта немедля начали твориться всяческие сказочные безобразия.

Билл натянул поношенную пятислойную бумажную робу и, постанывая на каждом шагу, направился к выходу из палаты, надеясь, что его стоны разбудят четверых солдат, с которыми он делил помещение и которые, накачанные под завязку наркотиками, спали сном если не праведников, то уж наркольтиков — точно. Однако ему не повезло: товарищи упорно не просыпались.

Билл спустился в подвал, где, в приятной близости от бара и морга, находился кабинет доктора Делязны. (Многие пациенты доктора страдали ужасной болезнью, педосфинктерной гнилью, разновидностью ксенорака, который распространяется с поистине сумасшедшей скоростью и является дальним потомком микоза; он уничтожал солдат поодиночке и целыми взводами, поражая в причинные места и их окрестности. Отсюда — двойная специализация Делязны и близость кабинета к моргу.)

Нога все еще капризничала: теперь в ней будто устроила оргию компания подвыпивших гуляк.

Достигнув нижнего уровня, лифт резко остановился. Створки двери с визгом разъехались в стороны. Биллу почудилось, что он видит лысоватый череп доктора Делязны, исчезающий за дверью прачечной. Следом за черепом мелькнули и пропали развевающиеся полы халата.

Интересно, куда так торопится док? И что он забыл в прачечной?

— Эй, док! — крикнул Билл и, припадая на ногу-капризулю, которая вела себя более чем странно, двинулся вперед. — Погодите! Мне надо с вами поговорить!

Билл распахнул дверь с табличкой «Прачечная» и очутился в помещении, вдоль стен которого громоздились кипы белья, а между ними шныряли крысозубы — местные животные вроде грызунов: они обитали в казармах и прочих армейских сооружениях и питались, судя по всему, линолеумным варом и обрезками ногтей. Посредине комнаты свисала с потолка воронка, под ней располагалась корзинка с грязными полотенцами, одеждой и постельным бельем, от которых разило разнообразными запахами человеческого тела.

— Док! Док Делязны! — Билл приблизился к воронке, огляделся.

Неожиданно из горлышка воронки выскочила пара перепачканных грязью брюк, которая приземлилась на голову Билла. Он зарычал, схватил брюки и швырнул их в гущу спаривающихся крысозубов. Те тут же набросились на лакомство.

Доктора нигде не было, хотя Билл мог бы поклясться... Минутку! Билл повернулся, вышел в коридор и заглянул в смотровой кабинет Делязны. Никого...

Яркие оранжево-голубые неоновые буквы «Госпитальный бар» сверкали, как обычно, ярко, однако дверь оказалась запертой. Да, заведение откроется лишь в шесть тридцать. Начальство подумывало о том, чтобы нанять бармена, который работал бы круглосуточно, но дальше размышлений дело пока не шло. В морге было пусто — если, разумеется, не считать мертвецов. Таким образом, доктор Делязны, по всей видимости, скрылся за позолоченной дверью, украшенной фальшивыми бриллиантами и табличкой с надписью «Приют героев — только для отважнейших воинов Галактики». При одной мысли о том, что придется зайти туда, Биллу стало плохо. Он попятился, не испытывая ни малейшего желания переступить порог. Однако нога-капризуля снова напомнила о себе, и Билл распахнул дверь.

«Приют героев» называли еще салуном «Последний шанс», а настоящего названия — «Палата смертников» — старались не произносить вообще из суеверного страха. В палате стоял излучатель ароматов, однако его флюиды все же не перебивали витавшего в воздухе запаха разложения; тихая музыка сопровождалась сдавленными стонами умирающих и монотонным писком регистрирующих устройств, который означал уход в мир иной очередной партии бродяг. Билл быстренько огляделся по сторонам. Доктора Делязны не было и здесь.

— Чтоб тебе! — прорычал Билл и повернулся, собираясь поскорее унести ноги. Внезапно он заметил нечто такое, от чего у него перехватило дыхание.

Книги! Целая полка книг! И все они, похоже, в полном порядке. Не разодранные! Билл изнемогал от скуки и, пожалуй, не отказался бы сейчас прочесть какую-нибудь книгу от корки до корки. Ему подумалось, что умирающие, должно быть, пользуются особыми привилегиями. Хотя вряд ли кто из них успевает дочитать книгу до конца.

Он принялся изучать заглавия. «Эй-эйо!» Грега Бора. «Планета чужавок-трансвеститов. Том 4: Колодец гениталий» Джека Л. Апчакера. «Ночь живых чинджеров» Стивена Зинга. Елки-палки! Классика!

Впрочем, как ни крути, больше одной ему все равно не вынюхать. Билл выбрал сверкающую книжку под названием «Блинерз дайджест». Судя по содержанию, в ней помещалось десять романов, ужатых для удобства тех, кому предстояло вскоре свести все счеты с жизнью.

Неплохо, неплохо. По крайней мере, будет чем заняться. Услышав поблизости предсмертный хрип, Билл поторопился покинуть палату.

Естественно, он перво-наперво прокипятил книжку. Его ноздри возбужденно затрепетали, ибо нос Билла уловил запах чужого носа; выходит, он поступил правильно — книжка обносенная, то бишь ею уже пользовались.

Будь Билл повнимательнее, он наверняка заметил бы окуляр электронного перископа, который запечатлевал все его действия и передавал изображение глубоко под землю, где затаилось крохотное ящероподобное существо.

Глава 3
Опасности прогулок по пляжу

Какой чудесный обыкновенный день! Как хорошо быть наполовину живым!

Крохотные волны лениво накатывались на бурый песок. Зеленовато-оранжевое солнце зависло над горизонтом этаким разбухшим гниловатым фруктом. Свинцовые тучи медленно ползли по небу, как бы затягивая его зияющей прорехами вуалью, которая — вот радость! — отчасти поглощала лучи омерзительного светила. Билл ковылял вдоль кромки черной воды, морщась от вони — тут и там на песке валялись разложившиеся рыбины, — которая раздражала его и без того исстрадавшийся нос. Он оглушительно чихнул, затем вытер нос тыльной стороной ладони. Моральный дух Билла провалился в тартарары и остался лежать на дне неподвижной бесформенной кучей.

О да! Какое замечательное место! Как нельзя лучше подходит для ПП! Билл с немалым трудом добился разрешения на утреннюю прогулку. «Подыши свежим воздухом». Ха! Ну и шуточки у этого доктора! Биллу вдруг захотелось очутиться на планете Бормашина. На той, по крайней мере, стоят на каждом углу автоматы с веселящим газом, которого только глотнешь — и уже на вершине блаженства. Разумеется, народ употребляет его с утра до вечера.

Ну да ладно, солдат на то и солдат, чтобы идти куда прикажут, беспрерывно бранясь и жалуясь на судьбу. Бар до сих пор не открылся, свою собственную выпивку Билл давно прикончил, доктор Делязны сгинул без вести — в общем, было от чего прийти в отчаяние. Потому-то Билл и решил немного прошвырнуться, а потом взяться за прокипяченный «Блинерз дайджест».

Он снял башмаки, поддавшись желанию пройтись по песку босиком, сделал десяток-другой шагов, а затем обернулся и посмотрел на цепочку своих следов, которую лизали ставшие теперь изжелта-зелеными волны. Ну и ну! Отпечатки обычной человеческой ноги, а рядом — ямины от копыта. Загадка для залетного ксенобиолога. Вот бы поглядеть, как тот бедолага будет пыжиться!

Пожалуй, можно забрести в воду — пускай охладит разошедшуюся ногу. Билл подобрал плоский камешек и запустил его в море. Внезапно из воды вынырнула рыба — разинула пасть, раздраженно зарычала, поймала камень и плюхнулась обратно. Она исчезла, но Билл все еще видел мысленным взором громадные острые белые клыки.

Он остановился. Да, в воду лезть не стоит; впрочем, ему все равно не особенно хотелось купаться. Он человек простой, со скромными потребностями, ищет самых простых радостей. В общении с противоположным полом. Или в еде, выпивке и наркотиках. Желательно, конечно, все сразу. А лучше всего — демобилизоваться, но на это, естественно, нечего и рассчитывать. К несчастью, прогулка босиком по песчаному пляжу и размышления о милостях старой гниды матушки-природы не сулили ничего сколько-нибудь похожего на эти непритязательные удовольствия. Билл шумно вздохнул, оглушительно чихнул, вернулся туда, где оставил башмаки, обулся и двинулся к госпиталю, в полной уверенности, что бар наконец-то открылся и он сможет исполнить хотя бы одно из своих немудреных желаний.

На обратном пути Билл как следует присмотрелся к морю — и к дегидрационному заводу за госпиталем. Из заводских труб вырывались густые клубы жирного черного дыма. Интересно, мелькнула у Билла мысль, а что там, в воде? Наверняка какая-нибудь пакость. Он подступил поближе к кромке воды и уставился на маслянистую жидкость.

Морская вода отдаленно напоминала пиво — темное или пресловутое крепкое «Фон Гиннес», которое варили на залитых лучами зеленого солнца побережьях планеты Падди. Волны украшали гребешки золотистой пены. Биллу нестерпимо захотелось промочить горло. Жалко, что в госпитальном баре не подают ничего такого, что могло бы худо-бедно сойти за «Гиннес». Билл сильно подозревал, что пойло, каким угощают в баре, изготавливается из содержимого местной клоаки, приправленного формальдегидом. Впрочем, наклюкаться можно было и им; к тому же он не имел дурной привычки воротить нос от стакана только потому, что от того плохо пахнет.

Билл собрался было двинуться дальше, но тут ярдах в пяти от берега над поверхностью моря взметнулся пышный гейзер. Пена почти сразу опала, и взгляду Билла предстал некий темный предмет, с которого капала вода.

— Эй, верзила!

На мгновение Билл преисполнился восторга. Перед ним стояла обнаженная женщина — набухшие соски, роскошные груди бурно вздымаются, прекрасное лицо выражало всепоглощающую чувственность...

Священный дух великого Ахура Мазды! Кажется, его хотят соблазнить!

Билл предвкушал наслаждение. Женщина направилась к берегу. Ее фигура вырисовывалась все отчетливее — и миг восторга миновал. Ниже талии тело женщины покрывала густая козлиная шерсть того же темно-коричневого цвета, что и грива мокрых волос, обрамлявшая прелестное личико. Женщина ступила на берег, и Билл увидел, что вместо ступней у нее раздвоенные копытца, точно такие же, как у него, разве что поменьше.

— Привет, — сказал он. — Очень рад познакомиться. К сожалению, мне пора делать укол. Я подцепил жуткую болезнь, которая называется — нет, я не посмею произнести это слово. — Он попятился, и вдруг его нога — разумеется, капризуля — провалилась в песок; Билл потерял равновесие и упал.

Женщина продолжала приближаться. Похоже, ее нисколько не смутило признание Билла. Она сладострастно облизывалась и смахивала на ожившую картинку из «Галактического шлюххауза».

— Ты не красавец, — проговорила она хриплым от страсти голосом. — Но, сдается мне, мы поладим. И потом, у тебя такая замечательная нога! Жалко, что одна.

Билл в ужасе завыл и попытался вскочить. Однако диковинная женщина схватила его за ремень — хватка у нее оказалась на удивление крепкой — и снова повалила на песок.

— Да брось, солдат! Неужели тебе не хочется позабавиться со мной?

Биллу если чего и хотелось, так это вырваться и удрать. К несчастью, он, гора накачанных мускулов, не мог даже пошевелиться, а не то что высвободиться из объятий настырной красотки. В ее изящных ручках таилась недюжинная сила. Похотливо изогнув спинку, женщина поволокла Билла к морю. По песку протянулись две глубокие борозды, оставленные пальцами героя Галактики, который тщетно пытался за что-нибудь зацепиться.

— Нееееееет! — взвыл Билл. В следующее мгновение вой перешел в душераздирающий визг: ноги Билла погрузились в теплую, мерзопакостную воду.

— Вдохни как следует, дружочек. По-моему, ты уже втюрился в меня по уши. — Женщина захихикала. Должно быть, ее одолел приступ безумного инопланетного веселья. И, все еще хихикая, сатир в женском обличье увлек Билла, отчаянно брыкавшегося и размахивавшего руками, в глубину загадочного, мрачного моря.

Глава 4
Мифическая страна

Ик, подумал Билл. Ик, раз-ик и раз-этак.

Он как будто плавал в глубокой чаше, заполненной желатином с привкусом лакрицы, вроде того, какой радостно пожирал в лагере имени Льва Троцкого Усер. Билл всегда отдавал этому психу свою порцию десерта; так же поступали и многие новобранцы, и вовсе не по широте душевной — какая там широта души у солдата! — а просто потому, что десерт, как и все остальное, был совершенно несъедобен. Кстати говоря, Усер съедал лишь малую толику, а в основном использовал десерт в качестве гуталина.

Вниз, вниз. Билл опускался все глубже. Ик! О-хо-хо. Брр!

Он попытался окинуть мысленным взором прожитую жизнь.

Поскольку та была достаточно короткой, вскоре начались повторы, а затем отдельные эпизоды стали накладываться один на другой.

В конце концов, когда черная жидкость стала до невозможности черной и густой, а сам Билл почувствовал, что вот-вот окочурится, он вдруг обнаружил, что барахтается на земле и выплевывает из себя воду, точно выброшенный на берег кит.

Мало-помалу в груди Билла оказалось столько кислорода, сколько требовалось для того, чтобы изголодавшиеся легкие заработали в полную силу. И тут кто-то выключил свет, и Билл вновь окунулся в кромешную тьму.

«Лампочка!» — только и успел подумать он, проваливаясь в бездну.

Сознание фокусировалось медленно; изображение возникало постепенно, словно в эротическом фильме.

Билла вырвала из забытья птичья трель. Душистый зефир шевелил его волосы, он слышал звонкий смех и мелодичное треньканье какого-то музыкального инструмента. Все было просто замечательно, Билл расслабился и успокоился. Он, вероятно, постарался бы пролежать там, где лежал, как можно дольше, но внезапно, прогнав приятную истому, ему в ноздри ударил едкий, сладостный аромат.

Чвак! Веки разомкнулись, и Билл открыл глаза.

Вино!

В его списке из десяти излюбленных жидкостей, содержащих C_2H_5OH, вино стояло, пожалуй, на девятом месте; десятое занимало «Стерно», а возглавлял список старый добрый этиловый спирт во всех своих видах и разновидностях. И то сказать, частенько ли простому солдату выпадает случай потешить себя таким изысканным напитком, как вино? Будучи на Шишке-IV, Билл как-то ухитрился надраться вином из лесных ягод — получив увольнительную, он не стал задерживаться в учебном лагере, где проходил обучение на сортирного смотрителя, и завернул в первую же попавшуюся откровенно гнусную забегаловку; о том, каким было похмелье, он до сих пор, когда ему случается загрустить, вспоминает с содроганием. Однако то вино, которое на него пахнуло сейчас, сулило истинное наслаждение. Если уж на то пошло, алкоголь везде алкоголь. Билл забыл о выпивке единственный раз в жизни — догадавшись, что должен будет пилотировать звездолет. Впрочем, пилотом Билл не был и не имел ни малейшего желания им стать, приходил в ужас при одной только мысли о подобной участи, а потому тревожился за себя крайне редко.

Примечание. Командование Галактической армии рекомендует воздерживаться от употребления спиртных напитков.

Глаза Билла округлились, в желудке сработало сцепление, и включилась передача, рот заполнился слюной, которая затем выплеснулась наружу, потекла по подбородку, закапала с одного из клыков Сгинь Сдохни.

— Эй, там! — прохрипел Билл. — У вас найдется лишний стаканчик?

Он приподнялся, огляделся — и забыл даже думать о выпивке.

Он находился в оливковой роще. В небе висело стилизованное солнце, которое излучало тепло и протягивало к герою Галактики свои нежные золотистые персты. Само небо было голубей яйца малиновки, снесенного в период глубокой депрессии. Вдалеке высились горные пики, а в нескольких ярдах от Билла переплетались лозы дикого винограда. Роскошная трава, на которой распростерся Билл, была мягче ковровых дорожек на офицерской палубе имперского крейсера. Из нее выглядывали цветы самых разных тонов и оттенков, словно нарисованные художником-импрессионистом, создавшим истинный шедевр искусства разбрызгивания краски.

Однако Билла поразила не столько ошеломляющая красота местности, сколько та, с позволения сказать, деятельность, которая кипела вокруг. Едва одетые женщины то прятались в кустарнике, то, смеясь, выглядывали наружу; их одержимо преследовали рогатые и мохнатые сатиры — правда, не все; некоторые, по-видимому, добились своего и теперь возлежали на травке и вкушали багровые апельсины, что свисали с ветвей, сверкая на солнце. Похожие на философов типы в белых хламидах и с венками из лавровых листьев на умудренных возрастом челах обсуждали некую метафизическую теорию, одновременно с вожделением поглядывая на маленьких мальчиков и отвлекаясь от ученого спора лишь затем, чтобы схватить за ягодицу проходящего мимо эфеба.

И все участники этого действа держали в руках огромные, украшенные самоцветами кубки, в которых плескалась ароматная рдяная жидкость; к тому, чей кубок хоть немного пустел, тут же подбегала стройная дриада с полным кувшином.

Да славится вечно всеподатель Ахура Мазда во всем своем величии! Билл давненько не заглядывал в церковь, но сейчас попросту не мог не воззвать к Божеству. Что за диковинная вечеринка!

— О, что это за дивный новый мир, в коем обитают такие существа? — раздался вдруг голосок, сладкий, как любимое детское лакомство Билла, кукурузные хлопья «Хрустящие собачки» (каждое из хлопьев имело вид маленькой собаки).

— Чего? — восторженно пролепетал Билл. Голосок прозвучал у него за спиной, поэтому он повернул голову.

— О милый принц! — продолжал голосок, звонкий, как колокольчик. — Я никогда еще не лицезрела столь прекрасных черт! Снизойди к моей нижайшей просьбе, добрый сэр, позволь поцеловать сей клык слоновой кости!

Билл сообразил, что смотрит прямо в бездонные голубые глаза, подобных которым в жизни не видел. Эти глаза глядели на него с прелестного личика и способны были отправить в небо тысячу звездолетов. А тело — тело могло воспламенить сердца тысячи воинов. Весь наряд обворожительной чаровницы составляли крохотные шелковые лоскутки, а дополняли его водопад светлых волос и гладкая, ослепительной белизны кожа.

О небо! Что за сногсшибательная красотка!

Билл совсем уже собирался наброситься на нее, заключить в свои щедрые объятия, прильнуть к этим пухлым губкам и целовать, целовать — в общем, заняться той ерундой, о которой читал в романтических журналах; но внезапно замер, вспомнив, каким образом попал сюда.

— Где я? — справился он, сознавая, что у него начисто отсутствуют воображение и/или находчивость, затем сел, оглядел себя и обнаружил, что по-прежнему облачен в госпитальный комбинезон, что башмаков на ногах по-прежнему нет и что одна из ног по-прежнему мохнатая и, о чем нельзя не упомянуть, заканчивается раздвоенным копытом. В руке Билл по-прежнему сжимал книжку под названием «Блинерз дайджест». Он равнодушно сунул чудо техники в карман и с подозрением осмотрелся по сторонам.

— Разве ты не знаешь, милый? — удивилась красавица. — Ты на баснословных Полях Озимандии. Недалеко отсюда еще более известные Елисейские Поля. Скажи мне, добрый сэр, молю тебя, к каким ты относишься мифическим существам?

Билл взглянул на молодую женщину и оказался загипнотизированным и парализованным: так на него подействовали ее озаренное улыбкой личико, жемчужные зубки и пышные груди, едва прикрытые легчайшим и прозрачнейшим кусочком материи.

— Я инструктор по строевой подготовке, солдат имперской армии, рядовой, необученный, сексуально озабоченный!

— Хм-м... Никогда о таких не слышала. Ты, должно быть, из Пещер Гадеса. Там мужчины все как на подбор. Знаешь, прости за смелость, но ты ужасно красив! Могу я налить тебе вина? Конечно, в большой кубок?

Неужели сам император воссел на трон? Ошарашенный, пьяный без вина, Билл сумел только пробормотать: «Уф! Да!» — и вытаращился вслед красотке, которая, аппетитно покачивая крутыми бедрами, отправилась за обещанным кубком.

Неожиданно он сообразил, что его сердце колышется в груди не совсем так, как обычно. Вообще-то колыхания при виде особ противоположного пола — в частности, колыхания некой части тела — были ему не в новинку, однако то, что происходило сейчас, означало нечто неизмеримо большее, хотя и сдобренное вздохами и дрожью в подбрюшье.

Билл рыгнул, и дрожь прекратилась, но вот мозг не сумел освободиться от власти наваждения.

Билл влюбился, причем — с первого взгляда!

Естественно, он возжелал поскорее утолить свою страсть, а потому стал с нетерпением ожидать возвращения милашки.

Вдруг из-за ствола оливы высунулась голова того самого сатира в женском обличье. Губы существа растянулись в плотоядной ухмылке.

— Эй, верзила! Ты никак очнулся?

— Ты! — проговорил Билл, пустив от отвращения слюни, которые запузырились на губах, потекли струйками по подбородку. Он поднялся, стряхнул с комбинезона пыль и ткнул в свою похитительницу толстым солдатским пальцем. — Куда ты меня, черт побери, заманила? А ну признавайся! Тебе что, не известно, что похищать солдата армии его величества императора — все равно что изменять присяге, и даже хуже?!

— Слушай, морячок, — отозвался сатир, соблазнительно подпрыгнув и облизнув палец Билла длинным, как у лошади, языком, — я всего лишь хотела поразвлечься. Ты, случайно, не из гомиков?

Для мужественных солдат вроде Билла обвинение в женоподобности было приблизительно то же, что для быка красная тряпка, однако сейчас Билл пропустил его мимо ушей, решив, что если и будет что-то доказывать, то только той красотке, которая пошла за вином. Ему хватило выдержки повторить вопрос.

— Это место, разрази меня гром, ничуть не похоже на Костоломию-четыре! Где я?

— Ты про ту вшивую планетку, с которой я тебя утащила? Скажем так: ты там — и не там. А теперь поделись секретом: какую позицию ты предпочитаешь?

— С тобой — никакую!

— Парень, ты в порядке? Те ребята, которых я похищала раньше, обычно не ждали приглашения. Может, тебе что-нибудь отстрелили на войне? А?

Тут наконец-то показалась красавица, которая свела Билла с ума. Она несла кувшин с вином, такой большой, что ей приходилось держать его обеими руками.

— Зевс-кашевар! — вздохнул сатир. — Теперь мне все понятно. Выходит, тебя зацапала Ирма? — Существо сокрушенно пожало плечами.

— Дорогуша, — ледяным тоном промолвила Ирма, окинув сатира взглядом и заломив прелестные брови, — ты самая омерзительная шлюха, какую я когда-либо видела. И потом, мне казалось, что сатиры все самцы.

— Так и есть, малышка, — ответил сатир, срывая с головы парик и сбрасывая на землю накладные груди. — Просто я люблю разнообразие. Вдобавок интересно ведь узнать, как живет вторая половина. — Он нагнулся, достал из фальшивого бюста сигару, сунул в рот и двинулся прочь, на прощание одарив девушку злобным взглядом.

Для трезвого как стеклышко Билла это было уже слишком. Он выхватил у Ирмы кубок и сделал несколько весьма приличных глотков, после чего, разомлев от удовольствия, испустил сдавленный вздох — такого вина ему пробовать еще не доводилось; правда, до сих пор он вообще не знал вкуса настоящего вина — во всяком случае, настоянного на апельсиновом соке. Почувствовав себя гораздо лучше, Билл посмотрел на Ирму, и его сердце вновь растаяло от любви.

— Ирма! Какое чудесное имя! А меня зовут Билл.

— Спасибо, Билл.

— А что такая замечательная девушка, как ты, делает в здешних местах?

— О, я провела тут всю свою жизнь. Это мой дом. Я сейчас живу в Парфеноне.

— Ноне в законе?

— Что?

— Так, ничего. — Билл снова присосался к кубку, чтобы прочистить мозги. — Что-то я никак не разберу. Сдается мне, я слышал о мифах и прочей дребедени из книжек и комиксов. Однако мифы должны быть мифами. Ну если они происходят на деле, значит перестают быть мифами. Правильно?

— Ты попал в точку, Билл, — проговорила Ирма, потупившись. — Твоя правота неоспорима. Я родом вовсе не отсюда. Как и тебя, меня похитили с моей родной материнской планеты. — Она села, прислонилась к стволу дерева и заплакала.

Билл, продолжая попивать вино, погрузился в размышления. Стоило ему посмотреть на девушку, как его сердце начинало выбивать барабанную дробь. Как и положено солдату, он по-прежнему был не прочь перейти к решительным действиям; впрочем, в глубине души он оставался деревенщиной, а потому несколько растрогался, услышав горькие рыдания похожей на прелестный цветок молодой женщины.

— Ну, ну, — пробормотал он, подыскивая слова, которые могли бы успокоить Ирму. — Может, тебе станет лучше, если мы займемся потрясающим сексом.

— Все вы, самцы, одинаковы, свиньи, жеребцы проклятые! — всхлипнула Ирма и зарыдала горше прежнего.

— Послушай, Ирма, — произнес Билл, который принял ее слова за комплимент и растрогался еще сильнее. — Я придумаю, как нам выбраться отсюда. Но для начала нужно побольше узнать друг о друге. — И он принялся излагать, вдаваясь в мельчайшие подробности, свою историю, упомянул и о том, что его притащил сюда похотливый сатир. Ирма, по щекам которой струились совершенные по форме слезы, слушала, время от времени моргая и шмыгая носом. Дважды, когда Билл повторялся, она засыпала, и ему приходилось будить ее. Тем не менее она честно пыталась слушать.

— А теперь твоя очередь, Ирма. Расскажи мне о себе.

Ирма охотно исполнила его просьбу.

История Ирмы, или Шельма

Меня зовут Ирма Сказскил. Родом я с планеты Дурман, что находится в Околонаучной системе Полузапеченного сектора Галактики.

Когда я была маленькой, то очень любила котят. О, какие симпатичные зверьки — пушистые, ласковые! Просто прелесть! Я обожала кошек и котят, и слуги прозвали меня Кошечкой. Я до сих пор откликаюсь на это прозвище, так что прими к сведению. Моих котят звали Лунный Зайчик, Пылинка и Снежинка. Они играли с клубками шерсти, прыгали по комнате... О, нам было так весело! Я не рассказывала тебе про котенка по имени Мистер Меховушка? С диковинными серыми пятнышками на спинке, ближе к хвосту? Знаешь, когда они вырастали и становились котами и кошками, они вовсе не делались телепатами, хотя мне хотелось, чтобы с ними стряслось что-нибудь этакое, как в книжках про Храпуна Энди, которые я читала запоем. А ты не читал? Одна называлась «Галактические зверюшки», а другая, моя любимая — «Сучий мир». Нет? О, как жааааль... Герои и героини все телепаты и могут разговаривать с животными! Да, я совсем забыла про котенка, которого звали Мистер Смутьян. Он, когда вырос...

Тут Билл прервал Ирму и предложил ей заканчивать с котятами и переходить к делу. Дескать, пускай говорит о чем угодно, но только не о том, от чего ему хочется завопить как сумасшедшему. Словом, все равно о чем, лишь бы не о котах.

— Хорошо, хорошо. Я сказала, что была принцессой? Вот именно! Моим отцом был король Ганс Нехристь Сказскил. Между прочим, не каждому так везет с родителями. Это он подарил мне котят. А у папы был советник по имени Мерфад. Он, то бишь Мерфад, заявил однажды, когда на него снизошел дар пророчества, что я — Особая. Не знаю, известно ли тебе, кто такие Особые; их называют талантами, экстрасенсами или, на некоторых планетах, болтунами. Мерфад обнаружил, что моя особенность заключается в том, что я могу общаться с единорогами. К сожалению, на Дурмане единорогов не водилось, а потому я не могла воспользоваться своим дарованием. Тем не менее я твердо знала, что я — не просто Особая, но Особая принцесса!

А теперь о грустном. Меня похитила злая королева Шельма из страны Огромных Снежных Гор. Я тогда была девочкой. Хуже того, она наложила генетическое проклятие на страну Юности, которой правил мой отец. Проклятый Зевс! Сказать по правде, я страшно обрадовалась. Я говорила, что за мной ухаживал один паренек? Представь себе. Его звали Джо. Мы с ним оба любили кошек, потому-то и сошлись друг с другом. Вдобавок Джо тоже был Особым. Он умел разговаривать со слизняками. К несчастью, это его умение не слишком помогало ему в поисках похищенной возлюбленной. Да, Джо искал меня, но вскоре умер от ужасной болезни. Так утверждала злая королева Шельма: она твердила, что Джо прикончили смертельные прыщи. Я быстро выяснила, что ей надо. Она стремилась править всей планетой, хотела изменить орбиту Дурмана и превратить его в галактический лыжный курорт. Она даже пошла на сделку с чинджерами, которые пообещали переправить на Дурман Особого Космического Единорога, из-за чего и выкрала меня — чтобы я общалась с животным!

Так вот, узнав об этом, я решила, что не соглашусь ни за какие деньги. Папа ненавидел туристов! Значит, нужно было бежать. И я бежала! Я спустилась в нижние пещеры, отыскала канализационный сток, подняла решетку и, светя себе фонарем, двинулась по трубе в толщу скал.

Я шла очень долго, и вдруг впереди блеснул свет. Я побежала на него, выбралась наружу... И очутилась здесь.

Оглядевшись по сторонам, я заметила, что отверстие за моей спиной закрылось. И я, бедная и несчастная, осталась тут вековать свой век.

Конец

Прекрасная принцесса Ирма вздохнула и уронила голову на руки.

Билл сочувственно потер ей спину. Какая печальная история! Подобной слезоточивой ерунды он в жизни не слышал! Впрочем, этого он ей говорить не стал, поскольку по-прежнему тешил себя надеждой рано или поздно забраться к ней под юбку.

— Знаешь, мне кажется, тебя развеселит чуточка секса! — весело воскликнул Билл.

— О Билл! Давай хотя бы ненадолго забудем о грубом томлении плоти! По-моему, ты один из замечательнейших мужчин, каких я когда-либо встречала. Разве мы не можем раскрыть друг перед другом сердца?

— Раскрыть сердца? Как в песенке, которую поют «С-Глаз-Долой» и «Прыщи»? — полюбопытствовал Билл.

— Да нет же, глупенький! Раскрывание сердец — разновидность романтической телепатии, точь-в-точь как в комиксе «Умопомрачительные научно-романтические истории»!

Она взглянула на него своими по-детски голубыми глазами, и Билл почувствовал, что превратился в беспомощного кутенка. Возможно, тут отчасти сказалось выпитое вино — ведь он осушил целый кубок, — но, так или иначе, Билл пребывал в настолько потрясенном состоянии, насколько позволяла армейская закалка.

И вот предмет его желаний принялся общаться с душой Билла, как говорится, на тонком плане; самому же Биллу было от того ни тепло ни холодно. Ну и денек выдался! Билл стиснул в руке теплую ладонь Ирмы и задремал, время от времени вставляя в платонический диалог раскатистое «хррр».

Глава 5
Похищение Ирмы

Молния озарила залитую кровью местность.

Раскат грома напоминал отрыжку бробдингнегского великана, которая сопровождалась завываниями тысячи разъяренных кошек.

Билл пришел в себя — не полностью — и увидел спагетти.

Разноцветные макаронины сплетались в жгут, подрагивали, ныряли в утробы гудящих и щелкающих машин. Иглились иголки, шкалились шкалы...

— Частичное обретение сознания, — сообщил визгливый голос. — Блок «альфа-пять»!

— Заглушить! — распорядился другой, похожий на царапанье мела по доске. — Заглушить!

— Уровень эндорфинов оптимальный. Пациент отказывается терять сознание. Восприятие затуманено, но приближается к опасной черте!

Билл застонал. Куда его, черт побери, занесло? Он различил пластины нержавеющей стали, заляпанные бесформенными зелеными пятнышками. Фокус! Ему нужно сфокусировать зрение! Где же, чтоб ей пусто было, хваленая армейская дисциплина?!

— Ну так вкати дополнительную дозу, идиот!

На голову Билла обрушилось нечто весьма тяжелое, и герой Галактики вновь увидел звезды.

Очнувшись вновь, Билл обнаружил, что его голова покоится на ароматных коленях красавицы Ирмы. Девушка гладила волосы Билла и восторженно описывала своих котят.

— ...А еще Болванчик. О, этот котенок просто обожал царапаться. Нам пришлось обрезать ему коготки, после того как он выцарапал глаза бедному крестьянину. Здорово, правда?

Билл повернул голову и почувствовал себя вознагражденным за все испытания. Его взгляду открылось изумительное зрелище: над ним нависали роскошные груди Ирмы, за которыми ничего не было видно, что, впрочем, Билла нисколько не заботило.

Святые небеса! Неужели он в раю?! Невероятно! Немыслимо! Какая разница, куда его забросило! Билл решил про себя, что это место, где бы оно ни находилось, на световые годы лучше любого другого, в которое он мог попасть с подачи армейского начальства.

Влюбленные голубки, отчасти утолив палящую страсть, продолжали ворковать и попивать кристально чистое вино, всеми силами желая продлить сей краткий миг вечности. В небесах сверкало эгейское солнце, заливая светом темное, будто вино, море, а невдалеке возвышалась гора Олимп. Всякие духи и певцы, танцоры и сатиры прыгали вокруг майских шестов или развлекались каким-то иным способом. Свежий воздух, буколические сцены — словом, ни дать ни взять празднество в честь Бахуса.

Билл не мог вспомнить, доводилось ли ему чувствовать себя счастливее, чем сейчас. Правда, если соблюдать точность, он не мог вспомнить, бывал ли счастлив вообще, но решил не вдаваться в такие подробности. Два или три часа подряд он наслаждался солнцем, ощущая, как тело наполняется оргоном, а налитые спермой глаза грозят вот-вот лопнуть от напряжения. Он расслабился и радовался жизни, плененный могущественными чарами, которые сотворили здешний климат, вино и сладострастная красотка, ни на мгновение не закрывавшая рта.

Осчастливленный солдат и не подозревал, что счастье — увы! — недолговечно!

Ирма предложила пройтись.

Билл впервые в жизни столкнулся с такой женщиной. Она была очаровательным существом, сотканным из ослепительных грез. Для него женщины ни в косй мере не являлись загадкой; загадочность подразумевала способность логически мыслить, а все мысли Билла, какие только возникали при виде женщин, ограничивались любострастием. Единственное исключение составляла, разумеется, его матушка. Он помнил ее достаточно смутно, однако был уверен в доброте и нежности своей родительницы, хотя, если бы героя Галактики спросили почему, он бы затруднился с ответом. Воспоминания о детстве, когда все, возможно, было проще и лучше, оказались погребенными под глыбой вызубренных назубок садистских правил армейского устава и придавленными вдобавок омерзительным жизненным опытом, приобретенным на войне. Тем не менее в сердце Билла оставался уголок, в котором гнездилась любовь к матушке: каким-то образом ему удалось избегнуть хирургической операции на сердце, каковой подвергали всех без исключения солдат имперской армии.

Да, он смутно припоминал те дни на Фигеринадоне-II, когда матушка была рядом, колыбельные, которые она пела — «Песенку страстного поросенка» и «Речка-речушка» — хриплым сопрано, отчаянно при этом фальшивя; соевые пирожные с орехами, которые она пекла в домашней самодельной атомной печке, той самой, что однажды, по чистой случайности, прикончила папашу. Ему вспоминались нежные материнские шлепки и уколы шильцем — тогда матушка застала Билла за чтением «Потрясающих трехмерных историй», а ведь была суббота и мальчику полагалось изучать неокоранические тексты, «Изречения младшего гения зороастрийских набобов», как то предписывалось правилами религиозного воспитания. Он припомнил исходивший от матушки запах кислого суркового йогурта, увидел как бы воочию прилипшие к ее усам и к торчащим из ноздрей волосам кусочки поданного к ужину кошачьего кебаба. Еще он вспомнил, какой восхитительно голубой была кожа матушки в ту пору, когда у нее возникали обычные затруднения с кровообращением. Бедная матушка! С нее вечно что-нибудь падало, причем в самый неподходящий момент!

Но отчетливее всего ему помнилось, как матушка укладывала его спать, когда у него случались колики. Она включала какую-нибудь музыку погромче и поритмичнее и заставляла Билла танцевать до полного изнеможения, подбадривая залпами из старого микроволнового пистолета, нагревавшими брюки на заднице. Когда же она наконец позволяла сыну опустить головку на подушку, Билл засыпал, как правило, мгновенно.

Да, милая матушка сильно отличалась от всех других женщин, а потому Билл бережно хранил в памяти — в выжженных дотла нейронных банках своего скукоженного серого вещества — немногочисленные уцелевшие обрывки воспоминаний о доброй и ласковой родительнице.

Другие женщины?

Ну разумеется! Ведь ему приходилось иметь дело с работающими по лицензии потаскухами. Билл редко поднимался выше уровня «два доллара за две минуты», на что, впрочем, ни капельки не обижался. Правда, время от времени он с мимолетным вожделением во взгляде посматривал на мужественных солдаток, но, поскольку те носили алюминиевые лифчики и кольчужные трусики, а также брили головы, чтобы легче было имплантировать сигнальные элементы, он с трудом воспринимал их как женщин. Кстати говоря, слишком многие солдаты из тех, что пытались завести с этими дамочками близкое знакомство, оказывались в итоге с перегоревшими предохранителями плотских утех. Потом была еще Мета. Но даже

Мету, с ее выпирающими во все стороны принадлежностями женского пола, высокооктановой сексуальностью и девяностопроцентной феромонизацией организма, едва ли можно было причислить к истинным женщинам.

А вот Ирма явно принадлежала к числу последних.

Она была не столько истинной, классической женщиной, сколько идеалом женственности. Ласковая и нежная, игривая, как котенок, порой язвительная, однако способная слушать с разинутым ртом, стоит только заговорить о чем угодно; большие и круглые голубые глаза, в которые можно упасть и утонуть, — этакое озеро благоговения и изумления. Билл кашлянул, сплюнул, пустил слезу, опьяненный не только вином, которого выпил целый кубок, но и ароматами Ирмы, что исподволь перетекали один в другой, зачарованный ее изящными телодвижениями и легкими прикосновениями пальчиков к его накачанным мышцам.

Билл об этом, в общем-то, не догадывался, однако обстоятельства, в которых он очутился, угрожали его солдатскому благополучию куда сильнее, чем Смертоносная Колесница Эфира или Испепеляющий Космический Луч, которые могли наслать или направить на героя Галактики гнусные чинджеры.

Билл влюбился!

Они с Ирмой взялись за руки.

Они разговаривали друг с дружкой как малые дети (Билл, правда, быстро спасовал, поскольку с детским языком у него были некоторые затруднения — он до того пока просто не дорос).

Они поведали друг другу свои сокровенные желания. Ирме хотелось нового котенка, а Биллу — бутылочку «Старого горлодера».

Они гуляли, наслаждаясь весенней свежестью, а над ними щебетали в листве олив попугайчики, ворковали под ногами голуби, издававшие иногда, если на них наступали, сдавленные вопли.

Голуби выглядели чрезвычайно аппетитно, и Билл охотно поджарил бы одного себе на обед, будь у него бластер. Он попробовал было схватить очередную птичку, поймал и свернул бы той шею, когда бы не мольбы шокированной Ирмы.

— Но я же голоден! — заявил Билл достаточно, надо признать, раздраженно. — Чем вы тут, ребята, питаетесь?

— Как чем? Конечно амброзией!

Билл посмотрел на голубя, который трепыхался у него в руках, а затем с подозрением взглянул на Ирму. Ему вспомнилась отвратительная переработанная пища, которой кормили на борту флагмана имперского космофлота, «Божественного кормчего», и он передернулся от омерзительных воспоминаний, что забулькали и запузырились в его памяти. Он держит в руке свежее мясо, а Ирма пристает со своими сомнительными доводами!

— Амброзия такая вкусная! — проговорила девушка.

— Слушай, а там что, радуга? — спросил Билл, тыча пальцем.

— Где? — Ирма повернулась и устремила взгляд вдаль.

Билл ловко, одним движением, запихнул голубя себе за пазуху — на случай, если амброзия окажется чем-нибудь вроде корабельной похлебки.

— Не вижу никакой радуги, — сказала Ирма, взглянула на Билла и озадаченно взмахнула длинными ресницами. — А где голубь?

— Что? А, улетел. — Билл стиснул руку девушки. — Милая, давай забудем про всяких там голубей и займемся более приятными вещами. Может, пройдемся вон дотуда?

Он разумел чудесный овражек посреди поля, этакую лощинку, по дну которой наверняка бежал с веселым журчанием ручеек. Намерения Билла, разумеется, были в высшей степени неблагородными. Они выпьют вина из кувшина, что болтается на козлиной шкуре, которую где-то раздобыла Ирма, он не станет жадничать и поделится с подружкой, чтобы та слегка захмелела. А потом предложит искупаться: и не придерешься — развлечение ведь невинней некуда. А когда Ирма увидит его мужские достоинства и ее женские соки начнут смешиваться с вином — вот тогда она превратится в игрушку, которой он волен будет распоряжаться, как ему заблагорассудится. Какой шикарный план! Какая блестящая идея!

Однако, едва они приблизились к краю лощины (по дну которой, как не без интереса отметил Билл, и впрямь струился бормочущий ручеек), послышался душераздирающий визг, который в мгновение ока разорвал очарование пейзажа на кусочки, словно учитель царапнул когтями по трехмерной школьной доске.

— Взиииииииии! — Омерзительный звук, казалось, заполнил собой всю Вселенную. Как ни странно, если прислушаться, за ним можно было различить некую ритмичную музыку.

— Что это, черт побери, такое? — удивился Билл.

— Ой, мамочка! — проговорила Ирма с покорностью в голосе и поглядела на небо. — Не стоило нам выходить на открытое место. Я совсем забыла, что Зевсу не терпится удовлетворить свою похоть и осквернить мои девические чресла.

И не только Зевсу, подумал Билл. Но какая связь между Зевсом и этим наишумнейшим шумом?

Он запрокинул голову и в тот же миг задрожал всем телом от накатившего волной страха. В поднебесье, заслоняя собой солнце, парила гигантская птица. Она быстро снижалась, роняя на землю лепешки размером каждая с грейпфрут. На шее у птицы висели громадные громкоговорители, которые и создавали шумовое оформление, напоминавшее свару в обезьянем питомнике.

Минутку! А не национальный ли это фигеринадонский гимн? «И блаженно лобзаем императорский палец. Фьюить!» Нет, не то. Архаическое сокровище, песенка, которую пели на заре времен; ее исполнял Элвис Дрязгли.

— Боги! — воскликнул Билл. — Что происходит?

— Ты видишь перед собой Рокера! — провозгласила Ирма. — Билл, пожалуйста, не отдавай меня ему. Будь моим героем!

Билл напряг могучие мышцы и изготовился к схватке: оскалил свои весьма внушительные клыки, сжал кулаки, принял боевую позу и застыл, ожидая удобного момента, чтобы прорычать вызов.

Внезапно он увидел острые серповидные когти, жуткий изогнутый клюв, огромные черные глаза, в которых притаилась смерть...

Билл развернулся и опрометью кинулся прочь.

— Билл! — взвизгнула покинутая Ирма. — Билл, не бросай меня!

Герой Галактики и не подумал остановиться. Правда, он оглянулся на бегу, но только затем, чтобы проверить, преследует ли его Рокер. К счастью для Билла, исполинская птица сосредоточила все свое внимание на беззащитной Ирме. Она мерно взмахивала крыльями, и в лицо Биллу, будто отвесив ему пощечину, ударил поднятый ими ветер. Рокер стиснул девушку когтистыми лапами, разодрав в клочья прозрачное шелковое платьице, затем клекотнул и, под завывания Элвиса, устремился с девушкой ввысь. Поднявшись в небо, птица полетела к видневшимся вдалеке горам, а над землей заклубилась пыль.

Билл, который наблюдал за происходящим разинув рот, закашлялся.

Страх постепенно схлынул, на смену ему пришло глубокое сожаление.

По щеке Билла сползла одинокая скупая слеза, перетекла на губу, а оттуда — на клык, где смешалась со слюной и плюхнулась на копыто.

Невосполнимая потеря!

Надежды на энтузиастический секс вспорхнули и унеслись вослед похищенной Рокером Ирме.

— Эй! — произнес кто-то за спиной Билла.

Билл обернулся и увидел того самого сатира, который не столь давно выдавал себя за женщину. Сатир задумчиво глядел на него.

— Между прочим, меня зовут Брюс, — представился сатир и протянул руку.

Ошарашенный Билл ответил на рукопожатие.

— Что... Что это такое было?

— Да, у нас, у мифических существ, тоже хватает проблем. Сам видишь, мы не только пьем нектар, лопаем амброзию и трахаемся с кем попало. Тут полным-полно всяких чудовищ, которые, если не поостеречься, мигом тебя сожрут вместе с потрохами. Лишь на прошлой неделе профсоюз наконец-то припер беднягу Геракла и заставил его выплюнуть всех, кого он успел проглотить. — Сатир по имени Брюс задрожал от страха и пустил довольно-таки вонючие козлиные ветры. — Та птичка, о которой ты спрашиваешь, — Зевсов Рокер. Старина Зевс правит богами; он с давних пор все порывался внедриться Ирме промеж ляжек. Однажды притворился лебедем, но Ирма чуть не свернула ему шею. Похоже, вы, ребята, вышли на открытое место.

— Куда ее унесли? — спросил Билл, который вдруг понял, что никакая другая женщина не сможет удовлетворить его желания так, как Ирма.

— О! На макушку Олимпа, во дворец богов. — Брюс, по-видимому, лишь теперь заметил, как вздулся комбинезон Билла. — Эй, приятель, у тебя там лютня или ты просто рад нашей встрече?

— Чего? А... Это голубь. Я нашел его в поле и подобрал на случай, если мне захочется перекусить. — Билл вынул голубя из-за пазухи и с отвращением убедился, что птичка за время заточения успела задохнуться. Он беспомощно уставился на обмякшее тельце, с которого одно за другим осыпались на землю перышки.

— Йек! — йекнул Брюс, судорожно сглотнул и попятился. — Ты ведь не...

— Не что?

— Дружище, ты вляпался в дерьмо! — Сатир выпучил глаза, и они сделались похожими на греческие оливки. Он поглядел на Билла из-под ниспадавших на лоб салатообразных волос. — Ты прикончил Небесного Голубя, и... — Налетел ветер, хрипло прогрохотал гром. — И вот они летят! Елки-палки, я совсем забыл, что они имеют на меня зуб! Я как-то сподобился подменить их подменыша...

— Ты о ком? — не понял Билл.

— О фурах, приятель. О фурах-эвме-трах-тарарахнидах!

Не попрощавшись, сатир развернулся и поскакал галопом в направлении оливковой рощи. Однако он успел преодолеть от силы десяток ярдов: воздух распорола ослепительная молния, разорвала напополам, словно расщелина Судьбы. Она угодила точно в сатира, поразила его в задницу и спалила на месте. Когда дым развеялся, стало видно, что Брюс превратился в кусок свежеподжаренного мяса.

Ошеломленный Билл огляделся по сторонам в поисках того, кто метнул эту грозную огненную стрелу, и увидел третью по счету из тех вещей, что изумили его пуще всего на свете (что касается первой и второй, о них разговор впереди).

Над землей парил облачный, клубящийся, насыщенный электричеством остров, на котором восседали три весьма суровые на вид девицы в строгих костюмах. Каждая держала в одной руке кейс, а в другой — по экземпляру «Межпланетного манускрипта» и «Галактической сметки».

— Ты! — рявкнула одна из девиц. Облако разразилось молнией, которая прошмыгнула между ног Билла и обуглила землю в каком-нибудь ярде от его задницы. — Отойди подальше и поцелуй напоследок семейные драгоценности!

С анатомической точки зрения это была сущая нелепица, однако Билл счел за лучшее исполнить приказ, ибо в воздухе все еще витали запахи жареной козлятины и чеснока, напоминавшие о судьбе несчастного Брюса.

— Сдаюсь! — взвизгнул он. — Я стою на месте! Только не испепеляйте меня!

Девицы пошептались, потом одна из них свесилась с облака и принялась разглядывать Билла. Ее лицо выражало отвращение с примесью подозрительности и гнева.

— Я зовусь Гименестрой, я предводительница фур, что покровительствуют Небесным Голубям. Наши мистические иглы указывают им, куда лететь и где приземляться. У нас имеются все основания полагать, что одного из наших питомцев постигла ужасная участь! Ведомо ли тебе о том, смертный?

— Никак нет. — Билл состроил гримасу и постарался не слишком заметно переложить дохлого голубя за спину. — Я ничего не знаю!

Вторая фура тоже свесилась с облака и устремила взгляд вниз.

— Меня зовут Вульвания. Мнится ли мне, или же я воочию лицезрею птичьи перья вокруг того места, где воздымается сей смертный?

— Гм-м, — пробормотал Билл. — Мы с Брюсом... э-э... Да, мы с ним дрались подушками. Точно! Так оно и было!

Третья фура уставила на него свой перст.

— Мое имя — Г-спотстра. Поведай, смертный, что ты таишь за своим седалищем?

— А? А-а... Ой, откуда он взялся? — Билл повертел в руках мертвого голубя, который страдальчески поник головой и опустил крылья. Как ни странно, над глазами птицы вдруг появились метки в форме буквы «Х». — Ах да! Брюс... Помните такого? Ну, сатир, которого вы изжарили на месте? Так вот, он попросил меня подержать пташку. А старина Брюс неплохо пахнет. Слушайте, дамочки, у вас часом не найдется кусочка лимона и краюхи хлеба?

— Лживый самец! — взревела Гименестра, и земля под ногами Билла заходила ходуном. — Все вы одним миром мазаны! Ты лишил жизни Небесного Голубя! О горе! Смертный, готовься к смерти!

Вновь загрохотал гром и засверкали молнии. Фуры посовещались. Судя по всему, решение, к которому они пришли, не сулило Биллу ничего хорошего. Герою Галактики даже подумалось, что он, пожалуй, предпочел бы оказаться сейчас в космосе и угодить в самый разгар битвы между дредноутами чинджеров и крейсерами империи, чтобы в него попали залпом из пульсарного излучателя.

— Итак, сестрие! — провозгласила Гименестра, когда затянувшееся совещание наконец завершилось. — Смертный, ты признан кругом виноватым. Ты умертвил священную птицу! Мы узрели в тебе воина. Увы! Сие в духе мужчин! Столь ревностно стремятся они причинить урон ближнему своему, сколь нетерпеливы и дерзостны во гневе! Ну что ж, червь, получай то, что заслужил. Проклинаем тебя и обрекаем на Грязнь Стадного Мутноброда!

Фуры внезапно плеснули в Билла омерзительным месивом, которое зачерпнули со дна своего облачного острова. Выработанные службой в армии рефлексы позволили ему увернуться от первой порции, однако вторая залила лицо, а третья, по всей видимости — или невидимости, ударила в живот. Месиво состояло из очищенного птичьего помета, от него разило вонью, какая исходит от воды, что скапливается в трюме крейсера после знатной попойки продолжительностью в добрую неделю. Билл почувствовал, что его влекут куда-то неведомые силы.

Когда кувырканьс прекратилось, он обнаружил, что смотрит на вытоптанную траву, а голова по-прежнему идет кругом. Билл поднялся и постарался вытереть грязь, что прилипла к лицу и комбинезону. Неожиданно он нащупал некий предмет, что висел у него на груди. Почти сразу стало ясно, что это мертвый голубь, сквозь грудку которого пропущен кожаный ремень, завязанный узлом на загривке Билла.

Мало того — голубь начал пованивать!

Разумеется, Билл попытался отделаться от дохлятины. Однако его измазанные слизью пальцы соскальзывали с кончиков кожаного ремня.

— Се наше проклятие и Грязнь Стадного Мутноброда! — раздался с высот глас, то бишь рык Гименестры. — Ты не избавишься от мертвой птицы, пока не исполнишь два задания. Первое. Ты должен спасти ту, кого любишь более жизни, и выпустить на волю свои нежнейшие чувства. Второе-А. Ты должен найти ответ на старый как мир вопрос: как тот, кому выпало жить в наше время, может добиться мира с чинджерами и не знавать горя до конца своих дней? Второе-Б (оно следует из А). Вызнай, почему волосатые чучела, коих именуют мужчинами, алкают войны, безудержной похоти, крепких напитков и антиграболла по воскресеньям.

— Елки-палки, — прорычал Билл. — Может, мне поискать еще смысл жизни?

— Глупец! Нам, женщинам, он давно известен, — лукаво призналась одна из фур. — А теперь прочь! Неси проклятие, исполняй задания и помни, что заодно с голубем, которого ты убил, гниет твоя душа, а вскоре, быть может, начнет гнить и кое-что другое!

Под раскаты грома фуры вдруг исчезли, только вспыхнуло на миг ослепительное пламя. Они сгинули, будто их и не было, оставив Биллу запахи серы обыкновенной самородной из галантерейной секции галактического универмага «Хэрродз-Блумингдейл».

Билл инстинктивно схватился за причинные места — настолько сильно подействовала на него последняя угроза. При одной лишь мысли о том, что ему, не ровен час, придется обращаться за таким трансплантатом, кровь в жилах героя Галактики застыла, будто скованная морозом. С него достаточно «ноги». А если появится капризный пе...

— Нет! — возопил Билл, торопясь обуздать разыгравшееся воображение. — Я все сделаю! Честное слово!

Итак, сначала — насчет любви. Ну, здесь все понятно. Фуры наверняка разумели Ирму. Значит, ему предстоит каким-то образом взобраться на Олимп и вырвать любимую из лап Зевса.

Замечательно. А как насчет второго условия, мира с чинджерами? Что-то весьма подозрительно. Впрочем, разве у него есть выбор? Не хочет же он до конца жизни шляться по свету с дохлой, гниющей птицей на груди? Появись он в таком виде в казарме, новобранцы и те обсмеют! Билл снова попытался избавиться от голубя и снова ничего не добился.

Первым делом, впрочем, Билл спустился к журчащему ручью, в котором надеялся искупаться вдвоем с Ирмой, и смыл с себя малую толику Грязни. Затем он выбрался из оврага, подошел к жареным останкам Брюса, отрезал несколько кусков, чтобы было чем перекусить в дороге, и двинулся на поиски небесного дома богов, в котором его ждала схватка mano a mano[1] с самим Зевсом.

Елки-палки, подумалось ему, хорошо бы сейчас оказаться в учебном лагере!

Глава 6
Звездолет «Желание»

Билл карабкался на гору.

Поскольку его родная планета, Фигеринадон-II, была плоской, как тарелка, и поскольку до сих пор ему не приходилось ни воевать, ни, что называется, отдыхать в горах, он не имел ровным счетом никакого опыта в скалолазании.

Тем не менее благодаря армейской выучке, а также каменным мускулам нынешнего солдата и бывшего фермера он худо-бедно поднимался все выше и выше. Ноги Билла работали, словно заржавленные поршни. Он перебирался через расщелины, шагал крутыми козлиными тропами, подкрепляясь кусочками Брюса, сатира-трансвестита. Подобная диета была ему, скажем так, внове, но будила приятные воспоминания о времени, проведенном среди мифических существ. Вообще-то Брюс оказался неплох на вкус, хотя, по мнению Билла, чеснока в нем могло бы быть и поменьше, да и какой-нибудь соус вроде «Чинджеры» явно не помешал бы. Преодолев приблизительно половину горного склона, Билл достиг некоего подобия плато; подъем стал легче и где-то даже скучнее, поэтому он сунул в нос «Блинерз дайджест», чтобы отогнать скуку.

Билл чувствовал, как книжка скользит по носоглотке, как впиваются в кожу электронные щупальца. Потом послышалось приглушенное гудение, за которым последовало звонкое «чвак!», и Билла пробрала дрожь. Щупальца проникли в мозг.

---

[1] Один на один *(исп.)*.

Перед мысленным взором героя Галактики возник своего рода экран, по которому побежали легко читаемые строчки.

Сначала появилось содержание. Билл выбрал наугад один из романов и погрузился в чтение шероховатого текста, тогда как его пальцы продолжали сами собой нащупывать, за что бы ухватиться на шероховатой поверхности скалы.

Майкл Здоровяк-Джексон
ТВАРИ ИЗ ГЛУБИН ПАМЯТИ

Зовите меня Конрад Хилтон.
Нет, к черту, зовите меня Ганга Дин.
Нет, валяйте, зовите меня Гас.

Когда я был борцом-профессионалом, меня звали Великолепным Гасом, Вечным Победителем и прочими дурацкими кличками. Мне говорили, будто я спас Землю от гарпий, которые налетали стаями с Греческих планет, но сам я ни шиша не помню, потому что в ту неделю пил с утра до вечера. Ну и хрен с ним! Знаю лишь, что очухался в Парфеноне с раскаленным бластером в руках, а то, что увидел вокруг, напоминало заключительную сцену из какой-нибудь трагедии Софокла. Жуть! Куда ни посмотри — всюду горы трупов!

Хотя, может статься, я все это сочинил.

Речь-то ведь идет о мифах. А что такое мифы? Придуманные истории про богов, героев и всяких там существ. Некоторые критики утверждают, что я и впрямь сочиняю эти истории, а потом нашептываю их на ушко своим возлюбленным, которые и разносят мои небылицы по всей земле. Другие уверены, что видели, как я тайком выбирался из Новоалександрийской библиотеки с украденным экземпляром «Тайных писаний» Джозефа Кэмпбелла под шинелью.

В общем, полная чушь. А правда в том, что, хотя я обычно ношу в кармане брюк книжку Эдит Гамильтон, чтобы отвлечься от наскучивших приключений, мое настоящее имя Филип Чандлер, а прибыл я из таинственного мира Камелот. Земная заварушка началась несколько лет назад; я тогда работал частным сыщиком в старом добром Лос-Анджелесе. Мой рассказ, который следует ниже, должен устранить всяческие недоразумения.

Денек выдался солнечный. Я сидел в своем кабинете — дело происходило в Городе Ангелов, — смазывал ствол пистолета 38-го калибра и одновременно потягивал виски. И вдруг появилась она!

«Меня зовут Фригга Афина, — произнесла она нараспев. Ее огромные груди бултыхались в стальном лифчике, что сверкал, словно необыкновенно яркая двойная звезда. — Вы Филип Чандлер, частное недреманное око закона из таинственного мира Камелот?»

«Верно, милашка, — прорычал я, постаравшись как можно точнее воспроизвести шепелявость Хамфри Богарта. — Изгнан на Землю самим Мерлином, после того как продулся в пространственный бридж».

«Мистер Чандлер, — проговорила она, тряхнув своими великолепными грудями, — у меня ужасное несчастье. Я попала в беду», — и вопросительно уставилась мне в лицо. Голубые, как у ребенка, глаза, личико кинозвезды, — естественно, мой пульс участился ударов до тысячи в минуту.

«Выручать из беды, мэм, моя профессия, — отозвался я. — С особым удовольствием я спасаю прекрасных, сказочно сложенных блондинок. Итак, что стряслось? Потеряли своего единорога? Или ваш муж сошелся тайком с этой шлюхой Афродитой?»

Я предложил ей стаканчик виски, и она опорожнила его одним глотком, будто у нее во внутренностях полыхало пламя. Затем села, и меня окатило ароматом духов «Лотофаги», как в решающую ночь в теплице Ниро Вульфа.

«Я беспокоюсь за мужа, Локи Агонистеса. Его шантажируют. Он продавал оружие полумагическим революционным режимам „третьего мира“, и кто-то об этом узнал».

Локи Агонистес! Будда на костылях! Едва я услышал это имя, как мои глаза округлились и стали размером с крупный самоцвет. Я испугался, что они вот-вот выскочат из орбит, но какое-то время спустя, слепо пошарив руками по столу и надлежащим образом сдавленно повздыхав, ухитрился вернуть их на место.

«Иисусе, госпожа! Откровенно говоря, моему дряхлому телу осталось жить еще как минимум пару тысяч лет. Я буду морочить людям головы и после того, как моя карма вместе с Локи Агонистесом угодит в Гадес, а рассказ об этой поре моей жизни окажется в египетской „Книге мертвых“, в разделе „Чокнутые ищейки“. — Я поднялся, чтобы выпроводить посетительницу из кабинета. — Почему бы вам не обратиться к моему приятелю? Он живет в Сосолито, в плавучем доме под названием „Трах-растрах". Зовут его Трэвис Уоттс. Он занимается метафизическими расследованиями. Что касается меня, я предпочитаю чисто мифологические дела».

«Мистер Чандлер, — лучезарная, исполненная надежд улыбка на ее лице сменилась гримасой разочарования, столь глубокого, что она утонула в нем чуть ли не с головой. — Мистер Чандлер, я хочу именно вас!»

Внезапно она обняла меня, и я уткнулся носом в промежуток между роскошными грудями; она буквально излучала феромоны, причем в таком количестве, что возбудился бы и инеистый великан, застигнутый врасплох в разгар зимы. Она принялась распалять мою похоть; я ничуть не сопротивлялся.

Где-то через полчаса, спустившись на миг с вершины блаженства, я согласился взяться за расследование.

Я, признаться, и не подозревал, что стал участником космической карточной игры и только что вытащил из колоды козырь Психопата.

«Расклад такой, — прошептала она, затянулась сигаретой и выдохнула дым мне в ухо. — Здесь не обойтись без Трех Таинственных Сестер...»

— Эй! — раздался вдруг чей-то голос, который словно шел откуда-то издалека и был усилен расхлябанным клаксоном-громкоговорителем.

Билл моргнул и кое-как выбрался из навеянных романом грез. Он пожелал, чтобы строчки, что горели перед его мысленным взором, исчезли, и те повиновались — правда, со второго захода. Билл сообразил, что перестал подниматься и стоит на ровном плато, а поблизости возвышаются храмы с мраморными колоннами. Ближе всего, на каменной агоре — ну, вы знаете, агорой у греков назывался то ли рынок, то ли место собраний, а может, то и другое вместе, — так вот, на агоре виднелся самый настоящий звездолет: высокий, метров под тридцать, серебристый корпус, острый, как игла, нос, стабилизаторы, последние придавали кораблю вид приза за наихудший рассказ для научно-фантастического журнала. На борту звездолета громадными сверкающими буквами, украшенными изящными завитушками, было выведено: «Желание». Чарующее зрелище напоминало виньетку на киноэкране; над акрилово-голубовато-белыми горами вставала ослепительно-яркая луна, существа, что сновали между храмами, выглядели сущими мультяшками. Вдобавок их наряды дополняли кружевные манжеты и брыжи. Словом, ничего греческого. И — Зороастр! — звезды на небосклоне походили на стилизованные блестки вроде тех, какими усеивают рождественские елки.

Потрясенный увиденным, Билл ощутил, будто наяву, как кто-то взял и впрямь ошарашил его.

Картина, что предстала взгляду, смахивала на вдруг оживший рисунок художника из мастерской Келли Вшиза. Эти ребята, что сидели в университете Л. Рона Хабара, рисовали плакаты, призванные облегчать работу армейских призывных комиссий.

Билл направился к звездолету, настолько ошеломленный бравурными красками и обилием тонов и оттенков, что почти забыл о дохлом голубе у себя на шее, хотя тот вонял куда сильнее прежнего.

Крадущейся походкой Билл приблизился к кораблю, и тут в днище звездолета открылся люк, из которого выпала веревочная лестница. К тому времени, когда герой Галактики достиг одного из стабилизаторов, на лестнице, что доставала до мраморных плит, которыми было выложено плато, появилась человеческая фигура — высокий, привлекательный мужчина с повязкой из горного хрусталя на глазу и ярко-оранжевыми эполетами, со вкусом отделанными сверкающей мишурой, на плечах. Обут он был в остроносые черные башмаки; изящную талию перехватывал металлический, опять же оранжевый шарф, на котором болталась кобура с ручным бластером внутри и весьма грозная на вид абордажная сабля. Мужчина, который производил достаточно внушительное, если не сказать — устрашающе-пышное, впечатление, лихо спустился по лестнице, а последние восемь футов просто-напросто пролетел, сорвавшись с очередной перекладины, и звучно шлепнулся на задницу. На Билла пахнуло лавандой и ромом. Мужчина поднял голову и озадаченно воззрился на героя Галактики единственным неправдоподобно голубым глазом; второй закрывала повязка.

— Аррррррр! — произнес он голосом, похожим на рык Черноборода по окончании занятий по исправлению произношения. — Святые гипербореи! Слушай, приятель, не напоминает ли тебе жизнь тот мусор, которым завалено побережье Токийской бухты?

— Нет. По-моему, я никогда не слышал о Токийской бухте.

— Я тоже. Пусть будет не Токийская бухта, а Гудзонов залив. Это на Земле, недалеко от Ньярка. Мне однажды случилось пролистать книжонку о легендарной Земле, прародине человечества, испепеленной ныне ядерными войнами. На чем я остановился?

— Кажется, на середине Гудзонова залива.

— Разумеется, дружище! А ты умен, однако! Впрочем, какая разница? Медицинские штучки, иглы наркоманов, записи старины Чарли Паркера... Не обращай внимания. Я Рик, Рик Супергерой. — Он протянул руку, которую Билл не преминул пожать.

— Очень приятно. Меня зовут Билл. С двумя «л». Это ты окликнул меня пару минут назад?

— Точно. Увидел, как ты выбрался из-за горизонта с дохлой птицей на шее, и сразу понял, что передо мной скиталец по океану Жизни, такой же, как и твой покорный слуга. — Рик посмотрел на свое плечо. — Аррр! А где моя собственная пташка? Архимед! — рявкнул он, повернувшись к открытому люку в днище великолепного звездолета. — Архимед! Спускайся сюда! Нашелся еще один обожатель птиц!

— Ауууук! — донесся изнутри корабля хриплый вопль. — Дерьмо! Кругом дерьмо!

— Осторожно, Билл, — предупредил Рик. — У Арчи понос. Обожрался чернослива. Не знает никакого удержу.

Внезапно из люка вынырнул попугай. Сверкая зелено-голубым оперением и визжа, как банши во время пожара, он взмыл в небо и тут же дал залп из своего клоакального орудия. Во все стороны полетели брызги — и не только. Билл поспешно исполнил ацтекское па на два такта и сумел увернуться, однако Супергерой Рик слегка замешкался — то ли спьяну, то ли потому, что был под наркотической мухой, — и в результате схлопотал «подарок» прямо в лоб. Сладкозвучно выбранившись, Рик вытер лицо кончиком шарфа, затем закинул тот на плечо и жестом пригласил попугая приземлиться. Архимед низвергнулся с небес кобальтово-изумрудным вихрем, выпустил газы — будучи попугаем, он страдал попугайной болезнью, — повернул голову и с подозрением уставился на Билла.

— Ауууук! Птицеубийца! Ауук! Истребитель птиц!

— Я с голодухи, — жалобно проскулил Билл. — Откуда мне было знать, что эти вшивые птички — священные? И потом, тебе-то что за дело, попугайское отродье?! — За последнее время Билл изрядно намучился с птицами, а потому не сдержался и раздраженно ткнул в попугая пальцем. Архимед сердито заклекотал и клюнул Билла в палец. Тот взвыл и сунул раненую руку в рот.

— Архимед, веди себя прилично! Ты же знаешь, я могу клонировать тебя в мгновение птичьего ока! Будешь хулиганить, я обзаведусь новым попугаем, уж наверняка — без проблем с кишечником. Так что смотри у меня!

— Ауууук! Архимед хороший! Ауууук! Кому ты нужна, малышка?

— Ну как клонировать такого симпатягу? — проговорил Рик и сочно поцеловал попугая в клюв. — Эй, Билл, шикарная у тебя нога. Где ты ее раздобыл?

Билл поглядел на свое раздвоенное копыто и нахмурился. Ему ни капельки не хотелось пускаться в объяснения по поводу ноги-капризули. Нет уж, увольте! И без того хлопот хватает. Пожалуй, не мешает вспомнить старинную армейскую поговорку: «Сомневаешься — ври напропалую».

— Я бойцовый остолоп, солдат галактической армии. Когда выполнял очень важное задание, попал в радиоактивную бурю. Могу только сказать, что моя нога, как говорится, мутировала.

— Бедняга! Должно быть, тебе пришлось несладко!

— Информация засекречена.

— Разрази меня гром! Какой ты весь из себя таинственный! Еще и солдат в придачу! Последнее, между прочим, как нельзя кстати. Я остался без первого помощника, который подох от венерической цинги. Говорил ведь ему: собираешься отдохнуть в системе Заднедверия — бери с собой сверхпрочные презервативы. Естественно, они не очень удобны, зато с безопасностью никаких проблем. Подумаешь, несколько царапин на члене! По-твоему, он послушался? Как бы не так! Подцепил заразу на Фадесе, и поминай как звали. — Рик с восхищением оглядел мускулистую фигуру Билла. — Сдается мне, ты не прочь записаться в первые помощники. Понимаешь, тут предстоит одно дельце, и я бы не отказался от толкового спутника.

— Извини, друг, но мне сначала надо отыскать девушку по имени Ирма. Она — моя истинная любовь, и лишь найдя ее, я смогу избавиться от этой дохлятины. — Терзаемый жалостью к самому себе, шмыгая носом от скорби, Билл поведал Рику свою печальную историю — с того самого момента, как очутился в госпитале на Костоломии-IV и до похищения Ирмы Рокером по приказу Зевса.

— Аууууук! Зевс! Зевс! — Попугай широко раскрыл глаза, заклекотал от ужаса, наложил приличную кучу на плечо хозяина, замахал крыльями, взлетел и, продолжая истошно клекотать, нырнул в звездолет.

— Что, Зевс любит жаркое из попугаев?

— Да нет. Понимаешь, этот сексуально озабоченный бог, после того как прикинулся лебедем и набросился на Ирму, поймал и бедного Арчи. Уловил, о чем я толкую? Арчи был в шоке. Однако то дельце, о котором я упомянул, по чистой случайности, как оно, впрочем, всегда и бывает, имеет некоторое отношение к Зевсу. Мне нужно попасть в одну из его берлог.

— То есть, — нахмурив брови, уточнил Билл, — он не здесь, не на вершине Олимпа?

— Какой там Олимп! — расхохотался Рик. — До вершины горы без малого десять тысяч футов. Мы с тобой находимся на территории общественной уборной для космических путешественников имени Джонсона Говарда. — Он ткнул пальцем в сторону видневшегося за валуном темно-зеленого здания, которого Билл раньше просто не замечал. — Знаешь, лично я насчитал для себя четырнадцать любимейших ароматов, а всего их триста двадцать восемь.

— Рик, будь другом, подбрось меня до вершины, а? Эта пташка гниет на глазах. — Билл посмотрел на мертвого голубя и поморщился. Вокруг трупа вились мухи, две метки «X» над глазами птицы тупо иксились на героя Галактики.

— По-моему, она и впрямь слегка пованивает. Ну что ж, давай договоримся так. Ты летишь со мной в должности первого помощника, а я помещаю твою птичку в стазическое поле. Может, нам повезет и мы отыщем Зевса в его излюбленной дыре. Итак, вперед по пути моего христианского паломничества!

— Чего? — с подозрением справился Билл. На Фигерина-доне-II христианство пребывало в загоне с тех самых пор, как Святой Самокат попытался организовать на континенте фалангистов, среди поселенцев-доннеров, нечто вроде религиозного бдения. Гипердоннеры, будучи каннибалами, естественно, слопали миссионеров, всех до единого, а потом много лет страдали несварением желудка. Неудивительно, что христианам на планете не доверяли.

— Мое паломничество — второе по замечательности среди всех на свете! — провозгласил Рик с пылом завзятого оратора. — Я ищу Святой Гриль-бар!

— Где расписаться? — расплылся в улыбке Билл.

Глава 7
Первый помощник Билл

Как было здорово распрощаться со всей той мифологической дребеденью, в самую гущу которой его вдруг занесло, и очутиться на борту звездолета! Разумеется, корабль Рика не отличался тем комфортом, какой свойствен армейским звездолетам: по своим характеристикам он приблизительно соответствовал галактическому варианту переклепанного вдоль и поперек парохода без дополнительных удобств. Однако, после того как старт на полной тяге едва не превратил физиономию Билла в кровавое месиво, герой Галактики мгновенно сообразил, что требуется от него как от первого помощника. В основном обязанности Билла заключались в том, чтобы собирать дерьмо попугая с пола, отскребать от стен и даже от потолка — надо признать, Архимед выказывал недюжинную акробатическую сноровку — и перетаскивать помет в гидропонную оранжерею. Билл с восторгом сообразил, что наконец-то стал техником-удобрителем, осуществил свою заветнейшую мечту! Работа не отнимала много времени, хотя и была достаточно дерьмовой; во всяком случае, по сложности не шла ни в какое сравнение со службой в армии, и Билл очень быстро свыкся со своим новым положением. Что касается голубя, Рик сдержал слово — извлек откуда-то банку «Сортирного стаза», специального электронного фиксатора, предназначенного для чрезмерно пахучих солдатских голов, и как следует спрыснул дохлую птицу. Вонь моментально исчезла, теоретически ее не должно было возникнуть вновь как минимум два месяца. Естественно, Билл по-прежнему не мог скинуть голубя с шеи; к тому же, стоило притронуться к тому хотя бы пальцем, поле отвечало разрядом статического электричества. Но в общем и целом это была весьма скромная цена за избавление от вони, которую издавала гниющая птичка.

Когда с голубем было покончено и когда Билл окончательно освоился в должности первого помощника, дни потянулись вполне сносной, однако достаточно однообразной и скучной чередой. Подъем при первых проблесках псевдорассвета. Завтрак — галеты в пластиковых оболочках, соленая эрзац-свинина, искусственный кофе. Затем уборка, унавоживание гидропоники, смахивание пыли с парящих в невесомости кубков, полученных Риком на соревнованиях по боулингу. Обед — галеты, свинина, кофе и бутылка рома. Отблеваться, а дальше снова — убрать помет, унавозить гидропонику, протереть столы и нажать кнопку, что приводит в действие излучатель, залпы которого прочищают мозги. Правда, сначала нужно убедиться, что мозги свободны, ибо капитан не одобрит, если окажется, что ему некем командовать. Снять показания с навигационных приборов, помочь Рику проложить курс по «Указателю возможных координат легендарных космопортов» Рэнда Макнелли. Накормить суперхомяков, что приводят в действие двигатели. Потом ужин — галеты, свинина, кофе с искусственным сахаром, две бутылки рома и стакан лаймового сока; последнее — чтобы было повкуснее и чтобы избежать космической цинги. Час отдыха. Послушать похабные анекдоты, рассказать самому, отвести душу, блевануть, вырубиться. Словом, как на службе.

Больше всего — хотя Билл наслаждался тем, что мало-помалу становится настоящим профессионалом в области гуановоживания, а ром был просто восхитительным (правда, он подозревал, что Рик смешивает на камбузе ромовую эссенцию с обезвоженным спиртом и водой из-под крана) — герою Галактики нравился час отдыха. Они с Риком обычно рассказывали друг другу разные истории, или же Рик с Архимедом разыгрывали остроумные комедии или выкидывали всякие номера, которые они сами считали донельзя уморительными, но которые представлялись Биллу настолько скучными, что он засыпал при одном лишь воспоминании о них. Единственное утешение состояло в том, что, когда представление заканчивалось, уже никто не мешал Биллу читать или смотреть книги и фильмы из богатой порнографической коллекции Рика (Билл особенно выделял «Любострастные проказы венерианских полов», которые смахивали на нечто среднее между извращенной оргией и «Лебединым озером»).

Несмотря на всю безмятежность скитаний в поисках Святого Гриль-бара, Билл постепенно пришел к выводу, что все происходящее имеет мало общего с действительностью. С тех самых пор, как сатир Брюс утащил его в море, вокруг стали твориться события, в которых ощущался некий привкус нереального. Да, разумеется, свидание с Ирмой, Елисейские Поля, фуры и подъем на гору представлялись на первый взгляд весьма правдоподобными. Он видел, слышал, нюхал, пробовал и чувствовал то, к чему давным-давно привык, исправно отправлял, не важно — с энтузиазмом или без, — естественные потребности, напивался и испытывал вожделение, причем с тем же восторгом и избирательностью, какие присутствовали у него в бытность фермером и солдатом. Но ведь в обычной жизни человек не сталкивается с мифическими существами, ему не вешают на шею дохлого голубя, он не мчится вослед возлюбленной на звездолете под названием «Желание» в компании с бессмертным, по-видимому, героем и принадлежащим тому невротиком-попугаем. Впрочем, Биллу, пускай он прожил недолгую жизнь, которую, кстати, надеялся продлить, уже доводилось попадать в экзотические до отвращения места и переживать там потрясающие приключения (они описаны в великолепных книгах, которые вы можете купить в той же лавочке, где приобрели эту). Посему Билл попросту отмахнулся от надоедливых мыслей.

Однако время от времени он замечал краем глаза нечто такое, что мнилось лишенным материальности. Пустота, Ничто, Нада, табула раса. В подобных случаях он резко поворачивался, и то, чему полагалось быть в том или ином углу — панель управления, дозатор наркотиков, автомат по выдаче эрзац-продуктов, клозет с обезвоженной водой, попугай или Рик, — оказывалось именно там, где и должно было находиться. Правда, после непродолжительной заминки, которая сопровождалась дрожанием воздуха, — так бывает, если включить и быстро выключить головизор или же когда голова раскалывается с похмелья.

Поскольку ром, который Билл употреблял ежедневно, задерживался в организме в достаточном количестве, чтобы ни о чем таком не тревожиться (надо заметить, что ром вскоре выбыл из перечня десяти излюбленных алкогольных напитков Билла, и герой Галактики с нетерпением ожидал прибытия в Святой Гриль-бар, дабы утолить жажду чем-нибудь другим), то, что случилось однажды утром, потрясло Билла до глубины души. Зевая, потягиваясь и желая навсегда забыть слово «ром», он внезапно сообразил, что никак не может застегнуть свои башмаки. Точнее — не может дотянуться до застежек на липучках, ибо вместо рук у него — безобразные культяшки.

Истошные вопли перепуганного до полусмерти Билла довольно быстро разбудили капитана Рика и его попугая. Супергерой Рик, зевая, сбежал вниз, чтобы узнать, что там за переполох. Он так торопился, что прибежал в одних трусах. За ним, отчаянно маша крыльями, в каюту влетел Архимед.

— Мои руки! — визжал Билл. — Они исчезли!

Поглядев на первого помощника, который размахивал руками и, словно в истерике, метался по каюте, судя по всему, страшно чем-то напуганный, капитан Рик скоро сообразил, что здесь явно что-то не так.

— Святые небеса! Неужели снова венерическая цинга? Ты, паршивый вояка, ну-ка, отвечай! Прикасался к чему-нибудь, чего не должен был трогать? Да погоди ты! Дай я посмотрю! — рявкнул Рик, вставляя в глазницу здорового глаза монокль.

Трясясь с головы до ног, потупившийся Билл, на которого свалилась самая ужасная напасть из тех, какие только могут приключиться с солдатом, медленно и неохотно выставил перед собой культяшки рук.

— Аууук! — возопил попугай, устрашенный воплями и искренним горем Билла, и каким-то образом ухитрился закрыть глаза крыльями.

— Что ж, по-моему, ты устроил бурю в стакане с чаем. Или же над тобой подшутила ветреная судьба. Я вынужден признать, что не вижу ничего такого, чего следовало бы пугаться.

Билл разлепил веки и ошарашенно уставился на свои кисти. Ладони. Две. Обе на месте.

— Что за елки-палки? — с облегчением взвыл он. — Что со мной происходит? Я схожу с ума, говорю тебе, с ума!

— Время раннее. Давай не будем преувеличивать.

— Конечно. Извини. — Стуча зубами, Билл пустился объяснять капитану Рику, что ему кажется, будто все вокруг становится несколько призрачным. Чувствовалось, что герой Галактики вне себя от страха и вряд ли способен заснуть, поэтому Рик налил ему стакан теплого соевого молока с медом, горчицей и ромом. Подобная смесь могла вылечить кого угодно; по крайней мере, она избавляла от нелепых мыслей. Когда желудок выворачивает наизнанку, тут уж не до фантазий. Насколько перетрухнул Билл, можно было судить по тому, что он залпом опорожнил стакан гремучей смеси и потребовал второй.

— Аррррр! — Капитан Рик тряхнул кудрями и исполнил просьбу помощника. — Я знаю, о чем ты толкуешь, приятель. У меня тоже порой возникает такое чувство. Мы живем странной жизнью. Я только надеюсь, что в конце концов сумею получить ответы на те вопросы, которые столько мне досаждали. Быть может, я получу их в Святом Гриль-баре!

— Вопросы? Какие еще вопросы?

— Что значит какие? Вечные вопросы, которыми задавались все на свете философы. Билл, паренек, я говорю о загадках, которые не давали покоя человеку с незапамятных времен, задолго до того, как изобрели процесс перегонки, а ведь жить без него, согласись, невесело. Во-первых, кто прибыл раньше — «летающие тарелки» или Реймонд Палмер? Или, что логически следует из предыдущего, верно ли, что Реймонд Палмер прибыл на «летающей тарелке»? Во-вторых, что появилось раньше — цыплята или омлет «Западный» с ветчиной? В-третьих, если в лесу падает дерево, а поблизости никого нет, куда оно упадет — вверх или вниз? И дополнение: если в лесу упадет глухой, раздастся ли какой-нибудь звук? В-четвертых, существует ли Бог, а если Он — или Она — существует, почему выпивка рано или поздно отправляет человека в мир иной, почему от секса заболеваешь и почему никогда нельзя купить приличные билеты в кино на сериал «Миры Галактики»? И последнее, Билл! Так сказать, основа основ. В чем смысл жизни, зачем человек рождается и живет, почему умирает, — и где, черт побери, мне найти флакон «Пепто-Абисмал» для Архимеда?! Корабль уже весь насквозь провонял птичьим пометом!

От непостижимой глубины философских вопросов Рика голова у Билла пошла кругом. Невероятно! Поразительно! Осознав, что с ходу ему всего этого никак не усвоить, он попросил третий стакан соевого молока, чтобы промыть засорившиеся извилины в мозгу.

Дабы первый помощник пришел в чувство, Рик поведал ему о своей жизни.

История капитана Рика,
или Звезды в моем носовом платке,
словно зеленые сопли

...развести цифровой будильник.

Нахлебался пива, рванул во Вселенную, получил прозвище. Субголос ответил с отрыжкой.

И вырыгнулся ответ: Кид, паршивый киберкарлик, кусок дерьма, на хрена ты мне сдался? Капитан Кид, капитан Рик, готовь астронавтов и надрывай себе глотку, вопи интернациональные гимны, и фьюить! — цена бананов в Никарагуа подскочила к небесам, а операторы лифтов мажут задницы пальцами, а поклонники Пинчона раздолбали недавно фанатов Долтона и Уолдена, так что с какой стати мне провозглашать «Ваше здоровье»? В общем, у меня во рту накопилось достаточно дряни, и думаешь, я знаю почему? Господи! Блям! Ужасный вкус!

Минуту спустя Кид присел на корточки над унитазом, сжимая в руках книжное обозрение «Нью-Йорк ревью» и туалетную бумагу «Литтл мэгэзин», и прислушался к своему натужному дыханию и керуаковской внутренней музыке.

За раскидистыми деревьями нарисован лунный свет, видны обклеенные обоями и украшенные внутренней отделкой кусочки модного лесного поселения Уэст-Виллидж.

Он подтерся поэзией. Где-то в Сохо (или, может быть, в Трибеке) в художественной галерее открывается выставка пулеметов работы Уильяма Берроуза. Целый город превратился в небоскребное скопище художественных галерей в этом призрачнолитературнореальном мире банд, которые, сильнее, чем жизнь, тупо шляются повсюду с голограммами вместо ножей с выскакивающими лезвиями.

Листва гнусно ухмыляется и подмигивает.

Женщина в спортивном свитере из теней и с прической Джими Хендрикса встает из темной культуры шестидесятых и запаха гашиша. Капелька света на ее носу.

Капитан Кид и женщина занимаются сексом, а потом пытаются догадаться, что произойдет в эпилоге, через восемьсот семьдесят семь страниц.

Ибо что такое «миф», как не неодеконструкционистская проза отсутствующего литературного критика, который шепелявит?

— Чего? — переспросил огорошенный Билл.

— О, прости, я рассказал тебе то, что обычно рассказываю друзьям-интеллектуалам на вечеринках за коктейлем, — отозвался Рик. — Рискну предположить, что сейчас нужно что-нибудь поправдивее. Аррррр! На твое счастье, у меня найдется что сказать.

Рик выкатил на середину каюты тысячеваттовый усилитель размерами с космический буксир, схватил свою стратосфероблаетерэлектроволынкогитару, взял несколько изысканных аккордов в стиле «жахни-метал» (этот стиль являлся новомодной, усовершенствованной разновидностью рок-н-ролла: приводимые в движение компьютером трупы погибших на электрическом стуле душегубов заменяли обыкновенный ансамбль из соло-гитары, кухонного синтезатора, барабанов и баса) и запел.

Архимед взвизгнул и, бешено замахав крыльями, вылетел из каюты, оставив после себя свежую кучу помета.

История капитана Рика. Второй заход.
Баллада о Супергерое

Меня порой называли героем с тысячью лиц.
Я многого навидался, но ни разу не падал ниц.
Я — персонаж преданий, привык бороздить небосклон.
Но мой герой — это Кэмпбелл, только не Джозеф, а Джон.

Пират, святой... Подумаешь! Личину сменить — пустяк!
Я прежде всего — гомо сапиенс и уж не трус никак.
Я знаю, что человеку Вселенной владеть суждено.
Строить таверны и бары и всюду хлестать вино.

Я рос болван болваном, на все на свете плевал,
Пока мне однажды в руки Джонов рассказ не попал.
Теперь я брожу по космосу, в свое удовольствие пью
И инопланетных тварей с ходу без промаха бью.

«Терра юбер аллес!» — кричу во все горло я,
И крики мои над тысячью покоренных планет звенят.
А когда сгущаются тучи и нечем тоску унять,
Я Хаббардову «Дианетику» снимаю с полки опять.

В каких я бывал переделках? Черт, память нужна позарез!
Ах да, мне как-то приспичило — на стенку чуть не полез.
К несчастью, я бластер оставил, а без него — каюк.
Меня заболтали Лея и Звездопоносец Люк.

Ну, с Леей я развелся лет пару-тройку назад.
В постели с принцессой — скука. Ну ладно, сам виноват.
Насчет же Люка я думал, что парень пасет овец.
«На помощь! — он крикнул. — Скорее, иначе миру конец!»

Вернулся лорд Дарт Вейдер, так его и растак!
Чу! Кто-то с натугой дышит... Истинно — это знак!
Он восстал из мертвых! О, тяжкие вздохи слышны!
Я до смерти перепуган и сейчас наложу в штаны!

Едва Люк успел закончить, на нас напали враги,
И мы бежали в космос, туда, где не видно ни зги.
Из-за туманностей, в коих полно оврагов и балок.
И там мы готовились к битве и читали «Аналог».

Старый добрый Джон В. Кэмпбелл — вот молодчина!
«Эстаундинг» — это классика! Там все было чин по чину!
Куда до него всяким Спилбергам? Да разве при нем смогли б
Поставить, скажем, «Чужого»? Да разве прошел бы «Ип»?

«Сомкнуть ряды, — он изрек бы. — А ну, наверх, гарнизон!
Победа за техникой! К бою! Андерсон! Гаррисон!
Вторглись инопланетяне? Прижмем их, ребята, к ногтю!
Подумаешь, эка невидаль! Бабахнем разок — и тю-тю!»

Мы в поте лица пахали, тупицы, — да что с нас взять?
Втемяшилось нам в подкорки сверхизлучатель создать.
Создали. Джон был бы доволен, Док Смит удавился бы, —
Такая вышла хреновина; ну прямо подарок судьбы!

Тогда мы рванули навстречу вражеским кораблям.
Ну, доложу вам, зрелище — фильма ужасов для.
Один другого громаднее, и все придумал Джордж Лукас.
Чем только нам ни грозили, а мы решили: «А ну-ка!»

«Миром правит Темная Сила, и с нею ты не балуй!
Лучше присоединяйся! Снимай про вампиров! Торгуй!»
А мы в ответ как жахнем — и всех отправили в ад.
Нет, парни Джона не станут лизать императору зад!

Черный лорд Дарт Вайдер был слишком, бедняга, наивен.
Он не знал, кто такие Клэнси, Пурнель и Нивен.
А те, кто читал «Эстаундинг», в науке все мастаки,
Болт отличают от гайки и подраться не дураки.

Да, мы разбирались в науке вполне прилично — и вот
Набили в наш излучатель ультра- и гиперчастот,
Понадергали их из Азимова, Де Кампа и Клемента,
Из Диксона и Дель Рея, чтоб держало крепче цемента.

Заряд у нас был что надо, ни строчки галиматьи.
Да здравствует Джон В. Кэмпбелл, а также его статьи!
Враги — те, что уцелели, — скуля, побежали прочь.
Темная Сила пала! День переплюнул ночь!

По слухам Джон В. Кэмпбелл, развесив на небе гамак,
На нынешних смотрит авторов, что пыжатся так и сяк,
И говорит, потягивая нектар пораньше с утра.
«Ну, если это фантастика, то мне воскресать пора!»

Последние аккорды повисли в воздухе, словно заключительные такты любимого военного марша Билла, сочиненного Джоном Филипом Клюком. По щекам героя Галактики заструились громадные слезы. Билл шмыгнул носом и судорожным движением мышц вернул на место сердце, комом застрявшее в горле.

— Елки-палки! Это... самая чудесная песня... какую я только слышал!

— Значит, тебе полегчало, первый помощник Билл?

— Еще бы! Я как заново родился!

— Аррррр! Отлично! Ты замечательный солдат, Билл! Аррр! Я рад, что взял тебя на борт. А теперь нам лучше завалиться на койки и задать храпака. Если верить компьютеру, до Святого Гриль-бара осталось лишь несколько дней пути.

Ирма! Он скоро вновь увидит Ирму! Билл страстно вздохнул — ни дать ни взять паровоз, у которого протекает котел. Ему вспомнились ее ясные невинные глаза, точеная фигурка, прелестные, томные вздохи, и на его лице заиграла счастливая улыбка.

Билл так и заснул с улыбкой на губах. Сны герою Галактики снились исключительно эротические, причем такого содержания, что температура его тела поднялась на пять градусов, а на потолке каюты сконденсировалась влага.

Глава 8
В Святом Гриль-баре

Вскоре выяснилось, что лететь им еще по меньшей мере неделю, и капитану Рику пришлось подключить желчный привод, разновидность жирового, приобретенный в магазине подержанных звездолетных запчастей. Жировой привод, который применялся на армейских кораблях для прыжков от звезды к звезде, Билл ненавидел всей душой, а желчный, если такое возможно, был гораздо хуже — его подключение означало, что в звездолете будет не продохнуть: каюты и прочие помещения заполнялись омерзительной смесью ксенона, водорода и сернистых газов, и воняло как, если верить Библии, в Преисподней. Процедура подключения состояла в следующем: полученная смесь подвергалась электронной вибрации; газы и корабль со всем своим содержимым тряслись как в лихорадке и постепенно синхронизировались с атомным пульсом места назначения. В то самое мгновение, когда происходила синхронизация, космос как бы отрыгивал звездолет, и тот перемещался на то или иное расстояние, причем прыжок, как правило, сопровождался весьма неприятными явлениями. Вот и на сей раз — Билл даже испытал нечто вроде ностальгии, подумав о жировом приводе.

Итак, спустя какое-то время звездолет «Желание» очутился в Случайной системе, и Билл увидел гигантские неоновые вывески — «Святой Гриль-бар», «На песке: мистер Уэйн Ньютон!», «Пей голым!», «Ни верха, ни низа»; последнее, как хотелось думать Биллу, означало отсутствие одежды, а никак не лоботомию и ампутацию ягодиц. На глаза навернулись слезы, дыхание сделалось прерывистым, — предвкушая неизбежный цирроз печени, Билл догадался, что наконец-то обрел дом.

Святой Гриль-бар представлял собой комплекс зданий, что располагались над огромной метановой планетой Зевс, сбившись в блаженную кучку в гуще зеленовато-желтых облаков; фундаментом здания служили антигравитационные платформы.

— Старина Зевс обожает эту планету в основном из-за того, что она названа в его честь, — сообщил Рик, разворачивая «Желание» и сажая звездолет на колонну алого пламени.

— Йек! — произнес Билл. — Слушай, под нами что, вулкан?

— Не волнуйся, это всего лишь приветственная ионизирующая обработка корпуса.

— Мы же поджаримся заживо!

— Зато на стабилизаторах не останется ни единой космической бактерии, равно как и всякой дряни вроде астероидных ракушек. Не беспокойся, Билл, все будет в порядке.

Позднее, после того как им наложили мазь от ожогов и повязки, а поджаренного Архимеда, который ухитрился перед смертью дать последний пометный залп, подали в виде начинки в сэндвичах, так сказать в знак благодарности облаченным в белые халаты врачам, Рик неохотно допустил, что, вполне возможно, забыл включить воздушный кондиционер, как то предписывалось правилами посадки на Священную Колонну Очистительного Огня. Откровенно говоря, Билл не столько огорчился, сколько обрадовался. Да, он с удовольствием убирал попугайский помет, однако глупые шутки, которыми сыпал Архимед, приводили героя Галактики в исступление и заставляли скрежетать зубами. И потому такое наслаждение доставляла мысль, что больше ему не придется слушать бред в таком вот духе: «Тук-тук! Кто там? Тоби. Какой еще Тоби? Тоби-Шнобби!»

К тому же Билл заранее предвкушал, как опорожнит одним глотком кружку холодного пивка!

Святой Гриль-бар оказался наиболее просторным питейным заведением из тех, в каких Биллу до сих пор доводилось бывать.

Они с Риком сняли номер в ломовоценном и весьма непритязательном отеле «Хилтом», а затем отправились в бар. Чтобы добраться до него, им пришлось долго искать дорогу среди множества игральных автоматов, столов для игры в «очко» и киосков галактической лотереи. Билл не знал, что и думать. Сам бар, который находился в главном здании, вытянулся в длину на две с лишним мили, а дальний его конец терялся в облачной дымке. Вдоль стойки выстроилась целая армия похожих друг на друга как две капли воды барменов-андроидов; все они выглядели одинаково отвратительно — кабаньи головы, с клыков капает слюна, на руках по шесть пальцев, чтобы можно было схватить сразу двенадцать кружек.

Пивом в баре поили каким угодно, начиная со «Старинного особого», что варили на планете под названием Англия, и кончая «Всамделишным старинным и куда особеннее особым» с Ирландии, а также «Лакомыми осадками» с Нового Южного Уэльса. Бесчисленные бутылки своими красочными этикетками придавали стойке бара некоторое сходство с положенной горизонтально рождественской елкой длиной в несколько километров. На Билла, перебивая друг друга, обрушились сладостные ароматы благословенных напитков. О, головокружительный хмель! О, животворящий солод! О, великий и могучий алкоголь! Биллу вдруг подумалось, что здесь, может статься, хороши на вкус даже тряпки, какими протирают столики, однако он подавил желание убедиться в этом на собственном опыте.

В мирских делах — например, в общении с женщинами или на службе — Билл обычно действовал не раздумывая, так сказать по наитию, благо годы армейских внушений стерли из памяти всякие мысли на сей счет заодно с угрызениями совести. Но когда речь заходила о выпивке, он частенько настраивался на философский лад, поскольку выпивка и творческая ругань являлись единственной отдушиной, оставленной ему армией. Почему, вопросил недавно некий ученый муж, хотя сегодня существует множество наркотиков, которые поднимают настроение, меняют взгляд на жизнь, которые поступают в естественном виде из экзотических миров или синтезируются в государственных и подпольных лабораториях, — так вот, почему военные, а быть может, и люди вообще льнут именно к алкоголю во всех его видах и разновидностях?

На этот вопрос у Билла имелось целых три ответа.

1. Алкоголь позволяет напиваться.

2. Когда напьешься, становишься от него пьянее прежнего.

3. Затем теряешь сознание, а иного способа убежать со службы для солдата-сверхсрочника не существует.

Впрочем, вопросы ученого мужа можно продолжить. Почему алкоголь — когда вокруг столько не менее эффективных, но менее опасных зелий, которые не приводят в конце концов к серьезным повреждениям внутренних органов и отнюдь не способствуют деградации человечества, не причиняют страданий, не вызывают стыда, несмотря на всю свою многочисленность и разнообразие?

Билл мог бы ответить, что в человеке, по-видимому, заложена природой потребность время от времени надираться до полной отключки; правда, он догадывался об этом лишь интуитивно, а потому не мог облечь в слова ни мысль, ни желание. Его подмывало пропеть хвалебную песнь вкусу бесчисленных живительных напитков, однако в силу того, что большинство излюбленных напитков Билла имело поистине омерзительный привкус, а также потому, что после третьего или четвертого стакана он переставал ощущать какой бы то ни было вкус вообще, герой Галактики сдержался.

Однажды, в туманном прошлом, Билла занесло в низкопробный бар на планете Пойло — там находился армейский ПП-центр. Билл сидел за столом, опрокидывал в себя стакан за стаканом, быстро приближаясь к совершенно невменяемому состоянию, и поглядывал краем глаза на пышные груди местных шлюх, которые напоминали гигантских личинок овода, — подобного развлечения не существовало ни на какой другой планете известной Вселенной. И тут с Биллом завязал разговор некий проповедник, приверженец здорового образа жизни, сосланный на Пойло каким-то любителем жестоких шуточек и кипевший негодованием по поводу того, чем занимаются в баре солдаты и прочий люд. Он привел герою Галактики те самые доводы, о которых упоминалось выше, и спросил, почему, зная о зле, что таится в алкоголе, Билл все же разрушает собственный организм, глуша бесовское зелье.

Будучи пьян настолько, что мог изъясняться толково и связно, Билл ответил: «Потому что чувствую, как оно меня изводит». Миссионер не удовлетворился и потребовал более вразумительного ответа; набравшийся Билл, не в силах размышлять сколько-нибудь глубоко, равно как и произнести без запинки более одного пр-ростого пр-редложения, изрек потрясающую фразу в духе Декарта: «Я пью, следовательно, существую». После чего, как бы подкрепляя слова делом, облевал миссионера с головы до ног и, что было как нельзя кстати, отрубился.

Тем не менее философская точка зрения на выпивку у него сохранилась, и потому, обозревая сей алкоголический Диснейленд, Билл вдруг вообразил, что попал на некий праздник неразумия, и ощутил, что его жжет изнутри священный огонь вроде того, какой горит в душах зороастрийских монахов.

— Наконец! Наконец-то я достиг своей цели! — воскликнул Супергерой Рик, падая в благоговении на колени. — Я обшарил всю Вселенную в поисках единственного на свете пива! И вот дорога привела меня в Святой Гриль-бар, где подают любые напитки, какие только знает мироздание! О драгоценный бар поистине мифических пропорций! — Рик кое-как поднялся и, спотыкаясь, направился к пустому месту у сверкающей полировкой деревянной стойки. — Аррррр! Пошли, Билл! Теперь-то я свое возьму!

Отказываться от бесплатного угощения было не в привычках Билла, а потому он последовал за капитаном, не забывая, впрочем, с тревогой поглядывать на толпу посетителей. Да разве можно отыскать в таком столпотворении Ирму?

— Бармен! — крикнул Рик. — По кружечке мне и моему приятелю!

— Чего тебе налить, парень? — справился с идиотской ухмылкой бармен.

— «Святограальского крепкого»! — отозвался Рик и, широко улыбнувшись, швырнул на стойку орехового дерева свою золотую кредитную карточку «Голд Галактик».

Все те, кто сидел за столиками в пределах слышимости, мгновенно замолчали, бросили пить и, похоже, забыли, что значит дышать. На бармене и его собеседнике скрестилось множество взглядов.

— Извини, незнакомец, — прошепелявил бармен елейным механическим голоском. — Такого пива у нас нет.

— А как насчет «Святограальского светлого»? — моргнув, поинтересовался Рик.

— Увы. Не держим.

— Гм-м... А «Святограальское темное»?

— Никогда не было.

— А «Святограальское легкое»?

— То же самое.

— Аррррр! — прорычал Рик, с лица которого сползла вся краска. — Но я пролетел десятки парсеков, чтобы утолить жажду! Мне говорили, что в Святом Гриль-баре подают все напитки, какие только известны человечеству!

— Так и есть. Все, кроме «Святограаальского» пива. Никто не знает, где его взять, хотя к нам забредает немало сэров Галахадов и прочих бродяг вроде тебя, которым вынь да положь «Святограаальское». Может, удовлетворишься «Альдебаранским горьким»? Скажу по секрету, лучшего пива к югу от Полярной звезды тебе не найти.

— Спасибо, не надо, — пробормотал павший духом Рик. — Мне нужно что-нибудь покрепче, чтобы утопить депрессию, которая угрожает овладеть мной. Два виски, бармен! Я хочу сказать, два бочонка. А подавать будешь пинтовыми кружками.

Билл ничуть не возражал. Что угодно, лишь бы не ром. Он поднял обеими руками — иначе не получалось — свою кружку и просто-напросто пригубил виски, проявив тем самым поразительную, несвойственную ему выдержку, и принялся изучать посетителей бара (правда, предварительно он ополовинил кружку, дабы удостовериться в крепости напитка). Ирма по-прежнему не показывалась. К счастью, не видно было и джентльменов, что расхаживали бы по бару с перунами в руках, как, по слухам, имел обыкновение Зевс.

Время от времени то одна, то другая часть помещения словно растворялась в воздухе, а потом возникала вновь. Елки-палки, опять двадцать пять! Может, здесь слишком просторно, чтобы его глупенький умишко смог воспринять бар целиком? За размышлениями Билл не забывал прикладываться к кружке. Мало-помалу они с Риком прикончили первый бочонок и взялись за второй, и у героя Галактики все поплыло перед глазами, но ему уже стало на все плевать.

К концу второго бочонка, когда Билл уже чувствовал себя нализавшимся в стельку, его похлопал по плечу мужчина, что сидел рядом за стойкой.

— Эй, приятель! — проговорил он, глядя на Билла сквозь бутылочные донышки, что служили ему стеклами очков. — А что это у тебя на шее за хреновина?

Билл настолько привык к своему подгнившему пернатому украшению, что совсем забыл про дохлую птицу — ведь та все еще находилась в «сортирном стазе», а потому ни чуточки не воняла.

— А, — отозвался он, наблюдая за мухой, которая угодила в статическое электронное поле. — Это мертвый голубь. Тише, дружище, ладно? Не привлекай внимания, а то всем захочется такой сувенир.

Как бы то ни было, вопрос насчет голубя вывел Билла из алкоголического ступора и заставил вспомнить о том, что предстоит сделать и зачем он вообще очутился в Святом Грильбаре.

— Ирма! — воскликнул герой Галактики, повернулся и дернул за руку своего спутника. — Капитан Рик, вы не вв-видите поближошти Ирмы?

Рик, угрюмый и подавленный, подбирался к днищу бочонка с виски, бормоча себе под нос клятвы искать «Святограаальское» пиво до конца своих дней.

— Ирмы? — переспросил он, приподнял веки и постарался сфокусировать взгляд на Билле. — Ищи Зевса, приятель. Найдешь Зевса, отыщешь и свою Ирму.

— Зевса? Да где же, елки-палки, его искать? — сказал Билл. — Тут столько народу! Сотни тысяч!

— Люди тебе ни к чему, — непристойно хихикнул Рик. — Ищи бога!

— Зевс? — осведомился сосед Билла по стойке. — Ты разыскиваешь великого бога Зевса? Чего же ты сразу не сказал? Я пару минут назад столкнулся с одним гомиком, который вернулся с попойки из Преисподней. У старины Зевса там сегодня вечеринка.

— Преисподняя? — произнес Билл, слегка протрезвев от восторга при мысли, что скоро отыщет Ирму. — А где это?

— Естественно, внизу. За туалетами — или за сортирами, за гальюнами... В общем, как ни назови, суть одна. — Усатый джентльмен ткнул пальцем в направлении висевших на стене указателей. Четыре светящихся квадрата без каких бы то ни было надписей под рисунками, что представляли собой интергалактические символы. Первый рисунок изображал мужчину, второй, по всей видимости, женщину. Билл несколько раз моргнул, чтобы прояснилось перед глазами. Так, это, должно быть, мужское и женское заведение. На третьем квадрате было нарисовано некое шестилапое существо с панцирем на спине. Отхожее место для инопланетян. Последний квадрат, самый крупный из всех, украшало изображение огромного нимба над унитазом. Нужник богов!

— Рик, я иду за Ирмой, — сказал Билл.

— Валяй. Арррр! Я останусь здесь. — Расчувствовавшийся Рик, испытывая насущную потребность в собутыльнике, братской любви и пьяном сострадании, угостил соседа, и они вдвоем выпили за безвременно ушедшего из жизни попугая Архимеда, без которого на свете очень и очень скучно.

Билл, нисколько не сожалея о гибели попугая — ему и без того хватало забот с птицами, — направился туда, где светились указатели, добрался на пневматическом экспрессе до Преисподней, заглянул в мужскую уборную, облегчился и вышел в длинный коридор. Сделав едва лишь несколько шагов, услышал раскаты грома и зычные возгласы. Вечеринка Зевса была, похоже, в самом разгаре.

Герой Галактики распахнул дверь, чуть было не оглох от грохота, который производили музыканты джазового ансамбля, и ошарашенно уставился на представшую взгляду картину. Впечатление было такое, будто смотришь на одно из творений Эсхера. Судя по всему, Зевс решил позабавиться с гравитацией; в итоге в одном углу помещения люди стояли на потолке, а в четырех других — на стенах. Что касается оркестра, многочисленные музыканты болтались под потолком на веревках, образуя в целом нечто вроде полумесяца. Они наяривали мотивчик, от которого сотрясались стены и грозили лопнуть барабанные перепонки. Внезапно, стоило Биллу оказаться в насыщенной музыкой и пронизанной артистическим духом атмосфере комнаты, его нога-капризуля начала слозить по полу и дергаться из стороны в сторону в такт разухабистому мотивчику.

Копыто пыталось танцевать!

— Идиотка! Они же играют «Сатиновое платьице», а не «Сатирово»!

Нога не обратила на слова Билла ни малейшего внимания, и герою Галактики пришлось продолжать путь вприпрыжку. Он пустился в обход комнаты, ища Зевса и свою истинную любовь, до невероятия сладострастную и утраченную Ирму.

Зевс отыскался довольно быстро. Бог сидел на потолке за длинным столом, заставленным разными контрабандными яствами.

Глава 9
Владыки разума из Зажелезии

Чувствуя себя как нельзя паршиво, сексуально неудовлетворенный более, чем когда-либо до сих пор, Билл разомкнул слипшиеся веки и поднял руку, намереваясь почесать в затылке. Неожиданно он ощутил слабое сопротивление проводов, услышал хлопки и пронзительный визг — многочисленные технические устройства издавали звуки, похожие на те, с какими лопаются мыльные пузыри, но пропущенные через усилитель. Эхо разносило по комнате писк, треск и щелчки, которые отдавались то гулко-металлически, то шероховато-пластмассово.

— Он снова приходит в себя! Следует ли это допускать, доктор? — спросил чей-то знакомый голос.

— Да. Его бессознательное в достаточной мере напитало матрицу, — отозвался другой голос, ничуть не менее знакомый.

Билл застонал, приподнял голову и огляделся по сторонам. Опять сопротивление проводов! Он почувствовал у себя на лбу что-то тяжелое и холодное, сообразил, что это, должно быть, металлическая пластина. На голове, под кожей, копошились крохотные датчики; в вену вонзилась игла, и в кровь влилось содержимое перевернутого флакона, на этикетке которого был нарисован череп со скрещенными костями. Биллу казалось, что его тело сперва распороли надвое, а затем зашили — наспех, кое-как. Впервые в жизни он понял, каково приходится жуку, которому протыкают грудную клетку длинной булавкой; да, понял, хотя и знал, что лично у него грудной клетки нет и в помине. Комната плыла перед глазами — такое происходит не часто, ибо комнатам весьма затруднительно выкидывать подобные фортели. Билл различил поблизости человеческую фигуру: белый халат, очки, стетоскоп... Внезапно на него знакомо пахнуло антисептиком.

Врач? Антисептик? Он что, вернулся в госпиталь? Вокруг завертелись, словно в невесомости, обломки уничтоженного взрывом корабля, обрывки воспоминаний. Смутные образы: сатир Брюс... Елисейские Поля... восхитительное вино... помет попугая Архимеда... улыбка на лице Ирмы...

— Ирма! — воскликнул Билл, пытаясь освободиться от пут.

— Успокойся, солдат! Кому сказано? Лежи смирно! — распорядился елейным голоском врач, который наклонился к Биллу и хотел, по всей видимости, угомонить пациента. Билл присмотрелся, и черты докторова лица тут же приобрели узнаваемость. Отвратительный клювоподобный нос, жуткий подбородок, бегающие глазки навыкате...

— Где я?

— В секретном бункере на дне океана на Костоломии-четыре. Тебе предстоит выполнить ответственнейшее задание, которое станет венцом твоих достижений в роли человека.

Билл напряг зрение. Этот голос, это лицо...

— Доктор Делязны!

— Правильно, Билл. Успокойся. Ничего плохого мы тебе не сделаем.

— Секретный бункер? Чей?

— Елки-палки, Билл! — пискнул кто-то рядом. Билл догадался, что слышит, как стучат по металлической поверхности крошечные лапки, ощутил огромную тяжесть на груди. Он изогнул шею и неожиданно встретился взглядом с ящерицей, которая была семи футов ростом и имела четыре лапы. — Разве ты не знаешь? Неужели до тебя еще не дошло?

Чинджер!

Более того! Билл узнал высокий гнусавый голосок, который приучился ненавидеть сильнее, чем призрак сержанта Сгинь Сдохни, появлявшийся время от времени в его пьяных снах.

Усердный Прилежник!

— Усердный Прилежник! — проговорил Билл. — Я думал, тебя убили.

— Слухи о моей гибели, Билл, являлись обыкновенной гиперболой! Тебе нравится это словечко? Гипербола... Ха! Между прочим, что касается Усердного Прилежника, про него можно забыть. То был всего лишь робот, которому придали человеческий облик и которым я управлял, сидя там, где у человека помещается мозг. Меня зовут чинджер Успр. Тебе следовало бы запомнить мое имя, но я понимаю, почему ты запамятовал. Я — специалист по инопланетным формам жизни, а люди — елки-палки! — для нас самые настоящие инопланетяне. Я изучал человеческую семиотику, литературные жанры и, разумеется, глубинную психологию. Елки-палки, я готов зашвырять тебя новыми терминами! Ну-ка, произнеси: «феноменологический психометасегмент». Не можешь? Я так и думал.

Сказать по правде, Билл был занят в основном тем, что пытался вздохнуть. На родной планете чинджеров сила тяжести составляла 10 g, поэтому, несмотря на небольшие размеры, они были чрезвычайно плотными и ну очень тяжелыми.

— Слушай... Усер... слезь... с меня...

— Елки-палки! Разумеется! Знаешь, Билл, нам надо о многом поговорить. — Чинджер одним прыжком перескочил на стоявший поблизости аппарат, заглянул Биллу в лицо и завертел хвостом в приступе рептилианского счастья. — Точно! Эй, солдат, как там с подрывом боевого духа имперской армии? И как насчет открывания глаз, всеобщей справедливости и мира на все времена?

— Смерть чинджерам! — прорычал Билл.

— Гм-м... Ясненько. Значит, вот как ты держишь слово? А помнишь, о чем мы договаривались, Билл? Возможно, мы слегка переусердствовали, когда готовили тебя... Елки-палки, жаль!

Билл повернулся к доктору Латексу Делязны. Медленно, со скрипом он начал осознавать истинное положение вещей.

— Меня захватили в плен и держат в бункере чинджеров! Что означает, — Билл оскалил клыки и свирепо зарычал, — доктор, вы — шпион чинджеров! Вы предатель!

Долговязый врач с видом оскорбленного достоинства выпрямился во весь рост и как мог напыжился:

— Ничего подобного! Я просто привержен гуманитарным ценностям! Я тружусь на благо всего человечества! Войну между чинджерами и империей необходимо прекратить! Я тружусь ради мира, справедливости и счастья! Моя заветная мечта — излечить человеческое бессознательное от свойственных ему аберраций!

— Изменник! И тебе я доверил свою ногу! Куда ты меня завлек? Что происходит?

— Елки-палки, Билл, — произнес Успр, переместившись, чтобы получше разглядеть раздвоенное копыто, — по-моему, замечательная нога!

— Вспомнил! — воскликнул Билл. — Доктор назвал ее ногой-капризулей. Это ты во всем виноват, Успр!

— Забудем, Билл. Теперь заткнись и слушай. Доктор сейчас прочтет тебе лекцию. Как ни крути, нам без тебя не обойтись. Елки-палки, вот повеселимся, а?! Ну, насчет лекции я, пожалуй, слегка преувеличил. Он попробует внушить тебе необходимые сведения, что, естественно, далеко не простая задача, особенно с твоей тупой башкой. Постарайся понять, что твое бессознательное должно влиться в коллективное, которое куда толковее твоего сознания. Впрочем, последнее все равно мало на что годится. То, что ты испытывал, происходило в действительности, хотя, может быть, и не в том пространственно-временном континууме, к которому мы все привыкли.

— Ты хочешь сказать, что на мне по-прежнему лежит проклятие Стадного Мутноброда? — простонал Билл, ощущая, как где-то глубоко внутри шеи откуда ни возьмись появилась острая игла, которая так и норовит проникнуть дальше, к жизненно важным органам. — Арррргх! — прибавил он.

— Тебе не следует расстраиваться, Билл. Ты встретил свою истинную любовь, женщину, о которой мечтал всю жизнь... Она и впрямь существует и будет существовать дальше, если ты, конечно, позволишь!

— Чего? — озадаченно пробормотал Билл. Произнести нечто более вразумительное он пока был не в состоянии. Делязны благожелательно кивнул, по всей видимости обрадованный тем, что общение с пациентом налаживается, пускай даже на самом примитивном уровне.

— Ты понял, парень! Понял! Я говорю об Ирме! О красавице Ирме! — Врач указал на свои аппараты. — Ирма ожидает тебя, Билл, но не здесь, а в иной парадигме. Если ты отыщешь ее, возможно, твои развивающиеся умственные способности обретут такую мощь, что благодаря тебе Ирма сможет физически существовать и в нашей плоскости бытия наподобие того, как существует дохлый голубь, что болтается на твоей шее.

— Ирма! — вскричал Билл. Ему вспомнилась ласковая улыбка, аппетитные изгибы точеной фигурки, чудесный аромат надушенных подмышек... Аппарат ЭКГ издал предупреждающий сигнал, игла на шкале счетчика гормонов резко метнулась вправо, на красное поле, а затем, продолжая движение, выскочила из прибора и упала на пол.

— Елки-палки! — вскрикнул Успр, глаза которого ухитрились выпучиться сильнее обычного. Он изумился настолько, что сумел выдавить лишь свое излюбленное присловье.

Доктор Делязны самодовольно усмехнулся. Когда Билл позвал Ирму, на лице врача промелькнуло странное выражение, как будто имя девушки было ему знакомо; впрочем, он тут же спохватился и вернул себе прежний вид.

— Ну как, Успр? Я говорил тебе об исключительной силе, которая таится в том диковинном сочетании гормонов и психической энергии, что именуется среди людей любовью, помнишь? — Делязны вновь повернулся к пациенту. — Билл, если захочешь, ты сможешь возвратить Ирму. Понимаешь? Ты можешь привести ее сюда. Но сначала найди свою любовь.

При одной только мысли об Ирме сердце Билла растаяло как воск; с ним случилось нечто вроде сердечного приступа на любовной почве. Ирма! Такая желанная, такая красивая! Ненаглядная Ирма! Он стремился воссоединиться с нею сильнее, чем стать техником-удобрителем или владельцем завода по производству виски на планете Хмель, готов был забыть о новой печени и даже о своем сокровенном желании — чтобы ему наконец пришили нормальную человеческую ногу. Ирма!

— Как мне ее найти, док? — промямлил Билл, пуская слюну; глаза его остекленели от неутоленной страсти.

— Все очень просто, мой мальчик. Как ты понимаешь, до сих пор мы экспериментировали только с твоим сознанием, которое помещали в сконструированную нами парадигму. Из всех кандидатов мы выбрали именно тебя по причине необычайно развитых сперматофорических функций. Они развиты настолько, что, по-видимому, оттесняют рассудок на задний план. Короче говоря, Билл, мы — я и чинджеры — полагаем, что сумели установить истинную сущность человека, а также выяснили, почему люди так воинственны. Дело в том, Билл, что люди думают не столько головой, сколько половыми железами. Поскольку с культурной точки зрения в империи доминируют мужчины, державой управляет первичная человеческая эмоция под названием «чувственность». Точнее агрессивная чувственность. Хуже того — дальше вмешивается рассудок. К несчастью для чинджеров и остальной Вселенной, женщины отнюдь не являются безмозглыми коровами. Они не слишком заинтересованы в том бессмысленном, беспорядочном, беспрерывном спаривании, которого жаждут все без исключения мужчины, хотя на словах зачастую утверждают обратное, опровергая собственные убеждения, что зреют в их тоскующих по первозданной чистоте сердцах. Женщины вообще гораздо умнее мужчин, но, к сожалению, и они подвержены атакам гормонов, которые в большинстве своем куда коварнее заурядного тестостерона и порождают существ, наделенных весьма посредственными умственными способностями, я разумею в общем и целом, — существ, которые не знают толком, чего хотят, однако всячески стремятся добиться того, о чем не имеют ни малейшего представления. Поскольку мужчины не могут беспрерывно удовлетворять свою похоть, они вынуждены направлять агрессию вовне. Отсюда — привычка воевать. Отсюда — желание подчинить Вселенную...

— А также неприязнь к миролюбивым чинджерам! — ввернул Успр.

— Совершенно верно. Билл, я ищу понимания и, более того, возможности проникнуть в самую суть человеческого мозга, направить коллективную энергию человечества в иное русло, хочу пробраться, если можно так выразиться, в Зажелезию и, быть может, осуществить хотя бы незначительные эволюционные преобразования!

— Вот так-то, парень! — вмешался Успр. — На мой взгляд, поток гормонов ничуть не помешает слегка обуздать. Уменьшим до минимума человеческую склонность к агрессии! Сделаем Галактику безопасной для миролюбивых рас! Может, тогда империя перестанет палить по нам и сообразит наконец, что чинджеры хотят мира во Вселенной, и единственная причина, по которой они сражаются с людьми, состоит в том, что мы не желаем стать сто две тысячи триста двадцать четвертой космической расой, уничтоженной кровожадным человечеством!

— Погоди! — Билл нахмурился. — Давай разберемся. Если я правильно понял, вы предлагаете кастрировать все человечество! Выхолостить всех людей до последнего! Гнусные, вшивые чинджеры! И ты мерзавец, предатель, Делязны! — Билл яростно задергался на столе. На губах у него выступила пена, в мозжечок хлынули гормоны мужества, гордости и прочей дребедени, которая присуща мужчинам.

— Нет, Билл. — Доктор Делязны замотал головой, потом повторил: — Нет. Об оскоплении речь не идет. Мы всего лишь хотим подавить агрессивность людей и считаем, что сумеем это сделать, если найдем ее корни в Зажелезии. На поиски же мы посылаем тебя. Давай рассуждать так: каждый мужчина в силу своего мужского естества чрезвычайно похотлив. И кому будет плохо, если вожделение мужчин уменьшится ровно наполовину? Уверяю тебя, ничего страшного не произойдет. Влюбленные будут любить друг друга, как и раньше, и у них по-прежнему будут рождаться дети. Однако, удалив излишнюю агрессивность, мы, я надеюсь, сможем избавиться от войн, убийств и уничтожения всего, что только попадается на глаза. Хорошо придумано, а?

— Хорошо? — воскликнул Билл с пеной у рта. — Бреда чудовищнее я не слышал с тех самых пор, как мне предложили остаться на сверхсрочную! Это ж надо! Поголовная кастрация! — Билл настолько разъярился при мысли о том, что рискует лишиться пускай даже малой толики своего мужского достоинства, что задумался над происходящим и ощутил в себе тягу к справедливости и прилив несвойственного ему красноречия. — Ничего у вас не выйдет, садисты недорезанные! Я не могу допустить такого издевательства над человечеством! Не могу позволить, чтобы люди утратили хотя бы чуточку того, что подвигает их на великие свершения! Ведь благодаря тому, что вы хотите уничтожить, родилось желание бороздить океаны тысяч древних планет, взбираться на горы, подчинять себе элементы мироздания! Именно из так называемых гормональных агрессивных инстинктов возникло стремление к звездам, и люди взлетели в небо на примитивных кораблях и покорили Солнечную систему, а потом рассеялись по Галактике! Вы требуете от меня предать тот источник героизма, испив из которого человечество обрело столь широкую перспективу, столь честолюбивые замыслы, столь грандиозное воображение, столь чудесные мечты, столь много сулящую карму!

— Билл! Подумай головой, а не другим местом! Мы поселим вас с Ирмой на прелестной маленькой планетке, ты станешь техником-удобрителем и сможешь бесплатно напиваться в свое удовольствие хоть десять раз на дню! Никакой войны, никакой службы. Ты только представь! Вдобавок мы снимем с тебя дохлого голубя и наконец приделаем тебе замечательную ногу, выращенную в специальном растворе!

Билл мгновенно забыл о своих благородных чувствах, которые не выдержали состязания со здоровым эгоизмом и тягой к наживе.

— Договорились. Что я должен делать?

— Я же говорил, док: все упирается в ногу, — сказал Успр. — Давайте попробуем снять с него эту проклятую птицу, а затем отвезем нашего друга в переходник.

Глава 10
Шаг наугад

Билл стоял перед огромным, от пола до потолка, зеркалом и, широко разинув рот и выпучив глаза, разглядывал собственное отражение.

— Что за ерунда? — воскликнул он. — Зачем вы напялили на меня этот гнусный балахон? Зачем остригли?

— Брюс, — распорядился доктор Делязны, который что-то искал в груде шляп и прочих предметов туалета, — налейка ему еще. Расслабься, Билл. Пей до дна, пей до дна, пей!

Робот-сатир — тот самый, который похитил Билла и утащил его с берега моря в секретный чинджерский бункер, — шагнул вперед и снял с шеи громадный мех из козлиной шкуры. Билл, который никогда в жизни не отказывался от выпивки, а потому не очень-то нуждался в подбадривании, выхватил мех, прильнул к горлышку и ощутил, как мчится по пищеводу темный поток вязкого, неразбавленного вина. Чистой воды отрава — но в ней есть спирт! Герой Галактики облизал губы и вновь уставился в зеркало.

Что ж, уже приятнее, но все равно — диковинней некуда!

Билла одели в длинный, до пят балахон из мешковины, велели обуть кожаные сандалии и повесили на шею деревянный крест, поверх которого по-прежнему болтался дохлый голубь. На загривке топорщился капюшон, в руке Билл сжимал опять-таки деревянный посох. Его шевелюра пала жертвой электроножниц и эпиляторного крема, и теперь макушку Билла украшала тонзура. Хуже всего было шерстяное исподнее, от которого зудело все тело. Билл яростно зачесался, затем поглядел на доктора Делязны, который все копался в куче одежды. Настроение было неважное. Может, это и лучше, чем лежать на столе опутанным всякими разными проводами, но не намного.

— Эй, док, может, вы мне все-таки растолкуете, что к чему? И как насчет голубя? Вы же обещали его снять.

— Секундочку... Ага! — Врач выпрямился. В руках у него была шляпа — точнее, скуфейка. Он подошел к Биллу и приладил шапочку ему на голову. — Замечательно! К сожалению, с голубем ничего не вышло, в настоящий момент избавиться от него невозможно. А теперь хорошие новости, Билл. Тебе предстоит поход...

— Нет!

— Да! Поход в страну Зажелезию, где все как бы понарошку. Нам удалось привести ее в полуфизическое состояние — разумеется, с твоей неоценимой помощью, — и теперь мы можем приниматься за поиски той сокровищницы, о которой я уже упоминал. Когда она будет обнаружена, мы вплотную займемся проблемами, которые с ней связаны. Но сначала нужно найти искомое. Итак, в поход. Мы разработали стратегию, взяв за основу Средние века древней Земли. В темную эпоху перед мировой катастрофой у подрастающего поколения отмечались отклонения в развитии, которые были названы «ролевыми играми». К счастью для человечества, кто-то открыл, что ролевые игры, шизофрения и подписывание кровью договоров с Сатаной проистекают из-за отсутствия в диете некоторых питательных элементов. Как выяснилось, простой картофель, Solanum tuberosum, содержит в избытке минеральные вещества, восполняющие этот недостаток. Повсюду на планете стали создаваться бесплатные кухни, в которых подростков закармливали жареным картофелем. Результаты не замедлили сказаться: вскоре с заболеванием было покончено, а производители «лекарства» изрядно разбогатели. Однако я убежден, что ролевая игра — как раз то, что нам нужно. Подобрав группу агентов и подготовив их к проникновению на территорию призрачной и в то же время вполне материальной Зажелезии, мы вправе рассчитывать на успех.

— Да, шансы неплохие, — подтвердил чинджер Успр, выскакивая из головы робота Брюса. — Елки-палки, уж двое-то или один наверняка прорвутся!

— Группа агентов... Вы что, идете вместе со мной?

— Гм-м... Нет. — Доктор Делязны покачал головой. — Мы останемся в бункере и будем помогать вам советами. Но мы, Билл, подобрали тебе великолепных товарищей! Игру, в которую будем играть, я назвал «Пьяницы и бутылки». Тебе, Билл, выпала роль «пьяного монаха». Успр, мне кажется, пора дать Биллу полный мех. Как по-твоему?

— Вам виднее, ведь вы же врач. — С этими словами чинджер вновь забрался в робота, чем-то там щелкнул, и робот шагнул вперед и вручил Биллу мех с вином. Герой Галактики охотно принял подарок, в очередной раз промочил горло, а затем повесил мех себе на плечо.

— Значит, вы мне в походе не товарищи. Кто же тогда идет со мной?

Внезапно раздался оглушительный рев, от которого заходил ходуном пол и содрогнулись стены, и в комнату ввалился высокий бородатый мужчина в меховых одеждах, с мечом на поясе и едва прикрытой двурогим шлемом шапкой светлых волос на голове. В одной из своих громадных, с лапу гориллы, рук он сжимал бутылку виски «Джек Хрениэлс».

— Женщины! Где женщины, которых мне обещали? — рявкнул он и повел носом, словно пытаясь унюхать женские феромоны.

— Билл, это Оттар, древний викинг, которого мы нашли в Зажелезии. Там он сидел в глыбе льда, а в нашей игре будет изображать героя-варвара. — Делязны повернулся к викингу и жестом попросил того утихомириться. — Женщины будут, Оттар. Но сначала надо снять кино.

— Оттар любит кино, — сообщил с ухмылкой викинг; его глаза радостно блеснули. — Оттар — кинозвезда!

— Чего? — не понял Билл.

— Не спрашивай, — отозвался Успр. — Существуют вещи, о которых лучше не знать. — Чинджер развернул робота, в котором по-прежнему находился, к Оттару. — Не забудь, Оттар, нужно отыскать Источник Гормонов; найдя его, ты найдешь и свою ненаглядную Слайти Тоув.

Оттар фыркнул и снова ухмыльнулся; слюна запенилась на его губах, закапала на бороду, в которой виднелись хлебные крошки. На Билла пахнуло вонью, что исходила от викинга. Да, «сортирный стаз» сейчас явно не помешал бы.

— Ладно. Кто еще? — со вздохом спросил Билл. Он хотел было попросить, чтобы Оттар угостил его виски, но передумал, заметив, что на поверхности зеленой жидкости в бутылке колышется розовая пена.

— Старый друг, Билл. Доказательство эффективности моего оборудования, результат преобразования энергии в материю! — Доктор Делязны отдернул занавеску, что закрывала дверной проем. За занавеской оказалась комната со столом, на котором распростерся человек, сжимавший в одной руке кружку с пивом, а в другой — абордажную саблю. Делязны приблизился к столу и растолкал спящего.

— Рик! — воскликнул потрясенный Билл. — Рик Супергерой!

— Совершенно верно. В нынешнем походе ему отведена роль рыцаря-девственника.

Веки Рика со скрежетом разомкнулись, к потолку потянулись струйки пара. Рик потер ярко-красные глаза, вздрогнул, крепко зажмурился, потом присосался к кружке, после чего слегка приоткрыл один глаз, моргнул и огляделся по сторонам.

— Слушай, парень, мы с тобой не знакомы? — справился он, задержавшись взглядом на Билле.

— Это и есть ваша группа? — проговорил Билл, поворачиваясь к доктору Делязны, выпил вина и издал звук, который напоминал нечто среднее между вздохом и стоном.

Вскоре появились и остальные члены разношерстной компании: амазонка по имени Клитория, трикстер Гиперкинетик и священник Скотобаз, которого назначили на роль миссионера.

Оттар спьяну начал было приставать к Клитории, однако женщина семи футов ростом живо дала понять, что с ней такое не пройдет: отвесила викингу звучную оплеуху, и тот шлепнулся на пол.

— Ты, недоносок лохматый, если будешь распускать руки, я засуну твою бутылку тебе в задницу, и без динамита ты ее оттуда не вытащишь!

У облаченного в одежду крикливых тонов Гиперкинетика оказалась при себе лютня; как выяснилось, он имел привычку распевать, точнее, гундосить длинные и нудные военные марши, слова которых придумывал на ходу:

> А мы идем в поход.
> Вперед, друзья, вперед!
> Гормонов Источник мы найдем
> Под снегом, под солнцем или под дождем!

— Арррр! — заявил капитан Рик. — Мне нравится этот парень, хотя он не умеет петь, а его стихи нельзя скандировать.

— Источник Гормонов? — переспросил озадаченный Билл.

— Он самый, — сказал доктор Делязны. — С помощью компьютера нам удалось установить, что цель вашего похода именуется Источником Гормонов. Что это такое в действительности, а также чем оно не является, мы установить не сумели.

— Елки-палки, — присовокупил Успр, — по-моему, название само по себе вдохновляет на подвиги.

Священник, румяный и веселый, признался, что идет в поход добровольно.

— Клянусь Господом и верой! — провозгласил он в ответ на расспросы Билла. — Я убежден, что в конце пути нас поджидают гнусные язычники, воплощение плоти, и, если будет на то Божья воля, попытаюсь научить их добру и праведности.

— Аррр! Лично мне плевать! — проговорил Рик. — Я иду потому, что, по слухам, рядом с Источником расположена Святая Пивоварня, та, в которой варят «Святограальское крепкое». Моя душа жаждет праведности, а в горле так прямо пересохло!

— «Святограальское»! — Священник чуть было не обмочился от восторга. — Пожалуй, я не отказался бы от глотка-другого!

— Там хватит на всех, — сказал с улыбкой доктор Делязны и простер руки к потолку, будто собираясь благословить участников похода. — Никто не останется обделенным. Однако помните — успех вашего предприятия, вполне возможно, ознаменуется спасением множества жизней, как человеческих, так и чинджерских.

— Елки-палки, здорово! — воскликнул Успр. Впрочем, он, по-видимому, единственный обратил внимание на слова врача. Остальные были поглощены собственными заботами настолько, что чихать хотели на благородную миссию по спасению Вселенной.

Что касается Билла, пропитанный гормонами и алкоголем мозг героя Галактики разрывался между сладострастием и выпивкой. Образ утраченной возлюбленной становился каким-то размытым, его заслонял призрак полной бутылки; наконец два образа слились в одно целое, и Билл оказался не в состоянии отличить, где какой. Впрочем, особой разницы он все равно не видел. Находясь в изрядном подпитии, он не сообразил, что доктор Делязны дает ему команду обуздать желания плоти. И то сказать — ведь человеческое вожделение обычно затемняет рассудок, вынуждает и без того хилые умственные способности съеживаться в комочек и даже разлетаться на мелкие кусочки. Древние установили, что размышления приводят сознание к постижению Вечного Сейчас, а похоть повергает в пучину Вечного Любострастия. Мысль о том, что он сможет год за годом удовлетворять с помощью покладистой Ирмы свое сластолюбие, работать техником-удобрителем, заиметь собственный дом на тихой планетке, пить в свое удовольствие и забыть об армии, замкнула предательскую хемобихевиоральную схему, внедренную по приговору трибунала в нервную систему Билла имперскими электриками, а заодно и отогнала всяческие опасения насчет того, что в походе ему, может статься, предстоит столкнуться с опасностями, вообразить которые он своим глупеньким умишком просто-напросто не в силах. Билл не прикидывал, стоит ли игра свеч, не задумывался, что красота Ирмы с возрастом может сойти на нет. Он сосредоточил внимание — то, которое пока сохранилось, — целиком и полностью на Вечном Сейчас. Будущее представлялось точь-в-точь таким же, как настоящее. Разумеется, Биллу никоим образом не приходило в голову, что перегруженная печень может не справиться с тем количеством алкоголя, какое он намеревался выпить. Хуже того: он совершенно не сознавал, что в буквальном смысле сроднился с армией, не может избавиться от нее, как от кожаного ремня у себя на шее, и что крестьянская юность уже дохлее дохлого голубя.

Нет, подобные размышления ни в коей мере не тревожили Билла, которому была присуща истинно армейская широта кругозора. Он думал только об Ирме. Доктор Делязны не ошибся в выборе: наклюкавшись до пелены перед глазами, Билл превратился в архитипического влюбленного глупца.

И потому, когда врач велел диковинной компании приготовиться, Билл беспрекословно подчинился.

— Сюда, ребята, — произнес добрый доктор, взмахом руки приглашая походников следовать за собой. — Выход в парадигму в другой комнате. Когда вы окажетесь с той стороны, мы кинем вам оружие. Вы уж извините, но происшествия нам тут ни к чему.

Чинджер Успр, управляя роботом-сатиром, погнал людей в переходную камеру. По дороге он, радостно хихикая, рассказывал, что собирается делать, когда в Галактике установится мир, который неизбежно заключат после их замечательного похода. Он вернется к своим интеллектуальным занятиям, продолжит изучение инопланетных форм жизни. Успр вкратце описал несколько омерзительных существ, с какими ему доводилось общаться, поведал о восторге, с которым ожидает возвращения к исследованиям. Билла чуть было не стошнило. По счастью, лекция по экзобиологии закончилась, едва они переступили порог просторного помещения, заставленного компьютерами и прочим оборудованием самых экстравагантных форм и очертаний. Надо всей аппаратурой возвышался гигантский генератор ван дер Граафа, который то и дело испускал мощные электрические разряды, поджаривая на лету разных комаров, мух и мотыльков, что время от времени выныривали из прохода в потусторонний мир.

— Йёк! — пролепетал Билл.

Остальные тоже йекнули — откровенно говоря, не без основания.

Проход представлял собой круглый дверной проем, по окружности которого мерцали красные, зеленые и лазурные огоньки. Время от времени по украшенному чеканкой медному ободу проскальзывал случайный разряд электричества, который либо поглощался металлом, либо вонзался в воздух за проемом.

Ощущение было такое, будто смотришь из окна. Пейзаж смахивал на вычурную декорацию к никуда не годной исторической трагедии. Вдалеке высились полуразрушенные замки, за которыми торчали зазубренные вершины гор. Над выжженной пустошью стелился туман, из которого высовывались кривые, скелетообразные ветви деревьев; по краям впадин, заполненных булькающей водой, располагались заросли утесника и вереска, похожие на колючую проволоку вдоль окопов. Из проема тянуло холодом и сыростью, попахивало гниющими растениями и разложившимися трупами.

— Ну-ка, дружно, ну-ка, вместе, нечего стоять на месте! — усмехнулся доктор Делязны. — Ребята, вас ждет Источник Гормонов!

Походники, не сговариваясь, испустили сдавленный вздох, после чего прильнули каждый к своему сосуду со спиртным, дабы хоть немного приободриться.

Один за другим они шагнули в проем. Волосы Билла встали дыбом — столь мощным было электрическое поле. А может, всему виной был панический страх, что внезапно стиснул героя Галактики в своих ледяных объятиях? Билл провалился по колено в болотную жижу. Вонь была настолько ужасной, что казалось, они невзначай забрались в насыщенный сернистыми испарениями желудок дракона. Когда все очутились по ту сторону, Успр и доктор Делязны, как и обещали, швырнули им вслед оружие.

Мечи, кинжалы, луки со стрелами, кортики, ножи, пращи и даже бойскаутские ножики.

— Что за черт? — рявкнул Супергерой Рик, тщетно пытаясь выдернуть из грязи меч. — Мне нужен бластер!

— Извини, Рик, боюсь, что современная технология не подходит для того измерения, в котором вы оказались, — крикнул доктор Делязны. Дверной проем уменьшался на глазах. — До встречи, ребята. Мы будем следить за вами.

— Погодите! — произнес Рик, выдирая ногу из чавкающей жижи. — Мы так не договаривались!

Однако он не успел добраться до проема. Тот исчез в ослепительной вспышке, а Рик, споткнувшись, пролетел по воздуху и угодил, головой вперед, в серо-зеленую лужу.

В этот миг над пустошью раздался душераздирающий получеловеческий вопль, похожий на звук, с каким скребут по школьной доске костлявые пальцы скелета.

— Я все понял, — объявил Оттар, подхватывая меч с такой легкостью, словно тот был всего-навсего зубочисткой, и свирепо озираясь по сторонам. — Мне тут нравится. Кого прикончить первого?

Глава 11
Билл выпускает кишки

Билл вскинул голову, истерически завизжал и кинулся бежать. Однако бежать было некуда. Драконьи челюсти сомкнулись, и миссионер Скотобаз пропал, будто его и не было. Зубы дракона заскрежетали словно турбопаровой экскаватор.

На землю упали аккуратно откушенные по середину бедра ноги священника, обутые в полагавшиеся по сану башмаки. Дракон разогнул шею и удовлетворенно зачавкал.

Людей обрызгало кровью, как если бы неожиданно включилась спрятанная где-то поблизости дождевальная установка.

— Может, он наелся, — заметил, стуча зубами, Рик, укрывшийся за спиной амазонки Клитории.

— Или отравился религией, — мудро присовокупил Гиперкинетик, который притаился за спиной Рика.

Билл — он, в свою очередь, из осторожности, а кто-то наверняка скажет из трусости, прятался за Гиперкинетиком — осушил до дна мех и уставился на дракона. Тот, причмокивая, дожевывал Скотобаза.

Герой Галактики в жизни не видел такого громадного дракона. Это умозаключение было правдивым и вполне логичным, поскольку до сих пор видеть драконов Биллу не приводилось вообще.

Чудовище выглядело весьма непривлекательно. Из боков у него торчали огромные нетопыриные крылья — в багровых прожилках, с потрепанными по краях перепонками и множеством сквозных отверстий тут и там. Жуткое туловище покрывал омерзительный чешуйчатый панцирь, из-под которого виднелась красновато-зеленая, тускло поблескивающая плоть. Четыре длинные мускулистые лапы заканчивались серповидными когтями, на которых болтались полоски кожи прежних жертв. Наиболее же отвратительной была голова монстра: налитые кровью выпученные глаза, широко раздутые волосатые ноздри, гигантские клыки в ужасной пасти, над которой росло нечто вроде густых черных усов.

Короче говоря, дракон смахивал на почившего в бозе Сгинь Сдохни в момент, когда тот по-отечески ласково изничтожал очередного новобранца.

— Животное! — воскликнула Клитория, взмахнув клинком перед драконом. — Приготовься распрощаться со своими лапами! Я буду отрубать их по частям, пока не доберусь до твоей гнусной вонючей утробы!

— Получай! — гаркнул Оттар, воздев меч к нависшим над землей клубящимся тучам, словно призывал молнию. — Ты у нас еще попляшешь!

— Эй, ребята, — проговорил дракон, приподняв кустистые брови, — осторожнее с этими зубочистками. — Он сунул лапу за спину и извлек из какой-то норы сигару, которую предусмотрительно убрал перед схваткой; закурил и выпустил клуб дыма. — Со мной лучше не шутить. — Он уронил пепел на клинок Клитории. — Вы, верно, не знаете... На днях я придавил слона, который забрался ко мне в пижаму. Даже не успел спросить, что он там забыл.

Дракон оглушительно рыгнул, пахнуло дымом, спиртным, наполовину переваренным священником, а также всякой мерзостью, о которой лучше не упоминать.

Билл сообразил, что ему следовало бы ожидать чего-то подобного. В конце концов весь день напролет, продвигаясь все дальше по этому вшивому измерению, они не ведали покоя, ибо непрерывно попадали во всяческие передряги.

Во-первых, они обнаружили, что вдобавок к выворачивающей наизнанку вони, адскому шуму и тому, что все идет шиворот-навыворот, здешние края населены существами, по сравнению с которыми чинджеры с плакатов имперского министерства пропаганды кажутся невинными овечками. По счастью, Клитория и Оттар умели обращаться с мечами, а потому проложили отряду дорогу сквозь ряды клыкастых плюшевых медведей и прочих чудовищных тварей. Однако вскоре им повстречалась мифическая бестия, справиться с которой оказалось не под силу ни амазонке, ни викингу.

Во-вторых, спустя всего лишь несколько часов ковыляния по болотам и пустошам выяснилось, что все братья и сестры, составляющие теплую компанию, дружно ненавидят и презирают своих товарищей. Даже Рик и Билл — которые чуть ли не сроднились на борту звездолета «Желание» — умудрились поссориться по поводу того, задушить ли, а может, заколоть Гиперкинетика, чтобы тот перестал наконец распевать свои баллады, или оставить в живых. Рик, по-видимому, наслаждался песенками трикстера и время от времени прибавлял к ним куплет-другой. Билл же, который не столь давно пришел в восхищение, прослушав «Балладу о Супергерое», считал, что песни Гиперкинетика не заслуживают ни единого доброго слова, ибо певец постоянно фальшивит и не умеет рифмовать строчки. «Хрен» и «опять», «хрен» и «конец», «хрен» и «чудак» — ну разве ж это рифмы?!

В-третьих, запасы спиртного быстро истощались, а потому походники мало-помалу трезвели и начинали понимать, что, согласившись отправиться в путь, который пролегал по закоулкам человеческой психики, совершили поистине кошмарную ошибку.

Исполинский дракон, который внезапно вылез из пещеры и с ходу сожрал одного из участников экспедиции, был последней каплей, переполнившей чашу терпения. Подорванный боевой дух походников не выдержал такого надругательства над собой.

— Эй, назовёте нужное слово — получите сотню долларов, — проговорил дракон, попыхивая послеобеденной сигарой.

— Руби! — провозгласила Клитория, размахивая клинком.

— Убивай! — взревел Оттар, с бешеной скоростью крутя над головой мечом.

— Извините, не то. Ну а вы что скажете? Я к вам обращаюсь, вы, олухи с разинутыми ртами! Давайте присоединяйтесь.

Варварский дуэт, по-прежнему потрясая оружием, с рычанием приготовился к нападению, однако Рик, глаза которого вдруг заблестели, а свеча над головой чуть ли не замерцала (никаких лампочек — технология на уровне Средневековья), ринулся вперёд, увернулся от угрожавших изрубить его в капусту клинков и что-то прошептал на ухо викингу и амазонке. Те неохотно кивнули, с ворчанием опустили мечи и сделали шаг назад.

В сердце Билла зародилась надежда на то, что, может быть, Рику с его светлым умом удастся найти выход из этого препаршивейшего положения.

Гиперкинетик взял на своей лютне несколько душераздирающих аккордов, вскинул голову и пропел:

А Рик сказал: мол, что за хрен?
Секретное слово — тьфу для меня!

— Будь настолько любезен, заткнись, пожалуйста! — предложил Билл, хватая Гиперкинетика за горло. Тот выдавил что-то неразборчивое.

— Оставь его, Билл, — вступился Рик, разжимая пальцы героя Галактики. — Может, он и фальшивит, но в правоте ему не откажешь. — Капитан повернулся к ухмыляющемуся, дымящему сигарой дракону. — Аррр! Ну что ж, дракон. Значит, секретное слово. Если я назову это слово, ты нас пропустишь?

— Пожалуй. Пообедать я пообедал. — Дракон с довольным видом потер огромное брюхо и вырыгнул очередной клуб дыма.

— Отлично. Слушай, дракон, но ведь в твоем словаре наверняка не одна сотня слов. У меня немного шансов найти нужное.

— Пожалуйста! — выдохнуло чудовище. — Я знаю самое большее сто тридцать три слова, и все по-английски. — Дракон рыгнул. — Это, например, называется отрыжкой.

— Что-то он слишком много болтает, — пробормотал Билл, нервы которого уже не выдерживали. Вдобавок герой Галактики становился с каждой минутой все трезвее и трезвее.

— Восхитительно! — воскликнул Рик. — Короче говоря, шансы у меня прямо-таки астрономические. — Он принялся расхаживать туда-сюда, поджал губы и явно погрузился в размышления. Внезапно он ткнул пальцем в небо и развернулся лицом к дракону. — Знаю! Такой дракон, как ты, с твоими замечательными умом и эрудицией, должен иметь про запас загадку насчет секретного слова! Сдается мне, мы все же сумеем чего-то добиться.

— Гм-м! — отозвался дракон. — Почему бы нет? Я люблю загадки, хотя и не так, как мой приятель, сфинкс Блинкс. Ладно, с чем справляется он, с тем справлюсь и я! Тебе придется пару минут подождать, пока я соображу. Кстати, имей в виду — если не угадаешь, то все вы должны будете сложить оружие и позволить мне сожрать вас одного за другим.

— Конечно-конечно, — уверил Рик, показывая товарищам скрещенные за спиной пальцы. — Однако будь добр, ответь сначала на несколько вопросов. Скажи, как тебя зовут?

— Меня? Разумеется, Смог. Да, меня зовут Смогом, потому что я имею определенные привычки. — Дракон указал на сигару и ухмыльнулся.

— А в какой мы находимся стране?

— Стране? Вы что, не знаете, как называется эта страна? — От удивления дракон даже рыкнул. — Она называется Страной абсурдных фантазий. Вы попали в край человеческого бессознательного, в чьи чернильные колодцы окунают свои перья писатели, которые создают превосходные романы в жанре высокой комедии. Это часть Зажелезии; каламбуры считаются здесь смешнее всего на свете, а слияние мирского и мифического порождает у тысяч читателей добродушные смешки! — Чудовище неожиданно сбросило на землю кустистые брови и усы. — Потому-то я и подделывался под Граучо Маркса. Смешно, верно?

Рик сдавленно хихикнул, а Билл, который никогда не слышал ни о каком Граучо Марксе, ухитрился лишь выдавить неубедительную улыбку.

— Да-да. Очень смешно, Смог. Еще один вопрос, а потом мы выберем минутку, чтобы разгадать твою загадку. Ты не слышал о некоем Источнике Гормонов?

— Источник Гормонов? Конечно слышал! Кто о нем не знает?! Он расположен посреди Зажелезии, точно на границе Страны непристойных журнальчиков и Края раздевательных романов. — Дракон поднял лапу и ткнул когтем вдаль. — Идите все время на юг. — Он снова ухмыльнулся и облизнулся. — Вернее, вы пойдете на юг, если разгадаете мою загадку. — Смог почесал громадным когтем ухо. Послышался неприятный скрежещущий звук. Затем дракон встал на задние лапы, выпрямился во весь рост и зачарованно уставился на свое объемистое брюхо. — Похоже, ребята, вы в любом случае двинетесь на юг: не так, так этак!

Клитория с Оттаром забряцали клинками и зарычали. Рик жестом велел им утихомириться.

— Что ж, мы помолчим, а ты давай придумывай свою загадку. Если не возражаешь, мы пока сбегаем в кустики вон за тот холм. Зачем тебе столько лишней воды?

Молодец, подумал Билл. Какой все-таки молодец Рик! Им бы только добежать до холма, а там они двинут прямиком на юг. Крылышки у Смога хиленькие, долго он на них в воздухе не продержится.

— Не пойдет, сынок, — возразил дракон. — Тебе меня не провести. Забежите за холм, и поминай как звали! Нет уж! К тому же я сочинил загадку. Готов? Считаю до десяти, ребята; если не ответите, пеняйте на себя. — Он подмигнул. — А загадка-то что надо! Готов? — Дракон игриво хихикнул. Попробуйте представить, и вы поймете, насколько отвратительный был у него вид.

— Валяй, Смог, — произнес Рик, вытягиваясь во весь свой героический рост.

— Ладно, ребятки. Итак, загадка: кто ползает на рассвете на четвереньках, днем ходит на двух ногах, а вечером — на трех? — Дракон усмехнулся и высокомерно поднял брови.

— Аррр! — проговорил Рик, хлопнув себя по лбу. — Да, с ходу не ответишь. Ты не против, если мы с друзьями пошушукаемся?

— Шушукайтесь сколько влезет, — разрешил дракон. — Но не забывайте про время. Раз! — громыхнул он.

Походники, озадаченно хмурясь, собрались в кружок. Что касается Билла, он просто не знал, что сказать, ибо в жизни не слышал загадки глупее.

— Знаю! — воскликнул Гиперкинетик, стукнув себя по кончику длинного носа. — Это марсианская оргия! По крайней мере, я читал что-то похожее в «Галактическом плейбое».

— Мы пока еще не в Стране непристойных журнальчиков, — покачал головой Рик. — Тут Страна абсурдных фантазий, от нее-то и надо танцевать.

— Два! — прорычал Смог.

— Чинджеры? — отважился высказать догадку Билл и окончательно сконфузился, заметив, с каким отвращением глядят на него спутники.

— Три! — пустил слюну дракон.

— Нельзя же быть настолько тупым, Билл, — укорил Рик. — У меня куча знакомых остолопов, но никто из них ни за что бы недодумался до такой глупости.

— Времечко бежит! — ласково заметил Смог. — Четыре!

— Дошло! — радостно провозгласил Оттар. — Сэмми Валлунд, возвращается домой после ночной пирушки, спотыкается, падает...

— Пять! — взревел дракон.

— Нет, нет, нет! — Рик начал выдирать волосы на голове. — Я ведь знаю! Вертится на кончике языка, а вот сказать не могу!

— Шесть! — объявил с ухмылкой Смог.

— Может, денубианская скользкая собака? — предположила Клитория.

— Что там после шести? — Дракон принялся пересчитывать когти. — А! Восемь! — По всей видимости, он истощил свой запас присловий и гримас, а потому произнес последнее слово обыкновенным голосом.

— Елки-палки, — проговорил Билл. — До чего же трудная загадка!

— Семь!

— Вот оно! — вскричал Рик. — Ответ! — Он подбежал к дракону, отчаянно размахивая руками. — Эд Рэкс загадывал мне эту загадку в Святом Гриль-баре!

— Десять! — заявил Смог. — Ну как? Найдется у вас что сказать?

— Думаю, да, — отозвался Рик. — Кто ползает на рассвете на четвереньках, днем ходит на двух ногах, а вечером — на трех? Правильно, Смог? Конечно же человек! Когда младенец — он ползает; когда вырастает — ходит на двух ногах, а потом на трех, потому что на склоне лет ему требуется палка! Слушай, приятель, у кого ты стащил свою загадку? Небось у того сфинкса, которого тут поминал?

— Черт! — Смог с отвращением поджал губы. — Надо мне было подольше порыться в памяти. Да что там говорить! Вот так рассыпаются трупы.

— Значит, мы можем идти? — радостно воскликнул Билл. — Заодно не подскажешь, как попасть в ближайший бар?

— На первое отвечаю «нет», а на второе — «не знаю», — прошепелявил дракон и ухмыльнулся необыкновенно злорадной ухмылкой. — Не хватало еще, чтобы я отпускал за здорово живешь сочных сосунков вроде вас! И потом, я, по правде сказать, давно уже не сражался с достойным противником.

Едва докончив фразу, он стремительно изогнул шею, и громадные челюсти сомкнулись вокруг Гиперкинетика, который прижимал к груди лютню. Бард взлетел в воздух, трепыхаясь и оглашая окрестности отнюдь не музыкальными воплями, а затем оказался в мгновение ока проглочен и отправился вослед священнику по пищеводу дракона навстречу своей судьбе.

— Лживый пес! — вскричала Клитория, занося над головой клинок.

— Ты обманул Оттара! — прорычал викинг, со свистом рассекая воздух мечом. — Оттар изрубит тебя в капусту!

— Что ж, по крайней мере, баллад больше не будет, — философски заметил Билл, обнажая свой собственный меч. Поскольку в армии пользовались исключительно огнестрельным и дальнобойным оружием, он сомневался, что сумеет совладать с клинком. Оставалось только надеяться, что его не замедлят научить как тренированные армейские инстинкты, так и огромное желание уцелеть.

— Покажем мерзавцу! — крикнул Рик, размахивая мечом. — Вперед! Я прикрою вас с тыла!

Варвары мигом устремились на дракона и принялись колоть и рубить зеленое рычащее чудище.

— Неплохая идея, — признал Билл, увернувшись от струи пламени, весь черный от копоти. Ему бросилось в глаза, что драконьи когти находятся в опасной близости от варваров. — Откуда нам знать? А вдруг кто-нибудь и впрямь нападет со спины?

Клитория и Оттар, похоже, забыли обо всем на свете. Они оба превратились в яростных берсеркеров, то бишь наконец-то обрели свое истинное «я». Битва была для них наслаждением.

К сожалению, с точки зрения Билла, она завершилась слишком уж скоро.

Оттар быстро очутился в пасти дракона, а затем рухнул в пищевод, расчлененный на три или четыре куска. Смог проглотил его вместе с одеждой и рассованными по карманам бутылками виски.

Клитория преуспела чуть больше. Она ухитрилась в нескольких местах оцарапать Смога, однако в следующий миг, едва дракон заглотнул Оттара, разделила участь викинга.

Смог повернулся к двоим оставшимся в живых походникам, поковырял мечом в зубах и криво усмехнулся, а потом оскалил окровавленную пасть.

— Ням-ням. Что ж, пора приниматься за десерт. Кто первый? Умный или дурак?

— Он! — крикнул Рик, указывая на Билла.

— Нет, он! — крикнул Билл, указывая на Рика.

— Ой-ой, какой трудный выбор! — Дракон шагнул вперед, наклонился и злорадно ухмыльнулся. Его брюхо представляло собой мясистую стену зеленой плоти, пуговица на животе была размером с бильярдный стол. Билл моргнул, задрожал от страха, снова моргнул и уставился на драконий пупок, в глубине которого виднелась медная головка винта. Винт?

Не зная, что еще предпринять, уверенный, что, так или иначе, все равно погибнет, он вставил острие меча в паз на головке винта и повернул клинок.

— Не делай этого! — взвизгнул по-девичьи высоким голосом дракон, потом взвизгнул снова, на сей раз — слабее. Третий взвизг был едва различим.

Внезапно Смог начал растворяться в воздухе.

Однако, по мере того как дракон становился все призрачнее, вокруг стали возникать некие отвратительные черные фигуры, которые объединялись и тускло поблескивали.

В Зажелезии явно творилось нечто весьма экзотическое.

Глава 12
Одни-одинешеньки

— Клянусь Вельзевуллой! — произнес Рик, заодно с Биллом застывший изумленным столбом. — Ты только посмотри!

Дракон сделался едва заметным, а черных фигур становилось все больше. Они появлялись приблизительно в том месте, где совсем недавно находилось брюхо чудовища. Щупальца эктоплазматического тумана заключали диковинных существ в белесые коконы. Сквозь достаточно плотную и сугубо локализованную пелену пронизывали молнии электрических разрядов, как в день псевдочетвертого июля на планете Туман в скоплении Плеяд.

— Черт! — заметил Рик. — Это будет пошикарнее вчерашнего фильма по головизору. — Внезапно его обуял страх. — Не скажу, что я в восторге. Что происходит?

— Разрази меня гром, если я знаю! Дракон хотел нас сожрать, а потом испарился. Держи меч наготове, а там поглядим.

Похоже на какое-то перерождение... Билл присмотрелся повнимательнее. Ему показалось, будто он различает в сверкающем тумане, который сейчас собирался в клубы, воссоединение плоти и разорванных тканей. Но прежде, чем он успел как следует поразмыслить, один из клубов испустил нечто вроде вздоха и словно раскололся надвое.

Из него, как будто цыпленок из яйца, выпрыгнул долговязый подросток. Очки в роговой оправе с вогнутыми линзами размером с противорадиационные экраны, подсохшая ранка на нижней губе, весь в прыщах, рубашка застегнута на все пуговицы, туго затянутый пояс брюк едва ли не на уровне грудной клетки, в нагрудном кармане пластиковый футляр с ручками и карандашами.

— Привет! Я Питер Перкинс! — моргнув, объявил юноша. — Сдается мне, я слегка зачах. Ну и ладно. Сказать по правде, священник меня достал! — Он посмотрел на свою ладонь, на которой лежало несколько игральных костей. — Пожалуй, прогуляюсь на улицу, погляжу, как дела у Таинственного Альфреда. — Юноша с отвращением огляделся, потом воззрился на Рика с Биллом. — Он лучший Магистр Игры, которого я знаю. Правильно, ребята?

Под ребятами он разумел других подростков, которые точно так же вылуплялись из тумана, все молодые и прыщеватые, все с костями в руках и достаточно туповатые на вид. Один, жирный, как боров, жевал шоколадный батончик «Милки Уэй»; другой, низкорослый и уродливый, был одет в поношенную бойскаутскую форму; третий, точнее, третья поражала оплывшими телесами, ее одутловатое лицо искажала мужененавистническая улыбка.

— Что за ерунда такая, ребята? — справился Билл, почесав в затылке.

— Разве ты не понял, Билл? — проговорил Рик, лицо которого озарилось внутренним светом, словно он постиг некую истину. — Доктор Делязны и чинджер упоминали о ролевой игре, которую сконструировали для собственного блага. Перед нами игроки из какого-то иного измерения или мира — в общем, называй как хочешь.

— Точно! А он тоже из вшивых Магистров, — проскулила девица, которая была какое-то время назад амазонкой Клиторией.

— А то, — согласился подросток, не так давно игравший Оттара. — Гомоядный дракон с загадками для детского сада! Источник Гормонов! Ну и бредовая идейка! Страна абсурдных фантазий? — Он пристально поглядел на двоих рыцарей удачи и удивленно моргнул. — Супергерой Рик? Ну да, а вон тот олух — не иначе как Билл, Билл — герой Галактики! Сходится! А я — Ясон динАльт из Мира смерти! — Мальчишка презрительно хмыкнул. — Слушайте, парни, давайте разнесем эту лавочку и поиграем во что-нибудь стоящее!

— Верно, — согласился последний, который озирался по сторонам, судя по всему умирая от скуки. — Где гномы с их боевыми топорами? Готов поспорить, эти болваны в жизни не читали Хикмен и Вейс!

Похоже, остальные подростки пришли в ужас при одной только мысли о такой возможности.

— Минуточку, — сказал озадаченный Рик и поскреб затылок. — Я думал, по сценарию нам полагается быть в фантазийной части Зажелезии, там, где все зиждется на архетипах, мифах, сказках и тому подобном, древнем, как Вселенная.

— Мифы? Сказки? Что это такое? Приятель, тут играют всерьез! — заявила воинственная девица. — Всерьез, а не понарошку!

— Точно! — подтвердили остальные подростки. — Ну и воняет, однако!

Они принялись пожимать друг другу руки. Застучали игральные кости, вокруг подростков возникали и пропадали линии, которые передавали движение, — возможно, подарок неведомого художника; вот туман, словно живой, заклубился сильнее прежнего, подростки завертелись на месте...

И сгинули без следа.

— Фью! — проговорил Билл. — Исчезли! Взяли и исчезли. Послушай, Рик, а у нас так не получится? Мне здесь тоже не слишком нравится.

— Нет, Билл, — Рик вздохнул. — Боюсь, мы с тобой застряли тут намертво. Нас удерживают доктор и чинджер. Мы сможем выбраться отсюда только тогда, когда отыщем для них Источник Гормонов.

— Проклятый Успр! — пробормотал Билл, чувствуя, что желание увидеть Ирму постепенно сменяется жаждой мести. — Мне бы до него добраться! Уж я с ним посчитаюсь!

— Не забудь Делязны! — пробурчал Рик.

— Нет, я не забуду доктора Делязны! Я припас для него кое-что особенное! — Глаза Билла засверкали ненавистью. Он начал что-то подсчитывать в уме. — Пожалуй, я протащу нашего друга доктора под килем космического крейсера! Нет, не годится, слишком просто!

Рик согласно кивнул, и они двинулись на юг, прочь из Страны абсурдных фантазий, в несомненно куда более интересную и порядочную Страну непристойных журнальчиков.

К несчастью, у них не было компаса.

Что, естественно, означало следующее: не прилагая к тому особых усилий, они ухитрились заблудиться. Билл, который с телячьим восторгом предвкушал в скором времени увидеть целые эскадроны обнаженных и шаловливых красоток, полистать дурно написанные, зато соблазнительно проиллюстрированные романы и посмотреть забавные карикатуры на симпатичных дам, наделенных всем, что способно очаровать мужчину, сильно расстроился, когда сообразил, что дорога завела их куда-то совсем не туда, в край почти непроглядного мрака.

— Аррр! — произнес Рик, окидывая взглядом чахлую растительность. Над местностью властвовал серый цвет, в воздухе ровным счетом ничем не пахло — ни хорошо, ни плохо. Немногочисленные деревья стояли, безвольно опустив ветви, трава чуть ли не лежала на земле, как будто прибитая яростным, чтобы не сказать — мокрым и скользким, порывом ветра. В общем и целом, местность выглядела совершенно безжизненной, словно нигде в округе не сохранилось ни крупицы того, что могло бы ее воскресить.

— Зороастр! — проворчал Билл. — Похоже, тут давно не кушали витаминов.

— Мрачновато, верно? Арррр! Знаешь, приятель, по-моему, мы слегка сбились с курса и случайно попали на Легендарный Перешеек Импотенции.

Билл съежился от ужаса. Для насквозь проспиртованного имперского солдата само слово «импотенция» означало нечто невообразимо страшное, грозившее уничтожить тот образ самодовольного жеребца, который усиленно насаждался пропагандой в качестве всеобщего идеала. Герой Галактики плевать хотел на словечки типа «легендарный» или «перешеек», но вот от жуткого слова на букву «и» его буквально пробрало до костей холодом.

— А разве мы не в Зажелезии, куда стекаются подгоняемые буйными химическими реакциями сверхактивные иды миллиардов людей? — справился он.

— Может, там, в конторе, выдался тяжелый денек? — предположил в ответ Рик и пожал плечами.

— Нет, мне кажется, все гораздо сложнее. У меня такое чувство, будто нас завели сюда намеренно. — Билл огляделся и снова поразился тому, какой плоской и вымершей выглядит местность. — Надо что-то придумать. Ты представляешь, что происходит?

— Нет.

— Зато ты знаешь, Билл, — произнес Билл странным, пустым голосом. — Я ничего такого не говорил! — воскликнул он, прижимая ладони к губам.

— Говорил, — возразил Рик. — Я слышал.

— Это ваш друг, добрый доктор Делязны, — продолжал Билл тем же самым диковинным голосом. — Я общаюсь с вами благодаря эффекту постгипнотического внушения. Если вы слышите меня, то лишь потому, что попали в такую ситуацию, которую не в силах воспринять своими крохотными умишками. А я — пускай даже не лично — спешу вам на помощь. То, что произошла активация данного сегмента псевдопамяти, означает, что вы узнали что-то новое относительно человеческой психики. Разумеется, те истины, которые медикам кажутся прописными, болванов вроде вас потрясают до глубины души; однако — да будет вам известно — и в психике молодого жеребца, который спит и видит, как бы ему кого-нибудь трахнуть, имеется некая область, куда не проникают вездесущие гормоны. Скорее всего, речь идет о той области, о которой я уже упоминал, но вы меня, вероятно, не слушали, — о неокортексе, что является источником логики и разумных суждений.

— Нет, — сказал Рик. — Тут слишком уж просторно.

— Слушайте, чайники, вам придется во всем разбираться самим, — сообщил Билл, голос которого звучал теперь немножко глухо, поскольку он по-прежнему прижимал к губам ладони. — Я не с вами, поэтому советовать не могу. Быть может, вы достигли Источника Гормонов? Займитесь делом. До связи.

Рик почесал подбородок и принялся в очередной раз обозревать окрестности.

— Эй, Билл, а что там за замок?

— Какой еще замок? — переспросил герой Галактики своим обычным скрипучим голосом и вдруг взвизгнул от восторга. — Кончилось! Я — снова я!

— Замечательно! Правда, другой голос мне нравился больше. У него хоть было что сказать. Теперь мы снова одни. Вон там, на холме, видишь? Облака как раз поднимаются.

Поглядев в том направлении, куда указывал Рик, Билл и впрямь увидел, как поднимается выше в небо, словно занавес на театральной сцене, серая пелена пушистых облаков, а на холме вырисовываются очертания довольно-таки приземистого замка: невысокие башни с плоскими макушками, обвисший флаг на погнутом флагштоке.

— Надо постучать в ворота и спросить дорогу, — предложил Рик, настроение которого явно улучшилось.

Преодолев полосу тумана, они добрались до наружной стены замка и остановились перед воротами.

— Эге-гей! — крикнул Рик. — Кто-нибудь дома? Усталые и голодные путники ищут жаркого огня, стаканчика холодной... ээ... воды, горячего ужина и дружеского совета.

В воротах открылось смотровое окошечко, из которого высунулся сквозь железную решетку чей-то нос.

— Кто там? — прогундосил невидимый стражник голосом сильно простуженного бурундука.

— Рик и Билл! — отозвался Супергерой самым дружелюбным, самым дипломатичным тоном, на какой был способен.

— Рика и Билла здесь нет!

Окошечко захлопнулось. Билл забарабанил по утыканной металлическими шипами створке ворот.

— Эй, ты, олух! Разуй глаза! Нам нужна помощь!

— Пожалуйста, Билл! — прошипел Рик. — Если мы хотим чего-то добиться, надо вести себя повежливее. Не забывай, мы ведь не в имперской казарме!

И слава Зороастру, подумал Билл, который приобрел привычку спать в бронежилете, после того как распространился слух, что в секторе Беты Дракона новобранцы убивают сержантов. Начальство утверждало, что всему виной зета-волновое излучение планеты: дескать, это оно лишило убийц остатков разума; однако Билл знал, как все было на самом деле, — недаром он когда-то маялся под началом ненавидимого и внушавшего дикий страх Сгинь Сдохни. В те дни мучений и пыток Билл лелеял мечту, которую разделяли все новобранцы в казарме: превратиться в председателя трибунала и лично наблюдать за тем, как Сгинь Сдохни будут пытать, а затем казнят.

Окошечко со скрипом приотворилось и из него снова высунулся нос.

— О! Да вы и впрямь Рик и Билл! Говорите, вам нужен совет? Тогда, хе-хе, ступайте к дьяволу! Могу подсказать, как его найти.

— Мы бродячие торговцы! — в отчаянии воскликнул Рик. — Точно! Мы продаем «Старомодный восстановитель волос из обезьяньей печени производства матушки Гольдфарб» со специальными дополнениями. Сегодня предлагаем «Сыворотку папаши Гольдфарба из желез гориллы для повышения потенции». Подумайте! Вам когда-нибудь приходилось видеть гориллу, которая не хочет секса? Разумеется, нет! И... и... — Судя по всему, вдохновение Рика иссякло.

— Восстановитель волос нам вроде ни к чему, — прогундел обладатель носа (и то сказать — его ноздри заросли настолько густо, что волосы из них свешивались прядями на верхнюю губу). — А вот что касается второго... У нас тут недавно возникла одна проблема, с которой не мешало бы разобраться. — Стражник помолчал; Биллу показалось, он слышит, как скрипят в мозгу охранника заржавевшие передачи. — Ладно, чужестранцы. Бросьте оружие, и я отведу вас к хозяину.

Билл и Рик с радостью отцепили от поясов мечи и кинжалы и швырнули их на землю. Створка ворот распахнулась настежь, из нее выглянул тощий мужчина в бесформенной шляпе, из-под которой выбивались и ниспадали ему на плечи длинные волосы. Убедившись, что чужаки безоружны, он дернул за рычаг, и перекидной мост под лязг цепей и визг ворот пошел вниз.

— Пошли, — прогундосил стражник и бегающим взглядом пригласил следовать за собой. Он быстрым шагом двинулся прочь, звонко цокая каблуками по камням.

Рик и Билл попытались воспроизвести его диковинную походку, но у них ничего не вышло, и к тому времени, когда очутились во дворе замка, они уже перешли на нормальный шаг.

— Что там было написано? — спросил Рик.

— Где? — удивился Билл. — Я не видел. Признаться, мне было не до того: такой походке в два счета не научишься.

— Может быть, это важно. Пожалуй, я сбегаю посмотрю.

Билл следом за странным охранником вышел из тени стены на свет и вдруг сообразил, что стражник куда-то подевался. В следующий миг он догадался, что на него наставлены острия дюжин обнаженных мечей и нацелены многочисленные стрелы. Оружие держали в руках отвратительнейшие на свете существа; более мерзких тварей Биллу видеть еще не доводилось, хотя он и лицезрел достаточно гнусных созданий —

особенно когда после приличной попойки смотрелся в зеркало. Двор замка кишмя кишел орками и троллями, которые припадали к каменным плитам, пускали слюни, размахивали клинками. Гномы и карлики грозили ножами и топорами.

— А вот и я, Билл! — воскликнул вернувшийся Рик. — Там темновато, но, по-моему, я прочитал до конца. Надпись такая: «Оставь... надежду... всяк... сюда... входящий...» Как ты думаешь, что это может означать?

Билл не ответил. Он был слишком занят: вертелся из стороны в сторону, стараясь отыскать проход на волю.

К сожалению, его попросту не было.

Глава 13
В темнице

Тюрьма находилась в подземелье. Нельзя сказать, что она представляла собой лучший курорт во Вселенной, скорее наоборот — явно стремилась оказаться в списке тюрем первой с конца. Пытаясь хоть немного приободриться, Билл решил отыскать в своем нынешнем положении нечто более-менее утешительное. В конце концов он успокоил себя не слишком убедительным доводом, что здесь все же лучше, чем в учебном лагере. Похлебка, которой его кормили, была просто превосходной: ведь в ней время от времени попадались тараканы, то есть она прямо-таки изобиловала протеином. Вообще-то похлебку, по всей видимости, приготовили несколько недель назад, и та жидкость, которая обнаружилась под запекшейся сверху коркой, насквозь проферментировалась, так что Билл получил изрядное удовольствие. Хотя опьянеть он толком не опьянел, поскольку похлебку приносили нечасто; тем не менее у него, по крайней мере, не было необходимости оставаться до отвращения трезвым.

Жестокая судьба! Неужели он никогда не увидит свою ненаглядную Ирму!

Билл погрузился в пучину отчаяния — бормотал что-то неразборчивое, стонал, то и дело пускал из жалости к себе скупую слезу. Через некоторое время он ощутил известное облегчение.

Сильнее всего ему досаждали кандалы. Железные кольца облегали шею, обхватывали руки от плеч до запястий; они были приклепаны к толстой цепи, вделанной другим концом в стену. Когда Билл спал или просто сидел, он порой забывал о кандалах, но стоило только подняться, как те тут же напоминали о себе. Выбраться наружу не представлялось возможным: окон в камере не было, а доступ к двери преграждала решетка; поэтому Билл никак не мог понять, зачем его заковали, и, размышляя над этим, всякий раз раздражался. Он жаловался горбуну, который изредка появлялся в темнице, чтобы накормить героя Галактики и вынести парашу, однако тот, по-видимому, был глух как пень, да и к тому же глуп как пробка, посему мольбы Билла оставались втуне.

Вот что значит разевать рот и не смотреть по сторонам!

Оглядываясь назад — через прицел 20-20, — Билл постепенно начал понимать, что они с Риком совершили ошибку. Им не стоило заходить в этот замок! Издалека он чудился вполне пристойным; кто мог предположить, что во дворе их встретит целая армия жутких тварей? Да, если бы они не упомянули про железы гориллы, гундосый охранник не отпер бы ворота, и тогда не пришлось бы под угрозой немедленной смерти доказывать эффективность чудодейственного средства. Естественно, того попросту не существовало в природе; Рику пришла в голову замечательная мысль — притвориться, будто целебный эликсир налит во фляжку, в которой на деле плескалось вино. «Его нужно втирать в кожу, — объяснил Рик. — Аррр! Кстати говоря, фляжки вам хватит надолго. Забирайте и пользуйтесь, сколько влезет. А мы с моим приятелем двинемся дальше. Сами понимаете, дело не ждет». К несчастью, головорезы потребовали наглядной демонстрации, сорвали с пленников штаны и плеснули из фляжки на причинные места.

Как и следовало ожидать, результаты оказались не слишком впечатляющими. Холодное вино подействовало совсем не тем образом: нисколько не увеличило размеры, наоборот — уменьшило. Ропот стал громче. Рик заявил, что иногда цель достигается не сразу и нужно подождать, однако его слова никого не убедили. На уловку Супергероя не поддались ни тролли, ни гномы, ни даже орки. Незадачливых продавцов торжественно препроводили в подземелье и развели по одиночным камерам, причем, как выяснилось, головорезы не имеют ни малейшего понятия о чести — они и не подумали вернуть путникам брюки.

Таким вот образом Билл очутился в кромешной тьме. Он не знал, сколько провел взаперти дней, ибо в сырой и вонючей камере разницы между днем и ночью не существовало. За временем можно было следить разве что по приходам горбуна, который приносил миску с ферментированной похлебкой.

Ладно, подумал Билл. Это, конечно, не Вулканическая Ривьера, зато можно сколько угодно валяться на спине и наслаждаться давно заслуженным отдыхом. Если память не подводит, до сих пор вся его жизнь состояла из сплошного «марш-марш-марш!». То надо было обучать и ставить на место зеленых новобранцев, то выпутываться из какой-нибудь заварушки. И теперь он мог исполнить то, о чем мечтал на протяжении многих лет.

Отоспаться.

С того самого дня, как в деревню завернул вербовщик, которого сопровождал робот и который заставил Билла записаться в армию, герой Галактики не имел ни единой возможности как следует выспаться, а потому слегка подзабыл, как себя при этом чувствуешь.

Но сейчас, когда не нужно было опасаться электронной побудки, которая пронизывала током все естество в тошнотворный час рассвета, Билл обнаружил, что может восхитительно долго купаться в прудах сладостного забвения, и какое-то время только тем и занимался, выплачивая огромный долг сну. Когда же он наконец отоспался, жизнь стала невыносимо скучней: Билл сообразил, что делать здесь и впрямь почти нечего.

По счастью, через денек-другой (а может, через три, пять или двадцать пять) утомленный лишь чуть-чуть притупленной алкоголем скукой, Билл вспомнил, что у него есть книжка. Вернее, сразу несколько книжек! В носу героя Галактики по-прежнему находился экземпляр «Блинерз дайджест», прихваченный из палаты смертников в госпитале на Костоломии-IV.

Один из романов оказался эпическим повествованием на тему параллельных миров. Назывался он «Еретики в Гадесе». Поскольку Биллу чрезвычайно понравилась предыдущая антология на ту же тему под названием «Мир должников», герой Галактики приступил к чтению, преисполненный самых радужных ожиданий.

«Еретики в Гадесе». Робот Голдилокс «Гильганош встречает двух писателей-фантастов». «Война — это ад» — популярная армейская поговорка.

Если Гильганош воистину возродился из мертвых много веков тому назад, так тому и быть. Но ныне мертвецы ему изрядно надоели.

Размахивая мускулистыми руками, он охотился среди диких сортиров, с бессмысленной жестокостью протыкая адских тварей своими острыми стрелами, общался со знаменитыми римскими цезарями и африканскими королями, равно как и с прочими мертвецами, сосланными на гибельные серые острова Гадеса; показывал свои могучие бицепсы Новым Туристам с их новомодными электронными «никонами» и «лейками», а также видеокамерами «сони». Посмотрите, как скачет полуголый Великий Король Урука перед этими диковинными людьми в бермудах, гавайских рубашках и солнцезащитных очках. О могущественные правители обратившихся ныне в пыль городов! О волосатый, дикий король! Твое лицо обрамляет львиная грива, твои ноги — как танки неонацистов, что могут справиться с самим Плутоном! Ты ходишь огромными катышами размерами с бревна!

Сократ! Платон! Божественный Август! Агамемнон! Шумер! Вавилон! Греция! Все, с исторической дребеденью покончено. Мои пальцы не станут больше бегать по клавиатуре! Ваш покорный слуга, Робот Голдилокс, не желает демонстрировать свою эрудицию и утонченность, не прибегая к цитатам из собственных творений — романа «Я, Гильганош» и одного из ранних околонаучных исследований, «Указателя к слабопорнографическим подкорковым мифам», — я устремлюсь вперед на крыльях прекрасной, плавно льющейся прозы и весьма изысканно изъясню (как балерина, что танцует в «Лебедином озере» Чайковского? Нет, как Джозеф Конрад, или Филип Рот, или, еще лучше, как те знаменитые писатели былого, Генри Каттнер и К. Л. Мур!), почему Гильганош изнывал от скуки.

О Гильганош! О могучий герой тысячелетней давности! Тебе скучно, ты остервенел, ибо живешь из века в век — здесь, в Гадесе, где не можешь по-настоящему умереть! Тебе скучно, ибо ты тоскуешь по своему доброму другу, Инки-Динки-Ду, с которым поссорился и который обещал разрубить тебя на кусочки и подать к столу на блюде твою бочкообразную задницу, если ты еще хоть раз подрежешь его колесницу!

Однако слушай! За углом тебя ждет величайшее приключение! Спустись вон с того холма. Разве там не роет когтями землю громадный мифический зверь? Разве он не поднимает клубы пыли, не фыркает, не скачет с пеной у пасти по пустыне?

Нет! Он такой же анахронизм, как часы с Микки-Маусом на твоем богатырском запястье.

Зри! Это «форд-бронко», четыре на четыре!

Мощный автомобиль с ревом мчится по Гадесу, лавируя между сортирами, а водитель и пассажир ведут дружеский спор, жуют все ту же резину, точь-в-точь как Ктулху жует свою жвачку.

«Господи, Г. Ф.! — произносит нараспев краснолицый здоровяк, весь потный, но довольный, сжимая в руках руль. — Сдается мне, нам попросту не о чем спорить! Я был куда потустороннее твоего!»

«Ерунда!»

«Не загибай!»

Эти мертвые фантасты говорят, естественно, о той поре, когда жили на свете, пока не умерли и не отправились в Гадес, сию огромную мифическую нору в земле, ныне диковинно видоизменившуюся, словно по воле некоего автора технотриллеров, сдобренную вдобавок страстью к римской истории какого-нибудь преподавателишки латыни (тут, кстати, наблюдается любопытная тяга к Римской империи). Да, они рассуждают о безмятежных днях былого, тысяча девятьсот двадцатых и тридцатых годах, когда оба шествовали походкой колоссов по страницам журнальчиков вроде «Аргоси», «Невероятных пикантных восточных баек» и, разумеется, «Таинственных историй», этого несравненного образчика жанра. Оба умерли в 1936-м: Говард застрелился, узнав, что его ненаглядная матушка при смерти, Лавкрафт скончался от рака пищевода, почти наверняка вызванного необычной диетой и, возможно, тайным пристрастием к некоторым грибкам. Да, да! Путешествие в один конец в Гадес явно пошло им на пользу. Говард теперь может не отходить от своей матушки, а Лавкрафт наслаждается историей, всяческими экстраваганцами и грибками и пребывает в полной уверенности, что за всем случившимся стоят сами Древние! Ничего не скажешь, бравые парни!

Живые мифы в мифической стране! О! Сик транзит глория мунди-хрюнди, или что-то вроде этого[1].

«Черт, Г. Ф.! Я из Техаса, — гордо объявляет Боб Говард. — Мы там все как на подбор, одни здоровяки, а потому моя таинственность здоровее твоей! Разве ты исписал столько бумаги? Разве сочинил столько приключенческих романов в восточном духе, столько вестернов, пикантных повестушек, историй про сверхъестественных чудовищ? Разве, наконец, помогал создавать замечательный жанр „меча и колдовства“, с героями, содранными у Руссо и Берроуза, классический пример которых — Конан? — Он делает паузу, чтобы перевести дыхание. — Покончил ли ты с собой в тридцать лет, после того как долгие годы жил героической жизнью на страницах дешевеньких журнальчиков, потому что не мог без матушки? Пускал ли слюни, описывая в своих потрясных книжках пышногрудых богинь и амазонок и чувствуя, что тебе не хватает смелости просто выйти на улицу и снять за два доллара первую попавшуюся шлюху? Говард мотает головой. На его одутловатом лице играет кривая усмешка. — Слушай, Г. Ф., в свое время мы с тобой много переписывались. Я готов признать, что порой твои штучки оказывались покруче моих, но согласись — мы принадлежим к разным жанрам! Я — техасец, здоровяк, каких мало, живой образчик крутизны! Конечно, сейчас я мертв, но крутой остается крутым и после смерти. И нечего мне лапшу на уши вешать!»

Говард Филлипс Лавкрафт качает головой, как бы выражая свое сочувствие.

«Бедный мой Роберт Э.! Тск и еще раз тск! Ты умер слишком рано, чтобы иметь возможность как следует изучить таинственное, тогда как я познал его сполна. Я знаю, Роберт, ты был расистом, но твой расизм — чисто культурного свойства, обязан своим возникновением твоему паршивому техасскому свинарнику, на задворках которого ты вырос. Я же выпестовал свой расизм, всхолил и взлелеял в том самом затхлом подвале на одной из улиц Провиденса. Боб, ты путался в своих симпатиях, хоть и твердил о превосходстве арийцев. Я же открыто провозгласил примат белой расы. Сдается мне, ты до-

---

[1] *Sic transit gloria mundi* — Так проходит земная слава *(лат.)*.

гадываешься, что мой ничтожный доход составляли в основном те деньги, какие я получал, дописывая за других рассказы и повести. Но известно ли тебе, что в двадцатые годы у меня был студент, которого я готовил к поступлению в „Знаменитую писательскую школу Бигота" и который заплатил мне за то, чтобы я написал для него книгу под названием „Майн Кампф"? Между прочим, несколько месяцев назад я столкнулся с ним здесь, в Новом Берлине. Как раз истекает тринадцатое тысячелетие, которое он проводит по горло в серной кислоте, одновременно страдая от смертельного микоза, а в ближайшем будущем ему предстоит тысячу лет плавать в главной выгребной яме. Так вот, он попросил снова выручить его. Похоже, парень нашел издателя на новую книжку.

И потом, прожил ли ты полжизни на кукурузных хлопьях и молоке? Создал ли гнуснейшую из известных человеку мифологий? Жил ли в дряхлом доме, болел ли едва ли не с рождения, чахнул ли, терзаемый зловещей хворью, сочинял ли бредовые письма коллегам-писателям, вместо того чтобы клепать добротные вестерны по пенни за слово? Ты, Боб, ты клепал вестерны и заработал денег больше, чем ваш местный врач. Ну, признайся, Боб. Пускай ты крут и, без сомнения, загадочен, но со мной тебе не тягаться, и ты должен это понять, вбить в свою чугунную техасскую башку. Я не только гораздо таинственнее — нет, я был величайшим психом столетия!»

Спор закончился весьма неожиданно. «Форд» с разгона врезался в массивную тушу, что возникла вдруг посреди дороги. Когда Г. Ф. и Роберт Э. очнулись, они увидели, что на них хмуро глядит исполин, громаднее которого никто из них в жизни не встречал.

«Эй, водила! — дружелюбно рявкнул Гильганош и в гневе оторвал у машины крыло. — Смотреть надо, куда едешь!»

Гильганош умирал изнутри.

Нет, вовсе не потому, что в него только что врезался рычащий четырехколесный зверь, а тело терзали необыкновенно острые шипы — которые он выдернул, повертел в руках и решительно отбросил в сторону. Гильганош страдал из-за того, что лучший друг Инки-Динки-Ду затаил на него обиду. Он чувствовал себя хуже, чем Шадрах в огненной печи. Великому Гильганошу было не суждено подняться по звездной лестнице на небо. Сей Сын человеческий лишь спускался, несомый на крыльях ночных птиц, которые, быть может, в конце концов сбросят его на какую-нибудь ужасную стеклянную башню.

«Кругом ни души, катайся в свое удовольствие, — проговорил Гильганош, с отвращением глядя на двух писателей, — а вы, тупицы несчастные, умудрились въехать прямо в меня!»

Высокий, крупный мужчина, коротко остриженный и румяный, кое-как выбрался из-за «баранки» и сделал неуверенный шаг вперед.

«Прыгучие кролики Иосафата! Это же Конан! — возопил он. — Клянусь небом! Конан из Киммерии, вылитый, до последней корпускулы!»

Гильганош озадаченно моргнул. Что за чушь? Ну да, он однажды столкнулся с Конаном, однако тот верил в фей и писал про Шерлока Холмса и профессора Челленджера.

«Успокойся, Боб, — сказал спутник здоровяка, бледный мертвец с набриолиненными черными волосами, глазами как у рыбы и квадратным подбородком. — Конан — выдумка, весьма к тому же неудачная с точки зрения стилистики».

«Знаю, Г. Ф. — Боб кивнул. — Но ты должен делать скидку на мое воспитание. Я рос домашним ребенком, маменькиным сынком, а теперь вдруг встречаю громаднейшего, волосатейшего, героичнейшего героя из всех тех, кого только видели мои плакучие глаза! — Писатель рванулся к Гильганошу, издавая на бегу малоприличные, чмокающие звуки. — Эй, морячок! Пойдем прогуляемся?»

«Пожалуй, Боб, ты был прав. До такого лично я никогда не доходил. — Спутник Боба повернулся к варвару. — Пожалуйста, мистер, извините моего друга. Я — Г. Ф. Лавкрафт, а он — Роберт Э. Говард. Мы — послы короля Генриха Восьмого, который отправил нас своими полномочными представителями к Пресвитеру Иоанну. Любопытное, я бы даже сказал — экзотическое наложение исторических срезов. Похоже на фармеровский „Мир реки“, только еще мифичнее».

«Приятель, — прорычал Гильганош, — хватит пороть ерунду. Вы помешали мне, когда я охотился. И потом, сделай одолжение, оторви этого недоумка от моей ноги! Я и сам порой не прочь позабавиться, но плохие писатели-фантасты меня не возбуждают. Убери его, а не то полубог Гильганош выпустит ему потроха!»

«Гильганош! — вскричал Роберт Э. Говард. — Разрази меня гром! Замечательно! Возьми меня, Гильги! Возьми меня!»

По счастью, Гильганош отвлекся на отряд гверильясов, которые имели дурную привычку время от времени заваливаться в Гадес. Говарду повезло и в другом: они с Лавкрафтом прихватили с собой в дорогу автоматы, а потому без труда справились с партизанами, тем более что им помогал стрелявший из лука Гильганош.

После схватки все трое отправились в царство Пресвитера Иоанна, и там Гильганош повстречался с Инки-Динки-Ду, и они изрядно отмутузили друг друга, а потом решили помириться. Лавкрафт и Говард обнаружили, что во владениях Пресвитера имеются издательства, порвали с королем Генрихом Восьмым и принялись сочинять эротические рассказы для выходящего в Гадесе журнала под названием «Плейбой-герл».

Как правило, Билл наслаждался теми ощущениями, какие возникали при движении книги по носоглотке, однако ему постоянно хотелось, чтобы романы были подлиннее, дабы удовольствие подольше не кончалось, а потому творение Голдилокса пришлось герою Галактики весьма и весьма по душе.

Так проходили дни.

Билл прочел все романы, кроме одного, последнего. Он только-только приступил к нему, прочитал заглавие (Дэвид Писсофф. «Еще один прекрасный архетипический миф») и первую фразу: «Это произошло в темном и бурном Мире Ночи...» — как вдруг дверь камеры распахнулась настежь.

«Бам!» — бамкнула она.

— На выход с вещами! — рявкнул офицер, за спиной которого теснились солдаты.

— Летние сборы закончились. Подтирай задницу, Билл, или как там тебя зовут, — прибавил седовласый, весь в шрамах воин, истинный доходяга, вполне достойный сержантских нашивок. — Хозяин этого замка зовет вас с приятелем к себе. Мой совет — готовься к смерти.

— По-твоему, хозяин нас отпустит? — радостно улыбаясь, справился Билл.

— Отпустит? — истерически взвыл солдат. — Только через мой труп! А лучше через твой. Зачем мы, скажи на милость, целый день кипятим масло?

Прежде чем солдаты выволокли его из темницы, Билл ухитрился проглотить последние полмиски ферментированной похлебки.

Глава 14
Король-калека

— Что ты сказал?

Косматый правитель Перешейка Импотенции неохотно привстал, опрокинул со стола на пол кувшин и кубок с вином и свирепо уставился, вытаращив налитые кровью глаза, на посиневших от холода и съежившихся со страха пленников, что стояли посреди зала, закованные с ног до головы в кандалы, из-под которых лишь кое-где выглядывали лохмотья, в какие превратилась их одежда, а потом со стоном опустился обратно в кресло.

Билл облизнулся. Он испытывал нечто вроде отчаяния, глядя, как растекается по полу и сливается в забитое шерстью сливное отверстие драгоценная, пускай и не слишком сладко пахнущая жидкость.

— Я сказал, ваше королевское бессилие, что мы обыкновенные странники и разыскиваем Источник Гормонов.

— Нет! Нет! — взвизгнул барон, хватаясь за полы своего усыпанного крошками и усеянного жирными пятнами платья, словно собирался от восторга разорвать собственное одеяние. — Вернись на несколько предложений назад! К тому человеку, который вас сюда послал!

Рик и Билл озадаченно переглянулись. Обмен получился равноценным.

— Вы про доктора Делязны? Как по-твоему, Билл? — спросил Рик, который вышел из подземелья заметно бледнее и худее, чем был, когда вошел.

— Делязны! — вскричал барон, выдирая у себя клок прямых волос. — Делязны! Да, да, про него!

— Эй, Билл, сдается мне, этот тип знаком с Делязны!

Билл ошарашенно покрутил головой, причем его движения сопровождались полумузыкальным звяканьем кандалов.

— Мне тоже так кажется. Но ведь это невероятно? Разве может здешний барон хотя бы знать о том, что существует такой доктор Делязны? Не забывай, Делязны, в общем-то, человек, а барон — архетип. Кстати, а что значит «архетип»?

Билл, как и полагалось истинному солдату, благополучно забыл большую часть того, о чем вещал доктор Делязны в своей скучной лекции про архетипы. В крохотном проспиртованном мозгу военного образца, каким обладал герой Галактики, не было места для мысли, что сексуальные расстройства миллиардов мужчин способны создать нечто вроде такого вот архетипического барона.

Барон снова застонал. Стон получился весьма жалобным, прямо-таки душераздирающим. Бесплод — так его звали, барон Бесплод — попытался встать с кресла, однако не сумел и остался стоять, согнувшись пополам. На глазах у него выступили слезы отчаяния, лицо приобрело свекольный оттенок.

— Нет, нет, я человек, такой же человек, как вы. Настолько же человек, насколько бесчеловечен мерзавец и подлец Делязны! — Глаза барона, глядевшие с прищуром из-под кустистых бровей, тускло сверкнули. Он раскачивался из стороны в сторону, прерывисто, натужно дышал — словом, старался каждым дюймом своего тела устоять хотя бы в этом чрезвычайно неудобном положении. — Скажи мне, Билл, — прохрипел он. — Твою ногу тебе пришпандорил проклятый вивисектор Делязны?

— Не совсем... По правде сказать, я обзавелся ею... ну, в другом месте.

Билл полусознательно спрятал раздвоенное копыто за второй ногой, чтобы на него не пялились толпившиеся вдоль стен зала отвратительные твари, которые, услышав слова повелителя, зашевелились и подступили поближе к герою Галактики.

— Ты уверен, Билл? — прорычал барон Бесплод и выставил перед собой палец с обгрызенным ногтем. — Здесь наверняка не обошлось без Делязны! Он дьявол во плоти! Именно он отвечает в империи за многие, если не за все зловещие психосоматические исследования. Говорят, что не кто иной, как доктор Делязны, наделил императора косоглазием, когда проводил операцию на мозге, чтобы вырезать вросшие в мясо ногти. Если это правда, тогда карьера гнусного изменника отмечена еще одной ошибкой. А что Делязны предатель, известно даже нам благодаря моим биотехническим механизмам.

— А когда вы с ним познакомились? — спросил Билл.

— По-твоему, я родился таким уродом? По-твоему, я появился на свет здесь, в тутошнем мраке и запустении? Нет! Неужели ты не понимаешь... Язык меня не слушается. Какая трагедия, а всем плевать! Всем, и тебе тоже! Ты задал свой вопрос лишь затем, чтобы посмеяться надо мной! Я был величайшим ученым на свете! Почитаемым, уважаемым имперским доктором наук. Даже такие олухи, как вы, должны были слышать обо мне. Доктор Кранкенхаус. Самый великий из всех хирургов-психосоматиков, каких знала история! Я выполнял психосечение мозга молодого мужчины, когда мне внезапно открылась истина.

— Истина? — моргнув, переспросил Билл.

— Да! — воскликнул барон Бесплод, брызгая слюной, чего в пылу красноречия просто не заметил. — А истина заключалась в том, что большинство мужчин мыслят своими яичками! Никакой другой ученый ни до чего подобного недодумался! Все считают, что гонады влияют на мозг лишь через выброс тестостерона. Это верно, однако лишь отчасти. Я, доктор Кранкенхаус, в тот знаменательный день в Головотяпском университете убедительно доказал, что происходит на самом деле! Мой гений создал секс-получатель, прибор, который улавливает излучения, исходящие от желез. Никогда не забуду, как включил питание и смог наконец увидеть воочию то, что до сих пор присутствовало только в теории! Я говорю о прежде невидимом энергетическом канале, который соединяет напрямую нижнюю часть человеческого тела с продолговатым мозгом. Цвет у канала был темно-красный, ближе к багрянцу. Я быстро произвел кастрацию, взмах скальпеля — и готово, и канал исчез, что неопровержимо свидетельствует о том, что он идет не от мозга, а с противоположного конца. Ну, господа, неужели вы не понимаете всей важности моего открытия?

— Кастрацию? — произнес Билл. Во рту у него пересохло, руки дрожали — он испытал страх, присущий каждому настоящему мужчине.

— О, я пришил все, что отрезал! Говорю вам, я был великим хирургом! Пришил — и вот оно! Канал появился снова! Понимаете? Канал психической энергии появился снова! Продолжая эксперименты, я также установил, что канал имеет гиперпространственное ответвление, которое входит в море человеческой энергии, что плещется в ином измерении. Получается нечто наподобие протекающего психического водопроводного крана. А это иное измерение — Зажелезия, та самая страна, на территории которой мы с вами сейчас находимся! — Барон настолько разволновался, что упал на пол. Вставать он, похоже, не собирался и продолжал лекцию с пола, временами спазматически дергаясь, словно перевернутый на спину жук. Такое происходило всякий раз, стоило ему особенно чем-то увлечься. — У меня был помощник, Делязны! Он постоянно шпионил за мной! Скоро он узнал все то, что знал я, насчет Зажелезии, и причем почти в то же мгновение, в которое знание пришло ко мне. Я стремился к постижению тайн человеческого организма и не мечтал ни о каких почестях, кроме разве что Галактической Нобелевской премии и чудесной должности в Гелиорском университете. Но Делязны!.. Я не понимал тогда, что Делязны жаждет большего! Гораздо большего!

— Да, — подтвердил Рик. — Он хочет принести человечеству мир, прекратить войну с чинджерами.

— Ба! — Бесплод фыркнул и судорожно дернулся от отвращения. — Гнусная ложь! Если он и связался с чинджерами, то — ставлю доллары против навозных жуков! — не преминет предать их столь же быстро, как предал людей. Он алкает власти! Неограниченной власти! Делязны хочет использовать космическую энергию Зажелезии в собственных мерзких целях. Однако у него ничего не выйдет, если только он не отыщет источник энергии...

— Источник Гормонов! — проговорил Билл, начиная смутно догадываться, о чем идет речь.

— Говоря архетипически, да. Источник Гормонов, средоточие космической энергии. Увы, до сих пор никому не удавалось его найти. — Барон вяло махнул рукой, как бы показывая, что под «никому» подразумевает своих присных. — Разумеется, если бы мы нашли Источник, то обязательно подыскали бы ему применение. Верно, вы, уроды безмозглые, придурки-доходяги?

Ответом были дружный слабый стон и шарканье ног.

— Я вот чего не понимаю, доктор Кранкенхаус, то есть барон Бесплод, или как вас там еще. Если вы и впрямь первым открыли Зажелезию, то с какой стати вы здесь и в таком плачевном виде?

Доктор Кранкенхаус щелкнул пальцами — по крайней мере, попытался, но те лишь скользнули друг по другу — и, указав на пленников, с бульканьем в горле велел своим сподвижникам:

— Освободите их! И принесите какие-нибудь штаны, а то я совсем замерз, глядя на эти синие задницы! Они такие же невинные жертвы, как и мы!

К пленникам подступили двое гномов, которые принялись отпирать замки на кандалах, а доктор Кранкенхаус тем временем кое-как взобрался на трон и обессиленно, задыхаясь от изнеможения, рухнул на сиденье.

— Спасибо, — поблагодарил Билл, натягивая грязные меховые штаны. Покончив с одеванием, он стал растирать онемевшие руки.

— Вы не ответили на вопрос, — напомнил Рик.

— Нет. Извините. Одна только мысль о том, что со мной стряслось, бередит мне душу. — Доктор Кранкенхаус прижал к лицу дрожащие мелкой дрожью ладони, словно норовя заслониться от воспоминаний — по-видимому, безуспешно. — Прошу прощения, что обошелся с вами несколько грубо, но у нас тут так заведено. Мы не любим чужаков, от которых можно ожидать неприятностей.

— А откуда вы знаете, что мы не подосланы доктором Делязны? — спросил Рик.

— Подосланы? — еле слышно хихикнул Кранкенхаус. — Навряд ли. Вы, ребята, чересчур тупоголовы для того, чтобы быть шпионами.

— Может, вам станет лучше, если вы расскажете нам о себе? — предположил Билл.

— Ах да! Моя история! Таких мучений не выпадало на долю никому!

История доктора Кранкенхауса, или Не дави фею, лучше дай мне щипчики

Дело было поздно вечером, в университетской психосоматической лаборатории. Я только что закончил обрабатывать отчет о ежегодной вечеринке студенческого общества «Дельта-Смегма-Высший Класс» — празднике, включающем в себя тога-пати, панти-рейт и буйную оргию; естественно, мне хотелось поскорее внести полученные результаты в мой управляемый компьютером аппарат. Понимаете, я находился посредине пути к созданию энергетического аналога «калоканала», того психического канала, по которому в мозг мужчины поступает энергия. В случае успешного завершения эксперимента я предполагал, что сумею с помощью своей машины открыть проход в Зажелезию. К тому времени у меня уже сложилась гипотеза об энергетических манифестациях Зажелезии,однако нужно было заглянуть туда самому, чтобы, так сказать, подкрепить теоретические доводы практическим лицезрением.

Какой замечательный задумал эксперимент! Каким восхитительным обещало быть путешествие! Увидеть собственными глазами пока непостижимый X-фактор человеческой психики. Что называется, микро против макро. Я могу лишь сказать, что был необычайно взволнован, истинных же своих чувств передать попросту не в силах.

Предполагалось, что мой помощник Делязны в отпуске. Я и не подозревал, что он исподтишка соорудил устройство, благодаря которому мог следить за работой моего компьютера и прочих инструментов в лаборатории.

Итак, дело было поздно вечером. Догадавшись, что я задерживаюсь на работе, моя красавица-дочь Ирма принесла мне домашнего винца и сэндвичей со свининой. Я попросил ее не уходить, чтобы она могла засвидетельствовать мой очередной шаг — введение в аппарат незначительного количества энергии, образно выражаясь, прокачку. Я намеревался ввести сексуальный заряд, который называется оргоном и который я собрал на празднике вручения тог. Мне было неведомо, что Делязны наблюдает за каждым моим шагом. Кстати говоря, он не только порядочная свинья, но и никудышный электрик. Едва я дернул за рычаг, чтобы начать процедуру, как изрядная часть заряда перетекла в провода, которые он присоединил к аппарату, и вошла в него, хотя он сидел в своем логове на расстоянии полумили от лаборатории. Я ничего не заметил, поскольку весь ушел в созерцание энергетического канала, протянувшегося из нашего измерения в Зажелезию. В результате происков Делязны произошла флуктуация плоскостей, деформация пространства! А та энергия, которая вызвала эту деформацию, пришла из потустороннего мира, каковой мог быть лишь Зажелезией. Я был близок к успеху!

В следующий миг в лабораторию ворвался Делязны — волосы дыбом, глаза вот-вот выскочат из орбит, из ушей валит дым. «С дороги, идиот! — крикнул он и попытался схватить мою дочь. — Я поимею ее! Я должен иметь ее! Обниму! Затопчу! Дефлорирую! Йо-хо-хо!»

Надо признать, я настолько увлекся своим экспериментом, что не замечал, что Делязны точит зубы на Ирму. Теперь мне все стало ясно. Приток энергии из Зажелезии оказал на него губительное воздействие. Он буквально исходил вожделением!

Мы сцепились, покатились по полу — о, я сражался как лев! — а вокруг грохотали взрывы и сверкали искры. Ирма попыталась оторвать его от меня, однако я поспешил прогнать ее. В конце концов мы очутились у самой границы прохода Отсюда — Туда. Не знаю, откуда у меня взялись силы сопротивляться безумцу, однако я сумел вытолкнуть Делязны за пределы нашего измерения. Зияющая дыра поглотила моего помощника, раздался оглушительный треск. Я кое-как поднялся и заключил в объятия Ирму, уверенный в том, что покончил со злодеем раз и навсегда.

Однако он появился вновь, в тот самый миг, когда я собирался отключить питание. Очевидно, он ухватился за край дверного проема и сумел удержаться благодаря той чудовищной силе, какая присуща всем сумасшедшим. Естественно, теперь оргона в нем было куда больше прежнего. Издав яростно-похотливый рык, он направился прямо к Ирме!

Бедная моя доченька! Ей не оставалось ничего другого, как бежать в Зажелезию, и она, не раздумывая, прыгнула в проем, чтобы избежать ужасной участи быть опозоренной подлым мерзавцем!

А что я? Я чувствовал себя утомленным до изнеможения, изнуренным до последней степени, но все же сверхчеловеческим усилием воли заставил себя встряхнуться и схватил стул, который обрушил сначала на генератор, а затем на другие наиболее ценные устройства. После чего, с именем моей дорогой Ирмы на устах, рухнул в дверной проем, который в следующее мгновение исчез. Падение и та усталость, какую я испытывал в момент перехода, и превратили меня в калеку, которого вы видите перед собой.

Очнулся я здесь, на Перешейке Импотенции. О! Какое совпадение! Обитатели этого гнусного местечка приняли меня за бога; быть может, в какой-то мере я и вправду бог. Бог, которому незачем жить, ибо он навеки утратил свою прелестную дочь, ненаглядную Ирму!

Теперь же я стал еще более жалок. По всей видимости, Делязны, мой бесталанный, ни на что не годный помощник, закончил медицинский колледж. Я уверен, ему удалось этого добиться только за счет обмана и того оргона, который скопился в его организме. Он сделался врачом и таким-то образом —

наверное, через похищенные у меня книги — воссоздал проход в Зажелезию, куда и посылает всяких болванов на поиски источника космической энергии, обладание которой позволит негодяю покорить Вселенную. Хуже того, он наверняка заполучил Ирму и лишил ее чести! Горе мне! О горе мне, горе!

Завершив свое повествование, барон Бесплод — иначе именуемый доктор Кранкенхаус — разразился слезами и сдавленными рыданиями и задрожал, как в лихорадке.

Билл растрогался настолько, что, несмотря на многолетний опыт, приучивший избегать добровольности во всех ее проявлениях, полагая, что свой зад дороже чужого, невольно шагнул вперед. Не находя от волнения слов, он подковылял к трону, прижал руку к груди и опустился на колени.

— Не тревожьтесь, дорогой доктор Кранкенхаус. Я верю вам всем сердцем и — точно! — всеми фибрами своей души. Меня сюда привела судьба, та самая, что забросила нас обоих на этот страшный перешеек. Я люблю вашу дочь, люблю больше жизни. Я повстречался с ней, когда впервые очутился в Зажелезии. Да, мы встретились, и я разинул рот от ее красоты, плюхнулся в лазурные озера глаз и немедленно, глубоко и неисцелимо влюбился! А она ответила мне взаимностью! Мы с ней любим друг друга!

— Билл, — проговорил Рик, вытаращив от ужаса глаза, явно озабоченный поведением приятеля. — Аррр! Какого дьявола ты несешь всякую ахинею?

— Извини, — отозвался Билл, стряхнув с себя наваждение. — Проклятие комиксов! — Он глубоко вздохнул. — Так или иначе, док, это правда. Если, разумеется, мы толкуем про одну и ту же Ирму. — Он описал вкратце свою возлюбленную.

Король повел себя более чем странно. Слушая Билла, он становился бледнее и бледнее, однако, когда герой Галактики кончил, на королевские щеки неожиданно вернулся румянец. Бесплод привстал на полусогнутых, его глаза засверкали, словно к нему потихоньку возвращались здоровье и жизненные силы.

— Возможно ли такое? Ты нарисовал портрет моей ненаглядной доченьки! Значит, ты и впрямь видел ее!

— По правде, док, ее я и ищу. Понимаете, я, как говорят у нас в казарме, на ней помешался. Я прибыл сюда вовсе не ради доктора Делязны, а ради Ирмы!

— Не знаю, не знаю, — нахмурясь, произнес король. — Не уверен, что мне хочется, чтобы моя дочь связала свою жизнь с профессиональным солдатом, у которого вдобавок такие клыки. Пойми правильно, в этом нет ничего обидного, однако то, что вполне подойдет для какого-нибудь льва, не слишком соответствует моему представлению о зяте.

— Слушай, урод! — прорычал Билл. — Я могу избавиться от клыков!

— Аррр, Билл! — воскликнул пораженный Рик. — Ты готов ради женщины пожертвовать клыками Сгинь Сдохни? Приятель, тогда ты точно влюбился!

А Билл, которого вдруг захлестнули жалость к самому себе и слезливая сентиментальность, сообразил, что по его щекам струятся слезы.

— Верно, Рик! Признаться, мне с трудом верится, что старый солдат-неудачник наконец-то отыскал свою любовь. Женщина, единственная на миллиард, сумела прорвать мою оборону. Знаешь, Рик, даже солдаты имперской армии не могут сопротивляться любви. Я отправлюсь на край Вселенной, дойду до последних рубежей Зажелезии, только бы найти Ирму!

— Старина, поверь мне, у тебя просто закружилась от здешнего воздуха голова, — сказал Рик. — Чтобы ты... Впрочем, ладно. В конце концов нам с тобой пока в одну сторону. Ты ищешь свою любовь, а я — «Святограальское крепкое».

— Ты ищешь «Святограальское крепкое»? — справился доктор-барон. — Я и сам не прочь его отыскать. По слухам, замечательная штука. Быть может, оно восстановит мое подорванное здоровье. Что же ты до сих пор молчал? Я бы тогда не бросил тебя в темницу.

— Да все в порядке, — уверил за приятеля Билл. — Нам все равно нужно было отдохнуть, верно, Рик?

— Пожалуй. — Рик пожал плечами и повернулся к королю. — Док, вы, кажется, сказали, что понятия не имеете, где находится Источник Гормонов?

— Увы! Сие загадка даже для моих приборов!

— Мы столкнулись по дороге с драконом, который отправил нас на юг, — проговорил Билл.

— В Зажелезии все пути ведут на юг! — Барон Бесплод поманил к себе двоих троллей. — Лакеи! Принесите мои носилки! Я хочу показать нашим гостям мои изобретения!

Мгновение спустя к трону подбежали двое уродливых существ с носилками, чуть позже к ним присоединилось третье, и они все вместе принялись закатывать повелителя на носилки. Бесплод несколько раз звучно падал, оглашая зал гневными воплями и повергая в замешательство подданных. Тем не менее после множества проклятий и нелепых телодвижений ему удалось-таки взгромоздиться на носилки. Тролли вскинули те на плечи и двинулись к двери.

— Пойдемте, господа, не пожалеете. Возможно, присутствие незамутненных умов поможет мне разрешить эту злополучную загадку.

Освобожденные от оков, Рик и Билл теперь без труда поспевали за бароном, то есть доктором, то бишь королем — и кем он там был на самом деле.

— Птица, что висит у тебя на шее, — проговорил барон, обращаясь к Биллу. — Раньше, когда мы едва познакомились, я постеснялся спросить, но сейчас мы стали закадычными друзьями, и я знаю, что ты не обидишься на мое любопытство. Знаешь, эта птица — почти такая же диковинка, как твое раздвоенное копыто. Ведь голубь, пускай дохлый, символ мира, — или я ошибаюсь?

— Ни капельки, — мрачно ответил Билл. — Меня покарали Грязнью Стадного Мутноброда за то, что я ненароком прикончил птичку. Наказание снимется лишь тогда, когда я отыщу свою истинную любовь, которую зовут Ирмой.

— А что с ногой?

— Старая рана.

— Очень интересно! Однако слушайте. Мы приближаемся к комнате, в которой раньше жарили кофе и которую я превратил в свою лабораторию. Да, да, парни. Заходите ко мне в лабораторию и посмотрите, что там жарится сейчас. Ха-ха! К сожалению, так редко ныне случается пошутить!

— Похоже на то, — согласился Билл. — А если все шутки такие, как эта, то лучше и не надо.

— Если я правильно понял, вы надеетесь с помощью своих приборов установить местонахождение Источника Гормонов? — спросил Рик, с сомнением почесывая в затылке.

— Да. За годы моего правления перешейком я ни в коей мере не забросил своих исследований. Никоим образом! Разве что стал применять другие инструменты... Но стоит ли попусту болтать перед дверью, когда можно распахнуть ее и войти! Воппи! Образина! Вперед! Пускай наши гости узрят великое чудо!

Билл, который в последнее время навидался чудес в избытке, подумал, что с большим удовольствием узрел бы бутылочку чего-нибудь покрепче, однако затем признался себе, что старый калека возбудил его любопытство.

Из-за двери доносилось нечто вроде бормотания. Да, бормотание и причмокивание, шипение и пыхтение, плеск и рев. Подобного сочетания звуков Биллу не доводилось слышать с тех самых пор, как он чуть не утонул, — дело было в учебном лагере.

Дверь лаборатории, огромная, массивная, была изготовлена из древесины дуба, обитой вдобавок железом, и троллям пришлось изрядно поднапрячься, чтобы распахнуть ее. Однако они справились, а затем подхватили носилки с повелителем и устремились в лабораторию. Рик и Билл двинулись следом, все шире и шире раскрывая глаза.

— Я вижу то, что вижу? — выдавил Билл.

— Точно, — подтвердил глухим, как из бочки, голосом Рик.

— Что скажешь?

— Скажу, что, пожалуй, пойду. — Рик медленно попятился.

— Пойдешь? Эта штука что, действует тебе на нервы?

— На нервы? — взвизгнул Рик, судорожно сглотнул и произнес: — Мне не было так весело с того дня, когда свиньи сожрали мою младшую сестренку!

Глава 15
Пептоабисмальный кошмар

— Что за елки-палки? — прошептал Билл и несколько раз быстро сглотнул.

Рик не ответил, ибо стоял разинув рот и выпучив глаза; его лицо приобрело диковинный зеленый оттенок, словно с ним случился неожиданный приступ гастроэнтерита.

Лаборатория оказалась просторным помещением с высоким потолком. Приблизительно четверть комнаты занимало *это*, от которого тянулись к примитивной панели управления многочисленные отростки. *Это* представляло собой скопище рук, желудочков и щупалец, а также прочих органов —

мозгов и тому подобного, что виднелось сквозь полупрозрачную кожу. Глаза и уши загадочного существа обнаруживались в самых неожиданных местах. Кроме того, если присмотреться, можно было различить некие органы, которые попросту не поддавались отождествлению; разнообразных размеров и форм, все они находились под многоцветной, полупрозрачной, сшитой из отдельных кусков кожей, впрочем, не все: некоторые — вроде колышущихся кишок или гигантских бьющихся сердец — высовывались наружу. Когда в лаборатории появился доктор Кранкенхаус со своими прислужниками и гостями, существо открыло глаз с добрый ярд в поперечнике. Этот глаз располагался в самом центре скопища органов; он бесстрастно взирал на пришельцев.

— Смотрите, джентльмены! — прохрипел с энтузиазмом барон Бесплод. — Вы, должно быть, догадались, что в Зажелезии обычные технологии не применяются, поскольку не срабатывают. Потому-то я изобрел биотехнологию. Перед вами — первый в мире биокомпьютер! Сейчас вы увидите его в действии.

Вдохновляемый пылом истинного ученого, барон слез с носилок и подковылял к длинному столу, на поверхности которого возлежало несколько мясистых органов. Их удерживали на месте металлические и деревянные рычаги и микрометры. На изящно нарисованных от руки графиках подрагивали стрелки шкал, что показывали результаты измерений. Бесплод нажал на кнопку, и на конце некоего сложного деревянно-органического аппарата чиркнули разом десять кресал, от которых одновременно воспламенились десять свечей. Бесплод словно скинул баронскую личину и превратился в доктора Кранкенхауса, который взялся изучать положение стрелок.

— Гм-м... Похоже, машина пребывает в гомеостазе. Сдается мне, мы можем вызвать образ-другой.

— Арррр! Минуточку! — воскликнул Рик, наконец-то обретя голос. — Да не оскорбит вас мое невежество, но как вам удалось создать эту... штуковину?

— О, какая непростительная глупость! Я забыл упомянуть о том, что являюсь специалистом в области передовой хирургии, генетики и ремонта домашних телевизоров. Если говорить откровенно, то — хо-хо! — я еще и пописываю. По крайней мере, за обучение я платил теми деньгами, которые получил за свои книги. Вырос я в простой семье, мой отец был техником-удобрителем...

— Моя заветная мечта! — вскричал Билл.

— Заткнись. Я написал такие книги, как «Различные способы превращения домашних животных в полезные бытовые приборы» и «Хирургическая желудочно-кишечная диета доктора К. и советы, как трансплантировать мозг в домашних условиях». Иными словами, я обладаю всеми необходимыми познаниями. Когда меня зашвырнуло в это гнусное местечко, мне понадобилось лишь собрать нужные биологические детали, приготовить баки, в которых должны были расти ткани, заточить скальпели, высушить кошачьи кишки, которые я решил использовать вместо ниток, а также разогреть прижигательные утюги. После чего я сначала разрезал на части, а потом сшил между собой различных животных и сконструировал соответствующую нейрохимическую систему, способную поддерживать деятельность моих биотехнических устройств.

— Никогда такого не видел! — проговорил Билл, запихивая вытаращенные глаза обратно в глазницы.

И по увидишь, — ответил с гордостью в голосе изобретатель. — Это единственный экземпляр. Так, давайте посмотрим, что там у нас на склераэкране. — Доктор Кранкенхаус потянул за рычаг, а затем щелкнул по металлическому датчику, подсоединенному к резиновому ремню, который крепился к чему-то вроде ганглий, что сопрягались с центральной нервной системой.

Веки на огромном глазу диковинного существа распахнулись шире прежнего. Зрачок и радужная оболочка отсутствовали; глазницу заполняла мутная белесая пелена. По склере проскочил разряд электричества, и внезапно на «глазном экране» начало формироваться изображение. Треск и прочие неприятные звуки исходили от двух расположенных под глазом вибрирующих мембран.

Доктор Кранкенхаус что-то подрегулировал. Мигание прекратилось, картинка обрела четкость. На экране появился мужчина: он стоял у стола и высыпал в тарелку содержимое пакета, который держал в руках.

— Сорняхуана, — объяснил он елейным тоном. — Завтрак галактической пехоты! Вы, черт возьми, наверняка откажетесь от такой пищи, зато она сотворит чудо, если использовать ее как удобрение для гидропонной оранжереи!

— Видите! И в Зажелезии можно принимать передачи интергалактического телевидения!

Билла едва не вытошнило. Он прекрасно помнил сорняхуану, — очевидно, его желудок тоже не успел о той забыть.

Доктор Кранкенхаус повернул ручку устройства, которое принялось щипать громадные соски на органе, что смахивал на брюхо черной свиньи. Прибор немедленно переключился на другой канал.

— Туповизор! — пояснил довольный барон, заметив озадаченное выражение на лицах Рика и Билла.

На экране возник еще один мужчина, с бутылкой в руке и улыбкой на физиономии.

— Галактик! И вам не нужна сверхновая, чтобы почта пришла вовремя!

Доктор повернул следующую ручку, и картинка на экране вдруг резко изменилась. Она стала гораздо менее четкой; появившиеся фигуры имели размытые очертания, мембраны доносили приглушенные, искаженные голоса.

— Визуальная интерпретация энергетической информации, которая поступает в Зажелезию, — сообщил Кранкенхаус. — Вот та проблема, джентльмены, над которой я сейчас работаю. Мне кажется, что если я сумею улучшить фокусировку, то смогу узнать все, что требуется. Именно таким образом я получал и получаю сведения о том, что происходит в империи, из которой меня выгнал негодяй Делязны.

— А та загадка, о которой вы упомянули, — сказал Рик. — О чем, собственно, речь?

— Как о чем? О точном местонахождении Источника Гормонов! О том, где же все-таки искать этот источник космической энергии! Найти его нелегко, иначе он давным-давно был бы в моем распоряжении, а мерзавец Делязны уже вовсю пользовался бы им и продвигался семимильными шагами к власти над Вселенной.

— Но почему загадка? — полюбопытствовал Билл.

— Да потому что здесь, в Зажелезии, извращена сама природа физических и математических законов! Давайте я объясню на примере. Тролли! Принесите мою доску и математические расчеты! — Тролли поспешили исполнить распоряжение. Они подкатили к Кранкенхаусу несколько школьных досок, установленных на скрипучие колесики. Доктор-барон взял в руки указку и мел. — Проблема, джентльмены, заключается в том, что здешняя математика, во многом напоминая ту, которая существует в реальном мире, действует по иным биохимическим принципам, — поскольку мы с вами находимся в громадной психожелезе. Поэтому мне пришлось в ходе исследований переименовать некоторые параметры. — Он ткнул указкой в большой нуль на одной из досок. — Эта цифра обычно называется нулем, правильно? В зажелезийной же математике слово «нуль» — значащее, оно расшифровывается как «наивысший утробный лаз», то есть тут мы, естественно, имеем дело с женским принципом железистой математики. Прочие цифры — один, два, три, четыре, пять и так далее — именуются «членами», интегралы — «интерполами», то бишь «интересными положениями», и тому подобное. Когда вы помещаете любой из «интерполов» в скобки, внутри которых наличествует хотя бы один нуль, автоматически происходит умножение, вернее, «размножение». Разумеется, железистый вариант теории множеств называется «теорией множоложеств».

Доктор Кранкенхаус принялся что-то писать мелом на доске.

— Господи! — проговорил Рик. — Знаешь, Билл, мне как-то совсем не хочется узнать, как они тут обозвали деление.

— Результатом «размножения», — продолжал доктор, изобразивший на доске знак равенства, — являются, конечно же, «дробгазмы», благодаря которым мы входим в нижний мир квантовой механики, на моем языке — «квантовой мошоники». Теперь, если вы слушали меня достаточно внимательно, вам не составит никакого труда уловить суть железистой физики. В общем и целом она не имеет ни малейшего смысла! — Кранкенхаус показал на рисунок, пестревший диковинными, словно нанесенными куриной лапой символами. — Вот, джентльмены, выведенные мной уравнения. Предположительно, в итоге всех вычислений я смогу установить точные координаты ядра Зажелезии, того самого Источника Гормонов, который мы все разыскиваем. Беда в том, что мой биокомпьютер всякий раз выдает новый набор координат, поскольку проклятые «члены» постоянно совокупляются с нулями и оттого возникают все новые и новые «дробгазмы»! — Он устало покачал головой. — Что ж, Рик и Билл, я объяснил вам все, что мог... Есть какие-нибудь мысли? Вы только представьте, какой нас ждет успех, если мы разгадаем эту загадку! Я исцелюсь и возвращу к жизни Перешеек Импотенции, мы с тобой, Билл, наконец-то увидим Ирму, а Рик — мне кажется, он найдет в Источнике Гормонов струйку «Святограальского крепкого».

Билл тупо уставился на уравнения, потом, почесав в затылке, перевел взгляд на биокомпьютер, который гудел, урчал и издавал прочие малоприятные звуки.

— Я могу складывать и вычитать, ну и немножко, если голова в порядке, делить и умножать. Извините, док. Или барон, или как вас там. Что-то у меня башка не варит. По-моему, нам с Риком лучше всего возобновить поиски.

— Не стоит, — возразил Рик.

Билл и доктор Кранкенхаус дружно повернулись к нему, даже биокомпьютер изрек нечто вроде «Чего?» и недоуменно моргнул.

— Ты придумал? — прошептал Кранкенхаус с видом человека, хватающегося за соломинку.

Лицо Рика озарилось глуповатой ухмылкой, глаза заблестели неестественным блеском, зубы как будто засверкали — то ли от героизма, то ли от чего-то еще.

— Ваши уравнения, доктор. — Рик шагнул вперед и постучал по доске. — Они поистине замечательны. Это переворот в нелинейной математике, не говоря уж о неэвклидовой геометрии.

— Ты разбираешься в высшей математике? — с восторгом в голосе спросил Кранкенхаус.

— Аррр! Так, кое в чем, — отмахнулся Рик. — Понимаете, док, гораздо важнее то, что в Организменном университете меня учила математике и гимнастике прекрасная наставница. Мы изучали эти предметы в действии! — Он ткнул пальцем в одно из уравнений. — Множители, доктор! Вы полностью пренебрегли важностью множителей! Разумеется, в теории подобное вполне допустимо, но ведь железистая математика основывается на практике!

— Не понял.

— Все очень просто. Подставьте во все свои уравнения еще одно число «шесть», и всякий раз у вас будут точные координаты.

— И какое же именно?

— Ну... — Рик прокашлялся и мрачно кивнул. — Конечно же, шестьдесят девять!

Челюсть калеки-доктора отвисла чуть ли не до пупка. Тролли бросились на помощь своему повелителю и совместными усилиями вернули челюсть на место.

— Такое со мной случается, — извинился перед гостями Кранкенхаус. — Великолепная идея, Рик! Надо ввести ее в компьютер.

Заразившись энтузиазмом доктора, Рик и Билл в мгновение ока затолкали все доски и диаграммы в пасть биокомпьютера, в которой мелькнули на мгновение огромные клыки. Пасть захлопнулась, и машина принялась пережевывать информацию.

— Аррр! — заметил Рик. — Вот что значит грызть гранит науки!

— Мы получим ответ! — провозгласил Кранкенхаус, оторвавшись на миг от начавшей выползать распечатки. — Не верю своим глазам, джентльмены, но машина и впрямь работает! Она выдает координаты, которые не являются переменными... Тролли! Мои карты, живо!

Тролли вкатили в лабораторию стенды с картами, которые выглядели так, словно их рисовал сидящий на игле маньяк, однако доктор-барон, похоже, не испытывал ни малейших затруднений. Он присмотрелся к одной, к другой, сорвал несколько штук со стендов и наконец издал торжествующий вопль:

— Нашел! Я знаю, где находится Источник Гормонов!

— Аррр! Вот и славно. Где же он?

Кранкенхаус выбрался из-под груды карт, стискивая скрюченными пальцами один-единственный листок, черкнул по тому обгрызенным ногтем — и его глаза выскочили из орбит. На сей раз тролли воткнули ему в ухо рукоятку, вращая которую вернули глаза в глазницы. Едва обретя возможность видеть как следует, добрый доктор прижал карту к груди, а потом, весь дрожа от волнения, протянул ее Рику и Биллу.

На первый взгляд эта карта ничем не отличалась от остальных, более того — она смахивала на изысканную порнографическую гравюру.

— Здесь! — воскликнул Кранкенхаус, указывая на темное жирное пятно на бумаге.

— Понял, док, — сказал Билл. — Я сдаюсь. Где?

— Здесь! — повторил доктор, качая головой. Его лицо по-прежнему выражало изумление. — Неужели не понимаете? Здесь, на этом самом месте!

Глава 16
В женомужевороте

— Здесь? — выдохнул Билл.

— Здесь! — пробормотал Рик, глаза которого прямо-таки полыхали от возбуждения.

— Совершенно верно. Согласно расчетам, которые выдал биокомпьютер, Источник Гормонов, средоточие космической энергии, находится в моем замке.

— Ерунда какая-то, — проговорил Билл. — Мы же на Перешейке Импотенции. Откуда же тут взяться гормонам?

— Должно быть, он не на поверхности... — неуверенно отозвался доктор-барон. — Потенциальная энергия на периферии зарождающегося существа...

— Чепуха! Ничего подобного! — возбужденно вскричал Рик. — Док, мы с вами толкуем о биологии. О химии! Если представить Зажелезию этакой исполинской амебой, тогда ее средоточие будет соответствовать ядру амебы, плавать, так сказать, внутри. Очевидно, что Источник Гормонов располагается в замке отнюдь не случайно!

— Но где же он? — спросил Билл. — Я что-то не вижу никакого источника.

— Значит, название — всего лишь метафора, — откликнулся Рик. — Но я утверждаю, доктор, что, пока мы тут беседуем, где-то поблизости некие биологические устройства с невероятной скоростью порождают на свет гормоны.

— Я изнемогаю, — пролепетал обессиленный Кранкенхаус и чуть было не упал. — Мои мозговые клетки отказываются работать. Будь настолько любезен, объясни поподробнее.

— С удовольствием, док. — Рик показал на биокомпьютер. — Совмещая тела всех тех животных, о которых вы упоминали, вы должны были объединить их железы, в том числе, естественно, половые. По моей теории, которая, я надеюсь, вскоре подтвердится, эти железы слились в одно целое и образовали гиперсексуальный орган, взаимодействующий сейчас со сложной нервной системой компьютера. Энергия, которую они выделяют, по необходимости привлекает всякую другую. — Рик настолько разволновался, что даже начал пританцовывать. — То-то и оно! Ваш компьютер получает сексуальную энергию изо всей известной Вселенной, а может, как знать, и из неизвестной!

— Молодой человек, — произнес доктор Кранкенхаус, — я вынужден признать, что вы не только разбираетесь в железистой математике и сексуальной механике, — нет, вы как будто осведомлены о том, что находится целиком и полностью за пределами моих познаний!

— Я просто выдвинул гипотезу, док, — отозвался Рик, не обратив, похоже, особого внимания на слова Кранкенхауса. — Ее нужно проверить на практике. Если все точно, тогда мы, наверно, сможем использовать ваши инструменты, чтобы подключиться к Источнику, который на деле правит Зажелезией. Кстати, чего вы оба хотите, пусть и по разным причинам?

— Выпить бы, — облизнулся Билл.

— Да нет же, недоумок! Ты что, уже забыл? Ты хочешь найти свою истинную любовь, Билл. Ты хочешь найти Ирму.

— Ирма! — горестно вскричал доктор. — Ну конечно! Мое ненаглядное дитя! Да, она бродит по Зажелезии; ведь именно тут ей повстречался Билл. Замечательно! Введя в компьютер необходимые данные, мы, возможно, сумеем отыскать Ирму и переместить мою дочурку сюда!

— Тридцать восемь — двадцать два — тридцать четыре! — проговорил Билл.

— Скажи, Билл, — изумился Кранкенхаус, — откуда тебе известны такие вещи про мою дочь?

— Так, слышал где-то, — пробормотал Билл и резко сменил тему: — Чего ты ждешь, Рик? Давай программируй!

— С вашего разрешения, доктор.

— Разумеется! О, неужели мои тщетные поиски наконец-то закончатся? Как долго я ее искал! Кажется, столетия. Валяй, Рик! Между прочим, твоя манера выражаться мне почему-то знакома. Мы не встречались раньше?

— Поехали! — провозгласил Рик, пропустив вопрос доктора мимо ушей, и принялся вращать ручки компьютера.

— Минуточку! Откуда ты знаешь, что делать?

— Я быстро учусь, — отозвался Рик, нажимая одну за другой кнопки и дергая за рычаги. Задрожали сухожилия, засверкали нервы и ганглии, затрещали электрохимические разряды.

— Зороастр! — обеспокоенно проговорил Билл. — Что творится с биокомпьютером?

Кожа, которая обтягивала внутренности грандиозной машины, начала светиться, затем вздыбилась на швах и стала на глазах сжиматься, словно претерпевая некие не слишком приятные изменения.

— Точно! — воскликнул Рик. — Пора вводить данные. Тридцать восемь — двадцать два — тридцать четыре! Не подкачай, приятель! Нам нужна Ирма Кранкенхаус!

Глаз биокомпьютера то открывался, то закрывался, будто машину изрядно накачали наркотиками. Из множества пастей и ртов высовывались языки точь-в-точь как у тех игрушек, что продаются на предновогодних базарах. На коже набухали желваки, похожие на раздувающиеся воздушные шары. В следующий миг, испустив утробный стон, компьютер содрогнулся, и внутри одного из желваков возникло человеческое тело. Мембрана угрожающе вспухла.

— У кого-нибудь есть булавка? — спросил Рик.

Тут же выяснилось, что булавка не понадобится. Мембрана лопнула сама по себе. На пол лаборатории хлынула некая жидкость, в потоке которой бултыхалась женщина.

— Ирма! — радостно возопил Билл, не веря собственным глазам. — Ирма!

— Йек! — произнесла женщина, плюхнувшись на пол. — Ну что ты вылупился, идиот?! Помоги мне подняться! Я насквозь промокла.

Билл осторожно шагнул вперед, поставил Ирму на ноги и заключил в объятия. Он нисколько не боялся вымокнуть, а что касается Ирмы, то такой, в прилипшем к телу полупрозрачном платьице, она нравилась ему даже сильнее прежнего.

— Ирма! Ты меня узнаешь?

— Естественно, олух ты этакий! Ты Билл, а я — твоя любовь до гроба. Может, кто-нибудь соблаговолит объяснить, куда меня, черт побери, занесло? Учтите, мне сейчас не до шуток.

Она посмотрела на Рика, проигнорировала его, повернулась к барону Бссплоду — тот стоял, тряся головой в предвкушении счастливой встречи, и с надеждой глядел на Ирму — и вырвалась из объятий Билла.

— Папочка! Папочка! — Она подбежала к старику и прильнула к его груди. — Папочка! — Ирма слегка отстранилась и принялась разглядывать отца. — Твой артрит, наверно, совсем тебя замучил?

— Долго рассказывать, милая. Я очень, очень рад, что ты наконец со мной!

— Смотрите! — крикнул Билл, тыча пальцем себе в грудь. Дохлый голубь таял на глазах вместе с кожаным ремнем, на котором висел. — Я нашел Ирму, и Грязни Стадного Мутноброда приходит конец! Проклятие снимается! Неужели и в жизни бывает так, что все кончается хорошо? — Он подбежал к возлюбленной, подхватил ее на руки и запечатлел на губах девушки сочный поцелуй.

— Хорошо? — переспросил Рик. — Да, пожалуй, что так, Билл. Но вот только не для тебя и не для доктора с Ирмой — и, если уж на то пошло, не для Вселенной!

Билл, по-прежнему сжимая в объятиях Ирму, повернулся к Рику и озадаченно уставился на своего товарища. На лице Рика было написано странное удовлетворение, а цвет его кожи снова изменился и приобрел серый, почти металлический оттенок.

— О нет! Каким же я был глупцом! — проговорил барон Кранкенхаус. — Я должен был это предвидеть! Тролли, остановите, убейте его!

Тролли, спотыкаясь на каждом шагу, устремились к Рику, но чересчур медленно. Пальцы Супергероя нажимали кнопку за кнопкой. Мгновение спустя биокомпьютер разинул две из множества пастей, из которых высунулись длинные языки, обвились вокруг троллей и уволокли тех прямиком в распахнутые зевы. Рик рассмеялся смехом безумца.

— Я нашел его! Источник Гормонов! Средоточие Зажелезии! Власть, которой я так долго добивался!

— Рик! — окликнул Билл. — Рик, старина! Ты что, слегка спятил? Я знаю, что свой зад дороже чужого, но это просто нелепо!

— Нет! — проскрипел доктор. — Ничуть! О боже! Стража! Демоны! Твари! Помогите!

— Поберегите дыхание, док, — предложил Рик, в ликующем голосе которого вдруг послышались знакомые нотки. —

Я предусмотрительно запер, а вдобавок и заклеил суперклеем, — он показал тюбик, из горлышка которого сочились капли вязкой на вид жидкости, — все до единой двери. Поскольку я научился управлять вашим корпускулярным компьютером, достаточно одного движения... — Рик потянул за рычажок, и из-за главной двери донесся многоголосый вопль, — чтобы избежать каких бы то ни было попыток проникнуть сюда снаружи. Друзья, вы имеете дело с психическим эквивалентом удара под дых. Так что стойте, где стоите, или тоже получите свою порцию!

— Рик, да что с тобой такое? — изумился Билл.

— Это голос Латекса Делязны, — сказала Ирма.

— Ирма, я как раз хотел тебя спросить, — проговорил Билл. — Почему ты при нашей встрече назвалась Ирмой Сказскил?

— Не знаю, Билл. У меня в голове все тогда перепуталось. Наверно, я забыла. — Ирма ткнула пальцем в Рика. — Но этот голос не забудешь. Делязны! Ты один во всем виноват!

— Разве не я пришел к тебе на выручку, милая Ирма? К тому же я по-прежнему рассчитываю поиметь тебя, любимая. — Черты Рика исказила похотливая ухмылка. — Тебя и всех остальных красавиц Галактики в придачу. Я покажу тем болванам, которые потешались надо мной, что такое настоящий мужчина!

— Но Рик... Приятель! Что стряслось? Ты что, все время был за мерзавца Делязны? — Мысль о предательстве друга была для Билла нестерпимой.

— Неужели ты ничего не понял, Билл? — выдохнул доктор Кранкенхаус. — Перед тобой вовсе не Супергерой Рик. Это всего лишь андроид, управляемый, вне сомнения, по радио гнусным Делязны, который отсиживается в своем логове за пределами Зажелезии!

— Совершенно верно, Билл. Я построил андроида своими собственными руками, — сообщил через Рика голос Делязны. — И все вышло как нельзя лучше! Я знал, Билл, что могу на тебя положиться! Знал, что твое чутье выведет нас прямо к Источнику Гормонов. Теперь благодаря тому необыкновенному устройству, которое соорудил добрый доктор — нужно будет внести лишь кое-какие усовершенствования, — я могу управлять биокомпьютером со своей базы на дне костоломского океана.

— Что-то я не пойму, Делязны, — признался Билл. — Чего ты, чтоб тебе пусто было, добиваешься? Я думал, ты хочешь мира, пытаешься прекратить войну с чинджерами...

— О, война скоро прекратится сама собой! Обретя власть над Вселенной, я без труда расправлюсь со всеми, кто только посмеет встать у меня на пути! Естественно, я подчиню себе всех людей, до последнего человечка. Моему могуществу позавидовал бы любой из тиранов древности! Моими рабами станут все без исключения мужчины и, что гораздо важнее, все женщины! Все мои! Все! Надо мной смеялись и говорили, что я спятил. — Андроид омерзительно хихикнул. — Теперь мы увидим, кто безумец! Однако прошу прощения. Надо кое-что подрегулировать. — Андроид повернулся к панели управления и принялся вращать рукоятки и нажимать кнопки.

— Нет! — вскричал доктор Кранкенхаус. — Нет, не позволю! — С трудом распрямившись, он заковылял к андроиду, выставив перед собой руки со скрюченными пальцами. — Я убью тебя, Делязны! Ей-богу, убью!

Андроид усмехнулся и повернул какой-то переключатель. Доктор Кранкенхаус издал душераздирающий вопль, содрогнулся всем телом, рухнул на пол, поелозил по тому секунду-другую и затих.

— Папочка! — воскликнула Ирма.

— Назад! — Билл схватил девушку за плечи и не дал ей кинуться к раненому отцу.

Из биокомпьютера высунулась ложноножка, которая обвилась вокруг доктора и увлекла того в отверстие, что открылось вдруг в теле машины.

— Ха-ха-ха! Не двигайтесь, вы двое! — предостерег андроид. — Вы нужны мне живыми, ибо я имею на вас виды. Но если попытаетесь меня обмануть, я с удовольствием накормлю вами биокомп! — Он вновь отвернулся и, не переставая смеяться, занялся кнопками и ручками, с которыми обращался с ловкостью маньяка.

— Папочка! — прорыдала Ирма, падая со стоном на грудь Биллу. — Милый папочка! Я потеряла тебя навсегда!

Билл наслаждался близостью девушки, однако понимал, что сейчас время для трезвых мыслей, а никак не для жарких объятий. Что делать? Нападать на андроида бессмысленно: он всего лишь разделит жалкую участь покойного доктора

Кранкенхауса. Гибкое, податливое тело Ирмы под руками изрядно затрудняло процесс мышления. Неужели конец?

— Псст! — прошептал кто-то тоненьким голоском. — Эй, Билл!

— Чего? — Билл ошарашенно моргнул.

Что такое? Кто его зовет? Наверняка не Ирма, которая шмыгает носом и рыдает на широкой мужской груди. И потом, у нее совсем другой голос. Может, ему почудилось?

— Псст! — Шепот повторился. — Билл! Билл, здесь, внизу! — Шепот доносился с пола. — Твоя нога, солдат! Подними свою ногу!

— Которую? — уточнил Билл.

— С копытом, идиот! Мне нужно с тобой поговорить!

— Прошу прощения, Ирма, — сказал Билл, пожимая плечами: мол, как угодно, и осторожно отстранил девушку. — Моя нога хочет поговорить со мной. Подержи меня, пока мы с ней будем толковать.

— Чокнулся, — прорыдала Ирма. — Я понимаю, ты не выдержал. Шарик зашел за ролик. Милый Билл, кроме тебя, у меня никого не осталось!

— Послушай, это мы обсудим потом. Дай я обопрусь на твое плечо.

По-прежнему заливаясь слезами, Ирма кивнула и подставила Биллу плечо, а герой Галактики поднял ногу — на уровень груди, не выше, да и то суставы угрожающе затрещали. Тогда он наклонил голову.

— Чего тебе? — прошептал Билл.

— Елки-палки, Билл, ты что, не узнаешь мой голос? — осведомилась нога.

— Чинджер! Успр! — воскликнул Билл.

— Не так громко. Делязны услышит!

— Зачем ты залез в мою ногу? — Билл представил себе, как та выглядит изнутри: сплошные экраны, ручки, кнопки, водоохладитель — точь-в-точь как на борту «Божественного кормчего».

— Елки-палки, олух, я вовсе не в ней! Просто-напросто я установил в углублении — так, на всякий случай — двусторонний телерадиопередатчик. Оказалось, весьма кстати. Делязны посадил меня и всех остальных чинджеров под замок. Должен признать, Билл, затея с заключением мира через доступ в Зажелезию на деле один обман. Нам надо остановить этого маньяка, иначе и людям, и чинджерам капут!

— А то я сам не вижу! Но как быть? Одно движение — и от меня останется лишь горстка пепла. Или же я пойду на обед компьютеру.

В интимную беседу неожиданно вклинился посторонний голос:

— Что за шутки, Билл? Что ты там задумал, почему стоишь на одной ноге? Напряжение сказывается?

— Ну... Да, так точно! — отозвался Билл, выпалив первое, что пришло на ум.

— Промашка, Билл, — прошипел чинджер. — Ну и осел же ты, однако! Придумай что-нибудь! Скажи, что молишься!

— Я молюсь! — гаркнул Билл. — Док, это старинный зороастрийский молитвенный обряд. Готовлюсь предстать перед Господом. Вы не возражаете?

— Ни в коем случае! Извини. Никогда не стремился встрять между человеком и его глупыми предрассудками. Боги ведь все на одно лицо, — пробормотал андроид, снова поворачиваясь к столу.

Ирма наблюдала за происходящим широко раскрытыми глазами, плотно сжав губы и стараясь каждым эргом своей энергии удержать Билла от падения.

— Что теперь? — спросил Билл. — Говори, что мне делать.

— Я думал, ты никогда не спросишь! К счастью, мой умственно отсталый друг, я встроил в твою ногу не только передатчик, но и микрогранату. Усек?

— Чтобы взорвать меня? — справился Билл, сразу исполнившийся подозрительности.

— Елки-палки, Билл! За кого ты меня держишь? Мы же с тобой старые друзья, можно сказать, закадычные. Будь я человеком, я бы, пожалуй, обиделся. Но я не человек, так что продолжим. Взрывать тебя никто, естественно, не собирался. Граната была про запас, опять-таки на всякий случай. По-моему, на вашем языке это называется предвидением.

— Дела, конечно, плохи, но не настолько, чтобы совершать самоубийство. Ты не смеешь требовать от меня такого!

— Да никто и не требует, олух! Сначала вытащи гранату. Сними правую половину копыта. Она внутри полая.

— Ладно. Сейчас, — отозвался Билл. Подпрыгивая на месте, все сильнее пригибая к полу бедную Ирму, он наконец ухитрился ухватиться за копыто, дернул — часть копыта легко скользнула в сторону, и на ладонь Билла выпал крошечный шарик, на котором имелась кнопка.

— Что дальше?

— Нажимаешь кнопку, потом...

Билл послушно нажал.

— Остолоп! — взвизгнул Успр. — Куда ты торопишься! Теперь до взрыва всего восемь секунд!

— Что мне делать? — с отчаянием в голосе проговорил Билл. Шарик на ладони зашипел, что не сулило ничего хорошего.

— Что там происходит? — спросил, резко обернувшись, андроид. — Я как будто что-то слышал. Знакомый голос. Чинджерский... Успр! Что ты тут делаешь?

— Скорее, Билл! Надо уничтожить биокомпьютер! Швыряй гранату!

Однако внимание Билла было приковано к руке андроида, которая протянулась к переключателю. Герой Галактики застонал. Все, конец!

— Нет! Никогда! — воскликнул он и метнул гранату в андроида.

— Глупец! — вскричал тот. — Тебе меня уже не остановить. Ты не...

Граната угодила ему точно в рот, прогрохотала по пищеводу и лязгнула о дно металлического желудка.

— О нет! — вздохнул андроид. — Поправь меня, если я ошибаюсь, но, по-моему, я только что проглотил мини-гранату?

— Нет, — возразил Билл. — Не мини, а микро.

— Четыре секунды, Билл, — предупредил Успр. — Сделай хоть что-нибудь, не то превратишься в светящееся облачко атомов. Моя граната — ого-го!

Билл прыгнул — за секунду до того, как андроид дотянулся-таки до переключателя. Он пролетел разделявшее их расстояние, стиснул металлическую руку, готовую щелкнуть тумблером, напряг могучие мышцы. Армейская закалка против грубой механической силы. Рубашка Билла от натуги расползлась по швам, но дело явно шло на лад. Ему удалось не только оторвать андроида от панели управления, но и приподнять его на несколько дюймов над полом.

— Две секунды, Билл! — воскликнула нога.

Билл затравленно огляделся по сторонам. Выход был один-единственный.

— Биокомп, откройся! — приказал он, сжал вырывающегося андроида обеими руками, прицелился, а затем, тяжело дыша, рванулся вперед и бросил Рика с гранатой в утробе прямо в разинутую компьютерную пасть.

— Беги, Билл! — крикнул по радио Успр.

— Куда? — спросила Ирма.

— Одна секунда!

Билл подхватил Ирму и ринулся в дальний угол.

Они почти успели.

Вообразите себе звук, какой возник бы при рождении сверхновой, если бы она состояла из сливочного сыра и копченой колбасы. Приблизительно с точно таким же звуком и взорвался биокомпьютер.

Под потолок взмыли куски плоти и галлоны крови. Комнату заволокло алой мглой, похожей по цвету на свекольный сок. Билл кое-как поднялся и уставился на учиненный в лаборатории разгром.

— Не слишком-то приятно, — сказал Успр.

— Йек! — проговорила Ирма.

— Друзья так не поступают, Билл, — укорила голова Рика, которая каталась по полу.

Прежде чем Билл собрался с мыслями для ответа, его вместе с Ирмой выволокла из угла некая могущественная незримая длань.

— Билл, что происходит? — вопросительно взвизгнула Ирма.

Билл стукнулся об пол, развернулся лицом к середине комнаты и мельком увидел свою несчастливую судьбу.

На том месте, где еще недавно возвышался биокомпьютер, сверкали яркие искры. Они вращались в воздухе, образуя нечто вроде спиральной Галактики, которая мало-помалу превращалась в чудовищную бурлящую воронку.

Затем Билла снова швырнуло вниз, перед глазами у него замерцали звезды, которые сливались с искрами, и наступила темнота.

Глава 17
Бывалые солдаты не умирают: просто они так пахнут

Вниз сквозь года. Сквозь то, что кто-нибудь, возможно, назовет «всего понемножку», хотя сам Билл не имел склонности к воздержанию, ибо служба в армии приучила его брать от жизни все сразу, пускай даже нередко ставила лицом к лицу со смертью.

Но так или иначе, из всех встреч с омерзительной старухой, из всех испытаний, какие только выпадали на его долю, это было, без сомнения, самым отвратительным.

Биллу грезилось — о, насколько живо! — что он отчаянно бултыхается в гигантской пивной кружке, а рядом плещется добрая дюжина обнаженных девиц. Одна из красавиц — Ирма, она сидит на размякшем ломтике картофеля и манит героя Галактики к себе, как сирена. Билл восхищался всеми остальными красотками, что резвились вокруг, однако нашел в себе силы отвергнуть их притязания и, грудью вперед, устремился к Ирме.

Говоря откровенно, игнорировать шаловливых девиц, что напропалую заигрывали с ним, было несколько затруднительно, однако Билл в глубине души сознавал, что стал солдатом-однолюбом, а потому упорно не поддавался на искушения. Он подплыл к картофельному ломтю, взобрался на него — тот изрядно осел под весом Билла — и пополз туда, где сидела, лучась улыбкой, Ирма.

— Я здесь, Билл, — произнесла она с чувственной хрипотцой в голосе. — Приди ко мне, возлюбленный, поцелуй меня!

Билл догадывался, что смертельный сон сулит все то прекрасное и загадочное, что составляет суть истинной Любви. Все то, чего он жаждал во время своих скитаний по гнусной Зажелезии: жизнь и смерть, огонь и лед, инь и ян — даже код к тайному декодеру в кольце Капитана Космоса. Это зов жизни, это призыв судьбы, то, ради чего он страдал и терзался неудовлетворенными желаниями.

— О Ирма! — страстно прошептал он, протягивая руку.

Ее уста расцвели розовым цветком экстаза.

Зажмурившись, Билл насупился и прыгнул на Ирму, отринув свое сердце, тело и душу, свои мечты о небесах и свою оставленную на Фигеринадоне коллекцию саламандровых хвостов.

Однако вместо влажных, восхитительных, нежных губ...

Действительность совершила кульбит, смерть отступила, и Билл врезался головой в землю, получив в награду за труды полный рот гравия и песка.

— Пфьюм! — проговорил он и открыл глаза. Они оказались залепленными песком. Билл провел пятерней по лицу, выплюнул изо рта гравий, закашлялся, кое-как встал на четвереньки и неуверенно огляделся по сторонам, пытаясь определить, в какую же глухожелезомань его занесло.

Он сидел посреди пустыни, которая сильно смахивала на ту, что купил в прошлом веке на Фигеринадоне прапрадедушка Билла, когда привез свою семью на колонизированную планету: драгоценный участок земли на морском берегу, но без моря. По счастью, они потом переселились в более плодородную местность; правда, пришлось отдать последние деньги, благодаря чему семья из поколения в поколение перебивалась с хлеба на воду, каковые и перешли по наследству к праправнуку. Повсюду, насколько видел Билл — а видел он совсем чуть-чуть, ибо в его глазах по-прежнему было в избытке песка, — росли кактусы и полынь, заросли которой тянулись до самого горизонта. Время от времени печально вздыхающий ветерок гнал мимо перекати-поле. Вдалеке виднелись величественные, зазубренные, увенчанные снежными шапками горные вершины. Поблизости вилась проселочная дорога, на обочине которой стоял опасно накренившийся знак.

Билл со стоном потер голову, поднялся и быстро осмотрел себя, проверяя, все ли в наличии. Насчет головы и ног можно было не беспокоиться; осмотр подтвердил, что руки тоже в целости и сохранности, да и проклятое копыто никуда не делось. Тем не менее кое-что изменилось: раньше он был одет в лохмотья, а теперь, неведомо как, облачился в джинсы с кожаными накладками и красную клетчатую фланелевую рубашку. На кожаном ремне висела кобура с антикварным огнестрельным оружием — вполне возможно, шестизарядным револьвером. Довершали наряд опять-таки кожаный жилет и громадная широкополая шляпа техасского рейнджера.

Билл без труда узнал костюм, поскольку не раз встречал его описания в ту пору, когда через пень-колоду набирался грамотности. Словарный запас героя Галактики был тогда весьма ограниченным, а способность к чтению, как и у большинства соучеников, почти нулевой, какой по большому счету оставалась и по сей день. Вот почему он читал комиксы со словоизвергателями, которые рассказывали содержание по мере переворачивания страниц. По такому случаю всяким обормотам не было необходимости читать что-нибудь вроде «Бум!», «Бам!» или «Бряк!», ибо звуковой эффект получался не слишком приятным. В те дни одним из любимейших трехмерных слезоточивых журнальчиков Билла были «Истории с галактического Старого Запада».

Прошлое прошлым, но что он делает сейчас, в столь диковинном и все же знакомом месте? Билл снял шляпу и начал ее разглядывать.

И с какой стати внутри новой ковбойской шляпы сидит шестипалая ящерица семи футов ростом?

— Привет, Билл! Елки-палки, старый конь, как я рад, что ты все еще жив! — Чинджер помахал в знак приветствия крохотными лапками, а затем спрыгнул наземь и зарылся в песок. Билл мимоходом подивился тому, как Успру удалось уцелеть, когда он треснулся головой о землю, однако отогнал шальную мысль, ибо и без нее было о чем заботиться.

— Успр! Что ты здесь делаешь? И кстати, куда нас зашвырнуло?

— А разве ты не знаешь, Билл? На Великий Мифический Американский Запад на старушке Земле! Все та же самая дребедень, из которой рождаются сны.

— Земля всего лишь легенда... или... — Билл покачал головой и щелкнул пальцами. — Понятно! Мы оказались в какой-то другой части Зажелезии!

— Не совсем так, Билл, — поправил Успр. — Мы, похоже, добрались до основания. Что ниже, «пор-» или «мета-»? Впрочем, не важно. Я спрошу у Делязны перед тем, как отправить его на несчастливые охотничьи угодья.

Билл заметил, что Успр одет в миниатюрный костюмчик героя вестернов. При чинджере было все, вплоть до крохотных шпор и не менее крохотных кольтов 45-го калибра, которые он ловко вертел в двух лапах, а две другие засунул за патронташ.

— Эй, приятель, осторожнее! — предостерег Билл. — А что вообще стряслось? Я помню только, что нас засосало в дыру, которая образовалась после того, как взорвался Источник Гормонов.

— Елки-палки, у тебя отличная память, дружок. Этот взрыв — между прочим, Билл, прими мои поздравления, шикарно сработано — уничтожил заодно и приборы Делязны на Костоломии-четыре, а нас с ним, вместе с остальными, засосало в женомужеворот. Судя по всему, Билл, наши дороги снова пересеклись. Недаром же меня забросило к тебе.

Билл быстро заморгал: ему требовалось время, чтобы понять услышанное. Все-таки мышление — мучительный процесс.

— Ясно! — произнес он наконец и улыбнулся, но тут же помрачнел. — Я опять потерял Ирму!

— Да нет же, парень! Посмотри вон туда.

Билл поглядел в указанном направлении, уловил за необыкновенно громадным кактусом колыхание ткани, увидел подошву башмака.

— Чтоб меня на фуфу взяли! — гаркнул он и принялся вопить, улюлюкать и подбрасывать в воздух шляпу. — Ирма! — Внезапно на его лице появилось озадаченное выражение. — Что я такое сказал? Что значит «взять на фуфу»?

— Лучше не спрашивай, дружище Билл. Наверняка какой-нибудь жаргон, которых на Диком Западе не перечесть. Арго! Наложение друг на друга транспозиционных квазиреальностей подействовало на всех одинаково. Отсюда все эти побрякушки. — Успр горделиво подбоченился, явно довольный своим усыпанным блестками нарядом.

— Ирма! — Билл кинулся через полынь и кактусы на помощь упавшей возлюбленной. Та лежала — без сознания, но в соблазнительной позе — на большом валуне. И — о чудо из чудес! Впервые за все время их знакомства Ирма была прилично одета: длинное, веселой расцветки платье, шляпа с пышным плюмажем, изысканные ковбойские башмаки. На высокой груди девушки уютно свернулась змея.

— Е-мое! — проговорил Билл. — Успр! Тут какая-то змея! Что за тварь?

Чинджер вытащил из кармана книжонку под названием «Утраченный чинджерский путеводитель по Старому Западу».

— Елки-палки, Билл! Их, оказывается, столько! Королевская змея[1], обручевая, подколодная... Наверно, это гремучая. У нее есть погремушки?

Змея торжественно подняла голову, высунула язык, убрала — и зловеще потрясла погремушками.

— И правда гремучая! Точь-в-точь как описано в книге. Да, тут сказано, что она очень опасна и ядовита.

— Сделай что-нибудь!

— Елки-палки, Билл! С того самого происшествия на Венерии, когда меня проглотила похожая тварь, я — как бы получше выразиться? — побаиваюсь змей. Пожалуй, пойду поищу, чем подкрепиться. У тебя же при себе пистолет! Е-мое, сынок! Пристрели гадину, и все дела! — Донельзя, по-видимому, гордый своим ковбойским видом, чинджер повернулся и, нарочито косолапя, побрел к лагерю, оставив Билла наедине с Ирмой и гремучей змеей.

Змея шевельнула хвостом. Если у Билла и имелись какие-то сомнения насчет того, гремучая она или нет, то сейчас они развеялись окончательно. Шум разбудил Ирму, которая очаровательно взмахнула длинными ресницами.

— Боже всемогущий! — прошептала она. — Где я?

— Спокойно, Ирма! Не шевелись! Я спасу тебя! — Билл вытащил из кобуры пистолет и принялся изучать его. Это оружие ничуть не походило на бластер, который достаточно было просто направить в нужную сторону и нажать на курок. Нет, тут, похоже, требовалось прицеливаться. Что касается патронов, они, судя по всему, вылетают из дырки на конце полой металлической трубки.

Ирма увидела змею — и моментально потеряла сознание. А эта загнутая фиговина, продолжал размышлять Билл, должно быть, спусковой крючок. Точно! На память приходили все новые подробности, почерпнутые когда-то из комиксов. Билл нацелил пистолет и надавил на крючок. Раздался оглушительный грохот, вокруг заклубился дым, отдача отшвырнула героя Галактики на землю.

---

[1] Имеется в виду американский ломовый уж.

Кое-как поднявшись, он заметил в воздухе лиловатый дымок, а на песке и на стеблях полыни — куски змеиной кожи и плоти.

— Эй! — проговорил Билл. — Шикарно получилось, а? — Он со знанием дела повертел пистолет в руках и сунул обратно в кобуру.

Грохот привел в чувство Ирму, искаженное гримасой ужаса лицо постепенно обрело нормальный вид.

— Билл! Ты снова спас меня!

— Мужчина делает то, что должен, — усмехнулся Билл.

— Билл, где мы? И почему я так одета?

Билл расстегнул пряжку на ремне.

— И почему ты раздеваешься?

— Мужчина делает то, что должен.

— О Билл! Мой герой! Иди ко мне!

Наконец-то, подумал Билл. Наконец-то исполнится заветное желание сердца — не говоря уж о желаниях прочих частей тела!

— Елки-палки, Билл, извини, что отвлекаю тебя, прерываю ваш наверняка весьма любопытный ритуал оплодотворения, — прозвучал вдруг поблизости хорошо знакомый писклявый голос Успра, — однако в нашу сторону катит почтовая карета. Может, нас согласятся подвезти. Так что давай отложим ритуал до лучших времен. Но не забудьте предупредить меня, когда затеете по новой. Я хотел бы посмотреть.

— Йееееек! — взвизгнула Ирма, изящно вскакивая с земли и прячась за спину своего героя. — Билл! Еще одна рептилия! Пристрели ее, Билл! Пристрели!

— С удовольствием, мэм, — произнес Билл, хмуро поглядев на Успра. — Однако это Успр, который, может статься, пособит нам выбраться из передряги. — Он смачно сплюнул. — Правда, Успр же нас в нее и завлек. Нет, чинджер, ничего ты не увидишь.

— Пошли, ребята! Торопитесь! Надо перехватить карету! — Успр вприпрыжку двинулся вперед. Люди последовали за ним.

— Елки-палки, Билл, разве не замечательно? — справился чинджер, цепляясь за сиденье сразу всеми лапами. Его когти глубоко вонзились в деревянную лавку.

Увлекаемая четверкой лошадей, карета скрипела и раскачивалась из стороны в сторону. Успр и Билл вынуждены были расположиться на крыше, в компании с седовласым, дочерна загорелым типом по имени Альф Боб Баркер, от которого разило мокрой козлиной шерстью. Ирма же села внутрь, к прочим пассажирам. В небе сверкала лазурная дымка, сквозь которую клонилось к закату солнце, похожее на медную монету, что вот-вот упадет на бескрайнюю пустынную равнину.

Нет, подумал Билл, ничего замечательного нет и в помине. Он чувствовал себя так, будто его внутренности сперва размешали рукоятью топора, а затем обмотали вокруг колючего кактуса — в общем, что-то в таком духе.

— Свежий воздух пустыни! Аромат дикоземья! Запах кожи! Приличная одежда поверх шкуры! — восторженно воскликнул Успр.

— Заткнись, чинджер, иначе пристрелю! — пригрозил Билл.

Подобравшая их карета направлялась, если верить словам кучера, в городишко под названием Мрак-Бряк-Фоллз. Билл не имел ни малейшего представления о роли, отведенной этому городку в космической драме судеб. Он всего лишь стремился как можно скорее слезть с крыши кареты, которая, судя по всему, являлась некоей новой разновидностью пыточных инструментов, и промочить горло, в котором першило от пыли, пропустив стаканчик чего-нибудь похолоднее и, если получится, покрепче. А потом — потом Ирма!

О да! Наконец-то он нашел ее! Сердце Билла диспептически затрепетало в груди в тот самый миг, когда желудок выполнил очередной кульбит.

Старый чудак, что сидел рядом и жевал табак, громко чавкнул, а затем выпустил из уголка рта струю бурой слюны.

— Точно! — сказал он. — Здорово, что ты мне повстречался, парень. До Мрак-Бряк-Фоллза дорога длинная, пить хочется — просто жуть!

— Мы вам очень благодарны, мистер. Тем более что нам нечем заплатить за проезд.

— У тебя есть «пушка», а это важнее. — Старик сплюнул снова. На сей раз он попал в суслика, который неосторожно высунулся из норки. — Джеба Хокинса, моего стрелка, на прошлой неделе прикончили краснокожие. Апачи. Утыкали стрелами с ног до головы, так что он вполне сошел бы за дикобраза! Точно! Поэтому мне и понадобился такой бравый парень. Здесь ребята норовистые...

— Здесь? В смысле, в Мрак-Бряке? — встревоженно уточнил Билл.

— А то! В нем ошиваются самые отъявленные негодяи к западу от Мессасукки.

— Елки-палки! Вы о ком, мистер? — поинтересовался Успр.

— Шикарная у тебя игрушка, приятель! И чревовещаешь ты что надо! — Альф Боб почесал ягодицу, хлестнул замешкавшуюся лошадь и одновременно исхитрился прихлопнуть кончиком кнута огромного слепня. — Значит, про кого я толкую? Про Фрэнка и Джесси Джизмов, главарей шайки Джизма. Они частенько наведываются в город, палят направо и налево, а потом закидывают добро, которое награбили, в Первый общенародный яйцеплодородный банк штата Вайоминг. Им куда больше нравится класть добычу в банк, чем попросту грабить. В общем, развлекаются как могут. А кто пытается их остановить, того они мигом отправляют на тот свет!

Билл закатил глаза, жалея, что еще жив. Выплыть из Источника Гормонов только для того, чтобы угодить в очередную, по-настоящему крутую заварушку!

— Елки-палки, — произнес Успр. — Вы сказали «Вшизм»?

— Ты что, парень, оглох? Я сказал «Джизм»! У тебя не в порядке со слухом или это я заговариваюсь? — Альф Боб хлопнул себя по колену и визгливо засмеялся. — Боже милосердный! А недавно я слышал, что к шайке Джизма прибился прожженнейший мерзавец к востоку от Мессасукки. Ты, Билл, верно, слыхал о нем. Вы с ним тезки. Его зовут Уильям Боунер, то бишь Билли Почка.

— Елки-палки! — вскричал Успр, подпрыгнув на сиденье. То хрустнуло и разломилось пополам. — Туда-то нам и нужно!

— Что за чушь? Ты о чем? — пробормотал Билл, ощущая на губах горький привкус желчи.

— Делязны порой трепал языком насчет того, где зарождается Источник Гормонов. Толковал о парадигме человеческой гетеросексуальности. По-моему, он упоминал и шайку Джизма, и Билли Почку! Все сходится, а, Билл?

— Слушай, будь другом — заткнись и дай мне спокойно умереть, — попросил Билл.

— Подумай, Билл! Забудь о своем желудке и подумай о звездах! Представь себе символические отображения реально существующих энергий. Мужской принцип нападает на женский! Там-то все и происходит, Билл! Если мне удастся накоротко замкнуть всю троицу — Фрэнка, Джесси и Билли, война завершится, а вы, люди, станете милыми, приятными, дружелюбными существами, что будет, кстати, величайшим на свете превращением.

— А ты не забыл о Делязны? Он ведь до сих пор шныряет где-то поблизости.

— У меня при себе мой старый добрый кольт! — гаркнул чинджер, воинственно размахивая пистолетом. — Он у меня еще попляшет! Подлец! Он обманул меня и всех чинджеров! Я досыта накормлю его свинцом!

Угрозы Успра показались Биллу несколько лишними. Ему хотелось если не умереть, то поскорее спрыгнуть с кареты. И, ради всего святого, никакого насилия! С него хватит!

— Поступай как знаешь, Успр. Что касается меня, то, если я удеру от армейских ищеек, мы с Ирмой, наверно, поселимся в каком-нибудь тихом уголке и будем выращивать дикосвинов или каких других животных.

— Странный ты парень, — заметил Альф Боб. — Сам с собой разговариваешь... Ну да ладно, слушай. Хочу тебя остеречь: те, кто связывается с шутниками из шайки Джизма, обычно кончают кладбищем на Шу-Хилл.

— Ты перепутал, старик. Не Шу-, а Бут-Хилл, — поправил Билл, вспомнив комикс «Головокружительные вестерны».

— Да нет же, черт подери! Бут-Хилл в Додж-Сити? По-твоему, я похож на идиота?

Билл извинился и настоятельно рекомендовал Успру не разевать пасти до конца путешествия. Герой Галактики надеялся, что ему удастся хоть немного поспать и на какое-то время забыть о том, что творится в желудке. Однако едва он задремал, послышался жалобный голосок.

— Билл!

Билл открыл глаза и свесился с крыши. На него, капризно хмурясь, глядела высунувшаяся из окна кареты Ирма.

— Что, мой пустынный цветочек, мой сладостный аромат прерий? — услышал он свой собственный голос. Брр! Ну и мерзость! Должно быть, так разговаривают в вестернах.

— Мне тут не нравится. Душно. Я хочу к тебе, наверх!

— Е-мое, милашка! Право, не знаю...

— Твоя подружка просится сюда? О чем речь? Только ей придется сидеть у меня на коленках. — Тощий старикашка хрипло расхохотался.

Билл передал его слова Ирме. Та поразмыслила и решила остаться в салоне.

Когда впереди показались первые дома Мрак-Бряка, похожие на гнилые зубы на покореженной челюсти, солнце уже превратилось в огненный шар, а небо окрасилось багрянцем. Висевшая в воздухе пыль придавала закату буро-кровавый оттенок, от которого предместья Бряка — как называл город Альф Боб — выглядели этаким морским побережьем, на какое накатывались волнами то холодный алый свет, то бурые тени. Город как будто выдрали с мясом из трехмерного комикса: сплошные картонки и дешевая краска. Пахло лошадьми и пылью, конским навозом и сточными канавами; равно как и другими, куда менее приятными вещами; люди, которые слонялись по пыльным, грязным улицам и рычали на карету, смахивали на сущих оборванцев.

Биллу почудилось, будто он попал на родной Фигерина-дон-II.

— Тпруууу! — произнес Альф Боб Баркер, натягивая поводья у подъезда гостиницы «Единоутробство». — Что ж, приятель. Считай, добрались. Тут я заночую. Спасибо за услугу. Те кролики, которых ты распугал, наверняка замышляли недоброе. — Он подмигнул, отвернулся, скинул багаж прямо в грязь, а затем спрыгнул сам, чтобы помочь выйти пассажирам.

Билл соскочил наземь, распахнул дверцу кареты и раскрыл объятия, в которые и упала Ирма. Мгновение спустя она крепко прижалась к Биллу, их губы слились в жарком поцелуе.

— О Билл! — проговорила Ирма, задыхаясь от страсти.

— О Ирма! — отозвался Билл, расстегивая ремень.

— Не здесь, глупенький мой любовничек! — Она засмеялась и оттолкнула героя Галактики.

— А где? — страстно вопросил Билл.

— Знаю! — кокетливо воскликнула Ирма. — Милый, я пойду и сниму номер, а потом припудрю носик. Портье подскажет тебе, куда идти. Мы закажем ужин в постель, чтобы нам не вставать, и окунемся в вечность. Ну как? По-моему, просто прелестно!

Биллу казалось, будто сны начали сбываться наяву. Впрочем, его манили и прочие искушения. Краем глаза он углядел нечто весьма и весьма интересное: на той стороне улицы, рядом с пресловутым Яйцебанком, виднелось здание, которое украшала вывеска «Салун „Тупица“».

— Заметано, крошка! Ступай! Я скоро приду, — пробормотал он, с трудом выговаривая слова, ибо во рту у него скопилось вдруг изрядное количество слюны.

Ирма вскользь поцеловала его в щеку, после чего, следом за остальными пассажирами почтовой кареты, устремилась в гостиницу.

— Пошли, Успр! — пробулькал Билл. — Мы с тобой завалимся вон в тот салун, и я угощу тебя стаканчиком «Старого горлодера»!

— Отличная мысль, парень! Лучше места для разведки не придумать, сколько ни старайся!

Шлепая по грязи, они пересекли улицу, миновали двустворчатую дверь и ввалились в салун.

Билл решил, что попал в рай. Сомневаться не приходилось: он нашел то, что так долго искал! Беда армейских столовых, равно как и большинства баров известной Вселенной, состояла в том, что они были слишком уж синтетические. Определить, где кончается пластмасса и начинается настоящая выпивка, было крайне затруднительно. Нет, Биллу нравились те бары, где пьянила не только — и не столько — атмосфера, поэтому салун «Тупица» как нельзя лучше отвечал его запросам.

Внутри было просторно и темно, попахивало древним пивом, пролитым виски и потухшими сигарами; на память приходили знакомые звуки — звяканье стекла, обрывки пьяных разговоров, шипение, с каким жарится на сковороде печень. Стойка красного дерева тянулась от стены до стены, сверкая медной обивкой. За стойкой красовалась громадная фреска, изображавшая пожилую женщину, пышные телеса которой едва прикрывало полупрозрачное платьице. Женщина с благосклонной улыбкой взирала на восседающих за столиками пьянчуг. Бармен — лысый, чрезвычайно усатый и с внушительным животом — лениво протирал стакан. Он поднял голову и, похоже, ничуть не удивился, увидев ящерицу в наряде героя вестернов.

— Какую вам отраву, джентльмены? — справился он.

— Фтористоводородную кислоту со льдом! — ответил Билл.

— Хо-хо! Сынок, ты мне нравишься. Сейчас подадут пятикратный бурбон в пивной кружке. А как насчет твоего крошечного зеленого приятеля?

— Мне, пожалуйста, сарсапариллу, — проговорил чинджер. — И соломинку!

Выждав, пока глаза привыкнут к полумраку, Билл огляделся по сторонам. За столиками сидели мужчины в ковбойских костюмах. В уголке залы играли по маленькой в покер.

— Шикарное местечко! — радостно воскликнул он.

— Получите, джентльмены. — Бармен подтолкнул к ним заказанное. — С вас шесть монет.

— Елки-палки! — сказал Успр. — Платит мой друг. — Он окунул в сарсапариллу лапы, а затем принялся жевать соломинку.

— Э... Шесть монет — это сколько?

— Не надо так шутить, сынок. Семьдесят пять центов.

— Ага! — Билл вывернул карманы и обнаружил, что у него при себе лишь корпия. Тем не менее — на всякий случай — он приложился к кружке, а потом спросил: — Вы принимаете армейские кредоногти? — И показал свой ноготь, на котором стояла скромная сумма, что была у него на счету.

— Хватит паясничать, ковбой! — Бармен нахмурился. — Плати наличными и пей, сколько влезет, — в нашем баре такой порядок. Давай гони монету. И никаких бумажек! Монета должна быть звонкой, иначе не возьму.

Билл не имел ни малейшего представления, о чем толкует бармен. У него не было ни бумажек, ни остального. Пожалуй, нужно попробовать сторговаться. Выпивка за пистолет. Он вытащил из кобуры кольт.

Во взгляде бармена мелькнул испуг. Он всплеснул руками, замахал ими, словно вдруг сошел с ума.

— Надравшийся Вельзевул! Не стреляй! Угощение за счет заведения!

Какой добрый, какой приятный человек! Билл швырнул кольт на стойку и схватил кружку. Когда оружие ударилось о полированное дерево, барабан открылся, и по стойке рассыпались пули. Бармен осторожно потыкал в них пальцем. Внезапно у него отвисла челюсть. Тем временем Билл ополовинил кружку, а чинджер Успр по-прежнему жевал свою соломинку.

— Чтоб меня перевернуло! — выдавил бармен. — Серебряная пуля! Если ты не против, я охотно приму ее вместо наличных. За нее, джентльмены, вы можете пить, пока не свалитесь под стол. Однако, сынок, если в твоем револьвере серебряная пуля, значит... — Он с благоговейным изумлением уставился на Билла. — Значит, ты — Косой Рейнджер!

Глава 18
Баллада о Билли Почке

— Чего? — переспросил Билл.

— Косой Рейнджер, приятель! То-то мне показалось, что я тебя где-то видел! — Бармен расплылся в улыбке, одновременно пытаясь заискивающе усмехнуться, что было весьма непросто. Все посетители и все пивные кружки повернулись к стойке. — Ты, должно быть, узнал, что Билли Почка связался с шайкой Джизма, которая собирается наведаться в город! — Бармен протянул Биллу серебряную пулю. — Держи. Я за тебя. Забирай обратно. Бери, дружище, она тебе наверняка понадобится!

— Косой Рейнджер? — прошептал Билл, обращаясь к Успру. — Что он такое несет?

— Не раскачивай лодку, как говорят у нас на флоте, — отозвался чинджер. — Бесплатно пьем, бесплатно едим. Что еще нужно? — Он вскочил на стойку, схватил охапку соломинок и принялся энергично жевать.

Из-за столика поднялся мужчина, одетый в костюм из оленьей кожи, усатый, с длинной, свисающей на грудь бородой. Он подошел к стойке и протянул руку:

— Здоро́во, приятель! Давно хотел перекинуться с тобой парой словечек. Меня кличут Ик-Ик. Дикий Уилл Ик-Ик.

— Рад познакомиться, Дикий! — сказал Билл, ощущая прилив дружелюбия благодаря виски, которое булькало в животе, неумолимо приближаясь к и без того уже разъеденной циррозом печени, и предвкушая целый вечер бесплатной выпивки. — Правда, я никак не соображу, о чем ты толкуешь. Меня зовут Билл. С двумя «л».

— Не слушай его! — крикнул Успр, подпрыгивая на стойке и взмахивая лапами, чтобы привлечь к себе внимание. — Он самый настоящий Косой Рейнджер, косее не бывает! Просто такой характер: не слишком любит признаваться, что перестрелял кучу врагов, вагон и маленькую тележку! Я все про него знаю, потому что я его верный спутник-чинджер. Позвольте представиться: Прокто, а может, и не Прокто. Мы прибыли сюда, чтобы сразиться не на жизнь, а на смерть с шайкой Джизма и Билли Почкой. Кстати, тут не появлялся тип по фамилии Делязны?

— Билли Почка! — повторил Дикий Уилл, приподнимая кустистые брови. — Чтоб мне пусто было! Нелегкая у вас задачка! Знаете, Косой Рейнджер и Прокто, ни про какого Делязны я слыхом не слыхивал, но вот про Билли Почку у меня найдется что рассказать, уж будьте уверены! Вообще я его биограф, а заодно собираю все баллады про Билли, а также легенды и дешевые книжонки, которых понаписано столько, что не перечесть.

— Что ж, по-моему, мы не прочь что-нибудь услышать, верно, Билл? — спросил Успр.

Билл пожал плечами, взял кружку и осушил ее до дна.

— Вы мне только подливайте, компаньерос, а так я готов! — Он усмехнулся и уставился затуманенным взором на появившийся перед ним полный стакан. В памяти что-то шевельнулось. Что-то? Или кто-то? Мысль исчезла, смытая очередной волной спиртного; Билл схватил стакан и пожелал доброго здоровья своему новому другу, Дикому Уиллу Ик-Ику, который не преминул пожелать ему того же самого.

— Док! — гаркнул Дикий Уилл, складывая лодочкой ладонь. — Эй, док Самовол! Притащи-ка мой мешок! — Он вновь повернулся к Биллу. — Как раз сегодня купил пару новых книжек про Билли. Сейчас промочу глотку, и мы с вами почитаем!

Дикий Уилл пригубил виски, налитое в громадный стакан, и вручил его вместе с содержимым человеку, который принес его мешок. Док Самовол, под глазами которого набрякли ужасные мешки, хрипло закашлялся.

— Спасибо, док. Бедняга. Он попал сюда по чистой случайности, отстал по пьяной лавочке от звездолета «Унтерменш». Они с шерифом Уайеттом Брехом уже имели дело с шайкой Джизма, верно, док?

Док пробормотал что-то насчет кругов перед глазами, одним глотком опорожнил стакан, вернулся за столик и тяжело плюхнулся на стул. Дикий Уилл порылся в мешке, вытащил пару книжек в ярких обложках, напечатанных на плохой бумаге, прокашлялся, поднял руку, призывая к тишине, открыл воду и начал читать:

«Лапа — волосатая любовница» (том одиннадцатый сериала «Жеребцы будущего»). Автор — Роберт Э. Хайли.

«Денвер шарахнул изо всех стволов.

В небо взлетели десятки ракет, запущенных, чтобы прикончить в пустыне нас с Билли Почкой.

Однако, хоть местные спецы и не подозревали об этом, мы с Билли пахали на Луне, добывали лед и женились напропалую на созревших девицах и шикарных дамочках — да, они были все как на подбор, суровые любовницы! — а еще с нами был наш добрый приятель, спившийся компьютер Шейлок (чурбан чурбаном, сплошные невристоры, старухи ему были ни к чему!)

Мой папаша, Лазарус Жриг, научил меня двум вещам. Быть ласковым с женщинами и не принимать от них никакого дерьма. Так что, когда Денвер разбомбил наше свободное владение в пустыне, мы прикинули, что, пожалуй, надо накормить их той же отравой, а потому обрушили им на головы парочку болтавшихся поблизости астероидов.

НСНННА.

Это значит „на свете не найти независимого адвоката". Спросите у меня, уж я-то знаю, до тех пор, пока я не сменил имя, все обращались ко мне, к Сутяге Ларри. Я провел процессов больше, чем вы сожрали сэндвичей с копченой говядиной.

Черт подери! Сукины дети!

Ладно, вернемся к Почке.

Мы с Билли возвратились. Этот сосунок не стареет, не знаю уж, как у него получается. Помню, я прыгнул в прошлое на своей машине времени, „Вдогонку СС", и встретил их — его и Пэта Гаррета — в оклахомском доме развлечений. Тогда Почка был еще молокососом и звался Уильям Боунер. Паршивый щенок! Видел, как он хладнокровно пристрелил пятерых, и подумал тогда: тестостерона в этом парне — по макушку. Он точно пригодится нам на Луне.

Когда я потолковал с ним насчет свободы секса, он сказал: „Хорошо". Правда, про адвокатов и кормежку упоминать не стал.

Забавный паренек!

Пока мы путешествовали по времени, чуть не наложил в штаны.

И — черт побери! — начал мутировать!

Откуда мне было знать, что может случиться такое?

Впрочем, Билли Почка все равно отличный мужик. Мы просто пустили к нему робота-уборщика.

Как говорил Лазарус Жриг: „Человек обретает бессмертие через свой мозг и сексуальные наслаждения". Звучит неплохо, пускай и слегка мужешовинистически...»

Чтение прервал донесшийся с улицы хриплый вопль:

— Шайка Джизма! Они здесь! И Почка!..

Бабах! К грохоту выстрела тут же присоединилось эхо рикошета: пуля отскочила от потолка и заметалась по зале.

— Арггх! — произнес чей-то голос. Дверь распахнулась, и в салун ввалился высокий мужчина в сапогах и окровавленном жилете. — Они нашли меня! — Он рухнул на пол, задрав к потолку шпоры, которые тихонько позвякивали, словно рождественские колокольчики.

— О господи! — проговорил Дикий Уилл, захлопнул книжку и юркнул под стол. — Это Почка! Он идет сюда! Прячься, Косой Рейнджер! Прячься, Прокто! Когда Почка не в духе, он убивает всех подряд, а если он услышит, что в городе Косой Рейнджер, то наверняка не обрадуется.

Все посетители последовали примеру Уилла. В салуне запахло смертью, даже у Успра затряслись поджилки. Чинджер рыбкой нырнул за стойку.

— Прячься, Билл! — крикнул он. — Мне что-то не по себе!

Билл, который жадно допивал виски, был слишком пьян, чтобы прислушаться к голосу разума. Впрочем, он попытался укрыться за стойкой, но вдруг обнаружил, что зацепился шпорой за поручень. Герой Галактики принялся стаскивать сапог, и тут входная дверь распахнулась вновь и в залу ворвался первый из налетчиков.

— Фрэнк! Фрэнк Джизм! — испуганно прошептал кто-то из-под стола.

Наружность бандита привела Билла в такое замешательство, что он бросил возиться с обувью и тупо воззрился на незваного гостя.

Тот сильно смахивал на пузырь вроде тех, какие рисуют в комиксах у рта говорящего, облаченный вдобавок в костюм ковбоя. Круглое, луковицеобразное тело, внутри которого колышется какая-то жидкость. Черная шляпа, из-под которой зловеще смотрят темные глаза. А ниже талии... Ниже талии у пузыря было некое подобие щупальца, которое не только поддерживало тело, но и приводило его в движение.

На деле Фрэнк Джизм представлял собой гигантский сперматозоид!

— Яйца! — рявкнул он. — Где мои чертовы пляшущие яйца, разрази вас гром?! — Протоплазматический палец протоплазматической руки надавил на спусковой крючок. Грянул выстрел, с потолка посыпалась штукатурка. Фрэнк повернулся и, прищурясь, уставился на Билла. — Эй, ты! Почему ты не дрожишь и не дергаешься, как все остальные? Почему не залез под стол? — Сперматозоид скользнул поближе и нахмурился.

— Хочешь выпить? — спросил Билл.

— Плевать мне на твою выпивку! — прорычал, брызгая спермой, Фрэнк. — А ну, отвечай! Тоже еще, герой выискался! — Он сунул ствол пистолета в ноздрю Биллу.

— Знаешь, Фрэнк, — отозвался Билл, мгновенно приведенный в чувство холодным металлом в носу, — сказать по правде, я попросту не могу слезть. Застрял. — Он указал на шпору, которая зацепилась за поручень стойки, и пошевелил ногой, а потом, сам не зная почему, рванулся изо всех сил, и нога выскочила из сапога, явив окружающим сырой, зловонный носок.

Бледное лицо Фрэнка Джизма мгновенно приобрело свекольный оттенок. Он начал задыхаться, выронил пистолет и, хрипя, упал на пол.

В тот же миг в салуне загрохотали выстрелы. Стреляли из-под столов и из-за стойки. Пули изрешетили шкуру огромного сперматозоида. Фрэнк Джизм весь обмяк, сперма растеклась по полу, щупальце слабо подергивалось, точно умирающая змея.

Издав судорожный вздох, Фрэнк Джизм умер.

— Господи, Косой Рейнджер! — крикнул кто-то. — Надевай скорее сапог, а то мы все передохнем.

Билл послушно обулся, а затем взглянул на Фрэнка. Тот постепенно таял, словно брошенный в печь кубик льда. Билл содрогнулся, сунул нос в стакан и допил виски.

— Ладно! — донесся вдруг из-за двери чей-то рык. — А ну достань до потолка, ты, поганка!

Билл поднял руки.

В залу прыгнул еще один сперматозоид. Он выглядел точь-в-точь как Фрэнк Джизм, разве что у него не было шрама, пересекавшего лицо и тянувшегося по телу.

— Джесси! — хором воскликнули ковбои. — Джесси Джизм!

Сперматозоид приблизился к мертвому брату, пнул того своим щупальцем, и оболочка Фрэнка будто прильнула к полу.

— Кто? — прошептал Джесси, скрежеща псевдозубами.

Из-под столов взметнулся лес рук, причем все пальцы показывали на Билла.

— Он! Вот он! Косой Рейнджер!

— Косой Рейнджер? — повторил Джесси, отскакивая назад.

— Косой Рейнджер! — подтвердил хор голосов.

— По-моему, тут какая-то ошибка, — проговорил Билл.

— Косой Рейнджер, ты прикончил моего брата! Ты знаешь, кто я такой?

— Тебя называют Джесси Джизм, — ответил Билл, глотая окончания. — Но похож ты больше всего на переросток-сперматозоид!

— Так и есть, приятель, — ухмыльнулся Джесси. — Я самый большой сперматозоид к западу от Вазэктомической реки. И самый свирепый. Так что приготовься! Сейчас я буду мстить! — Одним движением, быстрым, как смазанная молния, он выхватил пистолет.

Он сделал это настолько проворно, что Билл не успел и подумать о том, чтобы достать свой кольт. Дуло пистолета смотрело герою Галактики прямо в лоб, палец Джесси мало-помалу надавливал на спусковой крючок... Неожиданно из-под стойки, паля из четырех стволов, выскочил Успр. Пули распороли грудь Джесси — вернее, тот кусок оболочки, который воспринимался как грудь. Налетчик выронил пистолет, пошатнулся и уставился на зияющую дыру в теле.

— Косой Рейнджер! Как тебе удалось? Я ведь видел: ты даже не шевельнул рукой!

Снова засверкали вспышки выстрелов. Сперматозоид Джесси Джизм в мгновение ока превратился в пустую оболочку, точно такую же, какой совсем недавно стал его брат Фрэнк.

— Ураааа! — гаркнули горожане. — Слава Косому Рейнджеру! Он убил братьев Джизм!

Билл в притворном смущении шаркнул ножкой, скромно потупился — и увидел чинджера, который стоял возле стойки и любовался проделанной им дырой.

— Кому-то же надо было это сделать, — произнес Успр, дунув в ствол одного из пистолетов.

— Отличная работа, приятель! — похвалил Дикий Уилл, хлопнув Билла по спине. — Ты покончил с братьями, но остался Билли Почка. Вдобавок на улице тебя наверняка поджидает вся шайка.

— Фрэнк! Джесси! — крикнул кто-то снаружи. — Вы в порядке?

— Они мертвы, Билли Почка! — прорычал бармен. — У нас тут Косой Рейнджер. Только вильни хвостом — он посчитается и с тобой!

— Арргх! — отозвался Почка. — Косой Рейнджер, говоришь? Ладно, завтра мы идем класть денежки в банк, и нам не помешает никакой рейнджер. Слушай, ты, Косой! Давай разберемся! Ты да я, Билли Почка! Завтра, в корале «Тупик». На рассвете!

— Идет! — крикнул бармен. — Он там будет, Билли. Собирайся в дорогу на Бут-Хилл!

— На Шу-Хилл, — пьяным голосом поправил Билл.

— Нет. Билли давно прикупил себе местечко на кладбище в Додж-Сити, — сообщил бармен. — Слушай, Билли, давай вали отсюда вместе со своим сбродом!

Послышались проклятия, затем застучали копыта коней — шайка покинула город.

— Они ускакали! — Бармен усмехнулся. — Шайка Джизма и Билли Почка бежали из города! Гип-гип-ура Косому Рейнджеру и его верному спутнику Прокто!

— Гип-гип-ура!

— Спасибо, ребята. — Билл пьяно ухмыльнулся. — Только вот как быть с завтрашним свиданием?

— Не тревожься, Косой Рейнджер, — проговорил Дикий Уилл. — По чистой случайности сегодня вечером на поезде, что прибывает в десять десять, возвращается из Канзаса шериф. Он тебе поможет.

— Правильно, — сказал Успр. — И не забудь, в гостинице тебя ждет Ирма. Елки-палки, здорово! Последняя и решительная схватка на рассвете! Может, она положит конец Зажеле-зии. Как символично!

Заключительную часть восторженной тирады Успра Билл пропустил мимо ушей, поскольку, услышав имя Ирмы, уже не мог думать ни о чем другом.

— Ирма! — воскликнул он. — Как раз пора вернуться в ее жаркие объятия!

— Ступай, дружище! — одобрил бармен. — На, пропусти на дорожку! — Он поставил перед Биллом стакан виски. — Она заждалась тебя, герой!

— А то! — отозвался Билл, одним глотком осушил стакан до дна, неуверенно развернулся и, пошатываясь, направился к двери.

— Приятных развлечений, Билл! — крикнул ему вслед Успр. — Я, пожалуй, задержусь тут: пожую соломки, потолкую с Диким Уиллом.

— Пжалста! — произнес Билл, едва разбирая, куда идет. — Ирма! ИРМА!

Как он ее желал, как стремился к ней! Сколько лет хочет прошептать ей на ушко всякую ерунду! Подобное чувство он испытывал впервые в жизни.

Вот, значит, как, думал он, моргая, чтобы разогнать алую алкогольную пелену перед глазами. Он влюбился!

Билл вздохнул.

Он не знал, что тому причиной — любовь к Ирме или к виски, однако ощущал себя счастливее альтаирского кабана в брачный период. Выходит, жизнь все-таки имеет смысл, и этот смысл заключен в кротком, как у лани, взгляде, ласковой улыбке, вздернутом носик и называется ИРМА!

И — о чудо из чудес! — она любит его!

Солдаты империи обычно не влюбляются. По крайней мере, такое поведение запрещается уставом. Но Билл плевал на устав, поскольку был своевольным, придурковатым безумцем. Наконец-то в его закаленном службой сердце что-то зашевелилось. О прелесть первой любви! О милая, ненаглядная Ирма!

Подпрыгивая на ходу — с песней в душе, алкоголем в мозгу и циррозом печени на пороге, — Билл вскарабкался по ступенькам и ввалился в гостиницу. Портье с радостью поведал ему, что мисс Ирма заняла номер 122 и, по всей видимости, ожидает его, ибо только что заказала две бутылки шампанского и филе.

Билл глупо осклабился. Прислушиваясь к стуку сердца, которое словно отбивало ритм страсти, он направился на поиски нужного номера. Наконец перед его воспаленными глазами возникли цифры «122». Он нажал на ручку. Дверь оказалась запертой.

Билл постучал. Тишина. Что такое? Ну-ка, ну-ка... Ему почудилось, будто изнутри доносятся сладострастные вздохи.

— Ирма, ми-лая! — прохрипел Билл. — Это я, Билл, твой любимый. Впусти меня, лапочка.

За дверью раздался истошный вопль, затем послышались такие звуки, словно кто-то крушил мебель. Билл испугался. Что там происходит? Ирма в беде!

— Не волнуйся, Ирма! — крикнул Билл. — Я спасу тебя! Он отступил на шаг, собрался, кинулся вперед и с разбега ударил в дверь плечом. Спасибо тренировкам в лагере имени Льва Троцкого! Дверь, естественно, не выдержала напора, и Билл влетел в комнату, в которой царил полумрак. Поднявшись, он проревел: — Ирма! Ирма! Где ты, Ирма?

В следующий миг он поскользнулся на пустой бутылке из-под шампанского и с грохотом, лицом вниз, рухнул на пол.

Кое-как оправившись, Билл перевернулся на спину, пьяно моргнул — и уставился на двоих людей, что таращились на него с громадной кровати.

Одно лицо принадлежало Ирме.

Другое же — зловредному доктору Латексу Делязны!

Глава 19
Разборка в корале «Тупик»

— Ирма! — вскричал Билл, моргнул, выпучил глаза, не в силах поверить тому, что видит: его любовь, красавица Ирма в постели со злейшим врагом, маньяком, который стремится править Вселенной! — Ирма! Я пришел спасти тебя!

Он рванулся к кровати — и резко затормозил.

— Не валяй дурака, приятель, — процедила Ирма, наставляя на Билла пистолет. — Тронь хотя бы волосок на лысеющем черепе моего милого, и я всажу в тебя пулю, прямо туда, где вроде бы должен находиться мозг!

— Но... Но... — пролепетал Билл. Неохотно сложив в уме один и один, он получил ужасное два. Постепенно в его зату-

154

маненное сознание проникла, просочилась меж проспиртованных синапсов отвратительная истина, от которой никуда было не деться. — Этого не может быть! — беспомощно прохрипел он. — Ты моя девушка!

— Мужчины! Стоит девушке обронить два-три глупых слова, и вам уже кажется, что она ваша! Приятель, в жизни все гораздо сложнее. Ты прочел слишком много мелодраматических комиксов. Вали отсюда! — Ирма презрительно усмехнулась.

— Но я люблю тебя, Ирма! — проскулил Билл, разнюнившийся от жалости к самому себе. — А ты говорила, что любишь меня!

— Ну и что? Я передумала. Женщина вольна менять решения. — Ирма прижалась к Делязны, игриво дернула того за похожее на раковину ухо. — Я нашла себе настоящего мужчину.

— А как же твой отец? Ведь он утверждал, что Делязны преследовал тебя, а ты все время отвергала его домогательства! Вот почему добрый старикан в конце концов спятил! — Билл повернулся к Делязны. — Я понял! Вы хотели узнать секреты Зажелезии ради Ирмы! Попав сюда, вы обнаружили тайный источник привлекательности, которая сводит женщин с ума, превращает их в бестолковых самок!

— Вообще-то еще пока не нашел, — признался Делязны. — Но обязательно найду завтра, после того как мы с Билли Почкой и шайкой Джизма прикончим тебя и твоих сторонников, а потом отправимся сдавать награбленное добро в Яйцебанк. Видишь ли, именно в нем заключены тайны вселенского могущества. — Он посмотрел на Ирму и улыбнулся. — Мы с Ирмой столкнулись внизу и с первого взгляда поняли друг друга.

— Я догадалась, что скучала по нему, что была ужасно наивной и самодовольной. Слушай, старина, если ты не против, почему бы тебе не отвалить подобру-поздорову?

— Точно, — хихикнул Делязны. — Мой тебе совет, Билл, проваливай, пока цел. Увидимся завтра на рассвете. Не забудь подобрать себе приличный гроб!

— Ирма! — проговорил Билл, чувствуя, как уязвленное сердце плавится в груди и медленно, капля за каплей, стекает в пятки. — Скажи, ну что тебе не нравится?!

— Хотя бы твои клыки, — отозвалась Ирма, надменно выпятив губу.

— Ты же говорила, что в восторге от них!

— Билл, ты понятия не имеешь, как надо обращаться с девушками, — высокомерно вздохнула Ирма.

— Я научусь! Ирма... пожалуйста... позволь мне попытаться... Не оставайся с ним! Пойдем со мной! — Билл упал на колени, моля о снисхождении, разыгрывая из себя полнейшего идиота.

— Ступай, Билл. Моя новая любовь насквозь сказочна!

Голова Билла шла кругом, в груди, там, где когда-то было сердце, угнездилась тупая боль. Он поднялся, повернулся и, дрожа с макушки до пят, побрел к двери. Дышать было трудно, почти невозможно.

Доктор Делязны!

Доктор Делязны и Ирма!

Жизнь, которая и раньше не слишком-то смахивала на розовую клумбу, стала в последнее время поистине ужасной. Билл не знал, что такое справедливость, и потому не ждал ее, но все же как было бы хорошо, если бы каждому хоть иногда воздавали по заслугам. Он тяжело вздохнул и, спотыкаясь, начал спускаться по лестнице.

Справедливости нет. Кругом только взятки, крючкотворство и мнимые друзья-приятели. А еще — выпивка! Билл двинулся к салуну, торопясь вернуться, пока остальные не слишком его опередили.

Горизонт напоминал треснувшую яичную скорлупу, из которой краешком желтка высовывалось солнце; белком служило омерзительно бледное небо над далекими горами и пустыней. В воздухе витал запах смерти. Утро имело привкус крови, могил и холодной, безжизненной пустыни. Звеня шпорами, Билл приближался к группе строений, которую местные именовали коралем «Тупик», — кобура расстегнута, револьвер перезаряжен. Рядом семенил чинджер, которого когда-то звали Усердный Прилежник.

— Елки-палки... Надеюсь, ты готов, Билл?

— Пожалуй, — ответил Билл.

— Сегодня красный день на календаре Вселенной?

— Угу.

— Как ты себя чувствуешь?

— Паршивей не придумаешь.

— Замечательно, правда, Билл?! Просто замечательно. Мир через насилие, иначе невозможно.

Голова Билла трещала от похмелья размерами с Великий Каньон; рот словно превратился в Долину Смерти, засыпанную до краев жареными мухами, желудок напоминал бак для ферментации из Галактической Пивоварни; печень же — если бы он мог ее увидеть, чего никоим образом не хотел — должна была выглядеть так, будто в нее заколачивали двадцатифунтовыми кувалдами железнодорожные костыли.

Брр! Прошлым вечером он заявился в салун, напомнил бармену о том, что ему полагается бесплатная выпивка, и принялся надираться, время от времени позволяя сделать глоток-другой всяким там ковбоям, игрокам и сутенерам, которые наперебой выражали свое дружеское сочувствие. Чинджер немного погодя куда-то запропастился, однако Дикий Уилл и док Самовол не покинули Билла: они с радостью приняли дармовое виски, выразили соболезнования по поводу утраты Ирмы, поведали собственные истории о любви, измене, скорби и героических кутежах.

Как не замедлило выясниться, док Самовол обладал поистине неистощимым запасом подобных историй: у него был интерес ко всему мало-мальски инопланетному и экзотическому, а потому он неоднократно оказывался в весьма любопытных и затруднительных положениях. К примеру, сейчас он оправлялся от последствий интрижки с офицером-исследователем из экипажа своего последнего корабля, «ЮСС „Крестовина"». Этот офицер, получеловек, полуметаллоид, был садистом с еще более извращенными, чем у дока, наклонностями. Самовол порывался даже снять штаны и показать шрамы, полученные на почве страсти, однако тут не выдержали и закаленные в испытаниях ковбои. Они выгнали дока из города, а затем вернулись в салун.

Около половины одиннадцатого к ним, как и обещал, присоединился шериф Уайетт Брех, который пустился, что называется вдогонку, опрокидывать в себя стакан за стаканом, чтобы не подвести товарищей.

Билл отрубился приблизительно после полуночи. Он плюхнулся на стойку, положил голову на бутылку виски «Старый канализатор», а ногами уперся в лицо возвратившемуся к тому времени доку — и отключился. Очнулся он лишь под утро: чинджер Успр крикнул ему на ухо, что вот-вот рассветет. Впрочем, Билл ни за что бы не поднялся, если бы не приобретенная на службе привычка вставать, когда прикажут. Правда, едва он продрал глаза и вспомнил о предстоящем свидании, мысль о том, как он встретится с доктором Делязны и нашпигует мерзавца горячим свинцом, точнее, серебром, придала герою Галактики ровно столько сил, сколько требовалось, чтобы не сломаться под гнетом похмелья.

— Елки-палки, — произнес Успр, когда Билл рассказал, что видел в номере гостиницы. — Плохо, ой как плохо! Ну да ладно, у нас, чинджеров, есть подходящая поговорка: на свете полным-полно непринглованных кракселей!

О! Хотя разве стоило ожидать, что какой-то там чинджер способен понять муки растоптанной любви?! Особенно такой чинджер, который принглует краксели! Тем не менее Успр одобрил решение Билла прикончить доктора Делязны, даже пришел в неописуемый восторг.

— Елки-палки, Билл, — проговорил он, шагая рядом с приятелем в направлении кораля. — Спорю, на роже Делязны играла довольная ухмылка!

— Заткнись, чинджер! — напыжившись, изрек Билл.

— Лично я не стал бы давить на парня, которому предстоит стреляться. Ему надо расслабиться, — сказал Уайетт Брех, расчесывая усы.

Шериф, Дикий Уилл и док Самовол тоже вызвались сопровождать Билла к месту дуэли. Из-за пояса Бреха торчали рукоятки двух кольтов 45-го калибра, сапоги сверкали, как и у остальных секундантов, — эту услугу оказал им Успр, бывший Усердный Прилежник, который не спал всю ночь и ностальгически начищал обувь, вспоминая о том, чем занимался много лет назад.

— Расслабляться так расслабляться! — сообщил док Самовол, прикладываясь к бутылке, в которой булькало виски. Он предложил бутылку Биллу, но тот отказался.

— Не пойдет, — сказал герой Галактики и, прищурясь, поглядел на светлую полосу на горизонте. — Я хочу поквитаться с Делязны, а потому мне нужна трезвая голова.

— Отлично, Билл, старина! — похвалил чинджер, размахивая сразу четырьмя кулаками. — С таким настроением мы в два счета справимся с Делязны, Билли Почкой и его шайкой, как вчера вечером справились с братьями Джизм!

— Точно! — отозвался Билл и сплюнул в пыль.

Впереди показались верхушки зданий, что составляли кораль. Конюшни и надворные постройки окружал деревянный забор. У калитки стоял мужчина, вокруг которого толпились сперматозоиды наигнуснейшего, какой только можно было себе представить, вида.

— С дороги, Билл! — крикнул доктор Латекс Делязны. Безумец-ученый был весь в черном, если не считать серебристых револьверов на бедрах. — Мы идем в Яйцебанк, чтобы совершить Изъятие Века! Нет, Изъятие Вечности! Верно, ребята?

— Верно, доктор Д.! — хором воскликнули два десятка сперматозоидов, что раскачивались, как накануне вечером братья Джизм, на своих ножках-жгутиках.

— Бах-бах, и Вселенная у меня в кармане! — вскричал доктор Делязны. — Да, Билл, Ирма просила передать тебе привет.

— Все, хватит! — прорычал Билл и потянулся за пистолетом.

— Подожди, Билл, — остановил его шериф. — Пускай начнут они. Мы, парни в белых шляпах, играем по правилам.

Они было двинулись дальше, но тут Делязны выставил перед собой ладонь, призывая повременить.

— Погодите! Пока вы еще целы, я хочу воспользоваться моментом и познакомить вас с моим другом, мистером Билли Почкой! — Он оглянулся. — Билли, выйди-ка и поклонись нашим гостям!

Из толпы выпрыгнул на редкость уродливый и грязный сперматозоид. Облаченный в лохмотья, он свирепо уставился на Билла и компанию из-под продырявленной пулями шляпы. Глаза его были мертвее, чем у дохлой рыбины. Он что-то жевал, отчего создавалось впечатление, что по телу ковбоя перемещается оживший карбункул. Вот он выплюнул изо рта коричневую слюну, которая ударилась оземь, срикошетила и растеклась по забору.

— Ну что, сосунок, подраться захотелось, а? Думаете, прикончили моих дружков, братьев Джизм, и все шито-крыто? Сейчас вы у меня попляшете! Могилы на Шу-Хилл заказали? — Он выхватил револьверы, покрутил их в руках, а затем нацелил в небо. — Смотрите, кто пожаловал!

Билл поглядел вверх. Над коралем кружила стая омерзительных канюков. Птицы посматривали на ковбоев и жадно облизывали клювы.

159

— Не шути со мной, Почка, — проговорил Уайетт Брех. — Ты сплюнул последний раз в жизни. Поскольку ты не один, мы с доком поможем Биллу уладить ваши разногласия. И потом, мы с радостью воспрепятствуем вам прогуляться в банк.

— Не горячись, шериф, — рассмеялся Делязны. — Я забыл упомянуть, что вызвал на подмогу племя индейцев виндалу. — Он взмахнул рукой. — Эй, ребята, покажитесь!

В следующий миг из-за конюшен выскочили по меньшей мере пять десятков сперматозоидов — все в перьях, набедренных повязках и мокасинах, по одному на брата. Каждый держал в руках лук и целился в Билла и тех, кто сопровождал героя Галактики.

Билл широко раскрыл глаза — надо признать, не без причины. Во-первых, ему грозила неминуемая гибель, а во-вторых, гигантские краснокожие сперматозоиды встречаются отнюдь не часто.

Между тем число индейцев все возрастало. Они спускались с близлежащих холмов, мокро поблескивая в лучах рассветного солнца. Их были тысячи и тысячи.

— Замечательная штука сперма! — заметил доктор Делязны. — Если наткнулся на один сперматозоид, можно с уверенностью предположить, что где-то рядом бродит пара миллионов его приятелей.

— Елки-палки, — произнес Успр. — Сказать по правде, что-то мне это не нравится.

— Черт побери! — Док Самовол печально покачал головой и пожал плечами. — Мне кажется, такова жизнь. От нее никуда не денешься. Мы имеем дело с бесконечным, бурным, кипучим, непреодолимым стремлением к слиянию. Этого требует Природа! А что такое Природа, как не грандиозное космическое преследование, погоня ян за инь? Индивидуальность? Человеческая душа? Ба! Она ничто в сравнении с бурливым морем, которое кишит безмозглыми, слюнявыми существами, которые обеспечивают размножение и правят естеством человека! — Он указал на бандитов и индейцев, кашлянул и достал пистолеты. — Судьба зовет, джентльмены! Умрем же с честью!

— Знаешь, Билл, — задумчиво проговорил Успр, — я, пожалуй, свалял дурака, полагая, что смогу остановить их! — Чинджер вильнул хвостом, ухватил тот за кончик и торжественно прижал к губам.

— Ты чего? — спросил Билл, пытаясь — не слишком успешно — набраться мужества. — Это что, религиозный обряд?

— Не совсем. Я просто прощаюсь со своим хвостом.

Индейцы издали воинственный клич и, размахивая копьями и что-то напевая, двинулись вперед. Вид у них был донельзя устрашающий: размалеванные краской, они выглядели столь же свирепыми, как галилейские мешетчатые крысы в день Галактического сурка.

— Дерьмо! — выругался шериф. — Похоже, нынешнее утро даст сто очков вперед кровопролитнейшей битве в истории! — Он прицелился. — Ладно, если нам суждено погибнуть, умрем как мужчины! — И точным выстрелом прикончил одного из бандитов: пуля угодила тому точнехонько между вакуолей.

— Но я не мужчина! — возразил Успр. — Я чинджер! По-моему, мне здесь не место.

— Поздно, ящерка! — отозвался док Самовол, прислушиваясь к свисту пуль и стрел над головой. — За работу! — Он выпалил из своих пистолетов, и ближайшая шеренга индейцев окропила спермой пыль.

Успр юркнул за камень и уже оттуда принялся стрелять по атакующим.

Едва на землю упали первые стрелы, с Билла слетело всякое ковбойское мужество. Это была не битва, а бойня. Тому, в ком сохранилась хотя бы крупица здравого смысла, оставалось лишь одно — рвать когти.

Однако, развернувшись, чтобы кинуться прочь, Билл увидел, что бежать некуда. За спиной кишмя кишели все те же проклятые индейцы.

Их окружили!

— Блин! — прокомментировал Билл и тоже начал стрелять, рассчитывая пулями проложить себе дорогу. Краснокожие сперматозоиды взрывались один за другим, на место павших немедленно заступали подкрепления. Вдобавок запас патронов постепенно сходил на нет.

Приятели Билла испытывали те же затруднения.

— Дерьмо! — повторил с усмешкой шериф, руку которого пронзила стрела, а в живот воткнулась пуля. — Последний патрон! — Истекая кровью, он прорычал: — Билли! Мой последний патрон для тебя! — Издав боевой клич, похожий на дружный многоголосый вопль взвода взбунтовавшихся солдат, Брех рванулся навстречу подступающим бандитам. Бах! Бах! Бах! Вражеские пули раскроили доблестному шерифу грудь, однако он, весь в крови, продолжал бежать и остановился лишь тогда, когда оказался на расстоянии плевка от Билли Почки. — Почка! — выдохнул он. — Получай!

Билли Почка кинулся прочь, однако пуля шерифа догнала его, поразила в спину, и бандит взорвался, точно наполненный водой воздушный шарик.

— Теперь я умру спокойно, — простонал шериф, глядя на распростертое на песке тело Билли.

— Мы тебе поможем! — воскликнули хором бандиты. Шериф мгновенно оказался нафарширован свинцом, и сила тяжести вынудила его упасть. Шайка Джизма стреляла до тех пор, пока не убедилась, что шериф Уайетт Брех покончил все счеты с жизнью.

Док Самовол не вынес такого издевательства и попросту рехнулся.

— Взорли меня, Орел! — вскричал он, вперяя взгляд в небеса. — Взорли меня!

Вновь засвистели стрелы. Они утыкали дока, словно подушечку для иголок, и он как будто превратился в ходячую расческу. Вернее, в стоячую. Да, док погиб, однако, весь в стрелах, по-прежнему держался на ногах, ибо стрелы подпирали его тело, не давая рухнуть наземь.

Билл стрелял, перезаряжал и стрелял снова — и вдруг, когда барабаны в очередной раз опустели, обнаружил, что серебряных пуль больше нет.

Каким-то образом — благодаря то ли милости судьбы, то ли глупому везению — до сих пор Билл не получил ни единой царапины. Но, прикинув, в каких очутился обстоятельствах, он сообразил, что долго так продолжаться не может.

Значит, он умрет. Сыграет в ящик. Даст дуба. Откинет копыта, прикажет долго жить, протянет ноги, отдаст концы, испустит дух. Перед его мысленным взором промелькнула прожитая жизнь. Несмотря на то что с четырехлетнего возраста пренебрегал заповедями и не ходил в церковь, Билл в глубине души лелеял неразумную надежду: скоро он попадет в туннель потустороннего света, на дне которого будет поджидать прадедушка Билл вместе с верным робомулом Ржавчиком, рвущимся пахать небесные просторы.

Небо содрогнулось от грохота.

— Я иду, прадедушка! — воскликнул Билл. — Я возвращаюсь домой! — Он зажмурился и приготовился к смерти, стиснул зубы, чтобы сдержать навернувшиеся на глаза слезы и, не ровен час, не заскулить от страха.

Однако смерть не ужалила.

Стрелы перестали свистеть, пули прекратили завывать.

— Елки-палки! Билл! Ты только посмотри!

Билл открыл глаза. Успр, восторженно приплясывая, указывал пальцем вверх. Билл запрокинул голову.

К земле, извергая из дюз струю ослепительно-яркого пламени, спускался серебристый, похожий на иглу звездолет. Билл заслонил глаза ладонью и пригляделся повнимательнее.

Не может быть! Да нет, так и есть!

Вон, вон оно, на борту — знакомое, горделивое название!

Это был звездолет «Желание»!

Корабль Супергероя Рика!

Индейцы тут же ударились в панику, бросились врассыпную к холмам, сгрудились у подножия и с благоговением уставились на звездолет, что приземлился на том самом поле, где совсем недавно кипела битва, поджарив при посадке кучку не успевших отбежать на безопасное расстояние. Взметнулись серые клубы дыма и желтые языки пламени, взметнулись — и медленно опали.

— Проклятие! — выбранился доктор Латекс Делязны. — Что происходит? Современная технология в Зажелезии не действует!

— А кто говорит, что это корыто — современное? — рявкнул динамик на борту легендарного корабля. — К твоему сведению, Делязны, он из сороковых годов, со страниц «Эмейзинг сториз»!

Билл узнал голос. Рик! Настоящий Рик, не тот андроид, которого подсуропил им Делязны! Тот Рик, под началом которого он служит первым помощником!

— Он не забыл меня! — вскричал Билл. — Пришел к нам на выручку! Ура, Рик! Ура!

— Не тревожьтесь, славные вожди, — проговорил Делязны, обернувшись к индейской орде в сотни тысяч голов. —

Ни звездолет, ни даже Супергерой Рик не в силах справиться с вами. Взгляните! Видите, какой хиленький у него кораблик? Если вы разом выстрелите по нему, он просто-напросто опрокинется!

— Ты чересчур самоуверен, доктор Д.! — отозвался Рик.

И тут случилось нечто поистине поразительное.

Глава 20
Биллова теория Большого взрыва

Биллу не раз доводилось видеть то, что превосходило самое смелое воображение. Дворцовые сады Гелиора! Смертоносные джунгли Венерии! Величественные горы удобрений на Фигеринадоне-II!

Однако то, что происходило сейчас у него на глазах, выворачивало душу, что называется, наизнанку.

В носу звездолета открылся люк, из которого высунулся ствол орудия. Прогремел выстрел. В небо взвилась гигантская сверкающая капля. Вот она замедлила движение, задрожала, а затем начала увеличиваться в размерах и вдруг лопнула, будто исполинский мыльный пузырь, обрызгав своим содержимым индейцев-виндалу и шайку Джизма в придачу.

— Что такое? — воскликнул Билл.

— Арррр! — отозвался через динамик Рик. — То, чего они никак не ожидали! Я заглянул в одну лабораторию и наполнил свободные топливные баки «Нопрегом», самым эффективным спермицидом в известной Вселенной!

И так они погибли — и бандиты, и виндалу. Так была наконец-то отведена величайшая угроза. Билл испустил вздох облегчения. Всякие мысли о небесном приюте сгинули без следа, впереди снова замаячила долгая и счастливая жизнь — к сожалению, неразрывно связанная с армией.

Что касается доктора Делязны, тот, лишенный своей армии, стоял, дрожа с головы до ног от ярости и досады.

— Эй, стервец, ответь-ка мне на один вопросик, а потом я тебя прикончу, — сказал Билл, подходя к нему. — Что ты сделал с моей дорогой Ирмой? Почему она меня отвергла? Каким образом такой урод сумел занять мое место в ее сердце? — Дабы привлечь внимание доктора, он схватил Делязны за горло и принялся ожесточенно того трясти.

— Йек! — выдохнул Делязны, и Билл слегка ослабил хватку. — Во всем виновата энергия З-заж-железии! Я вам вчера немножечко наврал. Мне в руки попала космическая энергия, и я облучил ею Ирму. Она не могла сопротивляться.

Билл кивнул. На душе у него стало чуть легче. Не то чтобы очень, но все равно приятно. Пожалуй, подумалось ему, он теперь сможет простить Ирму. Билл знал, что по-прежнему — возможно — любит девушку.

— Где Ирма, Делязны? — спросил он и вновь встряхнул доктора, дабы тот осознал всю важность вопроса.

— В... в... в гостинице, где была вчера...

— Ладно, док. Пора с тобой кончать. Мы превосходим тебя числом. Даю тебе две секунды. Не успеешь сдаться — пеняй на себя. Задушу. Раз...

— Йек! Сдаюсь! Сдаюсь!

— Жаль, — пробормотал Билл, еще разок сдавливая горло Делязны, чтобы продлить удовольствие. — Мне так хотелось тебя убить! Что ж... — Он швырнул доктора на землю. — Про твои планы насчет покорения Вселенной можно забыть. Кстати, поразмысли-ка, пока я не передумал, как мне быть с моей ногой. В конце концов, ты же специалист и по ногам.

— О д-д-да... Нога-капризуля. В каком она настроении, Билл? — поинтересовался Делязны, судя по всему искренне жаждущий помочь. — Правда, у нее такой вид... Боюсь, я вряд ли...

Билл издал разъяренный рык, вновь сдавил горло Делязны так, что тот потерял сознание, а затем с отвращением уронил бесчувственного доктора наземь.

— Арррр! Отлично, Билл! — похвалил Супергерой Рик, спускаясь по трапу. — Если не возражаешь, я бы тоже хотел отвесить ему пару оплеух. Этот мерзавец посадил меня под замок и посмел наделить моей чудесной физиономией какого-то андроида! — Он приблизился к Делязны и пнул того грязным башмаком в зубы. — Так-то лучше! Обидно, что он ничего не чувствует, зато представь себе, как обрадуется, когда поймет, что находится на борту моего кораблика. — Рик похлопал Билла по плечу. — Арррр! Рад видеть тебя, первый помощник. Между прочим, мне нужно кое-что тебе показать. —

На шее Рика болтался кожаный мешок, из которого Супергерой извлек шесть упакованных в целлофан банок пива. Он разорвал упаковку и протянул одну банку Биллу.

— «Святограальское крепкое», — с восторгом прочитал Билл. — Рик! Ты нашел его!

— Арррр! Как видишь!

— И где?

— Ты не поверишь, Билл, — ответил Рик, указывая изящным пальцем на радугу, которая только-только проступила на небе и сверкала всеми своими цветами. — Похоже, теория доктора Делязны насчет Зажелезии не совсем верна. Понимаешь, Зажелезия — нечто большее! Она вон там!

Билл не стал дожидаться более внятного объяснения. Он поступил, как и положено бывалому солдату, который держит в руке банку с пивом: открыл ее и осушил до дна одним могучим, небесным, райским глотком.

Пенная влага ухнула в пищевод, и на Билла словно повеяло сладостным весенним ветерком. Хмельные шишки, весело барахтаясь в благословенной жидкости, в мгновение ока провалились в желудок, откуда сразу же начала подниматься пелена всеобъемлющего спокойствия и благополучия. Похмелье как рукой сняло. Привкус желчи во рту сменился ароматным привкусом пива. О небеса!

— Ух ты! — проговорил Билл, глаза которого внезапно заблестели. — Лучшего пива в жизни не пробовал.

— Естественно! Это же «Святограальское крепкое»!

— Парень, ты говоришь загадками. Растолкуй поподробнее. О чем ты?

— Да о том месте, малыш, где раздобыл эти баночки. Кстати, спасибо, что открыл мою камеру, когда сообразил, что Делязны — предатель. Итак, где-то в туманных далях Зажелезии, за пронизанными страхом пещерами Эго и Ид, за архаичными колоннами коллективного бессознательного, не говоря уж о Стране Грез, стране Оз и Атлантиде, лежит земля, которая для меня дороже всех их, вместе взятых.

— Ты о чем? — удивился Билл.

— Страна сбывшихся снов! В ней исполняются все твои желания, в которых ты стеснялся признаться. Это — Внутриутробная Пивоварня! Как по-твоему, что впервые побудило людей собрать хмель и приготовить сусло? Разумеется, стремление к опьянению! — Супергерой Рик вздохнул и дружески обнял Билла за плечи. — Эх, Билл! Там все поэзия! Пивоварни и винзаводы повсюду, куда ни посмотри! И везде свой собственный бар!

— Полетим туда, Рик, — срывающимся голосом пролепетал Билл. — Полетим!

— Конечно, Билл! Я возьму на борт всех!

— Елки-палки, — глубокомысленно заметил Успр. — Быть может, вот он, путь к всеобщему миру. Если люди не будут просыхать, к чему стремились все, кого я встречал, тогда они попросту не смогут воевать с чинджерами.

— Угадал, паршивец! — Рик вынул из упаковки еще одну банку и протянул ее чинджеру. — На, попробуй. Думаю, тебе понравится. — Вручив другую банку Биллу, он довольно рыгнул.

Билл пригубил пиво и вздохнул. Какая прелесть! Просто здорово! Надо бы поделиться с любимой...

— Билл? — позвал кто-то тоненьким, жалобным голоском.

Билл оторвался от банки.

— Ирма!

И впрямь — к нему приближалась она, прекрасная, как на картинке, пускай даже слегка не в себе, Ирма Кранкенхаус.

— Билл! Это что, звездолет? Мы спасены, Билл? — На Ирме была лишь ночная рубашка. Распущенные волосы придавали милому личику девушки неизъяснимое очарование.

— Разумеется, дорогуша! Познакомься с моим приятелем. Супергерой Рик. Он прилетел, чтобы забрать нас отсюда и переправить в куда более приятное местечко.

— В Мир Магазинов, где я смогу покупать все, что заблагорассудится?

— Привет, Ирма. Меня зовут Рик. Рад познакомиться. — Рик дружелюбно пожал ей руку.

Ирма озадаченно моргнула:

— О... Вы тот, с которого Делязны скопировал своего андроида. Оригинал намного лучше.

— Арррр! Благодарю, мэм. Спасибо.

— Билл, — произнесла Ирма, повернувшись к герою Галактики, — что случилось вчера вечером? Я не помню.

Она не помнит? Естественно! Откуда ей помнить? Его ненаглядная Ирма ни за что не изменила бы своему возлюбленному, будь она в здравом рассудке. Подлец Делязны полностью подчинил себе ее железы внутренней секреции, оттого-то все и пошло наперекосяк. Билл на мгновение задумался и решил изящно солгать.

— Милая, ты, должно быть, изрядно устала, потому что рано легла в постель и вырубилась, как свет. Я не посмел разбудить тебя, — проговорил он, будто читая отрывок из комикса «Мелодраматические истории».

Ирма блаженно вздохнула. Рик заулюлюкал.

— Ладно, приятель, давай поднимем тост за твое счастье, а потом рванем в край пивоварен. Там как раз на подходе новый сорт. Меня уверяли, что он обязательно станет гвоздем сезона.

— Вы отвезете нас домой, правда, Рик? — спросила Ирма.

— Конечно, детка. Как скажете. Эй, чинджер, помоги мне погрузить дока. За ним числится изрядный, прямо-таки мифический должок.

— Елки-палки! Когда вы с ним разберетесь, может, отдадите нам?

Вдвоем они затащили Делязны на борт звездолета, ухитрившись уронить его всего лишь раз или два.

Билл наслаждался жизнью. Он допил банку пива, расплющил ее в кулаке — и почувствовал себя даже лучше прежнего.

— Пошли, ребята, — сказал Рик, помахав рукой: мол, поднимайтесь.

Может ли такое быть, подумал радостный, полупьяный Билл. Неужели для него и впрямь припасен счастливый конец? Для него, Билла, простого солдата с Фигеринадона-II ниже чином кого угодно, даже галактического канализационного стока? Невероятно!

— Билл, — произнесла Ирма, ставя ногу на трап, — как, ты сказал, зовут этого молодого человека?

— Рик, — ответил Билл и лучезарно улыбнулся.

— Он похож на настоящего джентльмена. — В глазах Ирмы зажегся диковинный огонек.

— Он лучший на свете, Ирма! — уверил ее Билл. — Второго такого парня не найти, обыщи хоть целый свет!

Чудеса, подумал он, карабкаясь следом за Ирмой по трапу на борт звездолета «Желание», готовый к новым восторгам и приключениям, твердо решивший не возвращаться на службу и вести интереснейшую жизнь, которая будет состоять из оргиастического секса, выпивки и постоянного отлынивания от обязанностей.

Выходит, жить не так уж и плохо!

Эпилог
Снова не в седле

— Шикарная у тебя нога, приятель, — заметил бармен. — Повторить?

— Ага, — пробормотал Билл.

— Только тебе придется сесть. У нас тут такие правила. Тех, кто не может сидеть прямо, мы не обслуживаем.

— А, — протянул Билл. — Конечно-конечно.

Бар представлял собой заурядную забегаловку с пластиковой стойкой, обстановкой в неосортирном стиле и множеством кранов, причем все они были закупорены. В темных углах спали познавшие алкогольное счастье и отрубившиеся солдаты, которые сбежали из армии и спешили надраться, пока не пришел черед просыхать. Расхлябанный робот-уборщик, лязгая суставами и то и дело поскальзываясь, сметал с желтоватого линолеума многочисленные лужи, пакеты из-под псевдокартофельных чипсов, окурки сигар и прочее, в том числе башмаки и пилотки, которые попадались ему на глаза и втягивались в разинутую пасть мусороприемника.

Бар назывался «Клуб котобоев». Стойку и стены украшали набитые чучела котов и кошек. Билл, разумеется, мог бы отправиться на турбоэкспрессе в город, но тамошние бары не годились этому и в подметки — ужасно! — и к тому же деньги были на исходе. Кроме того, завтра ему предстояло сделать что-то очень важное; правда, сколько ни старался, он так и не сумел вспомнить, что именно.

Он пьяно вскинул голову, попробовал напрячь память... Робот шлепнул его по лицу своей жирной и мокрой насадкой-тряпкой.

Неудивительно, что бармен пришел в восхищение от его ноги! Та лежала на стойке, а сам Билл распростерся на полу, на который рухнул несколько секунд назад. Кое-как герой Галактики исхитрился сменить положение, поднялся, уронил голову на стойку, а ногу опустил на пол. Нога по-прежнему заканчивалась раздвоенным копытом, но Биллу было наплевать.

Да, ему было наплевать — на все и на всех!

Когда Билл сел, довольный бармен, видя, что клиент в порядке, разве что чуть-чуть покачивается, открыл бутылку «Старого растворителя и тараканомора» и наполнил стакан Билла, что называется, всклень.

Билл выпил.

Да, это явно не «Святограальское крепкое». Ну и ладно, спиртное есть спиртное. А забытье есть забытье.

— И клыки твои мне тоже нравятся, — продолжал бармен, судя по плохо пришитым нашивкам на рукавах — нестроевой солдат. Должно быть, подрабатывает. — Ты ведь инструктор?

Билл фыркнул.

— Говорят, на подходе новая партия новобранцев. Кто их будет учить уму-разуму? Ты?

Билл фыркнул снова. Он очень любил подражать свиньям. Значит, вот какое у него дело на завтра! Он пододвинул бармену пустой стакан.

— Послушай, а не слишком ли ты много выпил, если тебе завтра вставать в четыре утра? — справился бармен.

— Все нормально. Как раз буду зол как садист. Наливай и заткнись. — Билл улыбнулся.

— Как скажешь, приятель. — Бармен пожал плечами. — За счет заведения. Между прочим, у тебя такой вид, словно твоя подружка сбежала к твоему лучшему другу.

Глаза Билла широко раскрылись. Жидкость выплеснулась из стакана на стойку. Он схватил бармена за грудки и притянул к себе.

— Чего? Неужели все знают?

— Хрр! — прохрипел бармен, начиная задыхаться. Билл слегка ослабил хватку, и бармен принялся жадно глотать живительный, пускай даже с мерзким привкусом, воздух. — Отпусти! Я ничего про тебя не знаю! Извини, если ненароком обмолвился не о том. Слушай, будь моим гостем! Забирай всю бутылку!

— Ее звали Ирма, — проговорил Билл, фыркнул и отпустил бармена. — Она была сверхновой в моей галактике! — Он покачал головой, налил себе виски и какое-то время тупо глядел на стакан. — Но все хорошее рано или поздно кончается, а конец покинутого солдата — всегда трагедия. Она бросила меня и ушла к Рику. Старина Билл чуть не сыграл в ящик, ведь во Вселенной возникла черная, грязная дыра!

— Елки-палки, Билл! Мне очень жаль.

Услышав «елки-палки», Билл пристально поглядел на бармена. Нет, на черепе того не было никакого шва, а потому он не мог быть замаскированным чинджером Успром. Вдобавок Успр удрал на спасательной шлюпке вскоре после того, как их вышвырнуло из Зажелезии. Легендарную страну пивоварен им найти так и не удалось. Однако они выпили все спиртное, которое нашлось на корабле, что, если оглянуться, и было причиной разлуки с Ирмой. Рик быстро выяснил, что Ирма влечет его сильнее выпивки, а она, естественно, влюбилась в него по уши и забыла про наклюкавшегося до невменяемости Билла. По крайней мере, такую картину событий нарисовало воображение героя Галактики.

Он очнулся на Костоломии-IV и увидел приколотую к форменной рубашке записку с извинениями, а в следующий миг сообразил, что к нему, по собачьи завывая от восторга, приближаются полицейские.

Вот так, как гласит избитое, но тем не менее повторяемое на все лады присловье, все и вышло. В армии ощущалась нехватка инструкторов: последнего съели новобранцы. Поэтому Билла мигом переправили в лагерь имени Брежнева, наказав усердно дробить новобранцев на армейской дробилке и выкидывать отбросы.

Он, прикончив немногих уцелевших в желудке бактерий очередной порцией «Старого растворителя», не мог не вспомнить, что писал в своей записке чинджер Успр — в той самой, какую нашел в собственном ухе на следующее утро после побега ящерицы.

«Извини за все неприятности и хлопоты, которые я тебе доставил, связавшись с этим негодным докторишкой. Я всего лишь хочу жить в справедливой, мирной Вселенной. Того же, по-моему, хотят все, за исключением всяких разных вояк. Подписано: твой приятель, чинджер Успр».

Ерунда какая-то!

— Чинджеры — наши враги, — пьяно пробормотал Билл, обращаясь к бармену.

— Точно, дружище. И еще какие!

— С пьяных глаз не указ.

— Верно. Может, забрать бутылку?

Билл обхватил ту обеими руками и зарычал. Бармен попятился.

— Нет в мире справедливости, — проскулил Билл.

— Значит, нечего ее ждать.

— Правильно! — Билл посмотрел на ногу-капризулю, вздохнул, рыгнул, потянулся за стаканом, поднес его к губам, отпил — и остановился. Что-то было не так? Или так? Он неуклюже заковылял на цыпочках по мозговым извилинам, надеясь набрести на ответ.

Нога.

Что нога?

Твоя нога.

— Нога! — воскликнул Билл, моргнул и воззрился на свою ногу, что заканчивалась раздвоенным копытом.

Копыта не было! Изуродованная нога стала точь-в-точь такой же, как ее здоровая товарка. Ничего себе капризик!

Он сдался. Бежать было некуда. Он понял, что от армии не уйти, что он обречен до конца своих дней маршировать по плацу. И нога-капризуля поймала настроение и снабдила его ногой под стать настрою.

Неужели? Билл в ужасе вновь посмотрел на ногу и увидел на той башмак. Естественно! Ха-ха! Снаружи башмак, внутри нога. Или как? А может, ему суждено до скончания века обходиться башмаком вместо ноги? Куда уж как весело! А как прикажете принимать душ или заниматься любовью?

Билл нагнулся, собираясь расстегнуть «липучки» — и снова испугался. Пальцы задрожали мелкой дрожью.

Нет! Он должен знать правду! Что бы там ни обнаружилось на конце ноги, он должен знать!

Билл отогнул «липучки».

Билл, герой Галактики, на планете зомби-вампиров

(В соавторстве с Джеком Холдеманом II)

Глава 1

Билл в сердцах пнул ведро. Затем та же участь постигла стул, который разлетелся в щепки.

Не то чтобы Билл был так уж недоволен жизнью, хотя, вообще говоря, имел для этого все основания. Застрять черт знает где, на этой паршивой базе снабжения! Ему, герою Галактики, заниматься самой черной из всех черных работ! При мысли о своей былой славе он засопел от жалости к самому себе. Дойти до того, чтобы разъезжать на погрузчике и подавать в трюмы кораблей, уходящих в дальний космос, громадные коробки с бумагой двойного назначения: с одной стороны наждачной, с другой — туалетной, и горе тому, кто не позаботится прочесть инструкцию на коробке!

Однако какой бы хреновой ни была нынешняя работа, его куда больше волновала совсем другая, глубоко личная проблема. Правая ступня у него чем дальше, тем больше превращалась в камень и уже почти не слушалась. Он снова засопел и в ярости изо всех сил топнул ногой, после чего с трудом вытащил ее из дыры, которую пробил в полу.

На первых порах это была вполне приличная ступня. Билл даже начал привыкать к тому, что на ней столько лишних пальцев. Но когда она начала превращаться в камень, это было совсем из рук вон. Точнее, из ботинка. Она уже весила килограммов пятнадцать и с каждым днем становилась все тяжелее. Ощущение было такое, словно повсюду таскаешь за собой бетонный блок, а стоило привести ее в движение — она так и норовила во что-нибудь врезаться. Все, кто работал на базе, старались держаться от Билла подальше, а роботы-ремонтники ходили за ним по пятам, как механические собачки.

Билл подумал, что утрата важных частей тела уже стала входить у него в привычку. Эта мысль повергла его в глубокое

175

уныние, и он смахнул с ресниц непрошеную слезу. Собственную левую руку он потерял не по своей вине — когда зарабатывал себе лавры героя Галактики. Ничего не поделаешь, на войне как на войне. К тому, что вместо левой руки Биллу пришили правую — очень симпатичную, надо сказать: раньше она принадлежала одному его дружку, приятно иметь что-то от него на память, — Билл уже привык и даже немного с ней сроднился. Он испытывал к этой руке какую-то особую привязанность и постоянно выдумывал для нее всякие смешные занятия.

Но вот эта ступня — дело совсем другое. Своей родной ступни Билл лишился в порыве самосохранения, пытаясь спасти остальные части тела от еще более печальной судьбы во время отчаянной схватки с чинджерами.

Официальная версия командования гласила, что на этих полоумных чинджерах и лежит вина чуть ли не за все ужасы, какие только случались когда-либо во Вселенной. Если верить слухам, эти существа, пресмыкающиеся по самой своей природе и безнадежно погрязшие во всевозможных пороках, имеют рост больше двух метров и по утрам пожирают на завтрак детишек. С соусом «табаско». Однако Билл-то знал цену этим слухам. На самом деле чинджеры ростом всего сантиметров двадцать, не выше, и пока космическая пехота не принялась истреблять их направо и налево, не питали ни малейшей склонности к насилию. Они миролюбивы и дружелюбны, неглупы и необыкновенно способны к обучению, а соуса «табаско» терпеть не могут. Кончилось же все тем, что император впутался в межгалактическую войну, лишь бы его армия не сидела без дела, а у Билла оказалось две правые руки, бетонный блок вместо ступни и контракт на несение службы, автоматически продлевающийся по истечении срока.

Собственно говоря, это была не первая ступня, пересаженная Биллу. Но все предыдущие тоже оказались на редкость неудачными. Пожалуй, кроме первой — огромной куриной лапы. Билл испытывал к ней, ну и, конечно, она к нему, довольно-таки прочную привязанность. Но хотя разрывать песок в поисках червей такой ногой было очень удобно, она никак не влезала в ботинок, и на ней постоянно натирались мозоли. Может быть, в том, что новая ступня понемногу превращается в камень, никто и не виноват. От судьбы не уйдешь.

Билл распахнул дверь ногой и вслед за ней влетел в кабинет доктора Кромсайта.

— Могли бы постучать, рядовой! — взвизгнул доктор из-под стола. — Я решил, что мы подверглись атаке противника.

— Да ни один чинджер, если он не совсем спятил, и смотреть не станет на этот паршивый склад, — ответил Билл, тормозя ногой по полу, чтобы остановиться. — У меня дело посерьезнее.

— Неужели на этот раз что-то с носом? — с надеждой в голосе поинтересовался доктор, выползая из-под стола и стряхивая со своего кресла щепки от высаженной двери. — Носы — моя специальность.

Возможно, это объяснялось тем, что у самого доктора сморкальник был как у муравьеда — длинный, торчащий далеко вперед, с раструбом на конце и ноздрями, зияющими, как две мрачные, густо заросшие волосами пещеры. Он направил свой внушительный хобот на Билла и фыркнул.

— Хотите, чтобы я обследовал ваш нос?

— Только если таким способом вы сможете узнать что-нибудь о моей ступне. Посмотрите на нее, док! Она стала еще тяжелее.

— Ступнями я сыт по горло, — снова недовольно фыркнул доктор Кромсайт, похлопывая пальцем по своему носу, отчего тот смешно затрепыхался в воздухе. — Эти крохотные розовые пальцы, которые торчат во все стороны и шевелятся без всякого толка... Нет уж, мне подавайте нос. Перелом хряща! А воспаление пазух! А зловонный насморк! Да если врач не разбирается в носах, он вообще дальше своего носа не видит!

— У меня пальцы уже больше не розовые и совсем не шевелятся. Они как гранитные. Док, надо что-то делать.

— А если подождать? — предложил доктор и оглушительно чихнул: в кабинете все еще стояла пыль, заполнившая его после того, как Билл разнес в щепки дверь. Порывом воздуха Билла отнесло на метр назад.

— Подождать? — завопил Билл. — Я таскаю за собой целый валун, а вы говорите — подождать?

— Попробуйте отнестись к этому как к научному эксперименту. Будьте мужественны, — попытался успокоить его доктор Кромсайт, схватив из коробки, стоявшей на столе, огромный клок ваты и изо всей силы высморкавшись. Билла обдало мелкими ватными хлопьями. — Может быть, со временем это распространится дальше. Немного погодя в камень превратится ваше колено. Потом вся нога. А там и сами знаете что — это же страшно интересно! И возможно, даже обе правые руки, которыми вы так гордитесь. В конце концов, может окаменеть и ваш нос! Как ученый я никогда бы себе не простил, если бы упустил возможность наблюдать такой любопытный случай.

Билл молча смотрел, как доктор, согнувшись пополам, борется с приступом чиханья, которому не предвиделось конца. Наконец, когда тот проглотил целую пригоршню таблеток от аллергии, Билл решил, что с этим пора кончать. Настало время браться за дело всерьез.

— Как рядовой, страдающий окаменением ступни, я вышел из строя, — заявил Билл, поперхнувшись на слове «строй». — Как штатный врач базы вы, согласно присяге, обязаны обеспечивать пригодность каждого солдата на этой базе к строевой — кхе! — службе. Как я могу встать в строй, если за мной волочится такой валун?

— Мне очень нравятся ваши клыки, — сказал доктор Кромсайт. — Как бивни у слона. Только вот по части носа со слоном никому не сравниться.

Грубая лесть не возымела действия на Билла, хоть он и был весьма высокого мнения о своих восьмисантиметровых клыках, которые достались ему в наследство от Сгинь Сдохни. Билл был убежден, что стоит ему оскалить клыки, как вид у него становится необыкновенно угрожающим.

— Я хочу новую ногу! — оскалил он клыки. — Я хочу в строй! — солгал он.

Устрашенный скрежетом его клыков, доктор неохотно кивнул.

— Как вы сами правильно отметили, тут у нас не самая горячая точка театра боевых действий. — Доктор Кромсайт достал из стола новую коробку ваты величиной с небольшой гробик. — А поэтому запчастей сюда завозят очень мало. Там, где я проходил службу до сих пор, у нас рук и ног было как грязи, пиписок — целые ящики, а ушей — мешки. Здесь ничего этого нет. А носы? Вы бы видели, какая у меня там была коллекция: любого сорта, формы, размера! Был даже один...

— Погодите! — оскалился Билл с особой свирепостью. — Что же, значит, мне так и не избавиться от этой каменюги?

— Перестаньте корчить рожи! — вскричал доктор. — Вы действуете мне на нервы, и операция может закончиться неудачно. Такая операция — дело чрезвычайно тонкое. Этому учатся не один год!

— Так у меня будет новая нога?

— Более или менее. У снабженцев вышла какая-то путаница в накладных, и они зачем-то отгрузили мне восемьдесят три ящика регенерирующих ножных почек. Этой дряни у меня тысячи штук, так что одной я, пожалуй, могу для вас пожертвовать. Хотя на самом деле мне очень хотелось бы посмотреть, не превратится ли в камень ваш нос.

— Так принимайтесь за дело! — проворчал Билл, которому осточертело повсюду волочить за собой окаменевшую ступню. — Где тут у вас операционная? Подготовка понадобится? Какой наркоз? Мне больно не будет?

Доктор поставил на пол посреди кабинета какой-то ящик и нажал на кнопку с надписью «РАЗОГРЕВ»,

— Когда зажжется зеленая лампочка, суньте ногу вон в ту дырку, что на крышке. Я дам вам руку.

— На что мне ваша рука, мне нужна нога! — завопил Билл. Но тут зажглась зеленая лампочка, Кромсайт вцепился ему в ногу и затолкал ступню в дыру.

— Это просто небольшая профессиональная шутка, — усмехнулся доктор. — Мы, врачи, несмотря на внешнюю невозмутимость и хладнокровие, на самом деле иногда не прочь пошутить.

Наперекор всякой логике Билл почувствовал, что ему будет жаль расставаться со старой ступней. Лишние пальцы на ней были совсем недурны. А когда она превратилась в камень, ей стало очень удобно припирать двери, чтобы не закрывались, и отшвыривать с дороги всякие мелкие предметы.

— И когда начнется операция? — спросил Билл, заранее скрипнув зубами в предвидении долгой, сложной и наверняка мучительно болезненной процедуры.

— А она уже окончена, — гордо объявил Кромсайт. — Взгляните!

Билл вытащил ногу из дыры. Ему сразу бросилось в глаза, что ступни у него теперь вообще нет.

— Вы кретин, а не доктор! — завопил он, размахивая в воздухе культей. — Где моя ступня?

— Да ведь вы же и хотели от нее избавиться.

— Но я хотел, чтобы мне ее на что-нибудь заменили! А теперь там ничего нет! — со слезами в голосе воскликнул Билл.

— Теперь там регенерирующая ножная почка военного образца системы «Марк-один». Посмотрите получше, рядовой!

И действительно, на конце культи сидела крохотная розовая почка, размером и формой больше всего похожая на вареную фасолину.

— Неплохо сработано, согласитесь! — Доктор стоял надутый от гордости, его красный нос болтался в воздухе, как спелый помидор на кусте. — Можно, я оставлю себе вашу старую ступню? Из нее получится отличное пресс-папье.

Билл выпучив глаза смотрел на крохотную почку. Она по-прежнему была больше всего похожа на вареную фасолину.

— Конечно, вы не должны наступать на эту почку, пока ступня не отрастет, — предупредил Кромсайт, протягивая ему костыли. — Мне очень жаль, но не могу же я вернуть вас в строй в мгновение ока. Придется вам потерпеть, пока она будет расти.

— И долго? — радостно ухмыльнулся Билл, примеряя костыли, которые оказались сильно помятыми и размеров на двенадцать меньше, чем надо.

— Боюсь, что довольно долго. Нельзя торопить матушку-природу.

— Это ужасно, — слукавил Билл, живо представив себе многие недели освобождения от службы, целые месяцы безделья, долгие годы окончательного выздоровления. — Я очень огорчен, что не смогу сразу же пойти в бой. Наверно, меня теперь навсегда спишут в нестроевые?

— Это дело командора Кука, — отвечал доктор. — Отнесите ему вот эту записку и не забудьте сказать, что мне нужна новая дверь.

Покидая кабинет доктора Кромсайта, Билл чувствовал, что стал килограммов на пятнадцать легче. Но не прошел он и полпути к апартаментам командора Кука, как у него началась нестерпимая боль в спине: костыли были уж слишком коротки.

Командор стоял у окна, сложив за спиной руки, и глядел вдаль. Билл попытался было отдать честь, но запутался в костылях и рухнул навзничь, как жук, перевернутый на спину. Командор выпучил глаза на это отвратительное зрелище, но потом решил сделать вид, что ничего не заметил.

— Вольно, рядовой, — скомандовал он. Как обычно, на нем была полная парадная форма, включая саблю, ружье, шарфы, аксельбанты, кнут и медали, которые раскрывались наподобие медальонов — внутри хранились презервативы. Все это венчала пышно расшитая золотом треуголка.

Командор отвернулся от барахтавшегося на полу рядового и вздохнул.

— Каким одиноким чувствуешь себя на вершине власти, — пробормотал он. — Взгляните в окно, рядовой. Что вы видите?

— Звезды, сэр, — отвечал Билл. — Из этой дыры больше ничего и не увидишь.

— Звезды, говорите? Что ж, такому близорукому тупице, как вы, наверное, и не дано видеть ничего, кроме звезд. Но я вижу там славу! Да, славу — и борьбу! Великое противостояние человечества и чинджеров. Жестокие битвы, изобилующие славными подвигами и героическим самопожертвованием. Каждый день смотреть в глаза смерти, выполнять свой долг, подвергать испытанию свое мужество — ведь верно?

— Так точно, сэр, — отвечал Билл, от души надеясь, что ничего подобного ему не предстоит.

— Превращать мальчиков в мужчин, девушек в женщин, трусов в героев, кошек в собак. Только перед лицом смерти ощущаешь всю полноту жизни. Конечно, кое-кому в силу обстоятельств приходится оставаться в тылу, чтобы обслуживать тех, кто сражается на передовой. Без нас, интендантов, нашим доблестным воинам не устоять перед противником. Возьмите хоть туалетную бумагу — вы, рядовой, когда-нибудь задумывались о том, какое стратегическое значение она имеет?

— Никак нет, сэр, — отвечал Билл, и ему уже не в первый раз пришла в голову мысль: а все ли дома у командора?

— Завезем слишком много туалетной бумаги — и им придется выбрасывать за борт боеприпасы или топливо, чтобы освободить для нее место. Завезем слишком мало — и они вместо того, чтобы драться, будут тратить все свое время на поиски заменителей. Из-за туалетной бумаги мы можем проиграть войну. Подумайте, мой сын, — целая грандиозная операция может кончиться неудачей из-за того, что им пришлось освобождать место для туалетной бумаги!

Билл подумал и решил, что у командора, должно быть, и впрямь не хватает шариков.

— Принимая решение об отгрузке туалетной бумаги, командир берет на себя огромную ответственность. Стоит чинджерам подсунуть нам хоть одно подложное требование на нее, и дело может кончиться истреблением всей нашей армии.

Билл кивнул, уже твердо убежденный, что у командора на чердаке не все ладно.

— Подумайте, какое значение имеет каждый десятичный знак. Стоит поставить не туда запятую... Послушайте, что у вас с ногой? Это не вы тот идиот, который постоянно здесь у меня что-нибудь ломает?

— Доктору Кромсайту нужна новая дверь, — поспешно сказал Билл. — И еще он велел передать вам вот это.

Командор Кук взял записку и принялся читать ее, сокрушенно качая головой и недовольно шевеля губами, когда ему попадалось трудное слово.

— Меня, наверное, нужно числить больным, — продолжал Билл, не теряя времени даром. — Лучше всего мне отлежаться как следует, пока ступня не отрастет снова, а на это, к сожалению, может понадобиться изрядное время.

Командор нахмурился:

— В моей части нет места солдатам-инвалидам. Чего доброго, вы будете думать только о своей почке и отгрузите слишком много туалетной бумаги нашим частям, которые мужественно сражаются на передовой, а из-за этого презренные чинджеры, того и гляди, возьмут верх.

— Да, мне лучше всего отлежаться, — вкрадчиво подтвердил Билл с искренней надеждой. — Это, конечно, для меня большая жертва — не участвовать в боевых действиях бок о бок с товарищами, но я заставлю себя лежать спокойно, стисну зубы и как-нибудь удержусь.

— Что-то мне не нравятся эти разговоры о том, чтобы лежать спокойно. Есть в них что-то подрывное. Попробуйте предложить что-нибудь еще, — сказал командор. — Что-нибудь более подходящее для честолюбивого идиота вроде вас.

— Я мог бы сидеть и пересчитывать коробки, когда их будут грузить, — тут же нашелся Билл. — Я здорово считаю.

— Нет. Пожалуй, я переведу вас в ВП.

— Куда-куда? — переспросил Билл.

— В военную полицию, кретин, — сказал командор. — Завтра в спасательную операцию отправляется «Баунти» с командой из отъявленных уголовников. Им нужен военный полицейский. Вы официально объявлены героем Галактики — это как раз то, что нужно, чтобы держать их в руках.

— Прошу прощения, сэр, но я думаю, что особой необходимости во мне там не будет. Двигатель Блотера позволяет прибыть на место мгновенно. Мне просто нечего будет делать.

— Как раз наоборот. «Баунти» — это вам не какая-нибудь последняя новинка. По правде сказать, это тихоход, космическая «Мария Челеста» — всего лишь примитивная ремонтная баржа с приспособленным к ней фазовым двигателем. Корабль отправляется в район Беты Дракона, где наши героические войска недавно вели тяжелые бои. Там повсюду дрейфует множество железного лома и покалеченных космолетов, которые надо подлатать и снова пустить в дело.

— А зачем посылать туда уголовников? И меня?

— В этом-то вся прелесть. Сразу решается множество проблем. Отправив туда всех заключенных, я освобождаю гауптвахту и избавляюсь от лишнего балласта. На фазовом двигателе большую скорость не разовьешь, так что пока вы доберетесь до Беты Дракона, у них кончатся сроки заключения, и они смогут сразу приступить к работе. А у вас тем временем отрастет ступня, и вы будете готовы вернуться в строй.

Командор отвернулся к окну.

— Я вам завидую, — произнес он голосом, полным лицемерия. — Может быть, вам даже доведется побывать под огнем. Конечно, вооружение на ремонтной барже не ахти какое, так что если вы все-таки доберетесь туда и вступите в бой с противником, шансов у вас будет немного. Какая героическая гибель! Как я вам завидую!

Билл хотел было предложить ему поменяться местами, но удержался.

— Поскорее бы уж, — проворчал он, понимая, что выхода все равно нет.

— Утром явитесь на «Баунти». Капитан Блайт будет вас ждать.

Билла охватили недобрые предчувствия.

Глава 2

«Баунти» был не из тех космолетов, служить на которых считается большой честью, а судя по тому, что Билл слышал о капитане Блайте, он тоже был не подарок. Тем не менее Билл хотел произвести на капитана хорошее впечатление и старательно отдал ему честь обеими правыми руками. При обычных обстоятельствах это неизменно производило потрясающее впечатление, но на сей раз эффект был подпорчен: чтобы совершить этот сложный маневр, Биллу пришлось бросить костыли, и он самым недостойным и позорным образом грохнулся на пол.

— Значит, мне прислали калеку-полицейского. Замечательно, — скривился капитан Блайт, хмуро глядя на Билла, который тщетно пытался встать. Капитан был широк в плечах, осанист, крепок и толст — невероятно толст, Билл никогда не думал, что такое вообще возможно. Капитан явно любил поесть. Много. И часто. С добавкой после каждого блюда.

Капитан недовольно оглядел Билла с ног до головы:

— Одной ступни не хватает, правых рук две. Черт знает что. А вы не скажете, что это за штуки торчат у вас изо рта?

— Клыки, сэр, — ответил запыхавшийся Билл, с трудом поднимаясь на ноги.

— Очевидно, имплантаты, — произнес чей-то голос от двери. — В стандартный комплект Homo sapiens они не входят. Конечно, не исключено, что это результат генной инженерии или, может быть, атавизм. Никогда не следует ставить окончательный диагноз, исходя лишь из внешних признаков.

— Достаточно, Кейн, — сказал капитан, вновь неуклюже поворачиваясь всей своей объемистой тушей к Биллу. — Господи, с чем только мне не приходится мириться! — пожаловался он и понюхал кокаин. — Команда из уголовников и один-единственный бывший солдат, скорее всего алкоголик и безусловно опустившийся тип, который должен держать их в руках. Не говоря уж о мерзком андроиде — моем заместителе по научной части, который ничего не может сказать без тысячи оговорок, даже если от этого будет зависеть напряжение в его аккумуляторах. Да, ужасно одиноким чувствуешь себя на вершине власти, особенно если, кроме тебя, вокруг нет ни единого нормального человека. И к тому же скука ужасная.

Билл оглянулся. Андроид показался ему куда более похожим на человека, чем капитан, и уж наверняка гораздо более нормальным. Что было не так уж трудно.

— Явился для несения службы, сэр, — рявкнул Билл. — Если вы скажете, где у вас «губа», я проверю наличие заключенных.

— Какая там «губа»? — недовольно засопел капитан. — И не орите, как зарезанный. На ремонтных баржах никакой «губы» не бывает. Эти уголовники и есть наша команда. А вы должны держать их в руках и обеспечивать порядок, иначе я в самом деле устрою здесь «губу» специально для моего так называемого полицейского. Ясно?

— Так точно, сэр, — отозвался Билл, подбирая свои костыли.

— Проведите этого солдата в кубрик, Кейн, — сказал капитан. — Я буду ждать его у себя к обеду, как только мы отшвартуемся от этой паршивой базы.

Билл промолчал, отдал честь одной рукой, как полагается по уставу, и заковылял по коридору вслед за андроидом.

— Замечательная вещь наука, сэр, — льстиво сказал он, решив не упускать случая задобрить начальство и стараясь не отставать. — Настоящее благословение для человечества. И польза от нее немалая. За все время моей службы это первый корабль, где на борту есть настоящий ученый, хоть и андроид. Надеюсь, что не обидел вас, сэр. Кое-кто из моих лучших друзей, возможно, тоже андроиды. Я, правда, не уверен, что мне доводилось встречаться с андроидами. Я даже не знаю, как отличить андроида, — разве что они как-нибудь скверно пахнут или светятся в темноте. А иначе и не угадать.

— Прошу не титуловать меня «сэр», — произнес Кейн с ледяным безразличием, которым отличаются все настоящие андроиды. — Капитан Блайт может произвести меня в любую должность, какую ему будет угодно, но на самом деле я штатский до последнего транзистора. Для вас я — гражданин Кейн, и будьте любезны обращаться ко мне только так, расист вы тупоголовый.

— Пожалуйста, как вам будет угодно. Но мне хотелось бы узнать одну вещь, если это не покажется вам с моей стороны неделикатным. Вы не... Ну, в общем, вы не из этих...

— Нет. — Кейн покачал головой и тяжело вздохнул. — Нет, я не из этих киберпанков. Из-за них про всех нас, андроидов, идет дурная слава. Прежде всего, они крайне драчливы, а я терпеть не могу насилия, кроме, конечно, тех случаев, когда обстоятельства не оставляют иного выбора. Кроме того, они обожают подключаться к напряжению в двести двадцать вольт, и от этого у них горят логические схемы. Они без этого не могут — неудивительно, что глаза у них вечно остекленевшие, а микросхемы сцинтиллируют в ультрафиолетовом диапазоне. Вы можете видеть, что уши у меня не проткнуты, волосы подстрижены и подкрашены по моде, а ногти чистые. С тех пор как выпустили модель Гибсон-четыре с форсированным приводом да Винчи, киберпанков уже больше не производят, но нам, порядочным андроидам, еще долго ходить с этим несмываемым пятном на репутации. Здесь налево.

— Да вы на них ничуть и не похожи, — быстро вставил Билл, лихо маневрируя на костылях, чтобы повернуть за угол. — Вы ученый, объективный наблюдатель загадочных явлений природы. Ни у одного киберпанка не хватит терпения соблюдать строгую дисциплину мышления, которая так необходима для научного исследования.

— Благодарю вас — я полагаю, что это комплимент, хотя у меня и есть некоторые сомнения, поскольку возможности вашего мозга весьма ограниченны, — сказал Кейн. — Но вы, вероятно, несколько переоцениваете мою квалификацию. Мое главное занятие — растения. Здесь направо.

— Что-что? — переспросил Билл, ковыляя за Кейном. — Растление? — Перед его мысленным взором вереницей пронеслись обычные солдатские воспоминания о пьяных эксцессах и упущенных возможностях.

— Да нет, я ботаник. Выращиваю растения, понимаете? Здесь налево.

— Ах, растения... — Билл подавил разочарование. — Ну, растения — это тоже неплохо. Они почти как люди, только двигаются медленнее. Я сам когда-то немного занимался растениями. Учился на техника-удобрителя.

— Очень интересно, — сухо произнес Кейн таким тоном, как будто зевнул, и лениво поднял бровь.

— Тогда жизнь была куда проще, — грустно продолжал Билл, не обратив никакого внимания на явное отсутствие интереса со стороны андроида: его вдруг ни к селу ни к городу охватила ностальгия по родной планете Фигеринадон-II. Ему вспомнились пахота, сев — эти благородные занятия, которые роднят человека с землей; правда, ему почему-то не пришли на ум ни постоянная ломота в спине, ни нескончаемое созерцание качающегося перед глазами ржавого крупа робомула. В свое время он так и не закончил заочного училища техников-операторов по внесению удобрений, а недолгую работу на полях орошения в Гелиоре старался вообще никогда не вспоминать.

— Мы пришли, — сказал Кейн.

— Это кубрик? Какой роскошный!

Они стояли в громадном пустом помещении. Это был ремонтный отсек, в котором вполне мог бы поместиться космолет среднего размера. Сейчас все оборудование было сдвинуто к стенам, и посередине оставалось огромное свободное пространство.

Не совсем, впрочем, свободное: по полу тянулись сотни грядок, где росли какие-то кустистые зеленые растения.

— А что это за дрянь в кубрике? — недовольно спросил Билл. — Да тут не повернешься. Придется все это выкинуть и...

— Придержите язык, — посоветовал Кейн. — Это капитанская оранжерея.

Он повел Билла вдоль грядок.

— Это его хобби, на котором он просто помешан. Не смейте трогать!

Билл вынул изо рта сочный побег и воткнул его обратно в грядку.

— Вкус тошнотворный, — сказал он. — А что это такое?

— Abelmoschus humingous, — ответил Кейн, нахмурившись и приглаживая рукой почву вокруг побега, который надкусил Билл. — Вам это растение, вероятно, более знакомо под тривиальным названием «окра». Вот эта разновидность — окра высокорослая, — когда созревает, становится довольно сочной, хотя растет лучше всего на песчаной почве. Однако она не любит, когда ее начинают жевать до достижения полной спелости.

— А это что? — спросил Билл, подойдя к соседней грядке: его продолжали одолевать воспоминания сельскохозяйственной юности.

— Abelmoschus gigantis, или окра хрустящая, — ответил Кейн. — Совсем неподходящее название, на мой взгляд: она ничуть не хрустит. Кроме полужидкой каши, из нее ничего не получится, как ее ни готовь.

— А вон там что?

— Abelmoschus abominamus — окра медовая. На вкус — вроде скипидара. Капитан ее очень любит.

— Ну еще бы. А вон та?

— Abelmoschus fantomas — окра банановолистная. Известна своими инсектицидными свойствами, а также совершенно незабываемым вкусом.

— А все остальное? — Билл обвел огромное помещение широким жестом одной из своих правых рук — той, что от чернокожего.

— Окра, окра и снова окра. Четыреста тридцать две грядки окры. Для простого любителя капитан предается своей страсти с исключительным размахом. Конечно, самую трудоемкую работу за него приходится делать мне, так что на его долю остается не так уж много. — Кейн издал высокий визгливый звук, означающий у андроидов неудовольствие. — Вы себе не представляете, сколько приходится тратить времени, чтобы внести удобрения во все четыреста тридцать две грядки. Нет, этого вы себе представить не можете. Не говоря уж о прополке, прореживании, поливе...

Внезапно над головами у них с потрескиванием зажглись тысячи кварцевых ламп. Температура мгновенно поднялась градусов на тридцать, и у Билла изо всех пор брызнули струйки пота.

— А это еще что? — спросил он, задыхаясь от зноя.

— Полдень, — пояснил Кейн с улыбкой, в которой не было ни тени юмора. — Точно вовремя. На нашем корабле порядки строгие. Между прочим — это важно скорее для вас, чем для меня, — через тридцать секунд мы стартуем. Ах, как быстро летит время, когда находишься здесь, рядом с растениями! Советую немедленно лечь на этот мешок с перегноем, иначе вас расплющит в лепешку, и вы будете годны только на компост.

Билл едва успел плюхнуться плашмя на мешок с вонючим перегноем, как начались перегрузки, возраставшие с каждой секундой и угрожавшие превратить его в готовый компост. Он лежал, хрипя и хватая ртом воздух, но все шло сравнительно благополучно, пока мешок не лопнул и Билл не погрузился с головой в его зловонное содержимое.

— Я больше не могу! — вскричал он. — Какая вонь!

— Привыкнете, — улыбнулся Кейн, стоявший рядом: его скелету из вольфрамовой стали перегрузки ничем не грозили. — Через несколько дней чувствовать запах перестаешь. Знаете, это замечательное удобрение. Растения его просто обожают.

— Я его ненавижу! — заорал Билл, хотя, по правде сказать, в данный момент он еще больше ненавидел фазовый двигатель. Этот давно устаревший способ передвижения в космосе вышел из моды уже черт-те когда, одновременно с запонками и бритыми головами. Что за глупость — барахтаться в компосте, когда современный двигатель способен без всяких неудобств перенести вас куда угодно в одно мгновение!

— Где моя каюта? — простонал Билл, с трудом поднимаясь на ноги и отряхивая с себя комья плохо просеянных гниющих остатков. — Мне надо немедленно принять душ и выбросить эту одежду. Впрочем, пожалуй, я сначала задержусь на минуту-другую, чтобы очистить желудок.

— Не успеете, — радостно пропел Кейн, склонившись над грядкой и привычными, уверенными движениями прореживая побеги окры. — Капитан ждет нас к обеду.

— Но...

— На нашем корабле порядки строгие, — усмехнулся Кейн. — Все по правилам и по часам. А сейчас как раз время обеда.

Вспотевший и запыхавшийся, Билл сидел за капитанским столом и с опаской поглядывал на свою тарелку. На ней возвышалась кучка вареной окры, а рядом — такая же кучка тушеной окры, которая на вид почти ничем от первой не отличалась. Билл попробовал откусить кусочек жареной окры, но чуть не сломал себе клык. Все, что стояло перед ним, либо представляло собой жидкую кашу, которую иначе как ложкой и есть нельзя, либо было жестко до полной несъедобности. Он вздохнул, потянулся за своим бокалом и выпил глоток свежего сока окры.

Капитан, подозрительно принюхиваясь, посматривал на Билла с таким же выражением лица, как Билл — на тарелку с этой так называемой пищей. Кроме них, за пиршественным столом сидели Кейн и старший помощник капитана мистер Кристиансон, прибывший в последний момент на борту персонального космолета с императорским гербом. Из всех четверых только у капитана на тарелке было что-то еще, кроме окры.

— А что, здесь всегда так пахнет? — спросил мистер Кристиансон, вытаскивая из-за кружевного обшлага надушенный платок и помахивая им перед носом. — Запах в точности как от корабля-мусоросборщика.

Он сердито взглянул на Билла и отправил в рот полную ложку вареной окры в соусе.

— А у меня почему-то нет соуса, — сказал Билл. — Может быть, с какой-нибудь приправой эта штука пойдет лучше. Передайте, пожалуйста, хрен.

— У меня на корабле порядки строгие, — сказал капитан Блайт, отрезая большой сочный ломоть от своего бифштекса. — У каждого свои полномочия и ответственность, и точно так же у каждого свои привилегии, распределяю которые, разумеется, я сам. Это абсолютно необходимо для поддержания должной дисциплины. Вы видите, что мистер Кристиансон, будучи старшим помощником, имеет полный доступ к судку с приправами, а также получает за едой вино. Кейн тоже имел бы право на вино, но не на приправы; впрочем, обмен веществ у него такой, что он не может употреблять спиртное. Насколько я понимаю, алкоголь как-то не так действует на его управляющие схемы. А жаль, вино у нас отменное.

— А я? — спросил Билл, не спуская глаз с вина и прихлебывая кислый сок окры.

— Поскольку вы стоите ближе всех к рядовым членам команды, вы получаете в основном такое же довольствие, как и они, — сказал Блайт, разломив булочку и подбирая ею остатки картошки с мясным соусом. — Мой опыт свидетельствует, что так вам будет легче с ними управляться. Не зажиреете и будете от этого только злее. Тем не менее, поскольку вы единственный рядовой на борту, не отбывающий наказания за преступление, я решил, что вы все же имеете право на кое-какие блага. Это будет напоминать вам о вашем привилегированном положении.

— Блага? Говорите скорее какие! — нетерпеливо выговорил Билл, живо представив себе бифштекс, а может быть, даже жирную, сочную свиную отбивную.

— Пока вы ничем передо мной не провинитесь, будете получать десерт, — сказал Блайт с широкой улыбкой.

— Десерт?

— Пончики с джемом, — пояснил Кейн. — Я думаю, после окры они вам придутся по вкусу. Хотя мои потребности в пище весьма ограниченны, даже я ем их с удовольствием. Особенно с малиновым джемом.

— Но только один пончик, — сказал Блайт, грозя Биллу вилкой. — Мистеру Кристиансону и Кейну полагается по два, мне — шесть, поскольку я чувствую себя очень одиноким на вершине власти. Но имейте в виду, рядовой: прежде чем получить десерт, вы должны доесть все, что у вас на тарелке. Я бы поторопился, будь я на вашем месте, от чего упаси меня боже.

Билл поглядел на стоявшее перед ним неаппетитное месиво. Жир от жареной окры застыл на тарелке сероватой лужицей. Билл глотнул еще сока и повернулся к старшему помощнику.

— Извините меня, сэр, — сказал он, хитро меняя тему разговора и отвлекая от себя внимание, — а где было ваше последнее место службы?

Форма на старшем помощнике была щегольская, а расшитую позументами грудь покрывали медали. Напудренный парик сидел на нем немного набекрень, но это только придавало ему лихости. Так же, как и косоглазие, свойственное, как известно, многим королевским семействам.

— Место службы?

— Ну да. Служили где? — пояснил Билл на случай, если такое понятие окажется слишком сложным для убогого офицерского мозга. — Ну, на каких кораблях? — Он сунул в рот покрытую застывшим жиром жареную веточку окры. — Может, я знаю кого-нибудь из той команды. Тогда получится, что мы с вами некоторым образом отчасти вроде как однокашники, — продолжал он в наступившем молчании. Увидев, что на него никто не смотрит, он сунул несъедобный кусок себе под салфетку и поднес ко рту ложку слизистой вареной окры. — Я ведь много кого знаю, — гордо добавил он.

— Это мой первый корабль, — сказал мистер Кристиансон, подвинув к себе судок с приправами и щедро накладывая себе поверх окры острого соуса и тертого сыра. — Мой дядя просто слышать не хотел, чтобы я получил капитанский чин, не побывав хотя бы в одном рейсе. Лично я считаю, что это очень старомодный взгляд на вещи, но раз уж дядюшка Джулиус так на этом настаивает, я решил по крайней мере попробовать.

— Дядюшка Джулиус? — Воспользовавшись тем, что на него опять никто не смотрит, Билл спустил комок тушеной окры себе в сапог.

— Он четырехсотдвенадцатиюродный брат императора по боковой линии, — похвастал Кристиансон и залпом выпил бокал вина. — До сих пор ему удавалось уберечь меня от учебной муштры и освободить от всех этих сложных экзаменов, которые полагается сдавать для производства в офицеры. Знатное происхождение все же дает кое-какие преимущества. Но он потребовал, чтобы я совершил хоть один космический рейс, прежде чем получу в свое командование космолет. Глупость, конечно, после того как мое семейство добровольно, под страхом смерти, пожертвовало императору столько денег на ведение войны с чинджерами, — но надо так надо. Кстати, вам еще никто не говорил, что от вас ужасно воняет?

Билл стряхнул с себя еще несколько прилипших комков перегноя и бросил взгляд в иллюминатор. Там медленно отплывала вдаль база снабжения. Слишком медленно. Рейс обещал быть долгим.

Обед оказался еще более долгим. Биллу удалось избавиться от всего, что было у него на тарелке, распихав несъедобные куски окры по карманам и укромным местечкам и ухитрившись даже переложить несколько штук на тарелку Кейна, когда тот отвлекся. В конце концов с окрой было покончено, и он накинулся на свой пончик с малиновым джемом с такой жадностью, словно это был самый последний обед в его жизни.

Кейн объяснил Биллу, как ему найти свою каюту, и он отправился туда, слизывая с губ остатки джема. Капитан Блайт небрежно заметил, что Биллу давно пора принять душ и что, если Билл этого не сделает к тому времени, как они увидятся в следующий раз, он самолично запихнет его в шлюз, где Билл будет дышать вакуумом до тех пор, пока не усвоит хотя бы самых элементарных правил личной гигиены. Или что-то еще в том же духе.

Билл открыл дверь каюты, которая, насколько он понял, была отведена ему, и разинул рот, увидев, что на одной из двух коек сидит какой-то гигант ростом метра в два с половиной и весом килограммов на сто сорок. В руках он вертел настольную лампу, сгибая и разгибая ее кованую подставку, словно та была из мягкой резины.

— Прошу прощения, ошибся каютой, — быстро сказал Билл, проворно пятясь.

— Ты что, полисмен? — буркнул этот медведь.

— В общем, да, — ответил Билл с деланой улыбкой, продолжая пятиться.

— Ни хрена ты не ошибся, — заявило чудище, откусив от лампы подставку и сплюнув обломки на пол. — Мы с тобой, значит, будем соседи.

— Меня зовут Билл, — сказал Билл, неуверенно входя. — Рад познакомиться.

— Я Мордобой, — буркнул горилла. — Ничего себе клыки. Постой, у тебя, что ли, обе руки правые?

— Верный глаз, — подтвердил Билл.

— И никак одна от черномазого! — рявкнул Мордобой.

— Такая уж досталась, — заискивающим тоном сказал Билл, протискиваясь со своими костылями к свободной койке. — Ты из команды? А за что получил срок? — Ему пришло в голову, что не худо сменить тему. Оказалось, что тоже худо.

— За убийство. Топором! — прорычал Мордобой, широко ухмыльнувшись и обнажив имплантированные собачьи клыки длиной сантиметров в пять, остро заточенные напильником.

— Ну, со всяким бывает, — сказал Билл.

— Отрубил обе ноги полисмену и бросил его на снегу, чтобы сдох от потери крови.

— Понимаю, — сказал Билл. — И такое в жизни случается.

— У него-то были две ноги. А у тебя одна. Можно управиться вдвое быстрее.

— Имей в виду, что на этом корабле снега нигде нет, — возразил Билл. — И в ближайшем будущем не ожидается, я слышал прогноз.

— Эта твоя черная рука — что-то она мне напоминает, — пробурчал Мордобой. — Что-то давнишнее.

— Ну, она у меня тоже порядочно сколько времени.

— Ага, вспомнил. Был такой здоровенный лоб в пехоте, Тэмбо звали, — прохрипел Мордобой. — Никогда мы с ним не ладили.

— Мы-то с тобой поладим, я уверен, — с надеждой намекнул Билл. Он прекрасно помнил, как в том ужасном бою Тэмбо взрывом разорвало в клочья и как сам он, очнувшись, увидел, что ему пришили оставшуюся от Тэмбо руку. Но это он решил держать про себя.

— Достал он меня своими проповедями. Только сглаз наводил. Хотел его замочить, только об этом и думал. А его куда-то перевели, пока я сидел на губе за какую-то хреновину, не помню уж за что. Так с тех пор его и ищу. Пусть только тронет меня своей черномазой ручищей — враз оттяпаю.

Билл взглянул на свою правую руку — ту, черную, — и увидел, как она сама собой сжалась в кулак. И тут он окончательно понял, что рейс будет долгим-долгим.

Глава 3

Более мерзкой рожи, чем у Мордобоя, Билл не встречал за всю свою жизнь — до того момента, как минут пять спустя в дверях появилась Рэмбетта.

Роста она была среднего, как и полноты, и образование имела тоже среднее. Но больше ничего среднего в ней не было. Ее голубые глаза горели ярким пламенем, а аппетитные выпуклости стройной фигуры едва виднелись под надетыми крест-накрест портупеями с целым арсеналом ножей и прочего устрашающего оружия.

— Где этот наш полицейский, Мордобой? — рявкнула она хриплым голосом. — В четвертом ремонтном отсеке какая-то хреновина.

— Военную полицию на этом корабле представляю я, мисс, — отозвался Билл, с ужасом разглядывая гигантский изогнутый ятаган у нее за поясом. — Меня зовут Билл.

— А меня — Рэмбетта, — представилась она и, взглянув на нижнюю половину его тела, расхохоталась. — Похоже, у тебя кое-чего не хватает?

Билл испуганно осмотрел себя — нет, «молния» застегнута. Он облегченно перевел дух, чувствуя, как обильно выступивший было пот приятно холодит лоб.

— А, это вы про мою ступню? Док сказал, она отрастет.

194

— Но клыки у тебя ничего, — заметила Рэмбетта, протянув руку и игриво потрогав один из них пальцем. — Ладно, беритесь-ка за работу. Мордобой, захвати топор. Ларри что-то там опять выдумал, не пришлось бы применить строгие меры.

— Ну, кайф! — радостно ухмыльнулся Мордобой, вытаскивая из-под койки громадный топор, каким только двери высаживать, и со свистом размахивая им в воздухе. — А то он у меня давно без дела валяется.

Билл растерянно посмотрел на острое как бритва лезвие и заметил на нем как будто пятнышко ржавчины. Впрочем, не нужно было обладать слишком буйным воображением, чтобы подумать: а не капля ли это засохшей крови?

— Давай, Билл, пошевеливайся, одна ступня здесь, другая там! — сказала Рэмбетта с лукавой усмешкой.

— Ха-ха! — покатился со смеху Мордобой. — Во дает! Ха-ха!

Билл ничего смешного в ее словах не заметил, но молча заковылял вслед за наводящей страх парочкой, размышляя о том, что такое можно увидеть только в армии — когда заключенные вооружены до зубов, а у приставленного к ним полицейского вместо оружия только пара помятых костылей с резиновыми наконечниками. Он решил, что первым делом надо будет поскорее раздобыть себе оружия, и побольше.

Ремонтные отсеки располагались несколькими этажами ниже, и Билл с трудом поспевал за Рэмбеттой и Мордобоем. Он уже начал жалеть, что расстался со своей окаменевшей ступней. При всех неудобствах она могла служить хоть кое-каким оружием. Этот Ларри, должно быть, изрядный фрукт, если, по мнению Рэмбетты, Мордобою недостаточно будет просто цыкнуть разок, чтобы привести его в чувство.

— А кто такой Ларри? — спросил Билл.

— Да тоже уголовник вроде нас, отбывает срок на этой посудине, — ответила Рэмбетта, сворачивая направо.

— Что же он такого натворил?

— Вполне может быть, что и ничего, — сказала Рэмбетта. — Понимаешь, он клон.

— Не понимаю, — сказал Бил.

— Их трое: Ларри, Моу и Кэрли. Все трое клоны. Три горошины из одного стручка. Три желудя с одного дуба. Один из них залез в главный компьютер базы и выписал всему личному составу по увольнительной на выходные. Отпечатки пальцев у них одни и те же, и рисунки сетчатки одинаковые, так что выяснить, который из них нашкодил, начальство не смогло. И срок влепили всем троим. Вроде семейной путевки в санаторий.

— Что-то не очень это справедливо, по-моему.

— Ты давно в армии, Билл?

— Да, пожалуй, даже слишком.

— Так что ж ты, не знаешь, что ли, — какая там может быть в армии справедливость?

Биллу оставалось только печально вздохнуть в знак согласия.

Когда они вошли в четвертый ремонтный отсек, Мордобой что-то угрожающе проворчал, бросив нежный взгляд на свой топор. Отсек был не меньше того, где выращивалась окра, только здесь не было никаких грядок — вместо них стояло множество разных громоздких механизмов. Билл подумал, что после окры они просто радуют глаз.

— Сюда, — сказала Рэмбетта, спускаясь впереди всех по металлическому трапу. В отсеке стояла группа людей, которые о чем-то спорили.

— Хочешь верь, хочешь нет, только Ларри — это тот, который размахивает ломом.

Билл с готовностью поверил: уж если не везет, так не везет.

— Вон туда он убежал! — возбужденно кричал Ларри. — И я не зря погнался за этим животным, говорю вам, что не зря. Что я, дурак?

Ларри был тощий светловолосый человечек с резкими, угловатыми чертами лица, изборожденного таким множеством трагических морщин и морщинок, что Билл сразу понял: у этого срок пожизненный. Моу был точь-в-точь похож на Ларри, а Кэрли — на Моу, который был вылитый Ларри, и так далее.

— Это все ты виноват, — сказал Моу, а может быть, Кэрли. — Разинул рот и упустил его.

— Кто это разинул рот? — вскричал Ларри, а может быть, Кэрли. — Ей-богу, надо было отцу в свое время разбить пробирки, где вы росли, и даже не дожидаться, пока клетки начнут дифференцироваться. И как это получилось, что я оказался с вами в родстве?

— Ты отца не трогай, — сказал Кэрли, а может быть, Моу. — Животное где-то вон там. Надо что-то делать.

— Все разворачиваемся в цепь и прочесываем отсек, — приказала Рэмбетта. — Надо найти животное.

— Ну уж, только не я, — откликнулся рослый мускулистый негр, мотнув головой. — Меня не считайте.

— Все, я сказала! — возразила Рэмбетта, взмахнув одним из своих ножей самого зловещего вида. — К тебе это тоже относится, Ухуру. Это приказ Билла — он у нас представляет военную полицию. Верно, Билл?

— Хм... Ну да, — отозвался Билл, тщетно пытаясь понять, кто тут Ларри, кто Моу, а кто Кэрли: когда Ларри бросил лом, все они перепутались. Ему показалось, что лом подобрал Моу, но, возможно, это был Кэрли.

— Кто струсит и уйдет в кусты, на неделю сядет на хлеб и воду. Верно, Билл?

— Не меньше. Трусам здесь не место, — подтвердил Билл. У него появилось сильное подозрение, что лом подобрал сам Ларри, специально чтобы его запутать. Морочить голову полицейским — традиция давняя и прочная.

— Вперед! — воскликнула Рэмбетта. — Искать везде!

Билл встрепенулся, бросил один костыль и схватил гаечный ключ из инструментального ящика. Все разошлись в разные стороны, и он остался один с гаечным ключом в одной руке и костылем в другой. Окинув взглядом огромный опустевший отсек, он осторожно двинулся вперед, стараясь не производить лишнего шума.

Над ним нависали переплетения металлических трапов, переходов, тельферов, толей и всяких прочих приспособлений, за которыми был почти не виден потолок. Толстые цепи огромными петлями свисали вниз, как паутина, сотканная гигантскими пауками, и тихо позвякивали, покачиваясь взад и вперед.

Билл подумал: а хватит ли ему гаечного ключа, чтобы справиться с этим... с этой...

Вот незадача! Он не имел ни малейшего представления, что это за чудовище, которое он ищет, и даже какой оно величины. Есть ли у него зубы? А когти? С хлебницу оно ростом или с танк? А ведь оно могло притаиться где угодно! Его прошиб холодный пот, и дело стало еще хуже: теперь оно может выследить его по запаху!

Может быть, какое-нибудь жуткое инопланетное существо, все в чешуе, в этот самый момент прячется за ближайшим углом, готовое кинуться и растерзать его в клочья. Может быть, какой-нибудь смертоносный жук-богомол непомерного размера сейчас глядит на него с высоты своего огромного роста, примериваясь, чтобы нанести удар. Билл живо представил себе и еще кое-какие варианты — например, гигантских муравьев или ядовитых ос величиной с человека. Проклятое воображение! Дрожа от страха, он огляделся по сторонам. Вот вляпался! Потом он двинулся вперед, решив, что так опасность будет меньше.

Повернув за угол, он взглянул вверх. На лицо ему откуда-то упала капля воды, за ней другая. Пол под ногами был мокрый и скользкий. Вода попахивала окрой.

Перед Биллом тянулся длинный ряд шкафчиков. Они были плотно закрыты, только у одного дверца была чуть приотворена. Билл осторожно приблизился.

Где же все остальные? Билл никогда еще не чувствовал себя таким одиноким и беззащитным. В отсеке стояла тишина, как в могиле, — слышно было только негромкое металлическое позвякиванье цепей, размеренное падение капель и чье-то хриплое дыхание.

Хриплое дыхание?! Сердце у Билла заколотилось, как отбойный молоток, и он подумал, что уж теперь спрятавшееся там чудище непременно его услышит. Крепко стиснув в одной из своих правых рук гаечный ключ, Билл приготовился концом костыля отворить дверцу. Он затаил дух, и хриплое дыхание тоже смолкло. Он сделал выдох, и оно возобновилось. Эхо? Он снова затаил дух. На этот раз хриплое дыхание стало громче и превратилось в рычание.

Внезапно дверца распахнулась настежь, и что-то мокрое и склизкое залепило Биллу все лицо, лишив его всякой возможности видеть, что происходит. Потом на него обрушилась чья-то тяжелая туша, и он кубарем полетел на пол. Вокруг невыносимо запахло псиной.

— Помогите! — завопил Билл, захлебываясь слизью. — Мне пришел конец!

— Билл нашел пса! — послышался голос Ларри, а может быть, Моу или Кэрли. — Ну и вонь!

— Пса? — переспросил Билл, утирая с лица собачьи слюни. — Пса?

— Вообще-то на корабле полагается иметь кота, — объяснила Рэмбетта. — Но котов в наличии не оказалось, и нам выдали вот этого. Мерзкое животное. Его зовут Рыгай.

Билл сел и уставился в угрюмые глаза огромной, ублюдочного вида овчарки. У нее была разноцветная, как у гиены, шерсть, которая лезла огромными клочьями. На оскаленной морде застыло выражение полной тупости, а из пасти свисал длиннейший язык и обильно текли слюни. Пес еще раз щедро облизал Биллу физиономию и весело замахал хвостом.

— Ты Рыгаю понравился, — сказал рослый негр, протягивая Биллу руку и помогая ему встать. — Значит, ты исключение из правила, потому что никто из нас с ним и рядом стоять не желает. Меня зовут Ухуру, рад с тобой познакомиться. Похоже, теперь у тебя будет собачка.

— Что у меня будет? — переспросил Билл.

— Смотри, чтобы он в каюте сидел на твоей половине и носа ко мне не совал, — проворчал Мордобой, который стоял рядом, опершись на свой топор. — Только увижу его у себя на койке — сразу ноги оттяпаю, чтобы больше тут не вонял. А потом и за тебя возьмусь.

— Да, от него попахивает, — согласился Билл. — Спасибо за предложение, Ухуру, только мне собака вовсе не нужна.

— Зато ты ему нужен. Таков уж закон природы, ничего не подсласшь, — многозначительно заметила аппетитная миниатюрная женщина. — А есть еще один закон природы, по которому Рыгай вечно катается в куче компоста в капитанской оранжерее. Его оттуда просто не отгонишь. Разве что у тебя это, может быть, получится.

— Спасибо, — сказал Билл. — А как тебя зовут?

— Киса, мой мальчик. А тебя?

Она провела изящными пальчиками по своим коротко стриженным светлым волосам и сделала глубокий вдох, продемонстрировав Биллу возможности своей фигуры. Он решил, что она ничуть не похожа на опасную преступницу.

— Билл. Через два «л». Так обычно пишут это имя офицеры. — Тут Билл вспомнил о служебном долге и, приняв строгий вид, подобающий представителю военной полиции, спросил: — А ты за что сидишь?

— Они говорят, что я дезертировала. Ушла в самоволку. Слиняла. Отвалила.

— А что, разве нет?

— Конечно нет. Просто моя магнитная карточка размагнитилась, когда я ее сунула в сломанный автомат для розлива виски, и я не смогла отметиться на работе. А так я все время была на рабочем месте, за своим столом.

Долг есть долг, и Биллу пришлось на некоторое время отвлечься от Кисы.

— А ты, Ухуру? Что ты такого натворил?

— В обвинительном заключении было написано, что я взорвал сиротский приют, — с широкой улыбкой ответил тот. — Ужасно люблю баловаться с порохом.

— С порохом? — переспросил Билл, взглянув на мускулистые руки рослого негра. — Приют? Вместе с детишками и всем прочим?

— Это мне пришили, — сказал Ухуру. — На самом деле я случайно уронил самодельную шутиху в выгребную яму офицерского сортира. Взрыв получился отменный, но никаких сирот поблизости не было, только дерьмо полетело да один лейтенант перепугался до полусмерти.

— А ты, Рэмбетта?

— Говорят, я представляю опасность для общества — подумать только! И все по недоразумению, из-за сущей мелочи.

— По недоразумению?

— Один сержант пригласил меня с ним пообедать. «Как романтично», — подумала я, ведь я была так молода и невинна. Он обнимал меня, осыпал поцелуями мои нежные губы, гладил меня по... ну, в общем, в этом роде. Сгорая от стыда и трепеща от робости, я пригрозила, что, если он не перестанет, я ему кое-что отрежу. Он немного испугался, но не перестал, и пришлось мне положить этому конец. Он и в больнице-то пролежал всего каких-то два месяца. Я не виновата, ведь это была самозащита. Стоило поднимать шум из-за такого пустяка!

— Пожалуй, не стоило, — согласился Билл. — Ларри, а ты?

— Спроси у Моу.

— Моу?

— Спроси у Кэрли.

— Кэрли?

— Я ничего не знаю. А знал бы что-нибудь, свалил бы на Ларри. Или на Моу. Насколько мне известно, никто из нас ни в чем не виноват, просто нам не повезло. Конечно, я могу говорить только за себя. Не помню, чтобы мы трое когда-нибудь были одинакового мнения, не важно о чем. Ларри туп как бревно, а Моу — позорное пятно на нашем родословном древе.

— Похоже, что все это не такие уж серьезные нарушения, — сказал Билл. — Если это вообще нарушения. Думаю, что никаких осложнений в этом рейсе у нас не будет. Нужно только всем вести себя паиньками до самой Беты Дракона. Вот и все.

Пес Рыгай всей своей тяжестью прислонился к здоровой ноге Билла и издал неприличный звук. Билл машинально погладил его вонючую голову, но тут же отдернул руку и вытер пальцы о штанину.

— А я? — спросил Мордобой. — Ты про меня забыл.

— Как раз пришла твоя очередь, приятель, — вкрадчиво сказал Билл. — Ты-то что натворил на самом деле?

— Да ноги оттяпал полисмену, — ухмыльнулся Мордобой. — Вот этим топором.

Билл с трудом проглотил слюну и робко улыбнулся.

— Правда, у меня была уважительная причина, — широко улыбнулся Мордобой, вскинув топор на плечо.

— Ну конечно, — с облегчением сказал Билл.

— Достал он меня совсем, — улыбнулся Мордобой еще шире. — И к тому же у него был такой паскудный вонючий пес.

Глава 4

Билл ткнул ложкой в остатки тушеной окры у себя на тарелке. Она уже остыла и консистенцией напоминала перезрелый сельдерей, который сначала подержали в ядерном реакторе, а потом оставили гнить на солнце.

Вот уже пять недель он сидел на окре, и конца этому видно не было. Сейчас он был бы рад даже гнусной баланде, которой их кормили в казарме, — все-таки разнообразие. Немного утешало его лишь одно: ступня наконец начала отрастать. Плохо только, что отрастала она как-то странно. Цвет у нее был не розовый, как полагается, а серый. К тому же на ней не видно было ни малейших признаков пальцев — просто серый комок чуть меньше кулака размером. Но она, по крайней мере, уже достаточно выросла, чтобы на нее можно было кое-как ступать, и Билл отложил костыли — он надеялся, что навсегда. Пусть понемногу растет дальше. Чего у солдата сколько угодно — так это времени.

— Ну и как команда, рядовой? — спросил капитан Блайт, жадно пожирая свиную отбивную.

— Все в порядке, сэр, — солгал Билл.

Он уже твердо усвоил, что не следует раскачивать лодку. Только на прошлой неделе он робко сообщил капитану, что, по мнению команды, давно пора внести какие-нибудь изменения в меню. Кончилось это полным фиаско: Билл был на три дня оставлен без пончика с джемом, а команде пришлось целый день поститься. Моральное состояние от этого ни у кого лучше не стало.

Сказать по правде, команда становилась угрюмой, злобной, раздражительной и сварливой. Это по четным дням. А по нечетным она была упрямой, ворчливой и мрачной. Даже в самые благоприятные моменты то один, то другой начинал капризничать. А Билл, оказавшись между двух огней, проклинал собственное невезение, окру и преступное прошлое подопечных.

Остаток раскисшей окры Билл спрятал в карман. У его новой собаки оказалось, пожалуй, единственное достоинство: Рыгай любил окру, просто души в ней не чаял, при виде ее начинал скулить и пускать слюни самым отвратительным образом. Если не считать Кристиансона и Кейна, пес был единственным существом на борту, которое могло вынести эту гадость. Кристиансон, конечно, мог съесть все, что угодно, а что касается андроида, то никто не знал, имеется ли у него вообще орган вкуса, а если да, то насколько на него можно положиться.

Меньше всего Биллу требовалась собака, но отделаться от Рыгая ему было не суждено — по крайней мере, в этом рейсе. Никто, кроме него, не желал иметь с собакой никакого дела. Ее спасало только одно — у нее хватало инстинкта самосохранения на то, чтобы оставаться на той половине каюты, которая досталась Биллу. Мордобой часами сидел, поглаживая свой топор и не сводя злобного взгляда с жалкого пса. Исключительно овощная диета ничуть не способствовала улучшению его настроения.

— Тли, — сказал Кейн, когда начали раздавать пончики. — И еще маленькие зеленые гусеницы. Прошу прощения, капитан.

— Не может быть! — взревел капитан. — Опять?

— Это естественный процесс в таком закрытом помещении, как у нас на корабле, — сказал Кейн. — Здесь нет хищников, которые бы их истребляли.

— У меня полный корабль хищников, — возразил Блайт, протягивая руку за вторым пончиком. — Билл, соберите снова бригаду для борьбы с вредителями.

— А что, если попробовать перец? — предложил Билл. — Дома, на ферме, мы уничтожали вредителей смесью мыла с перцем. Это легче, чем собирать их поодиночке. Мы всегда так делали, когда я был молодой...

— Никому не нужны эти ваши дурацкие деревенские воспоминания, — презрительно сказал Блайт. — Легче! Кто сказал, что это должно быть легче? Заключенным никакие послабления не положены. Есть преступление, должно быть и наказание.

— Это экологически безопасно — чистая органика, — продолжал Билл с надеждой: он опасался, что команда просто повесит его за ноги, если он снова попытается заставить их собирать козявок вручную.

— Я не желаю, чтобы мои растения опрыскивали перцем, — заявил капитан. — Это испортит их тонкий и нежный вкус.

Билл решил оставить при себе очевидное возражение: сам капитан окры никогда и в рот не брал, а значит, не мог иметь никакого представления о ее вкусе. Она могла бы стать куда более съедобной, если бы как следует сдобрить ее перцем. Даже мыло пришлось бы тут только кстати.

Билл оказался прав в своих предчувствиях: команда пришла в ярость, когда он сообщил, что предстоит аврал по защите растений от козявок. На этот раз его спасло только то, что капитан предупредил: те, кто откажется, будут до конца рейса подвергнуты одиночному заключению, кормить их станут соком окры, щедро разведенным водой, а срок наказания будет вдобавок удвоен.

— Нельзя ли хоть свет убавлять, пока мы тут работаем? — спросил Ухуру, обнаженный до пояса и покрытый потом.

— Я говорил с Кейном, — ответил Билл. — Он не против, но капитан сказал, что изменение светового цикла погубит весь эксперимент.

— У меня спина болит, — простонала Киса, нагибаясь над грядкой с окрой, чтобы дотянуться до вредителей, укрывшихся посередине. — И если хотите знать, я на стороне букашек. Пускай бы ели себе эту зеленую мерзость сколько угодно.

— Скажи спасибо, что на окру не напали трипсы, — заметил Билл. — Или белые мушки. Они такие крохотные, что пришлось бы снимать их с листьев пинцетом.

— Ну, тли тоже не с собаку размером, — сказал не то Ларри, не то Моу, не то Кэрли. — Очень трудно снимать их с листа, чтобы его не сломать.

— Не вздумайте повредить растения! — заорал Билл, вспомнив, как один сломанный стебель обошелся им в пятьдесят кругов бегом вокруг палубы «Б» в полной выкладке.

— Да бросьте вы жаловаться, — сказал Мордобой ухмыляясь. — Мне давить козявок по душе. Почти так же занятно, как проламывать черепа. Жаль только, гусеницы такие маленькие, очень трудно им, гадам, лапки отрывать.

— Нам велено их давить, а не мучить, — заметила Рэмбетта.

— Кому что нравится, — ответил Мордобой, держа в руке гусеницу и сладострастно глядя, как она корчится. — Интересно, каковы они на вкус.

— Фу! — сказала Киса. — Как можно есть козявок?

— А это чистый белок, — вставил Кэрли, а может быть, Ларри. — Они, должно быть, повкуснее окры.

Впрочем, возможно, это был Моу.

Мордобой, довольно посмеиваясь, принялся сгребать в кучу раздавленных козявок с оторванными ногами. Билл содрогнулся.

— Нет, так мы войну не выиграем, — сказала Рэмбетта, кидая в ведро очередную тлю. — Хотела бы я знать, какое отношение имеет эта охота на козявок к избавлению Вселенной от проклятых чинджеров.

— Точно, — поддержал ее Ухуру, поймав гусеницу. — Иногда я подумываю, что, пожалуй, не стоило устраивать этот взрыв. Чтобы мне, боевому ветерану, собирать с листьев козявок! Нам следовало бы драться, а не прохлаждаться в садике.

— Ну не знаю, — сказал Билл. — Может быть, эти чинджеры не так уж и плохи.

— Ты что, шутишь? — возмутилась Киса. — Это же чудовища. Кровожадные машины для убийства. Они едят детишек на завтрак. Сырыми. Ты уж не струсил ли?

— Я просто подумал — может быть, нам стоило бы попробовать их понять, — сказал Билл. — Знаете, вступить с ними в диалог или что-нибудь в этом роде.

— В бой надо с ними вступить, вот что, и выпотрошить их как следует, — прорычал Мордобой. — Хороший чинджер — это дохлый чинджер.

— А вы хоть одного видели? — после некоторого колебания спросил Билл. — Что, если они не такие противные, как мы думаем?

— А мне не нужно их разглядывать, чтобы знать, какие они мерзавцы, — сказал Ухуру. — Истреблять их на расстоянии меня вполне устраивает. Я всегда говорю: бей первым, пока тебе не попало.

— Я знаю о них все, что мне нужно, из учебных фильмов, — сказала Киса. — Всю эту мерзость надо перебить.

Билл вздохнул. Ясно было, что пропагандистская машина хорошо поработала, промывая им мозги. Впрочем, они в этом не виноваты: он сам думал так же до того, как встретился с чинджером лицом к лицу. А может быть, и до сих пор думает так же.

Они продолжали работать под палящими лампами до тех пор, пока один за другим не попадали на землю со стонами изнеможения.

— Перекур, — сказал Билл. — Десять минут.

Он и сам был не прочь перекурить. Мешки с удобрением, сложенные штабелем в дальнем углу отсека, отбрасывали заманчивую тень. Билл доковылял до них и со вздохом облегчения плюхнулся на землю, в холодок. Он прикрыл глаза и уже начал погружаться в дремоту, когда на него навалилось чье-то тяжелое и горячее тело, и что-то мокрое прижалось к его губам. Отплевываясь, он вывернулся, поднял глаза и оказался лицом к лицу со склонившейся над ним раздосадованной Рэмбеттой.

— Ты что, целоваться не любишь, а? Может, тебя вообще девочки не интересуют?

— Интересуют, а как же. Только вот так сразу, ни с того ни с сего...

— Нечего выкручиваться! — обиженно сказала она, усаживаясь рядом с ним под звон ножей. — Ты не воспринимаешь меня как женщину, вот что. Я для тебя просто вооруженное существо женского пола, пригодное только для ведения боя. Но я не всегда была такая. О, все было бы иначе, если бы не летучие мыши.

— Летучие мыши? — озадаченно переспросил Билл, в недоумении хлопая глазами.

— Да. Если ты позволишь мне держаться за твою руку, я тебе все расскажу...

История Укротительницы Летучих Мышей

Рэм-Бетта надела на шею золотисто-пурпурный платиновый обруч и защелкнула на руках золотые браслеты. О, какой удивительный день! Ей и ее подружкам из Девичьей Обители Зэш в деревне Смуш, лежащей на берегу Великого Оргонского моря — это на планете Ишем, — предстоял выпускной бал, после которого они из обыкновенных хихикающих девчонок превратятся в полноправных горделивых ишемичек. О, сказочное перерождение!

— Пошевеливайтесь, глупышки! — приказала Дрекк подозрительно игривым тоном, совсем не вязавшимся с ее возрастом и внешностью. — Церемония в Большом зале вот-вот начнется.

Торжественной процессией они двинулись в путь, стараясь не хихикать, пока Рэм-Бэм не споткнулась о ноги какого-то хилого самца, не успевшего убраться с дороги. Это было уже свыше их сил, и хихиканье перешло в общий хохот, прекратившийся только после того, как Дрекк возмущенно прикрикнула на них.

Ах, как торжественно выглядел Большой зал! Они еще никогда его таким не видели. Языки пламени плясали в подсвечниках, развешенных по стенам, и отражались в бриллиантовых глазах огромной статуи Царственного Истукана, занимавшей весь дальний конец величественного зала.

— Внимайте, о дочери Смуша! — провозгласила Дрекк, и все умолкли. Одна за другой в зал вошли Старшие Матери и остановились перед ними. — Девы из Обители Зэш, сегодня исполняется ваше предназначение. Сегодня вы расстаетесь с девичеством и приобретаете всю полноту прав. На нашем замечательном языке, как все вы прекрасно знаете, «Рэм» означает «мать», поэтому ваши имена начинаются с «Рэм». Дальше следует имя вашей дорогой матери, которое пишется, разумеется, через дефис. И вот в этот Священный и Судьбоносный день вы будете лишены дефиса. Вы потеряете свою дефисственность! Ваше новое положение будет ознаменовано новыми именами. Одни из вас превратятся в Благородных Матерей, чтобы без всякой охоты, но во исполнение долга совокупляться с хилыми самцами нашего племени. Другие, те, у кого искусные руки и грязь под ногтями, станут фермерками и будут выращивать урожай для нашего прокормления. Третьи...

Рэм-Бетта, которая вот-вот должна была, лишившись дефисственности, стать Рэмбеттой, жадно впивала каждое звонкое слово, когда ее отвлек какой-то незнакомый высокий звук. Она подняла глаза и вгляделась во тьму, окутывавшую потолок Большого зала. Дрекк заметила это, глаза ее расширились, и она радостно ахнула.

— Рэм-Бетта, а в скором будущем — Рэмбетта! Выйди вперед и предстань перед девами! Выбор пал на тебя! Встань сюда, дорогая моя, — не бойся, тебе достался самый завидный жребий во всем Смуше. Потому что голос твой еще не ломался, как у других, и все еще тонок и писклив. Потому что у тебя крошечная головка с маленькими ушами и чуткими барабанными перепонками. Благодаря этому ты, и ты одна, расслышала зов летучей мыши, которая выпущена в Большой зал, чтобы подвергнуть вас испытанию. Только ты одна из всей Обители Зэш станешь нашей спасительницей — укротительницей летучих мышей!

Церемония была впечатляющей, торжественной, трагической и глубоко трогательной. Когда она закончилась, когда Рэмбетта, представ перед Дрекк под сенью угрюмой статуи Истукана, принесла Клятву Верности и испила вина, от которого голова у нее пошла кругом, — только тогда она была посвящена в Тайну Тайн.

— Заперта и запечатана парадная дверь, — начала нараспев Дрекк, — и висит на ней страшное заклятье: «Прошу не беспокоить». Теперь я могу открыть тебе Тайну Тайн. Не случайно наша деревня Смуш стоит на берегу Великого Оргонского моря. Ты знаешь, что планета Ишем богата водой и покрыта Великим океаном. Много-много парсеков назад наши предки обосновались на этой планете, прибыв сюда из глубин космоса неведомыми нам путями. Как повествуют летописи, все было тихо и мирно на протяжении долгих спокойных лет. Но потом начался Век Несчастий. Неведомые вещества, проникающие из ядра планеты, под действием неведомого излучения нашего Солнца приобрели зловещие свойства. Они вызывают изменения в генах — так говорят наши мудрецы, ибо я несведуща в этих тайнах. X-хромосома наших мужчин стала маленькой и скрюченной — вот почему все они маленькие и скрюченные, умирают молодыми и ни на что не годны, кроме одного, о чем я скажу тебе позже. А Y-хромосому женщин то же самое излучение сделало большой и лучезарной — вот почему мы такие крупные и жизнерадостные. Но — увы! — произошла ужасная мутация, и от этих хромосом отщепилась Z-хромосома. Те, у кого она есть, мускулисты, суровы и принадлежат к женскому полу, но есть у них одно отличие. Это хорошо видно на Священном Менделевском Треугольнике. Когда скрещиваются X- и Y-хромосомы, женские хромосомы — доминантны, поэтому рождаются по преимуществу женщины и немного хилых мужчин, которых нам вполне достаточно. Но когда скрещиваются две Z-хромосомы, рождаются только женщины. Ты понимаешь, что это означает?

Рэмбетта, ошеломленная всем услышанным, не имела ни малейшего представления, о чем говорит Дрекк. Заикаясь, она пробормотала что-то нечленораздельное, мотнула головой, потом энергично закивала.

— Я понимаю, это нелегко уразуметь, — продолжала Дрекк нараспев. — Но со временем ты все узнаешь. А сейчас достаточно сказать, что от женщин с Z-хромосомами рождаются только женщины с Z-хромосомами. И в этом кроется причина всех несчастий нашего замечательного мира. Летописи повествуют, что разразилась Война Полов между женщинами с Y- и Z-хромосомами. Война была жестокой и беспощадной, и в конце концов Отверженные — так стали называть женщин с Z-хромосомами — были изгнаны из страны и обречены на вымирание, оставшись без мужчин, потому что не могут производить потомство. Но знай, что эти могучие угрюмые Отверженные были наделены поистине дьявольским интеллектом. И даже загнанные в Великие Болота, они выжили. Со свойственным им гнусным хитроумием они начали валить деревья, связывать их лианами и построили огромный мореходный плот. По краям плота они насыпали земляной вал, чтобы его не захлестнуло и не смыло их в воду, отплыли на нем в море и тем избежали неминуемой гибели. Но это еще не все! Течения в океане таковы, что, хотя волны носят плот вдалеке от суши, каждые двадцать лет его снова прибивает к берегу. И тогда возобновляется жестокая битва: мы сражаемся за то, чтобы не отдать наших хилых мужчин, а эти воинственные женщины — чтобы похитить их. С незапамятных времен мы терпели поражение в этих битвах. Множество наших мужчин были похищены. Отверженные процветали, а нас становилось все меньше. И тогда в пещерах на берегу моря были обнаружены первые Гигантские Летучие Мыши. А девушки, подобные тебе, — с высокими голосами и острым слухом — были обучены укрощать их и сражаться на них верхом. Так появились Укротительницы Летучих Мышей!

Рэмбетта умолкла, почувствовав, что Билл высвободил руку из ее руки.

— Пора за работу, — сказал он. — Перекур окончен. Доскажешь свою историю потом.

— Свою историю?! — в ярости вскричала она. — Я делюсь с тобой своей тайной, раскрываю тебе секрет моей природы, а ты говоришь — историю!

В обеих руках у нее появилось по острому ножу, в глазах — жажда убийства.

— Я ничего такого не хотел сказать! — взмолился Билл. — Я хотел сказать, что нам надо бы еще поработать, но то, что ты мне рассказываешь, так важно, что я готов слушать дальше.

— То-то же. — Она убрала ножи. — Я расскажу тебе все в подробностях, как только останемся одни. Расскажу, как мы годами приручали этих огромных, мохнатых, кишащих клещами существ, как учились разговаривать с ними. Как обучались залечивать их раны и ухаживать за их детенышами. И седлать их, вися вверх ногами. О, какой поднимался оглушительный писк и хлопанье крыльев, когда мы бросались в битву! Рыжие летучие мыши — кровососы, их учили бросаться на Отверженных сверху и пить их кровь. Черные летучие мыши — хищники, и на поле сражения они жадно подхватывали руки и ноги Отверженных, которые отсекали своими мечами мы, Укротительницы. Но самыми грозными были зеленые летучие мыши — страшные пикирующие бомбардировщицы. Вот на таких отважно сражалась я. Перед битвой их досыта кормили плодами, внутри которых скрываются огромные колючие косточки. Потом я бросалась в атаку, держа такой плод на шесте перед носом у моей летучей мыши. Оказавшись над расположением противника, я давала ей съесть плод. А пищеварительная система у летучей мыши устроена так, что как только она съест плод, сфинктеры ее раскрываются, чтобы освободить для него место, и косточки плодов, съеденных раньше, вылетают наружу с убийственной скоростью. Моя бомбардировщица помогла нам выиграть войну. Но все равно враги ухитрялись похищать немного мужчин, и род их продолжался. До тех пор, пока не прилетел космолет.

— Космолет?

— Ну да, разведывательный космолет империи. Он принес счастье моему племени и несчастье мне. Они заметили наше поселение, а поблизости от него — плот Отверженных, который приняли за островок. Они решили приземлиться на него и потопили плот навеки. Потом они снова поднялись в воздух и приземлились уже на берегу. Я оказалась ближе всех, когда люк открылся и показался мужчина — но какой это был мужчина! После жалких, никуда не годных мужчин нашей планеты этот рослый, широкоплечий солдат произвел на меня такое впечатление, что я чуть не упала в обморок. Он приблизился ко мне и улыбнулся. Я что-то пролепетала в ответ. Он залез рукой в брюки и что-то оттуда вынул.

— Знаешь ли ты, что это такое? — спросил он своим густым голосом.

— Кажется... Кажется, знаю, — робко ответила я.

— Хочешь это?

— О да! — сказала я наивно. Я взяла у него авторучку, думая, что это подарок. О, как я была молода и доверчива! По его указаниям я написала на бумаге, которую он мне дал, «Согласна», запечатлела на бумаге, по обычаю нашего племени, поцелуй вместо печати и вывела крестик. Только когда он объяснил другим солдатам, вышедшим из космолета, что я только что вступила добровольцем в армию, я поняла, как он меня обманул. В ярости я прикончила его на месте, а солдаты с удовольствием помогли мне похоронить его со всеми почестями, положенными сержанту-вербовщику. Но увы! Бумагу, которую я подписала, нашел офицер, — и вот я здесь. Я тебя волную, ведь правда, Билл?

— Билл, где вы там? — послышался голос Кристиансона. — Я вас вижу. Вы все нужны мне здесь. Можете стоять вольно.

Появился Кристиансон, сопровождаемый андроидом Кейном. Никто не обратил на него внимания. Кристиансон держался только на том, что имел право докладывать обо всем капитану. Но ничего хорошего из этого еще ни разу не выходило.

— Боюсь, у меня плохие новости, Билл, — нудным голосом произнес Кейн не без злорадства.

— А мы только плохие новости здесь и слышим. Как по-вашему, хорошо нам тут жариться под этими лампами и гнуть спину, собирая козявок? — Билл не сомневался, что у андроида, должно быть, где-то перегорела радиолампа, но не решился сказать это вслух. — Хуже ничего быть уже не может.

— Боюсь, что может, — радостно возразил Кейн.

— Ну так валяй тогда, что ли, — буркнул Мордобой.

— На базе снабжения допустили ошибку.

— Эта база вся — сплошная ошибка, — проворчал про себя Билл, проклиная минуту, когда туда попал.

— Серьезную ошибку, — продолжал Кейн, пытаясь своим видом выразить сочувствие, насколько это возможно для андроида. — Вы знаете, что у нас тут есть вспомогательные цистерны с водой?

— Это чтобы поливать грядки? — спросил Билл, стараясь, чтобы его познания не выглядели слишком демонстративно. — Конечно. Десять вспомогательных цистерн для полива растений. Категория ААА, двойные стенки, тройная изоляция, по тонне воды в каждой.

Билл гордился тем, что прочитал руководство по устройству космолета от корки до корки. Правда, больше на борту читать было нечего, кроме книг по растениеводству и порно-комиксов с самомазохистским уклоном, которые прятал под своей койкой Мордобой.

— Вы правы, у нас действительно десять цистерн, — подтвердил Кейн. — Но дело не в этом. Час назад, когда цистерна номер один оказалась пуста, я переключился на цистерну номер два. И только после этого я обнаружил, что вышеупомянутая цистерна по ошибке залита на базе не водой, а оливковым маслом.

— Оливковым маслом? — переспросил Билл.

— И боюсь, что не самого лучшего сорта, — сказал Кейн. — Третьего или даже четвертого прессования. К тому же оно, по-видимому, прогоркло.

— Похоже, это штучки командора Кука, — сказала Киса, выпрямляясь и растирая спину. — Как только у него обнаруживается какой-нибудь излишек, он любым способом его куда-нибудь сплавляет.

— Так сольем его в канализацию или будем жарить на нем окру, — сказал Билл. — Подумаешь, важное дело.

— Дело, к сожалению, важное, — возразил Кейн. — Все остальные цистерны тоже содержат оливковое масло такого же скверного качества. Воды для полива растений нет совсем.

— Ура! — завопил Ларри, а может быть, Моу или Кэрли. — Все, что тут посажено, засохнет, погибнет и сгниет! И нас придется кормить чем-нибудь еще!

— Капитан принял другое решение, — сказал Кристиансон. — Он будет использовать для полива своих эксперимен-тальных растений главную водяную цистерну.

— Это что, шутка, Кейн? — взвизгнул Билл. — В главной цистерне вода для команды!

— Она была для команды, — поправил его Кристиансон, становясь между Биллом и Кейном и помахивая на Билла своим надушенным носовым платком. — Объявляю, что с этой минуты выдача воды команде сокращается. Все водопровод-ные трубы на борту, кроме используемых для полива и веду-щих в офицерские каюты, перекрываются. Под потолком пя-того ремонтного отсека подвешена на конце грузовой стрелы пустая кружка. Всякий член команды, кому понадобится во-да, должен забраться на стрелу, снять кружку и явиться в офи-церскую кают-компанию, где ее наполнят, а потом вернуться и повесить кружку на место. Только после этого она может быть наполнена снова таким же порядком. Исключений ни для кого делаться не будет. И можете быть уверены, кружка очень маленькая.

— Это самое большое идиотство, о каком мне приходилось слышать, — сказал Билл.

— Может быть. Но в то же время это приказ, — ответил Кристиансон, усмехнувшись. — Приказ капитана Блайта.

— Простите меня, Билл, — вставил Кейн. — Я пытался сделать все, что мог.

— У вас слишком мягкий характер, Кейн, — сказал Кристиансон, поворачиваясь к выходу. — Пойдемте. Да, Билл, — распорядитесь, чтобы этот отвратительный тип надел рубашку. Дисциплину нужно соблюдать при любых обстоятельствах.

Они вышли, а команда стояла молча, ошеломленная неожиданным поворотом событий.

— Мне действительно надо надеть рубашку? — осведомился Ухуру. Билл мрачно покачал головой.

— Кто его знает? И какая разница? Я уже чувствую жажду.

— Как же мы будем без воды? — спросила Киса. — Мы не можем без воды!

— Мятеж! — вскричала Рэмбетта, обнажив кинжал. — Я за мятеж!

— Ну, это, пожалуй, крайность, — сказал Билл. — Дайте я сначала посмотрю, нельзя ли что-нибудь сделать.

— Эй! Они вкусные! — заорал Мордобой, запихнув в рот пригоршню козявок. — Ну-ка попробуйте!

Билл смотрел, как команда, рассыпавшись по грядкам, принялась поедать насекомых, словно ее еще ни разу не кормили. Дело, конечно, скверное, но мятеж? Мятеж на «Баунти»?

Глава 5

Вот уже много недель Биллу снилась вода. Во сне он восторженно плавал в прохладных озерах, радостно подставлял себя ласковым струям дождя и с наслаждением поглощал всевозможные освежающие напитки. Наяву все обстояло совсем иначе. Он постоянно чувствовал сухость в горле и изнуряющую жажду. Капитан Блайт оставил им очень-очень маленькую кружку, а грузовая стрела с каждым засушливым, безводным днем становилась как будто все выше и длиннее.

Беспокоила Билла и его ступня. С ней что-то было неладно. Откровенно говоря, совсем неладно. Она перестала расти, оставшись массивным серым обрубком с большими плоскими ногтями. Выглядела она точь-в-точь как слоновья нога и была такой же тяжелой.

Билл припомнил, какую слабость питал к толстокожим доктор Кромсайт, и содрогнулся. Не мог же он зайти так далеко! От Кейна, хоть тот и был ученым андроидом, никакой помощи ждать не приходилось: к миру растений ступня Билла отношения не имела и поэтому не представляла для него никакого интереса.

Однако, открывая дверь каюты капитана Блайта, Билл меньше всего думал о своей ступне. Он был сильно встревожен. С чего это капитан, вопреки обыкновению, вызвал его к себе? Нет ничего хуже для солдата, чем привлечь внимание офицера. Все свои приказы Блайт обычно передавал через Кристиансона.

Новое нашествие тлей? Вряд ли: команда так изголодалась, что не оставляла вредителям ни малейших шансов на выживание.

— Вольно, рядовой, — сказал капитан, сидевший в кресле и почти невидимый под складками жира. Возле него, конечно же, стоял Кристиансон, потягивая из стакана воду со льдом. — Возникла неотложная проблема, — продолжал Блайт с мрачным видом. — Нас постигла катастрофа.

Билл лихорадочно перебирал возможные варианты. Кончилась вода? На окре появилась мозаичная болезнь? У команды обнаружен повальный космический триппер? Иссякло горючее? Заблудились?

— Ситуация критическая, — угрюмо подтвердил Кристиансон. — В высшей степени серьезная.

— Мы погибнем? — простонал Билл. Что, если корабль засасывает в «черную дыру»?

— Пончики, — сказал Блайт. На скулах его вздулись желваки, руки судорожно вцепились в подлокотники, жир так и ходил ходуном от едва сдерживаемой ярости. — Мои пончики!

— Пончики? — пробормотал Билл.

— Исчезли, — сказал Кристиансон, зловеще позвякивая льдышками в своем стакане. — Все до единого.

— Так вот что за катастрофа! — вскричал Билл, обрадованный, что никакой «черной дыры» в ближайшем будущем не предвидится.

— Уверяю вас, что дело крайне серьезное, — угрожающе проворчал Блайт. — Кто-то разгадал компьютерный код, запирающий замок сейфа, где хранились пончики.

Билл судорожно глотнул. Это наверняка Ларри. Или Моу. Или Кэрли.

— После этого преступник начисто стер магнитную защиту, — сказал Кристиансон. — Тот, кто это сделал, знал, что делает.

«Киса! Не иначе это Киса!»

— Потом вор перерубил главный кабель тревожной сигнализации, — сказал Блайт. — Это очень толстый кабель, покрытый стальной броней. Сквозь нее не проникнуть без топора и без огромных усилий.

«Морлобой! Этого еще не хватало!»

— Затем гнусный злоумышленник подорвал дверцу сейфа, — вскричал Блайт, потрясая в воздухе кулаком. — Примитивной, но мощной бомбой. Возможно, самодельной.

«Ухуру!»

— Все пакеты, в которые были запечатаны пончики, взрезаны, — сказал Кристиансон. — Это было сделано бритвой или очень острым ножом.

«Рэмбетта!»

— Пончики исчезли! — выкрикнул Блайт. — Все, до последней крупинки сахарной пудры! Сейф выглядит так, будто кто-то тщательно вылизал его изнутри.

«Рыгай! Неужто и пес тоже?»

— Что вы думаете по этому поводу, рядовой? — спросил Блайт. — Есть какие-нибудь подозрения?

— Нет, — мгновенно солгал Билл. — Но если вас интересует мое мнение, то похоже, что тут поработал совершенно ненормальный псих, наделенный множеством разнообразных талантов.

— Ну, для такой догадки много ума не требуется. Может быть, это и псих — но псих это или не псих, я хочу, чтобы виновный был приведен ко мне не позже чем через два часа, —

прорычал Блайт. — Я не допущу, чтобы на этом корабле похищали мое личное имущество! Вам ясно, полицейский?

— Да, сэр.

— Того, кто совершил это гнусное преступление, я вышвырну через шлюз — без всякого суда и без всякого скафандра! — проревел Блайт, колотя кулаком по столу. — А если через два часа виновный не будет стоять здесь передо мной, я начну выбрасывать через шлюз всех по одному, пока кто-нибудь не сознается. И начну с полицейского. Если бы вы делали свое дело, ничего подобного не случилось бы. До вас дошло? Ну, за дело, нечего терять время.

Билл терять время не стал. Команду в полном составе он обнаружил в каюте, которую занимал вместе с Мордобоем и псом. Пол был весь усыпан крошками.

— Не могу себе представить, кто бы это мог такое сделать, — сказала Рэмбетта, вытирая тряпкой клубничный джем с одного из своих ножей.

— Должно быть, это мистер Кристиансон, — предположил Ухуру, от которого пахло кордитом, а на рубашке виднелись следы сахарной пудры. — Я никогда ему не доверял.

— Это Кейн, — заявил Мордобой, слизывая с пальцев черничную начинку. — Должно быть, был выпущен с завода вторым сортом. Уцененный товар.

— Скорее всего, Блайт забрал их сам, — сказал Ларри, а может быть, Моу или Кэрли. — Чтобы больше никому не достались.

У всех трех клонов к одинаковым подбородкам прилипли одинаковые кусочки глазури.

— Конечно, это Блайт, — согласилась Киса, отряхивая крошки с юбки. — Он такой, никогда с другими не поделится.

Из-под койки Билла с виноватым видом выполз Рыгай. Морда его была вся в малиновом джеме.

— Ничего не понимаю, — солгал Билл, сделав героическое усилие, чтобы это прозвучало правдоподобно.

В этот момент в каюту вошел Кейн.

— Мне кажется, дело серьезное, — сказал андроид, присаживаясь на край койки Билла и вежливо делая вид, что не замечает следов пиршества.

— Еще бы не серьезное, — отозвался Билл. — Не позже чем через полтора часа я должен предъявить добровольца, который вызовется совершить прогулку в космосе.

— Давайте сдадим пса! — радостно прогудел Мордобой. — На него все и свалим.

— Рыгай не мог поджечь взрыватель, — возразил Ухуру. — Ничего не выйдет.

— Боюсь, что времени у нас уже не осталось, — сказал Кейн. — Капитан Блайт совершенно потерял самообладание. Он решил вышвырнуть за борт всю команду и доложить начальству, что это был несчастный случай. Я полагаю, что у него серьезное нарушение обмена веществ, вызванное сахарной недостаточностью.

— А я полагаю, что он спятил, — заявила Рэмбетта. — Совсем готов. Пора действовать по плану номер девять.

— Ого-го! — воскликнул Мордобой, взвалив на плечо свой топор. — План номер девять — это хорошо. За борт их!

— План номер девять? — спросил Билл. — Что это за план номер девять?

— А это то же самое, что план номер восемь, только быстрее, — объяснила Киса. — Мятеж!

— Может, стоит попробовать сначала с ним поговорить? — попытался выкрутиться Билл. — Я почти уверен, что он одумается. Не будем спешить. Мятеж — дело серьезное, он может здорово подпортить послужной список.

— В задницу послужной список! — заявил Ларри, а может быть, Моу или Кэрли. — Это единственный выход.

— У меня тут все записано, — сказала Киса, размахивая записной книжкой, вымазанной джемом. — Я записывала всякий раз, когда он обижал кого-нибудь из команды. Помните, когда Ларри был совсем больной и не мог карабкаться на стрелу, а Мордобой принес ему кружку воды и получил от Блайта неделю ареста? У меня это записано. А когда он заставил Рэмбетту вычистить бункер из-под компоста зубной щеткой? У меня это тоже записано. У меня все-все записано. Если мы благополучно выберемся, нас не осудит ни один трибунал во всей Вселенной.

— Ну не знаю, — сказал Билл, которого все это отнюдь не убедило. — Военные суды всегда на стороне офицеров, рядовым там не светит. Так уж они устроены.

— Ты когда в последний раз выпил стакан холодной воды? — спросила Рэмбетта.

— Да как тебе сказать... — замялся Билл.

— А когда ты в последний раз съел кусок мяса? — спросила Киса. — Спорим, что даже не помнишь, так давно это было.

— Да как тебе сказать... — замялся Билл.

— Так ты с нами или против? — спросил Мордобой, возвышаясь над Биллом и перебрасывая топор с руки на руку, как перочинный ножик.

— Ну, против такой железной логики не поспоришь, — ответил Билл. — Я с вами на все сто.

— Меня вы тоже убедили, — сказал Кейн. — Это более или менее рациональный выход из совершенно иррациональной ситуации. И ваш довод, Мордобой, — добавил он, покосившись на топор, — тоже довольно остроумен.

— Острый он, это точно, ха-ха! — ухмыльнулся Мордобой.

— Значит, принято единогласно! — вскричала Рэмбетта. — Молодец, Кейн. Мятеж начинается! За дело!

Капитан Блайт с мистером Кристиансоном занимались тем, что пытались ввести в автопилот команду подобрать в космосе подходящее место, где можно было бы вышвырнуть за борт команду, когда в рубку вошел Билл: ему досталась короткая соломинка. Точнее, короткая пластиковая трубочка.

— Поздно! — рявкнул Блайт. — В шлюз пойдут все, включая вас с этой вашей дурацкой ступней!

— Вы уверены, что не захотите передумать? — спросил Билл. — Время еще есть.

— Времени уже нет, — хихикнул мистер Кристиансон. — Корабль кишмя кишит гнусным ворьем, и мы намерены избавиться от вас, как от крыс или тараканов.

— Похоже, мне больше ничего не остается, — сказал Билл с мрачной решимостью. — Поэтому сообщаю вам, что на борту произошел мятеж и вы отстранены от командования.

— Мятеж? — усмехнулся Блайт. — Не говорите глупостей.

Вошел Мордобой и встал рядом с Биллом, постукивая широким лезвием топора по полу.

— Мятеж? — испуганно переспросил мистер Кристиансон.

Вошла Рэмбетта, вся ощетинившаяся ножами разного калибра.

— Мятеж, — подтвердила она спокойно. — Мятеж.

— В шлюз их! — воскликнула Киса, входя во главе остальных, после чего в рубке стало очень тесно. — Пусть подышат вакуумом! Или в гидропонные баки — пусть поедят планктона!

— Погодите! — сказал Билл.

— Да, погодите! — отчаянным голосом подхватил Блайт. — Пожалуйста, погодите!

— А как насчет спасательной ракеты, Билл? — спросил Ларри, а может быть, Моу или Кэрли. — Отправить в ней, и пусть дрейфуют. Это будет долгая, медленная и гуманная смерть.

— На этой посудине нет спасательных ракет, — сказал Билл. — Вечно в армии на всем экономят.

— Не могу понять, почему ты против того, чтобы их прикончить, — заметила Рэмбетта. — Но если уж ты так стоишь на своем, давай просто высадим их на какой-нибудь бесплодной планете и отправимся восвояси.

— Но как мы поведем корабль? — спросил Билл, окинув взглядом множество непонятных циферблатов, стрелок и кнопок. — Это слишком сложно.

— Очень просто, — возразил Ларри, а может быть, Моу.

— Это обыкновенный большой компьютер, — сказал Кэрли, а может быть, Ларри.

— А уж если мы что-то знаем... — начал Кэрли, а может быть, Моу.

— ...как свои пять пальцев... — вставил Ларри, а может быть, Кэрли.

— ...так это компьютеры, — закончил Моу, а может быть, Ларри.

У Билла уже голова пошла кругом.

— Это единственное, в чем у нас нет разногласий, — произнесли они хором.

— Ладно, — заявил Билл, внезапно решившись. — Рэмбетта, вы с Мордобоем заприте их в оранжерее с окрой. Ларри, Моу и Кэрли, займитесь автопилотом.

— В оранжерее с окрой? — взвыл мистер Кристиансон.

— Там, по крайней мере, с голоду не умрете, — сказал Билл, злорадно усмехнувшись.

— Так им и надо!

— Но у меня аллергия к окре! — простонал Блайт, дрожа от страха и отвращения.

— Тогда можете лопать козявок, — утешил его Мордобой, выпихивая их из комнаты.

— А как насчет вон той планеты? — спросила Киса, ткнув пальцем в иллюминатор.

— Это злая красная планета, — ответил Ларри, а может быть, Моу. — Хорошая мысль. Там нет никакой атмосферы. Загнутся в два счета.

— Нет, — твердо заявил Билл. — Мы сдадим их властям.

— Не пойдет, — сказала Киса.

— Вот еще одна планета, — сказал Моу, а может быть, Кэрли. — И недалеко, всего несколько дней ходу. Идеальная планета — необитаемая, бесплодная, а на ней станция космической связи. Мы можем высадить их там.

— Звучит неплохо, — сказал Билл. — Туда и прокладывайте курс.

— Раз плюнуть, — сказал Кэрли, а может быть, Ларри. — Там даже работает автоматический передатчик — мы можем по нему брать пеленг.

— Автоматический передатчик? — спросил Билл. — А что он передает?

— Не пойму, — ответил Моу, а может быть, Кэрли. — Никак не разберу. Не то «Добро пожаловать», не то «Держитесь подальше».

Глава 6

— Какое неуютное место, Ларри, — сказал Билл, когда они вышли на орбиту вокруг планеты.

— Это точно. Только я Кэрли, — ответил Кэрли, с наслаждением тыча пальцем в кнопки на пульте управления автопилотом. — Ларри — вон, вводит программу приземления.

— А Моу, значит...

— Ну да, — сказал Кэрли, — Моу и есть вон тот трус, что пристегнулся к креслу, включил все аварийные амортизаторы и надел шлем на случай катастрофы. Это он выбирал место для посадки.

Планета проплывала под ними — заброшенная, насквозь продуваемая ветром, отделенная половиной Галактики от всего, что можно было хотя бы по слухам считать областью цивилизации. Вдоль ее экватора бушевали сплошные песчаные бури — над бешено крутящимися вихрями торчали только зазубренные вершины гор.

— А там, внизу, хоть кто-нибудь есть? — спросил Билл.

— Не знаю, — ответил Кэрли. — Мы принимаем сигналы только от автоматического передатчика, а он передает все то же самое. Возможно, станция покинута.

— Или они просто в неразговорчивом настроении, — заметила Киса. — А вы в самом деле сможете посадить такой большой корабль?

— Это не корабль, а добрая рабочая лошадка, — сказал Кэрли. — Таких уже больше не делают. Его можно посадить где угодно.

— Ну да, но вы-то сможете его посадить?

— Если только не развалится, — проворчал Кэрли. — Не нравится мне эта буря.

— Тебе ничего никогда не нравится, — сказал Ларри. — Эй, Киса, передай-ка мне еще бутерброд со свиной отбивной. На белом хлебе, если тебе не трудно. Побольше острого соуса и, пожалуй, немного маринованных ягод. Программирование отнимает ужасно много энергии.

Ухуру, возглавивший набег на офицерский камбуз, захватил морозильник, где хранились всякие экзотические продукты, и кладовку, битком набитую разнообразными припасами и лакомствами. С тех пор на борту не прекращался такой пир, о каком могут только мечтать самые прожорливые плотоядные: мясо за каждой едой, ни кусочка окры за все время полета к безымянной планете и открытый доступ к судку с приправами. Капитан Блайт и Кристиансон смирились с однообразной диетой, состоявшей из окры и тлей, хотя время от времени и пытались издавать вопли протеста, немедленно подавляемые Мордобосом, который не расставался с топором.

— А что думаете вы, Кейн? — спросил Билл, разглядывая в иллюминатор бушевавшую внизу бурю с таким же любопытством, с каким мышь заглядывает в раскрытую пасть голодной змеи.

— Могло быть лучше, — ответил Кейн, качая головой. — Я предпочел бы планету с несколько более благоприятным климатом, не говоря уж о разнообразии растительности. Хорошо, если здесь найдутся хоть какие-нибудь лишайники, а это не бог весть какие растения, от них радости мало. Не могу не заметить, что мы, возможно, сделали большую ошибку, арестовав капитана и мистера Кристиансона и намереваясь высадить их на этой планете. Так уж повелось, что военные власти смотрят на мятеж с большим неодобрением. С другой стороны, раз уж решение принято, его надо выполнять.

— Другими словами, вы колеблетесь, — сказал Билл.

— И да, и нет, — отвечал Кейн.

— Посадка через пять минут, — объявил Кэрли. — Нас может немного поболтать, так что пристегнитесь и терпите.

«Немного поболтать?» Кэрли оказался большим мастером по части преуменьшений, чемпионом среди неудачливых пророков и никуда не годным пилотом. «Баунти» врезался в атмосферу с душераздирающим скрипом и зловещим треском. Все до единого швы и заклепки в корпусе старой посудины, казалось, напряглись до предела. Билл изо всех сил вцепился в подлокотники кресла.

— Больше дифферент! — орал Ларри. — Моу! Надо увеличить дифферент!

— Нет, меняй галс! — кричал Моу. — Галс меняй!

— Кто нажимает на кнопки — вы или я? — взревел Кэрли. — Не сбивайте меня! Мне и без вас хватает забот с векторным анализом!

— Не сбивайте его! — от всей души поддержал Билл.

Корабль круто шел вниз, рыская то в одну, то в другую сторону и крутясь, как лист, подхваченный ураганом.

— Давай бочку! Скорее бочку! — завизжал Ларри.

— Какую тебе еще бочку? — отозвалась Киса. — Как можно в такой момент думать о выпивке? Мне уже надоело вам подносить. Пойди и налей себе сам из бочки сколько хочешь!

— Никаких бочек! — заревел Моу. — Прибавь оборотов главному двигателю!

— Мы вошли в сильный турбулентный поток, — крикнул Кейн. — Нужно стабилизировать корабль. Рекомендую запустить штирбортный форсажный двигатель на две и одну десятую секунды.

— Штирбортный — это левый или правый? — завопил Кэрли.

— Левый! — откликнулся Ларри.

— Правый! — крикнул Моу.

— Что это было? — взвизгнула Киса.

— По-моему, мы потеряли защитный экран! — завизжал Ларри. — Правый!

— Нет, левый! — крикнул Моу. — Кажется, штирборт — это левый. Или правый. Где у нас верх?

— Заходим на посадку! — дрогнувшим голосом объявил Билл. — Включите кто-нибудь прожекторы!

Но даже при включенных прожекторах за иллюминаторами не было видно ничего, кроме бушующего песка. За стенами корабля ревела и грохотала буря, и весь его корпус, урча от натуги, содрогался и вибрировал.

— Что-то уж очень болтает, — пожаловалась Рэмбетта по интеркому из оранжереи. — Нельзя там нажать какую-нибудь кнопку, чтобы стало поспокойнее?

— Смотрите! — вскричала Киса. — Вон туда! Я вижу посадочную площадку!

— Красота! — сказал Кэрли, тыча в кнопки как сумасшедший. «Баунти» заскользил вбок в таком крутом вираже, что у всех кишки подступили к горлу. — Это нам раз плюнуть.

— Мы сейчас разобьемся! — завопил Ларри.

— Триста метров! — объявил Моу. — Двести метров! Приготовиться! Держитесь!

— Кто-нибудь выпустил шасси? — крикнул Кэрли.

— Это твоя обязанность, — простонал Ларри.

— Нет, твоя! — завопил Моу. — Опять мне все за всех делать?

— Нашел, — сказал Билл, нажав на кнопку, где было большими буквами написано: «ВЫПУСК ШАССИ».

С грохотом, треском и звоном корабль рухнул на землю. В следующую секунду повсюду зазвонили и завыли тревожные сигналы. Мигающие красные лампочки освещали рубку управления ослепительными стробоскопическими вспышками. На пульте управления зловеще засветились все панели, где было написано:

«ВНИМАНИЕ, ОПАСНОСТЬ» и «ОТКАЗ СИСТЕМЫ».

— Я так и знала! — взвизгнула Киса. — Все кончено! Рабству, постоянной изжоге и невыносимой скуке мы предпочли верную гибель.

— Да, прогадали, — признал Кейн, расстегивая предохранительный пояс.

Внезапно все тревожные сигналы разом умолкли. В наступившей гулкой тишине Билл, пошатываясь, поднялся на ноги и бросил в сторону Кэрли робкий взгляд, полный уважения и восхищения.

— Как это ты исправил сразу все, что поломалось? — спросил он.

— Ничего я не исправил, — ответил Кэрли. — Просто отключил все сигналы. Терпеть не могу этого шума.

— Посмотрите туда! — вскричала Киса, показывая на иллюминатор. — На нас напала гигантская змея!

Что-то длинное, извиваясь, ползло на брюхе к кораблю, словно огромное пресмыкающееся. Когда оно приблизилось вплотную, его передний конец поднялся верх и с грохотом ткнулся в корпус.

— Начинается атака, — дрожащим голосом произнес Билл.

— Начинается шлюзование! — объявил Ларри.

— Скажите, это не очень опасно? — простонала Киса. — Я больше не могу!

— Не надо пугаться, — торжественно произнес Кейн. — Это просто автоматический шлюзовой коридор, который соединяет нас со станцией связи. Теперь мы сможем ходить туда и обратно, не надевая этих ваших неуклюжих систем жизнеобеспечения с прозрачными забралами, которые вечно запотевают, нелепыми фонариками на лбу и без всяких приспособлений, чтобы справлять нужду.

— Как там насчет повреждений? — спросил Билл.

— По-моему, у нас много чего поломалось, — ответил Кэрли.

— Не слишком вразумительно, — насмешливо сказал Билл. — А поточнее нельзя?

— Конечно можно. Кое-что поломалось совсем. Кое-что погнулось. А кое-что работает не так, как надо.

— Мы сможем взлететь снова?

— Без капитального ремонта вряд ли, — ответил Ларри. — Я знал, что это была ошибка — позволить Кэрли сажать корабль. Этот безрукий чурбан так и не понял, как надо было заводить свой первый игрушечный автомобильчик, который ему подарили в детстве, не говоря уж о том, чтобы научиться пускать газы на ходу. Не могу представить себе человека, менее пригодного для управления кораблем. Кроме, конечно, Моу, который вообще не способен обращаться ни с каким механизмом, если он сложнее выключателя.

— Кто это говорит? — завопил Моу. — Ты бы лучше сам...

— Эй, что тут за дела? — В рубку вошел Мордобой, ведя за собой на веревке Блайта и Кристиансона: у каждого из них

224

на шее была петля. — Почему не даете человеку малость поспать?

За ними вошла Рэмбетта, держа в обеих руках по ножу.

— Поспать? — переспросила Киса.

— Этот дуболом проспал все на свете, — сказала Рэмбетта. — Свернулся клубочком на грядке с окрой, как на перине. А Блайта и Кристиансона мы связали вместе и уложили на кучу компоста вместе с Рыгаем. Замечаете, как от них попахивает? Эй, а это что еще такое?

— Шлюзовой коридор, — объяснил Билл. — Вроде трапа. Наверное, нам надо пойти осмотреть станцию космической связи.

— Кто идет первый? — спросила Киса. — Чур, я последняя!

— Эта задача поддается логическому решению, — заговорил Кейн нараспев. — Если там есть гарнизон, то вам, мятежникам, лучше всего скрыть факт мятежа. Верно? — Все дружно закивали, кроме связанных офицеров, которые возмущенно замотали головами, распространяя отвратительное зловоние, — Поскольку большинство из вас заключенные, — а этот факт, вероятно, занесен в Галактический Информационный Фонд и может быть легко установлен даже с помощью портативного компьютера, — никому из вас идти туда нельзя. Мне как офицеру-андроиду вы, вероятно, не слишком доверяете. Да, можете кивать сколько угодно, пока головы не отвалятся. Значит, остается наш военный полицейский, законно назначенный на эту должность и теоретически старший по званию.

Билл увидел, что все взгляды устремлены на него, и попятился. Всеобщее мнение выразил Мордобой:

— Валяй-ка туда, козел, и посмотри, что к чему.

Шлюзовой коридор, представлял собой узкий извилистый туннель. Билл нехотя пошел впереди всех, припадая на свою слоновью ногу. Остальные следовали на безопасном расстоянии, не очень ему доверяя и не решаясь отпустить его одного. Все, кроме Ухуру, который вместе с Кэрли остался стеречь пленников и выяснять размеры ущерба, причиненного кораблю: им достались короткие соломинки. Точнее — пластиковые трубочки.

— У меня клаустрофобия, — заявил один из клонов, зажатый между Кисой и Ларри, а может быть, Моу. Билл окончательно запутался и теперь совсем не мог различить, кто из клонов кто, да и не пытался. Буря бушевала вокруг шлюзового коридора, воя и визжа, как полоумная банши. Биллу эта планета очень не нравилась, и он уже в который раз за время пребывания на воинской службе пожалел, что не остался пахать землю на родном Фигеринадоне. Однако счастливая юность навсегда ушла в прошлое. Судьба сдала ему скверную карту, но другую взять неоткуда, приходится разыгрывать эту. Так или примерно так утешал он себя.

И все-таки хорошо бы хоть иметь нормальную ступню для начала — все было бы немного легче.

— Здесь темно, — пожаловалась Киса. — Я не вижу, куда идти.

— Только задень меня рукой или ногой — тут же оттяпаю, — предупредила Рэмбетта.

— Ты же должен был взять ручные фонари, — сказал Ларри, а может быть, Моу.

— Это поручили тебе, — ответил тот. — Я должен был захватить еду.

— Ну вот, теперь у нас два комплекта еды и ни одного фонаря. Я не виноват, это все ты, болван.

— Полегче, ты, болван, смотри, кого называешь болваном. Еще немного, и я тебе...

— Стоп! — воскликнул Билл. — Подождите! Там, впереди, что-то есть!

— Я так и знала, — простонала Киса. — Это какое-нибудь страшное неведомое чудовище!

— Не каркай, Киса, — сказала Рэмбетта. — Билл, скажи прямо — мы с ним справимся?

— Сомневаюсь, — ответил Билл. — Похоже, это люк. И довольно крепкий.

— Может быть, попробовать его открыть? — предложил Кейн.

Пытаясь нащупать ручку, Билл надавил на гладкую металлическую поверхность люка, и тот неохотно, со скрипом приотворился. Билл осторожно просунул голову в щель и огляделся.

— Что ты там видишь? — спросила Киса.

— Ничего, — ответил Билл. — Тут кромешная тьма.

— Дай-ка я запущу туда сигнальную ракету, — сказал Мордобой. — Страсть как люблю шум и огонь.

— Пожалуй, пока рано, — сказал Билл, переступая порог. — Должен быть какой-нибудь другой способ, получше.

— Вот козел! — проворчал Мордобой. — Вечно все удовольствие испортит.

— Я бы предложил включить свет, — сказал Кейн. — Так нам будет гораздо удобнее.

— А как, по-вашему, это тут делается? — саркастическим тоном огрызнулся Билл: всезнайство Кейна начало ему надоедать. — Я ничего не вижу.

— Выключатели обычно располагаются у самого входа, — сказал Кейн. — Это для них самое естественное место.

Билл тут же обнаружил выключатель и щелкнул им. Все увидели, что стоят в помещении, которое, очевидно, служило вестибюлем. На вешалке висело с десяток скафандров, у стен стояло разнообразное оборудование. В разные стороны вели двери, все до одной закрытые.

— Есть кто-нибудь дома? — громко спросила Киса.

Звук ее голоса гулко отразился от стен и затих.

— Странно, — сказал Ларри, а может быть, Моу. — Все ушли. А почему они оставили здесь свои скафандры?

— Не нравится мне это, — сказал Моу, а может быть, Ларри. — Пойдемте-ка назад, в наш корабль.

Из шлюзового коридора показался пес. Опасливо ощетинившись, он с тревожным ворчанием подошел к Биллу. Вокруг распространился запах компоста.

— Сюда! — позвал Кейн. — В эту дверь. Я нашел здешнюю команду.

— Слава богу, — с огромным облегчением отозвался Билл. — Что они говорят?

— Ничего особенного, — ответил Кейн. — Они все мертвы.

Глава 7

— Я расшифровал, что передает автоматический передатчик, — сообщил Кэрли по радио из рубки. — Раскрыл шифр. Там ясно говорится: «Держитесь подальше».

— Ну спасибо, — сказал Билл, входя вслед за Кейном в помещение, которое было, по-видимому, чем-то вроде центра управления. — Иди-ка поскорее сюда — и приведи с собой арестованных. Может быть, они сообразят, что тут происходит.

Когда не знаешь, что делать, постарайся свалить ответственность на кого-нибудь другого — это давняя армейская традиция.

Все в помещении было покрыто тонким слоем пыли. В том числе трупы трех человек, высохшие и сморщенные, как мумии, которые сидели во вращающихся креслах перед безжизненным пультом управления.

— Что вы по этому поводу думаете? — спросил Билл Кейна.

— По всей видимости, это живые организмы, прекратившие функционировать, — ответил тот. — То есть покойники. Если только не что-нибудь еще.

— Например?

— Например, нечто неведомое, далеко выходящее за пределы наших знаний, — сказал Кейн. — Возможно, мы столкнулись с каким-то неизвестным до сих пор явлением.

— Вот ужас! — вскричала Киса. — Ужас — вот что это такое. Ох, я сейчас упаду в обморок...

Что она и сделала, но никто не обратил на нее внимания.

— Они совсем усохли, — сказал Мордобой. — Гляньте-ка.

Он дотронулся концом топорища до одного из мумифицированных тел, и оно тут же рассыпалось, превратившись в кучку пыли и высохших костей.

— Ну вот, наделал дел, — сказала Рэмбетта. — Не хватало только, чтобы нас постигло проклятие мумии.

— Говоря теоретически, — возразил Кейн назидательно, — проклятие такого рода может подействовать на человека лишь в том случае, если он в него верит. Лично я не верю.

— А я уж не знаю, во что и верить, — простонала Киса, которая сразу пришла в себя, как только заметила, что на ее обморок никто не обратил внимания. — Это прямо как фильм ужасов.

Ввели пленников, все еще связанных вместе. Капитан Блайт изумленно выпучил глаза, увидев военную форму, внутри которой не было ничего, кроме кучки пыли.

— Кто мог это сделать? — в ужасе спросил он. — Это же был офицер! Опасности обычно подвергаются только рядовые, а не офицеры. Есть же такое правило!

— Мне представляется, что кто-то — или что-то — действует не по правилам, — сказал Кейн. — Если мне будет позволено высказать догадку, то я бы сказал, что кто-то высосал из них всю жизненную силу, а также большую часть жидкости, которая содержалась в их организме.

— Ох, только без подробностей, — простонала Киса, бледная как смерть.

— Что значит — высосал? — спросил Мордобой, наморщив лоб и с трудом соображая. — Вроде как большой комар, что ли?

— Это дело рук инопланетянина, — уверенно возразил Билл, покачав головой. — Или, скорее, инопланетян. Не одного и, может быть, даже не двух. Положение серьезное.

— Чего там серьезное, — зарычал Мордобой, размахивая топором и ненароком превратив в кучку пыли еще одну мумию. — Дать им как следует, пусть только подойдут!

— Я предлагаю немедленно покинуть станцию, — сказал Билл. — Это выходит за пределы нашей компетенции.

— Поддерживаю, — сказала Киса.

— И я, — сказал Ларри, а может быть, Моу.

— И я, — подтвердил другой клон. — Пошли отсюда.

— Ухуру! — сказал Билл в микрофон своей рации. — Выйди на связь, Ухуру.

Ответа не было — рация молчала. Воцарилась глубокая, могильная тишина.

— Они до него добрались! — воскликнул Мордобой. — Бедняга Ухуру, его уже съели!

— Я так и знала! — вскричала Киса. — Это ловушка. Мы все здесь погибнем!

— Опять каркаешь? — перебила ее Рэмбетта. — Мы еще точно не знаем...

— Ухуру слушает, Билл, — раздалось из динамика. — Я был в морозильнике, доставал свиные отбивные, чтобы разморозить. Чего тебе?

— Сколько времени нам потребуется, чтобы взлететь? — спросил Билл. — У нас кое-что неладно.

— Да нет, у нас много чего неладно, — ответил Ухуру. — Почти все переломано. А что не переломано, то исковеркано до неузнаваемости. Мы потеряли оба защитных экрана, и трубопроводы почти все текут. В том числе и канализация. А у микроволновой печи сломалась защелка.

— Сколько времени? — с трудом выговорил Билл. — Сколько времени понадобится на ремонт?

— Ну, я думаю, что печь запущу часа через два, самое большое — через три.

— Забудь про свою печь, идиот! Через сколько времени мы сможем взлететь?

— Может быть, через неделю, если найдем на станции запасные части, — ответил Ухуру. — А может быть, и никогда, если не найдем.

— Как вы думаете, есть у нас неделя времени? — спросил Билл Кейна.

— Ни в коем случае, — ответил тот.

— Я хочу есть, — заявил Мордобой, глотая слюну. — Всегда хочу есть, когда дело плохо.

— У нас два комплекта еды, — сказали Ларри и Моу. — Специально на такой случай. Приступайте.

— Настоящая еда! — воскликнул Блайт. — Мясо!

— Передайте-ка мне бутерброд, — вкрадчиво сказал Кристиансон.

Рэмбетта злобно посмотрела на него.

— Пожалуйста, — сказал Кристиансон. — Я забыл сказать «пожалуйста». Простите меня. Будьте так добры, передайте мне один из этих замечательных бутербродов.

— Вернетесь на корабль — до отвала наедитесь окры. А пока смотрите, как будем есть мы.

Кристиансону больше ничего не оставалось. Он стоял и смотрел, время от времени издавая жалобные стоны, когда кто-нибудь с довольным видом рыгал или облизывался. Капитан повернулся к мятежникам спиной и сердито разглядывал уцелевший труп.

Уписывая бутерброды, Билл тоже время от времени поглядывал через плечо на труп. На вешалке висело двенадцать скафандров. Какая судьба постигла остальных девятерых?

— Дай пожевать Рыгаю, Билл, — сказала Рэмбетта. — Похоже, он тоже не прочь закусить.

— Уже пробовал, — ответил Билл. — Не желает. Ему подавай только окру. С тех пор как обожрался пончиками, больше ничего, кроме окры, не ест.

— Я слышал! — завопил капитан Блайт.

— Ничего вы не слышали, — прорычал Мордобой.

— Лично я ничего не слышал, — вмешался Кристиансон. — Особенно про пончики. Будьте так добры, дайте мне бутерброд. Пожалуйста.

— Можете подобрать крошки после Ларри, — сказал Моу. — Он не может есть так, чтобы не насорить вокруг.

— Я кое о чем подумал, — сказал Кейн.

— Да? — отозвался Билл. — И что вы надумали?

— Ну, прежде всего, тут, видимо, происходит что-то странное.

— Рад, что вы это заметили, — сказал Билл. — Когда видишь две мумии, которые превратились в пыль, и еще одну, которая может превратиться в пыль в любую минуту, всякий догадается, что происходит что-то странное.

— Не только это, — сказал Кейн. — Но почему мы сейчас едим?

— Потому что проголодались, — ответила Рэмбетта.

— Я тоже проголодался, — продолжал Кейн. — Это само по себе странно. Будучи андроидом, я не запрограммирован на голод, если не считать случаев, когда у меня садятся аккумуляторы или надо залить масла.

— Может, надо малость заправиться электричеством? — предложил Мордобой.

— Нет, в этом пока нет необходимости, — ответил Кейн. — Мне кажется, здесь что-то влияет на наше поведение. Как иначе можно объяснить тот факт, что мы сидим здесь и едим, хотя нам угрожает смертельная опасность и рядом находятся мумии разной степени сохранности? Это просто нелогично.

— Что вы предлагаете? — спросил Билл.

— Ну, для начала возьму-ка я, пожалуй, еще бутерброд, — сказал Кейн, потянувшись к груде бутербродов на столе.

— В этом что-то есть, — заметила Рэмбетта, вгрызаясь в свиную отбивную. — Я не просто голодна — у меня появилось непреодолимое желание пойти бродить в одиночестве и совершить что-нибудь такое необыкновенное, невзирая на все эти опасности.

— И у меня тоже, — заявил Мордобой, взяв еще бутерброд. — Но меня всегда на что-нибудь такое тянет.

— Меня никогда ни на что такое не тянет, — сказала Киса, — но сейчас я чувствую, что тянет. Бродить одной в темноте, и чтобы за каждым углом прятались всякие ужасы. Для такой отъявленной трусихи, как я, это совершенно необычно. Не знаю, чем это вызвано.

— Может быть, тут что-то есть в пыли? — предположил Кейн, проведя по поверхности стола пальцем и внимательно разглядывая его. — Может быть, это вовсе не пыль, а споры, которые влияют на наше сознание?

— Споры? — переспросил Ларри, а может быть, Моу: они столько раз пересаживались за столом, что Билл опять запутался. — Что значит споры?

— Я так и знала, — простонала Киса, пытаясь стряхнуть невидимые споры со своего бутерброда. — На нас напали грибы-убийцы, и мы все погибнем!

— Ты уже третий раз за последние двадцать минут принимаешься каркать, Киса, — заметила Рэмбетта, не переставая жевать. — Что за панические настроения!

— Я должен изучить эти потенциальные споры в своей лаборатории, — сказал Кейн. — Но сначала я, пожалуй, поем еще немного, а потом поброжу один по этому странному месту.

— Кэрли, а почему бы вам с Ларри не попробовать включить пульт управления? — предложил Билл. — Может быть, в его памяти хранится вахтенный журнал, и мы из него узнаем, что тут случилось. Или, может быть, кто-нибудь здесь вел какие-нибудь записи.

— Хорошая мысль, — согласилась Рэмбетта. — Предлагаю разойтись и обыскать все самые дальние, темные и страшные уголки станции, пока не найдем чего-нибудь такого.

— Подождите! — возразила Киса.

— Чего ждать? — спросил Кейн. — Не хотите ли вы сказать, что боитесь бродить одна и шарить в самых темных и опасных углах?

— Нет, не в этом дело, — ответила Киса.

— А в чем? — спросила Рэмбетта.

— Я все еще хочу есть, — сказала Киса. — Передайте мне еще что-нибудь, пожалуйста.

Билл почувствовал, что больше не может проглотить ни кусочка, и встал из-за стола. Рыгай куда-то скрылся — должно быть, отправился на поиски окры. Билл наугад выбрал одну из дверей, открыл ее и оказался в длинном темном коридоре. Хорошо запомнив урок, полученный от Кейна, он первым делом включил свет, но это почти не помогло: коридор все еще оставался темным и пугающим.

«Попробуем рассуждать логически, — подумал Билл. — Если бы я был дневником или чем-нибудь еще в этом роде, — где бы я лежал? Наверное, в каком-нибудь наводящем ужас углу, рядом с грибом-убийцей».

Новая ступня все больше беспокоила Билла. Она перестала увеличиваться в размерах, но становилась тяжелее и тяжелее, и Билл с большим трудом таскал ее за собой. Кожа на ней была некрасивого серого цвета и вся сморщенная. Такая ступня вполне годилась для слона, но не для солдата империи, рвущегося в бой. На нее не влез бы ни один армейский ботинок. Впрочем, подошва у нее стала такая толстая, что вполне можно было обойтись и без обуви.

По полу коридора шли какие-то мокрые слизистые следы. Билл не мог понять: что это — ключ к разгадке тайны или просто свидетельство того, что здесь пробежал Рыгай, по обыкновению пуская слюни? Приоткрыв наугад какую-то дверь, Билл заглянул в комнату. Там сидела за столом еще одна высохшая мумия. Значит, теперь не хватало только восьмерых.

Он осторожно вошел в комнату и оглядел ее, надеясь найти ключ к разгадке тайны. Это была стандартная солдатская каюта: фанерная тумбочка, шкаф со сломанной дверцей, контейнер с противозачаточными средствами на стене, койка с каменным матрацем и мумия. На столе лежала толстая конторская книга в черном переплете с вытисненными словами: «ВАХТЕННЫЙ ЖУРНАЛ СТАНЦИИ». Из шкафа доносилось какое-то царапанье и тяжелое, хриплое дыхание. Ключей к разгадке тайны тут было сколько угодно.

Тяжелое дыхание?

— А ну, Рыгай, вылезай оттуда, — позвал Билл, подходя к шкафу. — Будь умницей.

Вместо ответа снова послышалось царапанье.

— Хватит этих глупостей, а то рассержусь, — сказал Билл, взявшись за дверцу. — Вылезай, я тебе окры дам.

Билл распахнул дверцу, и в этот момент в каюту из коридора с рычаньем и лаем ворвался Рыгай. Из шкафа же выбежало какое-то маленькое существо и шмыгнуло в сторону. Рыгай, взвизгнув, подскочил высоко в воздух. Билл, выругавшись, тоже подскочил высоко в воздух, а когда опустился на пол, проломил его насквозь своей слоновьей ногой.

— Напугал меня до смерти, — прикрикнул он на Рыгая, который, прижав уши и ощетинившись, стоял на койке и глухо рычал.

Не меньше минуты ушло у Билла на то, чтобы извлечь из дыры в полу свою огромную ступню. Потом он заглянул в дыру, ожидая увидеть там какое-нибудь подвальное помещение. Но он ошибся.

— Эй! — заорал он. — Сюда! Все сюда!

— Нашли вахтенный журнал? — крикнул из коридора Кейн, перекрывая топот бегущих ног.

— Не только журнал! — крикнул в ответ Билл. — Тут под станцией что-то есть! Что-то очень большое! Не то пещера, не то какая-то огромная пустота.

— Пустота? — переспросила Рэмбетта, врываясь в каюту с ножами в обеих руках.

— Да нет, она, кажется, не такая уж пустая, — сказал Билл, глядя в темную дыру. — Там шевелится что-то необыкновенно мерзкое и до невозможности отвратительное.

Глава 8

— Вот это да! Там, внизу, прямо жуть какая-то, — сказала Рэмбетта, когда все собрались вокруг дыры, пробитой Биллом. — Меня так и подмывает спуститься одной в эту неведомую тьму и посмотреть, что там такое. Есть у кого-нибудь веревка?

— Я нашла веревку, — сказала Киса. — И несколько фонариков с атомными батарейками. Но давайте не будем спешить. Может, лучше обсудить все и разработать план.

— Верно говоришь, — поддержал ее Мордобой. — Дело опасное. Там, должно быть, полно инопланетян. Я первый, потому что я самый сильный. Возьму топор и покажу им всем.

— Как офицер, ответственный за науку, я считаю, что начать обследование этого гнусного места следует мне, — возразил Кейн. — У всех остальных для этого недостаточная квалификация.

— На хрена мне ваша квалификация, когда у меня есть вот эта штука! — прорычал Мордобой, взмахнув топором.

— Но вы ведь ботаник, Кейн, — сказал Ларри, а может быть, Моу. — Не думаю, чтобы там оказалась грядка с помидорами-убийцами.

— Может быть, кинем жребий? — предложил Билл.

— Вот еще глупость какая, — возразила Киса. — Давайте отправимся все вместе.

— Правильно! — воскликнула Рэмбетта, отодвигая в сторону мумию и привязывая конец веревки к столу. — Я пошла!

— Да, я только что вспомнил — кто-то выскочил из шкафа, — сказал Билл, взяв у Кисы фонарик и ожидая своей очереди спуститься в дыру. — Я так и подпрыгнул. И Рыгаю это тоже не понравилось.

— Наверное, какой-нибудь космический грызун, — сказал Кейн. — Мутант, что-нибудь вроде саблезубой крысы.

— Нет, — возразил Билл. — Оно прошмыгнуло мимо. Крыса бы так не прошмыгнула. Кто бы оно ни было, оно прошмыгнуло так быстро, что я не успел его разглядеть. Одно могу сказать — шмыгает оно здорово.

— Эй! — послышался снизу голос Рэмбетты. — Тут просто замечательно! И до невозможности опасно — сплошные инопланетяне!

— А как же мы? — жалобно спросил капитан Блайт. — Не можете же вы оставить здесь нас с Кристиансоном связанными и с веревкой на шее, как будто мы собаки.

Почему бы и нет? Все верно: собаке собачья смерть, — задумчиво сказала Киса, но потом решила: — Ладно, ошейники мы снимем. Только при условии, что вы полезете в дыру вместе с нами.

— Идет! — в один голос воскликнули оба офицера и всхлипнули от радости, когда с них сняли веревки.

— Не могу больше ждать! — заревел Мордобой. — Я следующий! Никого вперед не пущу! Может, там драться придется, прикончить кого-нибудь — вот потеха!

— Эй, есть там кто-нибудь? — раздался по радио голос Ухуру. — Вызывает «Баунти». Неужели ни один бездельник не отзовется?

— Билл слушает. Как дела?

— Нормально, — ответил Ухуру. — Печь работает, сейчас там кукуруза жарится, вот-вот будет готова.

— Ну замечательно. А у тебя нет никакого желания сообщить нам, как там дела с кораблем?

— Я так и думал, что вы спросите. С кораблем скверно, — ответил Ухуру. — Ситуация критическая. Я истратил всю липкую ленту, сколько мог найти, на то, чтобы залепить трубы канализации, но они все равно текут. Если вам на станции попадется лента, захватите с собой сюда.

— Обязательно, — сказал Билл. — Только это будет не сразу. Мы тут кое-чем заняты.

— А что такое?

— Ну, для начала на меня кто-то напал.

— Кто-то напал? — недоверчиво протянул Ухуру. — На покинутой, безжизненной планете? И кто это был? Какие-нибудь летучие раки из космического пространства? Люди-грибы? Пятиметровые женщины?

— Брось шутки, тут дело серьезное. Повсюду сушеные мумии, а под станцией громадная пещера, и в ней, должно быть, прячутся инопланетные чудища, которые всех тут перебили. Мы спускаемся туда посмотреть. Кейн думает, что на меня напала крыса, но мне-то лучше знать.

— Что за чушь, — отозвался Ухуру.

— Да нет, я точно знаю, что это не крыса.

— Мне все ясно — вы там совсем спятили, — взвизгнул Ухуру. — Ты говоришь, повсюду трупы? Мумии? И какие-то бешеные крысы? Скажи еще, что вы без всякой особой нужды отправляетесь безоружными навстречу неизвестной опасности. Нет, ясно, что вы спятили. Я бы и не подумал туда лезть без бронированного скафандра.

— Ну, мы не совсем безоружные, — возразил Билл. — У Мордобоя топор. А Рэмбетта сказала, что уступит нам на время парочку своих ножей.

— Довольно! — сказал Ухуру. — Я запираю корабль. Не знаю, какую вы там заразу подцепили, но если у кого из вас раньше и были мозги, то теперь они уже совсем набекрень. Я не желаю, чтобы и с моими случилось то же самое. У меня они и без того не так уж надежны.

— Я чувствую себя прекрасно, — сказал Билл, готовясь соскользнуть по веревке в зловещую пещеру.

— Вот это я и хотел сказать, — отозвался Ухуру. — Гоняетесь с голыми руками за каким-то чудищем, которое превращает людей в мумии, и при этом чувствуете себя прекрасно. Разве нормальный человек может такое придумать?

— А ты оставайся тут сторожить, — сказал Билл псу, погладив его по голове, потом вытер руку о штанину и заскользил по веревке навстречу неведомым опасностям. Возмущенный голос Ухуру по радио доносился до него все слабее и наконец совсем затих.

Гигантские размеры пещеры поражали воображение и наводили ужас. От пола до потолка в ней было не меньше тридцати метров. Вдоль плавно изогнутых полукругом стен, на всю их высоту, через равные промежутки поднимались снизу вверх выпуклые дугообразные гребни — из-за них пещера напоминала внутренность грудной клетки какого-то громадного животного или чрево кита-левиафана. Конца пещере видно не было: в обе стороны она уходила во тьму.

Однако Билл почти ничего этого не заметил: он испытывал такой страх, что спускался, плотно зажмурив глаза. Рэмбетта помогла ему освободиться от веревки.

— Жуткое место, — радостно сообщила она. — Никогда еще не попадала в такое ужасное положение. Наверное, надо бы мне испугаться, только на самом деле я чувствую одно: смерть как хочется побродить тут самой и все как следует разглядеть. Увидимся.

— Прекрасная мысль, — сказал Кейн и тоже пошел прочь.

— Эй, глядите, какие тут два сталагмитика! — крикнул Ларри, а может быть, Моу.

— Два сталактитика, — возразил другой клон. — Они так называются, потому что свисают, как титьки.

— Нет, два сталагмитика, они так называются, потому что крепкие — подите отломите-ка. Пора бы тебе знать, болван.

— Это кто болван?..

— Эй, вы, там! — послышался крик Мордобоя. — Гляньте, что я нашел.

Все, кто еще не успел разбрестись поодиночке навстречу неведомым, но неминуемым опасностям, собрались около огромного, похожего на ребро, гребня, шедшего по полу пещеры. На нем стоял Мордобой и глядел вниз, в неглубокую лужицу какого-то прозрачного ярко-зеленого желе. Там, в толще вязкой жидкости, что-то виднелось.

— Фу! — скривилась Киса. — Какие отвратительные черви, ничего противнее не видела. Что это такое?

— Похоже на гнилые сосиски концом вверх, — сказал кто-то из клонов. — Склизкие, сморщенные и противные. Как будто на грядке выросли.

— Зачем бы кому-то понадобилось засадить целую грядку гнилыми сосисками? — возразил другой клон. — Разве сосиски растут на грядке, болван?

— Стручки, — сказал Билл. — Какие-то стручки. Жаль, что Кейна тут нет. Может быть, это что-то вроде растений.

— А вдруг они вкусные? — с надеждой спросил Мордобой.

— Может, это яйца? — предположила Киса. — Немного похоже на осиные яйца, только крупнее и противнее на вид.

— Яйца — штука вкусная, — буркнул Мордобой. — Но эти мне что-то не нравятся.

— Хороша должна быть курица, которая несет такие яйца, — сказала Киса.

— Их здесь, должно быть, много тысяч, — заметил капитан Блайт.

— Много миллионов, — поправил Кристиансон. — Смотрите, вон там, и там, и там тоже — везде!

Действительно, весь пол пещеры между гребнями, похожими на ребра, был усеян ярко-зелеными лужицами вязкой жидкости, в которой виднелись стручки.

— Эта курица времени зря не теряла, — сказала Киса.

— Думаю, что курица тут ни при чем, — задумчиво произнес Билл, склонившись над лужицей, чтобы получше разглядеть стручки. — Во всяком случае, обыкновенная курица.

— Эй, тут один шевелится, — сказал Кристиансон, нагнувшись так, что чуть не касался носом поверхности вязкой жидкости. — Что за гадость!

— И тут один тоже шевелится, — сказал Мордобой, приглядевшись повнимательнее. — Что бы это значило?

— Попробуйте немного отгрести это желе, тогда будет лучше видно, — посоветовал Ларри, а может быть, Моу, стоя на коленях над одной из лужиц. — Только потом слизь на руках остается.

— Бр-р-р! — вскричала Киса. — Какой ужас!

— Ты не слишком близко нагнулась? — спросил Билл. — На тебя оттуда ничего не выпрыгнуло?

— Нет, только вымазалась этой слизью, — ответила Киса. — Какая гадость!

— Мне кажется, нам надо быть поосторожнее, — предупредил Билл, наклоняясь пониже. — Все это как-то связано с инопланетянами.

— Ведь мы ничего не знаем об этих стручках, — сказал Кристиансон, тыча в один из них пальцем. — По-моему, они могут представлять опасность.

— Очень может быть, — согласился Мордобой, нагнувшись и нюхая стручок. — Только мне они почему-то нравятся.

— Я редко соглашаюсь с мнениями, которые высказывают уголовные преступники, — заметил капитан Блайт. — В этих стручках есть что-то зловещее и опасное, но в то же время меня почему-то к ним тянет. Попробую-ка залезть в лужицу, тогда их будет лучше видно.

— По-моему, это не слишком удачная мысль, — сказал Билл. — Может произойти что-нибудь нехорошее.

— Бр-р! — взревел Мордобой.

— Уй! — взвизгнул Кристиансон.

— Что случилось? — крикнул Билл.

— Что-то ужасное, зловещее выпрыгнуло на них из этих стручков, пока они смотрели, — простонала Киса. — Какие-то существа, они прилепились к их лицам и не отцепляются. Смотрите!

Билл поспешил к ним, стараясь не свалиться в лужицу со стручками.

— Убей их! — вскричал он.

— Не могу, — отвечала Киса. — Ну никак не могу.

— Что, у этих существ какая-нибудь непроницаемая шкура? — спросил Билл. — Они неуязвимы?

— Нет, просто они ужасно милые, не могу я их убить.

Билл увидел, что Киса права. Инопланетные существа, прилепившиеся к лицам Мордобоя и Кристиансона, были похожи на помесь крохотного пушистого утенка с игрушечным мишкой.

— Они не пострадали? — спросил капитан Блайт. — Мистер Кристиансон вырос в очень богатом и влиятельном семействе. Если в то время, когда он находится под моим командованием, его съедят инопланетяне, последствия могут быть очень серьезными.

— Еще дышат, — сказал Билл. — К тому же вы тут больше не командуете.

— Ах да, я и забыл, — пробормотал Блайт. — Знаете, не так просто сложить с себя бремя ответственности.

— Что случилось? — спросил Кейн, появившийся одновременно с Рэмбеттой. — Я бродил сам по себе, никого не трогал, и вдруг раздались душераздирающие вопли. Что-нибудь неладно?

— Пожалуй, можно сказать и так, — ответил Билл. — Из луж вылетели какие-то инопланетные существа и прилепились к Мордобою и Кристиансону.

— Не вылетели, а скорее выпрыгнули, — сказала Киса. — Я бы не сказала, что они вылетели.

— А нельзя сказать, что они оттуда шмыгнули? — спросил Билл. — Я-то сам не видел.

— Нет, они взметнулись вверх, — сказал Ларри, а может быть, Моу. — Как пружина!

— Ничуть не похоже на пружину, просто подскочили, — возразил другой клон.

— А какие они милые! — вмешалась Рэмбетта. — Мягкие и пушистые. Я бы себе такого завела.

— Вы бы об этом пожалели, — сказал Кейн. — Я уверен, что, несмотря на такую внешность, они смертельно опасны.

— Опасны? — переспросил Ларри, а может быть, Моу. — Да вы посмотрите только на эти маленькие лапки с перепонками, на эти ласковые крохотные глазки, как пуговки. Никогда не поверю, что в этих милых крошках есть хоть один опасный атом.

— Это инопланетные существа, — сказал Кейн. — Еще не вполне развитые. Как андроид я могу только абстрактно воспринимать тот смысл, который вы, люди, вкладываете в слово «милый». Однако я знаю, что у любых существ, больших или маленьких, детеныши всегда «милые». Это защитный механизм, необходимый для продолжения рода. Благодаря ему родители не поедают детей и не оставляют их без ухода.

— Возможно, они в самом деле опасны, — нерешительно сказал Билл. — Конечно, они милые, но смотрите, что они сделали с Мордобоем и Кристиансоном. Бедняги стоят как пни, тупо глядят в пространство и еле дышат.

— Наверное, лучше всего доставить их на корабль, — предложил Кейн. — Я сделаю кое-какие анализы. Мне все это не нравится, но я, кажется, понял, что здесь произошло.

Все повернулись и в нетерпении уставились на андроида, затаив дыхание и выпучив глаза.

— Инопланетяне превращают их в зомби.

Глава 9

Билл никогда даже не верил в существование зомби, а тут ему пришлось тащить одного на себе. Конечно, до недавнего времени он не верил и в существование мумий. Ничего не скажешь, жизнь полна неожиданностей. Сейчас он потел, кряхтел и ругал себя за то, что уродился таким недоверчивым. Мордобой был очень тяжел и к тому же, превратившись в зомби уже наполовину, не проявлял ни малейшего желания помогать себя тащить. Билл держал его ноги, а Кейн и капитан Блайт — руки, по одной каждый. Голова осталась в полном распоряжении инопланетного существа: к этому концу тела никто приближаться не решался.

— Петля готова? — крикнул Билл.

— Спускаю, — ответила Рэмбетта через дыру в потолке пещеры. — Смотри, чтобы не соскользнула. Кристиансона мы чуть не уронили. Хотя мне было бы ничуть не жалко, разбейся он хоть вдребезги.

«Ничего не скажешь, добрая девушка, дальше некуда», — подумал Билл.

Они надели на Мордобоя петлю и смотрели, как остальные вытягивают его наверх. Биллу самому не терпелось поскорее убраться отсюда.

— Похоже, это что-то вроде инкубатора, — заметил Кейн. — Интересно было бы узнать, сколько здесь прячется взрослых особей.

— Не надо об этом! — взмолился Билл, почувствовав, что душа у него ушла в пятки. — Даже в шутку не надо!

— Это было бы весьма полезно с точки зрения расширения наших знаний, — продолжал Кейн. — Ну и, возможно, мучительно. Или даже смертельно.

— Прошу вас заткнуться! — сердито приказал капитан Блайт. — Встречи с инопланетянами, заканчивающиеся смертельным исходом, должны выпадать на долю рядовых, а не офицеров.

Билл увидел, как Мордобой исчез в дыре, веревка упала вниз, и он схватил ее.

— Вы знаете, что Ухуру заперся в корабле? — спросил он, чтобы отвлечься от остальных мрачных мыслей, обвязывая себя веревкой вокруг пояса одной правой рукой и крепко держась за нее другой. — Он боится что-нибудь от нас подцепить.

— Это с его стороны вполне логично, — заметил Кейн. — На его месте я бы сделал то же самое.

— Но мы не на его месте, а здесь, — сказал Билл. — И что нам делать дальше?

— Попасть внутрь корабля, — сказал Кейн. — Это тоже вполне логично.

Рыгай был безмерно счастлив, что снова увиделся с Биллом. Как только Билл пролез через дыру, пес сшиб его с ног и принялся вонючим, слюнявым языком облизывать лицо, поставив лапы на грудь и не давая вздохнуть.

— Надо поскорее поднять сюда Кейна, — сказала Рэмбетта, отогнав вонючего пса ударом ноги, отвязав Билла и снова сбросив вниз свободный конец веревки. — Это крайне важно.

— Что тут еще случилось? — спросил Билл, охваченный недобрым предчувствием.

— Мы прочитали вахтенный журнал станции, — пояснила Киса. — Дело очень плохо.

— Я слышу, — отозвался Кейн, проползая через дыру. — Какая там последняя запись?

— А стоит вытаскивать капитана Блайта? — спросил Ларри, а может быть, Кэрли. — Я за то, чтобы оставить его там навсегда.

— Я тоже слышу! — заорал Блайт из пещеры. — И я требую...

— Да уж вытащим, пожалуй, — сказал Билл. — Тут будет легче за ним присматривать.

— Последняя запись была сделана примерно месяц назад, — сообщила Рэмбетта. — Вот что тут написано: «Это ужасно!»

— А предпоследняя? — с трепетом спросил Билл.

— «Это катастрофа!» — прочитала Рэмбетта, перевернув страницу. — А перед этим написано: «Это не может долго продолжаться. Нам конец. Конец!»

— Пожалуй, мы узнали что-то новое, — заметил Кейн. — По-видимому, у них что-то произошло. Читайте дальше. Может быть, в этом журнале мы найдем ключ к разгадке тайны.

— Вот предыдущая запись: «Это кошмар! Ужас!», — читала Рэмбетта. — А вот запись перед ней: «Еще один долгий, нудный день. Здесь никогда ничего не происходит. Сегодня после обеда мне показалось, что по полу прошмыгнула мышь».

— Прошмыгнула мышь? — переспросил Билл с внезапным интересом. — Там так и написано — прошмыгнула?

— Можешь прочесть сам, если тебе не нравится, как я читаю, — раздраженно отозвалась Рэмбетта, протягивая ему журнал.

Билл принялся читать — медленно, шевеля губами и водя неуклюжим пальцем по строчкам. Она права; ничто не предвещало несчастья до того самого момента, пока в журнале не была упомянута прошмыгнувшая мышь.

— Что будем делать с этими двоими? — спросила Киса, показывая на Мордобоя и Кристиансона, которых пока что прислонили к шкафу. — У меня от них мурашки по спине бегут.

— Надо доставить их на корабль, — сказал Кейн. — Только так можно их спасти.

— Но как это сделать? — спросила Рэмбетта. — Ухуру запер люк изнутри.

— Заставим отпереть, — сказал Билл.

— Каким образом? — насмешливо спросил Кейн.

— Очень просто, — ответил Билл. — Сначала мы, каждый поодиночке...

— Можешь не продолжать, — простонала Киса. — Я этим уже сыта по горло. С тех пор как Мордобой и этот надутый осел превратились в зомби, меня больше как-то не тянет бродить в одиночку по таинственным и страшным местам. Это занятие утратило всю свою прелесть.

— Нужно разыскать липкую ленту! — вскричал Билл. — И побольше. Не может быть, чтобы ее где-нибудь здесь не нашлось.

Липкая лента нашлась: Ларри и Кэрли обнаружили целый огромный шкаф, доверху набитый рулонами. Их свалили в кучу у люка, ведущего в шлюзовой коридор, и связались по радио с Ухуру, который держался крайне необщительно.

— Вы еще живы? — поинтересовался он. — Я-то думал, вы к этому времени уже все превратились в мумии.

— А способен ли ты поверить, что на свете и вправду существуют зомби? — тихо шепнула Рэмбетта. — И еще всякие склизкие существа, которые прыгают на людей из лужи?

— Замолчи, — сказала ей Киса. — Услышит!

— Нет, Ухуру, мы все в полном порядке, — солгал Билл. — Ты готов нас впустить?

— И не надейся, Билл, дружище, — прорычал Ухуру. — У меня в голове еще остались кое-какие мозги, и я намерен их сохранить. Люк будет закрыт, пока мы с Моу не починим корабль и не улетим отсюда или же не умрем от старости — не знаю, что случится раньше.

— А как там канализация? — спросил Билл.

— И за этим не пущу, не пытайтесь, — ответил Ухуру. — Устраивайтесь там сами, как хотите. А вообще — ух и вонища! Лучше не спрашивайте.

— Неужто так плохо?

— Неописуемо!

— А как ты думаешь, немного липкой ленты тебе не может пригодиться? — небрежно спросил Билл.

— Это было бы просто спасение. У меня совсем кончилась, а трубы все текут.

— У нас есть лента, — сказал Билл. — Сколько угодно ленты.

— Не верю, — ответил Ухуру, но голос его дрогнул. — Настоящая герметизирующая липкая лента?

— Сотни рулонов, — подтвердил Билл. — Хватит, чтобы обмотать все трубы на корабле в два слоя. Я думаю, от этого вонь может стать поменьше.

— В таком случае я, возможно, вас и пущу, — сказал Ухуру. — Но только вы должны пройти обычную процедуру дезинфекции длительностью не меньше пяти часов и отсидеть несколько дней в карантине. Ленту я, конечно, пропущу через стерилизатор и использую сразу, а вот вам, ребята, придется потерпеть.

— Мы не можем ждать несколько дней, — прошептал Кейн. — И даже несколько часов. Все решают минуты.

— Извини, Ухуру, но так не пойдет, — твердо сказал Билл, взглянув на Мордобоя и Кристиансона, прислоненных к стене и точь-в-точь похожих на самых обыкновенных безмозглых зомби, если не считать милых инопланетных зверюшек, прилепившихся к их лицам.

— От дезинфекции у меня зуд начинается, — солгал Билл. — Давай договоримся вот как. Или пускаешь нас сразу и получаешь ленту, или никакой ленты тебе не будет.

— Не знаю уж, — протянул Ухуру. — Вы абсолютно уверены, что мозги у вас снова в порядке? Да нет, вы же сами этого знать не можете. Мне не нужна на борту никакая зараза.

— Мы в полном порядке, — солгал Билл. — Лучше не бывает.

Пст, — сказал Ухуру. — Не могу. Хоть лента мне и нужна, но уж очень велик риск.

— Ну как хочешь, — сказал Билл. — Это тебе приходится дышать тем, что там у тебя вместо воздуха.

— Придумал! — воскликнул Ухуру. — Скафандр! Я надену скафандр! И тогда, если у вас то, что я думаю, на меня это не перекинется.

— Прекрасная мысль, — продолжал лгать Билл. — Мы входим в шлюзовой коридор.

Благодаря фонарикам, которые обнаружила Киса, обратный путь по коридору был намного легче. Однако эта перемена к лучшему свелась на нет из-за того, что пришлось тащить с собой двух увесистых кандидатов в зомби и вдобавок несколько сотен рулонов липкой ленты. К тому же ступня у Билла стала такой тяжелой, что здорово затрудняла передвижение.

Ухуру, в неуклюжем скафандре с лампочкой на шлеме и запотевшим щитком, открыл люк, и все опрометью кинулись внутрь корабля, опасаясь, как бы он не передумал. Вцепившись в рулоны липкой ленты, Ухуру не сразу заметил, что с двоими из вернувшихся что-то неладно.

— К Мордобою прилепилось что-то непонятное! — вскричал он. — К нам вторгаются инопланетяне!

— Пожалуй, скорее наоборот, — сказал Билл. — Похоже, на этой планете инопланетяне взяли верх.

— И к Кристиансону тоже! — простонал Ухуру. — Как вы могли протащить на корабль этих чудищ? Вы же поклялись мне, что снова нормально соображаете!

— Мы только на время перестали нормально соображать, — объяснила Рэмбетта. — Когда с нами случилось что-то странное. Так мне, по крайней мере, кажется.

— Очевидно, так, — буркнул Ухуру. — С вами случилось бы еще кое-что постраннее, будь у меня сейчас под рукой ружье.

— Смотрите на это как на уникальную возможность для научных исследований, — произнес нараспев Кейн. — Не каждый день доводится изучать такие милые и в то же время такие омерзительные формы жизни.

— Вы правы, вы правы, — сказал Ухуру, ласково потыкав пальцем в одно из инопланетных существ и содрогнувшись от отвращения. — Они ужасно милы, при всей своей мерзости, но только я теперь, должно быть, никогда не вылезу из скафандра.

— Что там происходит? — раздался по интеркому голос Моу из рубки. — Меня кто-нибудь слышит?

— Мордобой понюхал стручок, — сказал Ухуру. — И теперь у него на физиономии инопланетянин вместо маски.

— Что? — переспросил Моу. — Ты что, тоже спятил? Надо было и мне надеть скафандр. Теперь я погиб.

— Время дорого, — сказал Кейн. — Давайте перенесем их в лабораторию. Ухуру, может быть, пока мы проведем анализы, вы займетесь канализацией? Воздух здесь немного тяжеловат.

Лаборатория Кейна примыкала к оранжерее, и пришлось отодвинуть несколько горшков с растениями, чтобы уложить Мордобоя.

— Не начать ли нам с Кристиансона? — спросила Киса. — Я хочу сказать — если мы сделаем что-то не то, пусть уж это будет он. Мордобой тоже не подарок, но...

— В мире объективной науки нет места сантиментам, — сказал Кейн. — Они затуманивают мозг и ведут к ошибочным заключениям. Мы начнем с Мордобоя. Передайте мне совок.

— Совок? — переспросил Билл.

— Вон он, между граблями и мотыгой, — сказал Кейн. — Вы сами из деревни, могли бы знать, как выглядит совок.

— Но сейчас, наверное, требуется какое-нибудь экстренное хирургическое вмешательство, — робко заметил Билл, выполняя тем не менее просьбу Кейна.

— Именно это я и имею в виду, — ответил Кейн. — Хочу попробовать отодрать от Мордобоя это инопланетное существо.

— Только поосторожнее, — предупредила Киса.

— Могу вас заверить, что постараюсь не причинить вреда Мордобою, — сказал Кейн, пытаясь отодрать от лица того милую крохотную перепончатую лапку.

— Я-то больше думала об инопланетянине, — сказала Киса. — Пусть он опасен и даже способен нас всех убить, но он все равно прелесть.

— Опять сантименты, — проворчал Кейн, с досадой отложив совок в сторону. — Не отлепляется. Передайте-ка мне садовые ножницы, Билл.

— Неужели вы собираетесь разрезать его на части? — в ужасе вскричал Ларри. А может быть, Кэрли.

— Да нет. Хочу взять кровь на анализ.

— Я бы этого делать не стала, — поспешно сказала Рэмбетта. — Мы совсем ничего не знаем про его кровь. Может быть, она такая едкая, что даже самая маленькая капелька проест насквозь пол, все палубы и доберется до корпуса, и тогда мы все погибнем.

— Вы бы лучше заткнулись, — намекнул Кейн. — Я собираюсь взять кровь у Мордобоя.

— А, тогда другое дело, — сказала Рэмбетта с облегчением. — Берите сколько хотите.

— Спасибо, — сухо ответил Кейн, отрезал у Мордобоя крохотный кусочек мочки левого уха и капнул несколько капель крови в глиняный цветочный горшок. — Сейчас пропущу ее через анализатор.

— Потрясающе! — сказала Киса. — Мне еще ни разу не доводилось видеть настоящую науку в действии.

Билл поглядел на садовые ножницы и подумал, нельзя ли будет позаимствовать их ненадолго, когда Кейн закончит. Он уже сломал два ножа Рэмбетты, безуспешно пытаясь подрезать ногти на своей слоновьей ступне, и та сказала, что больше ни одного ему не даст.

— Невероятно, — произнес Кейн, нажимая клавиши анализатора.

— Что вы обнаружили? — спросил Билл. Все остальные столпились вокруг.

— Полное отсутствие хлорофилла, — ответил Кейн. — Ни разу еще ничего подобного не видел.

— Так ведь речь идет о человеке, — возразил Билл. — У Мордобоя, конечно, есть свои недостатки, но все-таки он больше животное, чем растение.

— До сих пор мне здесь не приходилось анализировать ничего, кроме стеблей или листьев, — сказал Кейн, качая головой. — И в них всегда есть хлорофилл.

— Где это я? — спросил Мордобой, садясь. — Что на обед? Жрать хочу.

— Я тоже, — сказал Кристиансон. — Еще никогда я не был так голоден.

— Так вы оба живы! — воскликнул Билл.

— А ты как думал? Спятил, что ли? — проворчал Мордобой, держа в руке безжизненно обвисшее инопланетное существо. — А это что за штука? Последнее, что я помню, — это как я нюхал какой-то стручок.

— Осторожнее! — завопил Кейн, бросившись к нему и выхватив существо у него из рук. — Это исключительно ценное инопланетное существо!

— И у меня такое есть, — сообщил Кристиансон, держа его на вытянутой руке за обмякшую перепончатопалую лапку. — Только, по-моему, оно у меня уже мертвое.

— Они оба мертвые, — сказал Кейн. — Как вы себя чувствуете, Мордобой?

— Жрать хочу, — ответил тот. — А так ничего себе, только ухо почему-то болит. Пошли, пожуем чего-нибудь.

— Им пришлось нелегко, — сказала Рэмбетта. — И я тоже проголодалась.

— Я останусь здесь и займусь изучением инопланетян, — решил Кейн. — Подлинный ученый должен быть выше таких низменных занятий, как еда, когда он стоит на пороге небывалого и эпохального открытия.

— Пора жрать. Пошли, — сказал Мордобой, глотая слюну.

— А что это тут так дерьмом воняет? — потянув носом, спросил Кристиансон, когда они направились в сторону камбуза.

— Лучше не спрашивайте, — ответил Билл, обрадованный, что можно больше не думать об инопланетянах и вернуться к обычным заботам о еде и канализации.

— Смотрите-ка! — сказала Киса. — Ах нет, уже убежала.

— Кто убежал?

— Мне показалось, что там была мышь. Она тут же шмыгнула за угол, я даже не успела ее разглядеть.

— Надеюсь, что отбивные еще остались, — сказал Мордобой. — Иначе кому-то придется плохо.

«Шмыгнула? — подумал Билл. — Она в самом деле сказала „шмыгнула"?»

Глава 10

Отбивные еще оставались — во всяком случае, после того, как за них взялся Мордобой, их хватило на целых десять секунд. Он бы управился и раньше, если бы не пришлось ткнуть вилкой в руку Кристиансону, чтобы не лез.

Мордобой и Кристиансон мгновенно расправлялись со всем, что только появлялось на столе. Все и раньше знали, что аппетит у обоих намного выше среднего, но теперь зрелище было просто удивительное.

— Невероятно, — сказала Рэмбетта, поднимая вилку с повисшей на ней жареной морской улиткой. — Послушайте, по-моему, это должно хрустеть.

— Что видишь, то и получишь, — отозвался Ухуру, усевшийся за стол вместе со всеми, не снимая скафандра. — Это только что из печи.

— Но в микроволновой печи морских улиток не готовят, — возразила Киса. — Они должны хрустеть. Их жарят во фритюрнице.

Фритюрница поломалась, когда мы приземлялись, — сказал Ухуру. — Такая хорошая была фритюрница, только теперь она никуда не годится. А вот эти блинчики из гремучих змей с черной икрой на вид очень даже ничего.

— Замечательные блинчики, — подтвердил Кристиансон, хватая полную пригоршню и выливая на них полбутылки горячего соуса. — Лучше берите скорее, если хотите, чтобы вам досталось. А то я за себя не отвечаю.

— Я не хочу вылезать из скафандра, — жалобно сказал Ухуру. — Не желаю превратиться в зомби.

— Все это глупости — про зомби. Это Кейн выдумал, — заметил Мордобой, выдирая из жареной индейки с Проциона-III сразу обе ножки. — Гляньте на меня — какой всегда был, такой и есть. Передайте-ка мне еще вот этого фу-фу.

— Сейчас будет готово, — робко отозвался капитан Блайт, который был назначен дневальным по камбузу и потому прикован цепью к плите. — Уже дожаривается. Я же не могу делать все сразу.

— С этим я покончил, так что возьму еще один соевый гринбургер, — объявил Кристиансон, запихивая в рот последний кусок и с довольным видом облизывая пальцы. — На мой взгляд, ничего вкуснее гамбургеров с сублимированными рублеными паучками нет во всей Галактике. Но и это меня вполне устраивает. Вы уверены, что не хотите, Ухуру?

Билл явственно расслышал, как отчаянно забурчало в животе у Ухуру — тот с вожделением смотрел на шипящую сковородку с гринбургерами, над которой поднимался заманчивый зеленый пар. Опустив руку под стол, он потрепал по голове Рыгая. Пес с аппетитом жевал кустик окры, который выкопал в оранжерее.

— Который из вас Моу? — спросил Билл. Все трое клонов сидели напротив него и жадно обгрызали подрумяненные крылышки археоптерикса.

— Вон тот. Который жрет соус, как последний кретин.

— Чего нам не хватает, чтобы отправиться в путь, Моу? — спросил Билл, откусывая кусок блинчика.

— Кроме липкой ленты? Если добудем несколько мотков проволоки, можно будет кое-что ею скрепить. Да, еще стальные плиты для переборок, защитные экраны на замену и предохранители — у нас их почти не осталось. Сварочных аппаратов и всяких мелочей в ремонтных отсеках хватает, но времени потребуется довольно много.

— Времени-то у нас как раз и нет, — сказал Билл. — Но в предохранителях я разбираюсь — у меня четвертый разряд по обслуживанию предохранителей. Так что это я возьму на себя.

— А я возьму на себя переборки, — выговорил Мордобой, не переставая есть. — Только пусть мне кто-нибудь поможет притащить стальные плиты со станции.

— Только не я, — сказала Киса. — Я в это ужасное место теперь ни ногой. Передайте-ка фу-фу.

— Не могу больше! — вскричал Ухуру, сбрасывая шлем и хватая двухметровое крылышко археоптерикса. — Знаю, что мне придется об этом пожалеть, но я умираю с голоду!

— Ты бы попробовал жевать то, что ешь, Мордобой, — заметила Рэмбетта. — Так легче глотается.

— Зато ешь медленнее, — отозвался тот с набитым ртом. — Только время теряешь.

— А вот вам и гамбургеры с паучками, — сказал капитан Блайт. — Как полагается, недожаренные. Черные штучки — это хитиновые скорлупки.

— Фу-у! — простонала Киса. — Теперь я видела, как он готовит паучков, и больше никогда их в рот не возьму.

— О-ох! — заревел вдруг Мордобой.

Разговор мгновенно оборвался. Все застыли. Даже Рыгай перестал жевать свою окру и уставился на Мордобоя.

— О-ох! — проревел тот снова, изо всей силы шлепнув себя по голове. — Не иначе как я совсем спятил!

— Я так и знал! — взвыл Ухуру. — Ни за что не надо было мне снимать скафандр! Прощайте, мои мозги, не миновать мне превратиться в зомби!

— Где мой топор? — ревел Мордобой. — Какой козел спер мой топор?

— Не волнуйся, — попытался успокоить его Билл. — Никто твоего топора не...

— А кто ты такой, чтобы мне говорить, волноваться мне или не волноваться, полисмен проклятый? — орал Мордобой. — Это все ты виноват!

— Я виноват?

— Он остался там — в пещере со стручками. Ларри сказал, что захватит его с собой.

— Я? Ну-ка, Кэрли, признавайся — это ты должен был его захватить.

— Кому-то придется за ним смотаться, — прорычал Мордобой. — Я думаю, полиции.

— Мне? — переспросил Билл.

— У тебя что, уши заложило? — рявкнул Мордобой. — Если бы ты своим проклятым копытом не проломил дыру в полу, ничего бы не было. А теперь лезь в эту дыру и принеси мой топор. Иначе полезу сам, а вернусь с топором — возьмусь за тебя. Тогда тебе о своей дурацкой ноге больше беспокоиться не придется. Понял?

— Кажется, картина мне ясна, — ответил Билл.

— Ну, ладно, — с садистским удовлетворением проворчал Мордобой. — Теперь, раз мы договорились, можно поесть еще. Кто слопал все блинчики?

— Сейчас будут еще, — отозвался недовольный капитан Блайт. — Как раз по вашему вкусу.

Мордобой и Кристиансон принялись делить между собой огромную гору полусырых блинчиков из гремучих змей с черной икрой, и в этот момент вошел Кейн. Он с озабоченным видом нес в руке одного из мертвых инопланетян.

— Дело неладно, — сказал он.

— Знаем! — откликнулся Ухуру, уплетая гринбургер. — Мордобой потерял свой топор, и... эй, уберите это отсюда!

— Это просто сброшенный наружный покров, — сказал Кейн. — Он не представляет опасности.

— Что-что? — переспросила Рэмбетта. — Как вы сказали? Просто наружный покров? Теперь он вовсе не такой уж милый.

— Наружный покров — это научный термин, означающий кожу, — объяснил Кейн. — Он сбросил с себя кожу, как змея. Я уже наполовину провел вскрытие, когда обнаружил, что там внутри пусто.

— Что за тема для разговора за столом, — недовольно сказал Кристиансон, хотя есть не перестал.

— Уж вам-то, мистер Кристиансон, не мешало бы послушать, — заметил Кейн. — И Мордобою тоже.

— Чего там, я слушаю, — проворчал тот, разгрызая кость археоптерикса и шумно высасывая из нее мозг.

— Вам будет неприятно это слышать, — назидательно продолжал Кейн. — Но наука сурова, бесчувственна и объективна, она не всегда бывает приятной на слух. Это роскошь, которую ученый себе позволить не может.

— Красиво говорит, — невозмутимо заметила Рэмбетта. — Перебросьте-ка мне пару блинчиков.

— Хороши, правда? — сказал Мордобой. — Хоть и жаль мне этих гремучих змей.

— Не бери в голову, — посоветовала Киса. — Они погибли за правое дело. Ради того, чтобы испортить тебе пищеварение.

— Прошу вас меня выслушать, — сердито прервал их Кейн. — Я пришел к выводу, что мы имеем дело с личиночной формой крайне сложного существа. — Он помахал в воздухе шкуркой инопланетянина. Одна перепончатопалая лапка оторвалась и упала в салат. Мордобой выудил ее и швырнул на пол. Рыгай принюхался, недовольно заворчал и вернулся к своей окре.

— Мы непосредственно наблюдали гнездилище, где хранятся яйца, — продолжал Кейн. — Это вполне подходящий момент, с которого можно начать изучение жизненного цикла животного. После соответствующего периода инкубации оно, очевидно, выводится из яйца и ждет, когда поблизости появится какое-нибудь живое существо, к которому оно может прилепиться.

— Я чувствую, как у меня от этого портится аппетит, — простонала Киса.

— У меня нет, — весело сказал Мордобой. — Где у нас там был нарезанный лук?

— После чего они накапливают питательные вещества, на некоторое время погружаются в неподвижность, а потом линяют.

— Подождите минутку, — перебил его Кристиансон, следя за тем, как капитан опускает морских улиток в кипящее масло. — Мне что-то не нравится этот разговор про накопление питательных веществ. Не хотите ли вы сказать, что он пил мою кровь?

— Что-то в этом роде, — ответил Кейн. — Но об этом я бы на вашем месте не беспокоился. На начальном этапе своего жизненного цикла они еще очень невелики, так что питательных веществ им нужно не так уж много. Всего лишь чуть-чуть крови. Вы вполне можете без такой малости обойтись. Разве что потом почувствуете себя голоднее обычного.

— Ничего подобного я не заметил, — сказал Кристиансон, откусывая разом половину гамбургера с паучками.

— И я тоже, — поддержал его Мордобой, макая в соус десятую по счету индюшачью ногу.

— Инопланетники-кровопийцы? — задумчиво произнесла Рэмбетта. — Галактические вампиры?

— Сначала мумии, — простонала Киса, — потом зомби, а теперь еще и вампиры! У нас тут, похоже, все чудища, какие только бывают на свете!

— Мы пока не видели троллей, — с готовностью подсказал Билл. — И драконов.

— Не забудьте про оборотней, — добавила Рэмбетта.

— Наверное, следующими будут как раз оборотни, — уныло сказала Киса.

— Этого я пока точно сказать не могу, — продолжал Кейн. — Но мы можем быть уверены в одном: какую бы форму оно ни приняло в следующий раз, оно уже не будет крохотным и милым. Эту стадию оно переросло.

— Ничего не скажешь, приятная новость, — отозвался Билл, щупая себе живот, чтобы определить, влезет ли в него еще что-нибудь.

— Ну и где они? — спросил Ухуру. — Если они уже вывелись из личинок, то куда делись? Надеюсь, они не внутри корабля?

— Это вполне возможно, — ответил андроид-ученый. — И не исключено, что их уже не два, а четыре.

— Четыре? — спросил Ларри, а может быть, Кэрли или Моу, стянув блинчик с тарелки соседа. — А почему четыре?

— Полагаю, они способны делиться. Многие живые существа так делают. Амебы, например. Но это еще не самое плохое.

— Погодите, — вмешался Билл. — Вы сказали, что у нас по кораблю гуляют четыре вампира и это еще не самое плохое? Что же может быть хуже?

— Есть вероятность, что они вовсе не гуляют по кораблю.

— Ну, тогда еще ничего, — сказал Ухуру.

— Да нет, — медленно произнес Кейн. — Это и есть самое плохое. Возможно, они перерастают в следующую стадию в организме Мордобоя и мистера Кристиансона.

Все, кроме двух только что упомянутых организмов, перестали жевать и в ужасе уставились на тех, кто олицетворял возможную опасность.

— Бросьте эти шутки, — сказал Мордобой, сердито озираясь. — Я ни о чем таком в жизни не слыхал.

— В природе такое случается сплошь и рядом, — утешил его Кейн. — Любой из нас, квалифицированных ученых, может привести множество примеров. Мне из них наиболее знакомы осы, которые кладут яйца внутрь гусениц. Но есть, конечно, еще глисты и разные другие паразиты.

— Я слыхал, что когда у человека глисты, у него появляется огромный аппетит, — сказал Билл, подозрительно покосившись на Мордобоя.

— Действительно, это предположение подтверждается многими фактами, — согласился Кейн.

Теперь продолжали есть только Мордобой и Кристиансон. У остальных под действием разговоров о глистах и растущей уверенности, что вот-вот случится нечто ужасное, аппетит окончательно пропал.

— Если это так, — произнес Ухуру, не сводя глаз с Мордобоя, — то что будет дальше?

— Когда инопланетянин достигнет следующей стадии развития, он — или они — выйдет наружу.

— Каким образом? — в ужасе спросил Билл.

— Каким им будет угодно, — ответил Кейн.

— Уг-г-г-х! — захрипел Мордобой, схватившись за живот. — Ур-р-р-г-к-х! Э-э-э-х-р-р!

— Что происходит? — вскричал Ухуру, рывком отодвинув стул и выскочив из-за стола.

— Мы все умрем, — простонала Киса. — Я так и знала!

— Уг-г-г-х-х! — задыхался Мордобой. — Ур-р-р-к-х!

— У него припадок! — воскликнул кто-то из клонов. — Сделайте что-нибудь! Суньте ему в рот ложку!

— По-моему, он подавился, — сказал Билл. — А в таких случаях совать в рот ложку не рекомендуется.

— Это инопланетяне хотят вырваться из его организма таким кровавым, отвратительным и ужасным способом! — стонала Киса. — Мы все умрем!

— Как интересно, — сказал Кейн. — Надо бы мне делать заметки. Это может представить значительный интерес для научного сообщества.

— Г-г-р-р-п! — захлебывался Мордобой, откинувшись на стуле. — Ик! Уг-г-г-р-х!

— Мы должны что-то предпринять, — сказала Рэмбетта. — Билл, нельзя же просто так сидеть и смотреть, как он умирает!

— Я размышляю, — отозвался Билл. — Ты же знаешь, он собирался оттяпать мне ноги.

— Идеальных людей не бывает, — ответила Рэмбетта, колотя Мордобоя по спине. — Помоги мне!

— По-моему, следует обхватить его поперек живота и встряхнуть как следует, — посоветовал Билл, вставая.

— Так сделай это! — завизжала Рэмбетта. — У нас уже не осталось времени!

— Я не могу его обхватить, — возразил Билл. — Он слишком толстый.

Рэмбетта и Билл взялись за руки и после недолгого препирательства о том, где у Мордобоя расположена диафрагма, встряхнули его. Мордобой громко рыгнул, осыпав стол кусочками съеденного.

— О-о-ох! — простонала Киса. — Теперь мы уж точно все умрем!

— Ну и грязищу развели! — воскликнул Ухуру, отступая к двери. — Я так и знал, что нельзя пускать вас обратно на корабль. А инопланетян там не видно?

— Нет, только полупереваренная пища, — ответил Кейн, шаря по столу с подлинно научной любознательностью, свойственной лишь андроидам. — Он просто подавился. Какая жалость. Я надеялся, что это вылупляется инопланетянин.

— Говорила я ему, что надо жевать лучше, — сказала Рэмбетта. — А он и слушать не хотел.

— Кому добавки? — объявил капитан Блайт, вкатывая тележку, доверху заваленную едой, и тут же завопил во весь голос, когда все кинулись его колотить: — Что вы делаете? Что тут происходит? Если вы чем-то недовольны, то и у меня есть для этого основания! Только я приготовил очередную партию блинчиков, как — раз! — и мимо прошмыгнула эта мышь. Кто запустил ее на камбуз? Там не должно быть никаких грызунов!

Билл изо всех сил топнул своей слоновьей ногой. Под ней что-то хрустнуло, только на мышь это было не очень похоже. Он медленно поднял ногу и с ужасом взглянул на то, что прилипло к подошве.

— Попали? — спросил Блайт.

— Еще как попал, — ответил Билл. — Только я не думаю, чтобы это была мышь. Поглядите-ка.

— Изумительно, — сказал Кейн, вместе со всеми разглядывая подошву Билла.

— Это инопланетянин? — простонала Киса.

— Это был инопланетянин, — уточнил Кейн. — К несчастью, Билл раздавил его в лепешку и изуродовал до неузнаваемости. Я бы хотел исследовать его поближе.

— Откуда он взялся? — спросила Киса. — Выскочил из Мордобоя?

— Нет, — ответил Блайт. — Из камбуза. Я видел, как он шмыгнул мимо мешка с мукой.

— А это что, зубы? — спросила Рэмбетта. — Вон те белые штучки, что торчат посреди всего этого месива?

— Мне кажется, это похоже на зубы, — сказал Кристиансон. — И очень острые.

— И сколько их! — добавила Рэмбетта. — Очень много!

Глава 11

— Мне кажется, можно с большой вероятностью предположить, что существо, с которым мы имеем дело, не относится к числу вегетарианцев, — сказал Кейн, разглядывая останки инопланетянина с помощью карманного электронного микроскопа и ларингоскопа. — Я никогда еще не видел таких острых зубов.

— Ты спас мне жизнь, — сказал Мордобой, стискивая Билла в медвежьих объятиях. — С меня причитается!

— Ох! — охнул Билл. — Ох!

— Ты парень что надо. Я лезу за топором в ту дыру вместе с тобой.

— Очень признателен, — прохрипел Билл.

— Я бы не рекомендовал возвращаться на станцию, — сказал Кейн. — А тем более в ту пещеру. Это может быть весьма рискованно.

— Но нам же нужно забрать оттуда запасные части, иначе мы нс сможсм взлстсть с этой вонючсй плансты! — вскричал Ухуру. — Кому-то придется туда вернуться.

— Только не мне, — простонала Киса.

— Хватит ныть, Киса, — скомандовала Рэмбетта. — Твое нытье действует мне на нервы.

— Тебе легче будет, если я начну хныкать? — захныкала Киса.

— Нет, лучше уж ной, — содрогнувшись, ответила Рэмбетта. — От твоего хныканья я вообще на стенку полезу. А нытье только действует мне на нервы.

— Давайте немного успокоимся, — вмешался Ухуру. — Все мы здорово взвинчены. Мы будем куда лучше себя чувствовать, если сделаем небольшой перерыв и приведем в порядок свои альфа-ритмы. Давайте посидим спокойно, нюхая розы.

— Засунь свой альфа-ритм себе куда хочешь, — огрызнулась Рэмбетта. — Я ни во что такое не верю.

— Не знаю, как остальные, — пробормотал Билл, — а я не прочь немного вздремнуть.

— Вздремнуть? — изумился Ухуру. — Как ты можешь в такую минуту думать о сне?

— Запросто, — ответил Билл, зевнув. — Разве ты не заметил, что никто из нас ни разу глаз не сомкнул с тех пор, как мы приземлились на этой планете? Сколько времени мы тут? Несколько недель?

— Скорее несколько дней, — сказала Киса, тоже зевнув. — Давно. Слишком давно.

— Точно, — согласился Билл. — И потом насчет туалета. Что-то я не видел, чтобы кто-нибудь хоть раз туда наведался.

— У тебя что, насморк? — фыркнула носом Рэмбетта. — Я туда ни ногой. Даже куча компоста и та пахнет лучше.

— Я был два раза, — заявил Мордобой, икнув. — Никаких проблем.

— Вам, людям, лучше немного отдохнуть, — предложил Кейн. — Я останусь бодрствовать и буду исследовать то, во что Билл превратил это существо.

— А что, если эти вампиры-инопланетяне подкрадутся и выпьют из нас кровь, пока мы будем спать? — содрогнулась Киса. — Я не хочу превращаться в мумию или в зомби. И даже в тролля не хочу.

— Я буду вас стеречь, — сказал Кейн. — Андроиды не нуждаются во сне, как люди. Мы только ненадолго погружаемся в дремоту, пока перезаряжаются аккумуляторы.

— А как у вас с аккумуляторами? — с тревогой спросил Ухуру.

— Все в полном порядке, благодарю вас, — раздраженно ответил Кейн. — Предлагаю всем разойтись по койкам и, как у вас принято говорить, отдать концы. А я буду охранять корабль от вампиров-инопланетян.

— Кто-нибудь закрыл за собой люк шлюзового коридора? — спросил Ухуру. — Совершенно ни к чему, чтобы в корабль налезли еще инопланетяне.

— Ларри закрыл, — сказал Кэрли, а может быть, Моу. — Я сам видел.

— Ну значит, все в порядке, — сказал Ухуру. — Но я все равно оставлю включенным ночник и буду спать в скафандре.

— Ну и трус, — отозвался Мордобой. — Пошли, Билл. Забирай своего вонючего пса и пошли.

У двери их каюты Рыгай злобно зарычал, но после самых тщательных поисков там не обнаружилось ничего опасного, если не считать порножурналов под койкой у Мордобоя. Билл не стал гасить ночник, а Мордобой вполголоса рассказывал сам себе леденящие кровь истории, в которых фигурировал его топор, пока не заснул.

Но сон их был тревожным и беспокойным. Их душили кошмары, в которых главную роль играли всякие ползучие ужасы. Был момент, когда Биллу почудилось, будто что-то прошмыгнуло по его телу и сосет кровь у него из шеи. Потом ему привиделось, будто он неверными шагами бродит по коридорам корабля, натыкаясь на все подряд, с безжизненными глазами и вытянутыми перед собой руками, как настоящий зомби.

— Проснитесь, Билл! — сказал Кейн, тряся его за плечо. — Вы ходите во сне.

— Где я? — спросил Билл смущенно.

— В оранжерее с окрой, а у растений сейчас темповой период. Вы бродили в темноте, натыкаясь на все подряд, как настоящий зомби.

— Как зомби? Это мне и снилось.

— Не просто снилось, — сказал Кейн. — Посмотрите на свою шею.

— Не могу, — ответил Билл.

— Ну-ну, все не так страшно.

— Да нет, не могу я посмотреть на свою шею без зеркала. Это то же самое, что заглянуть себе в ухо. Не могу, и все тут. А в чем дело?

— Я не совсем уверен, тут темно, — сказал Кейн, понизив голос. — Но похоже, будто у вас на шее что-то вроде двух булавочных уколов, и на них запеклась кровь. Пойдемте ко мне в лабораторию, там светлее.

— Ну ладно, — согласился Билл не без колебаний. — Только никаких анализов крови.

— Хорошо, если вы настаиваете.

В лаборатории они застали Рэмбетту, Кису и Ухуру — все они заявили, что им не спится. Ухуру по-прежнему был в скафандре, а на шее у него висело ожерелье из нанизанных на нитку долек чеснока.

— Какой Билл бледный! — ахнула Рэмбетта. — Что случилось?

— Как квалифицированный специалист могу предположить, что на нем покормился инопланетянин, — сказал Кейн, подойдя к Биллу поближе и внимательно разглядывая его шею. — С медицинской точки зрения это крайне интересно. Как вы себя чувствуете?

— Так, словно я только что бродил в темноте, натыкаясь на все подряд, — ответил Билл. — Если не считать нескольких синяков, все в порядке. Только немного утомлен.

— Я так и знала! — простонала Киса. — Они расправятся с нами поодиночке! Я думала, вы собирались стеречь нас, Кейн.

— Я только разок вздремнул, — сказал андроид. — Научные исследования отнимают очень много сил.

— Смотрите-ка, что я нашел около койки Билла, — сказал Мордобой, входя в комнату с чем-то мохнатым в руке. — Надо скорее идти за моим топором.

— Что это? — взвизгнула Киса.

— Еще одна сброшенная кожа, — сказал Кейн, взяв ее у Мордобоя и расстелив на подставке для цветочных горшков. — Очевидно, существо еще раз перелиняло, угостившись Биллом. Видите — оно куда крупнее, чем то, которое Билл так неосторожно затоптал.

— И противнее, — добавила Рэмбетта, ткнув в кожу одним из своих ножей. — Намного омерзительнее, если только это возможно.

Сброшенная кожа была размером со шкуру крупной собаки. Судя по тому, что осталось от этого существа, оно состояло в основном из клыков и когтей. У него была огромная плоская голова и усеянный шипами хвост длиной с любую из правых рук Билла. Все оно было покрыто густым оранжевым мехом и лиловыми бородавками.

— Оно выглядит опасным, а не просто омерзительным, — заметил Ухуру, поправляя свое ожерелье из долек чеснока. — Чудище такого размера вполне может причинить человеку изрядный вред.

— Не забывайте, что на самом деле оно сейчас еще больше, — сказал Кейн. — Оно сбросило эту кожу потому, что из нее выросло, и теперь, по всей вероятности, превратилось в настоящего гиганта. Я сгораю от научной любознательности. Интересно, каков может быть его максимальный размер? Не исключено, что оно может расти неограниченно, пока не иссякнут источники пищи.

— Мне не нравится, когда меня называют источником пищи, — возразил Билл.

— Все здесь потенциальные источники пищи, — сказал Кейн. — Кроме, конечно, меня. Сильно сомневаюсь, чтобы андроиды могли оказаться для этих существ подходящим источником пищи.

— Ну, что до меня, так я не собираюсь в очередной раз достаться на обед какому-то чудищу, — заявил Мордобой.

— А я тем более, — присоединился к нему Ухуру.

— Вы, люди, слишком эгоцентричны и не способны оценить далекоидущие последствия нашего замечательного открытия, — презрительно сказал Кейн, разглядывая болтающуюся лапу существа. — Перед нами организм с невероятной приспособляемостью, который может принимать самые разнообразные формы.

— Похоже, что эти чудища в самом деле могут быть любого размера, — сказала Рэмбетта. — Насколько я вижу, они норовят становиться все больше и больше. Не по душе мне это. То ли дело, когда они были такими крохотными и милыми.

— Встречу с этими инопланетянами следует рассматривать как неоценимую возможность расширить горизонты человеческих познаний, — продолжал Кейн. — Каждая стадия их развития сама по себе представляет огромный интерес и должна быть тщательнейшим образом изучена.

— Вы бы иначе заговорили, если бы сами были пищей для инопланетян, — заметила Киса.

— Сомневаюсь, — сухо ответил Кейн, измеряя складным метром скелет инопланетянина и записывая что-то в блокнот. — Я всегда остаюсь объективным наблюдателем.

— А вот я наблюдаю, что вы уже вымазали об остатки этого чудища весь метр, — сказала Рэмбетта. — И закапали себе ботинки.

— Я стану знаменитостью, — продолжал Кейн. — Из этого получится потрясающая научная публикация. Я буду печататься во всех самых известных журналах. В качестве ботаника мне предстояло долгое и ничем не замечательное будущее, но теперь все изменилось. В качестве специалиста по омерзительным инопланетянам я прославлюсь на всю Вселенную. Я стану специалистом номер один. Я... эй, кто утащил мою кожу? Она только что была тут.

— Может, сама ушла? — предположила Киса.

— Сейчас не время для шуток, — огрызнулся Кейн. — Это серьезное дело. Мы должны сравнить химический состав различных стадий их развития, образцы которых есть в нашем распоряжении. Где то, что я соскреб с подошвы Билла? Неужели все исчезло разом?

— А вы, случайно, не превращаетесь в рассеянного профессора? — спросила Рэмбетта.

— Ищите все! — приказал Кейн. — Нужно найти мои образцы.

Все нехотя принялись лазить по ящикам столов и заглядывать за цветочные горшки и мешки с удобрением. Только Уху-ру отказался участвовать в поисках, сказав, что не желает иметь никакого дела с этими ужасными инопланетянами, а интересуют они науку или нет, ему наплевать.

— Что-нибудь потеряли? — спросил капитан Блайт, вошедший в комнату в сопровождении мистера Кристиансона.

— Мои образцы, — сказал Кейн. — Нужно их найти.

— А, этот мусор? Я все выбросил в компост.

— Что?

— Моим растениям тоже нужно жить, — высокомерно сказал Блайт. — Мы не можем допустить, чтобы вся окра погибла только из-за того, что мы заняты погоней за инопланетянами.

— Это были ценнейшие научные объекты! — воскликнул Кейн.

— Теперь это просто компост, — заметил Кристиансон. — Мы только что перекопали кучу.

— Моя карьера погублена! — завизжал Кейн. — Мы должны раздобыть новые образцы. Все немедленно ложитесь спать! Я буду стеречь вас и постараюсь поймать инопланетянина, когда он придет кормиться.

— По-вашему, я похожа на наживку? — сердито спросила Рэмбетта.

— Я больше никогда не смогу уснуть, — простонала Киса.

— Мы с Биллом пошли за топором, — заявил Мордобой. — Без топора я теперь спать не лягу.

— Топор — это неплохая мысль, — быстро сказал Кейн. — А раз уж вы будете там, внизу, почему бы вам не понюхать пару стручков? Мне нужны еще образцы.

— Никаких стручков я больше не нюхаю! — рявкнул Мордобой. — Разве что Билл?

— Если вам нужны стручки, отправляйтесь за ними сами, — огрызнулся Билл. — Можете считать, что с этого момента я подал в отставку с должности собирателя стручков.

— Я за то, чтобы как можно скорее, а то и еще раньше, починить корабль и убираться отсюда восвояси, — сказал Ухуру. — Вот список вещей, которые нужно доставить сюда со станции. Раз уж вы собрались туда, рискуя повстречать инопланетян и неминуемо расстаться с жизнью, то заодно можете захватить оттуда кое-что для меня.

— Мне кажется, у вас заметно некоторое нежелание покидать корабль, Ухуру, — сказала Рэмбетта. — Вы, случайно, не струсили?

— Ничуть, — ответил Ухуру. — Я просто подумал, что нам надо беречь людские ресурсы, и лучше, если я останусь здесь и буду присматривать за ремонтом, пока вы все отправитесь за деталями. Кто-то ведь должен руководить? Иначе мы ничего не сможем сделать.

— Смотрите, полегче с бременем ответственности, — предупредил Блайт. — Стоит взвалить его на себя, потом не отделаешься.

— Ничего, я согласен рискнуть, — фыркнул Ухуру.

— А кто, собственно, поручил тебе руководить ремонтом? — спросила Киса. — Что-то не помню, чтобы я за это голосовала. И Кэрли, и Билл знают корабль лучше, чем ты.

— Мы можем бросить жребий, — с надеждой в голосе сказал Ухуру. — У меня тут как раз есть подходящие пластиковые трубочки.

— Иди ты со своими трубочками, — сказала Рэмбетта. — Сначала нам надо...

В комнату с отчаянным воплем вбежали двое клонов.

— Кэрли! Инопланетянин схватил Кэрли!

Глава 12

— Пожалуйста, постарайтесь успокоиться, — посоветовал Кейн до крайности взволнованным клонам. — Как он выглядел?

— Кэрли? Точь-в-точь как Моу и я, только намного безобразнее. Да вы же знаете, как выглядит Кэрли.

— Да нет, инопланетянин. Как он выглядел?

— Как обычно. Такой мохнатый, шишкастый, ужасного вида. Множество зубов. И хвост такой чудной.

— Какого он был размера?

— Больше Кэрли. И еще безобразнее.

— Он продолжает расти, — сказал Кейн. — Я очень хотел бы, чтобы вы описали его подробнее. Не могу же я занести в свой дневник, что у него «хвост такой чудной».

— Погодите, ведь надо спасать Кэрли! — крикнул Билл. — Сначала Кэрли, а уж потом наука.

— Правильно, — поддержала его Киса. — Нельзя, чтобы инопланетяне съели Кэрли или высосали из него всю жизненную силу и превратили в мумию.

— Сколько в тебе, оказывается, человеколюбия, Билл, — сказала Рэмбетта. — Никогда не думала, что ты на это способен.

— А я и не способен, — сознался Билл. — Меня тревожит совсем другое: он единственный, кто может починить автопилот.

— Правильно соображаете, — одобрил капитан Блайт. — Когда нам это объясняли в офицерской школе, я все проспал.

— Теперь ремонт автопилотов из программы выкинули, — сказал Кристиансон. — Слишком это сложно для нас, офицеров. Если бы нам пришлось учить всякую такую чепуху, не осталось бы времени на действительно важные предметы — как устраивать роскошные приемы, усиливать сексуальную потенцию или изводить рядовых. С вашего разрешения, я бы предложил полицейскому привести сюда этого вонючего пса. Не исключено, что это нам поможет — Рыгай может напасть на след.

— Скорее всего, он сейчас нападает на окру в оранжерее, — сказал Билл. — Где ему еще быть?

Рыгай действительно пасся на грядке с Abelmoschus humungous, радостно носясь по ней из конца в конец и выбирая ростки посочнее. Блайт чуть не убил собаку — его с трудом отговорил Кейн, сообщив, что прореживание только стимулирует развитие оставшихся растений и вообще оказывает благотворное действие.

След был взят у каюты Кэрли. Идти по нему оказалось не так уж трудно — по коридору шла полоса шириной почти в метр, усыпанная оранжевой шерстью. Она привела всех туда, где раньше был люк шлюзового коридора. Сейчас исковерканные обломки люка валялись на полу. Края их были оплавлены, словно они побывали в пламени гигантской горелки или в крепкой кислоте.

— Какой ужас, — сказал Ухуру, записывая что-то на клочке бумаги. — Придется мне дополнить список. Принесите еще и люк, если найдете.

— Какая мощь! — восхищенно произнес Кейн, взвешивая на руке обломок люка. — Это в самом деле поразительные существа.

— Кошмарные существа, вот что я вам скажу, — поежилась Рэмбетта. — Давайте-ка отыщем Кэрли и улетим отсюда к дьяволу. Кто хочет их изучать, пусть делает это без меня.

———

Станция выглядела точно такой же, какой они ее оставили, только теперь здесь по полу во всех направлениях разбегались, пересекаясь между собой, тысячи полосок оранжевой шерсти самого разного размера. Все столпились в центре управления.

— Надо разделиться на группы, — сказал Билл, разрывая на части список, который передал ему Ухуру, и вручая каждому по кусочку. — Станция слишком велика, чтобы ходить всем вместе. Возьмите каждый по кусочку списка и ищите то, что там значится. Только смотрите, не разбредайтесь поодиночке, это может кончиться для вас не самым лучшим образом.

— Вы только посмотрите на следы, — простонала Киса. — Должно быть, эти существа бродят здесь сотнями. По-моему, незачем нам тут оставаться. Что, если они уже съели Кэрли? Надо починить корабль и улететь с этой несчастной планеты.

— Прежде всего мы должны разыскать своего боевого товарища Кэрли, — изрек Билл в лучших воинских традициях. — Дело не только в том, что он наш хороший приятель; без него мы не сможем управлять кораблем, и никакой ремонт тут не поможет. А вторая наша задача — найти материал, который нужен Ухуру для ремонта.

— А третья наша задача — собрать образцы, — добавил Кейн. — Помните, что научные исследования нужно продолжать в любых условиях, даже тогда, когда сражаешься не на жизнь, а на смерть.

— Вам образцы нужны? — спросил Мордобой. — Так пошли в подвал со мной и с Биллом. Будьте уверены, там их сколько угодно.

— Я остаюсь с Рэмбеттой, — заявил капитан Блайт. — Она вооружена до зубов.

— А я сделал огнемет из сварочного аппарата, — радостно сказал Ларри, а может быть, Моу. — Если только увижу, как что-то шевелится и что это не кто-нибудь из нас, поджарю на месте.

— Жаль, нет у меня большой бензопилы, — сказал Мордобой. — Я бы резал их направо и налево, как в Техасе. Я это смотрел по видео.

— Что такое Техас? — спросила Рэмбетта.

— Что такое бензопила? — спросил Кристиансон.

— По-моему, Техас — это звезда, — сказал Блайт.

— Двойная звезда? — спросил Билл.

— Нет, одинокая, — сказал Блайт.

— Заткнитесь все! — крикнула Рэмбетта. — Каждая минута, что мы стоим тут и болтаем, — это лишняя минута, за которую они могут сжевать Кэрли. Наверное, мы опять надышались спор.

Веревка все еще была привязана к массивному столу, и Билл начал спускаться вслед за Мордобоем в дыру, где их поджидали неведомые опасности.

У него заметно тряслись поджилки. И сам он тоже. Кейн последовал за Биллом, счастливый, потому что надеялся заполучить свои образцы, и спокойный, потому что знал, что андроиды инопланетянам не по вкусу. Рыгай, как и в прошлый раз, остался сторожить наверху.

— Хотел бы я иметь огнемет вместо фонарика, — пожаловался Билл, озираясь по сторонам. — Фонарик, конечно, замечательный и все такое, но если на меня нападут... Огнемет все-таки лучше.

— Все, что нам нужно, — это топор, — угрожающе прорычал Мордобой. — Пойду-ка поброжу один в темноте и найду его.

— Смотрите! — позвал Кейн. — Это в высшей степени интересно.

— Что вы там обнаружили? — спросил Билл, идя на свет фонарика, который держал Кейн. Мордобой уже отправился бродить в одиночку.

— Посмотрите на эти стручки, — сказал Кейн. — В этой луже почти все уже вылупились. Где-то поблизости должны находиться целые полчища маленьких чудищ. Может быть, мне удастся отловить несколько штук живьем. Разумеется, мне будет жаль, если кто-нибудь из них прилепится к вашей голове и, возможно, даже убьет вас, но подумайте на минуту, какую невероятную ценность это может иметь для расширения научных знаний!

— Думаю, — отозвался Билл. — Думаю, что я и сам бы не прочь отсосать немного вашего мозга через нос и посмотреть, откуда в нем заводятся такие мысли.

— Да, я понимаю, что вы хотите сказать. Но смотрите, некоторые из этих стручков как раз сейчас вылупляются. Поглядите хорошенько вот на этот.

— Если вы не возражаете, я лучше буду держаться подальше.

— Он светится каким-то зловещим светом, — продолжал Кейн, сунув фонарик под мышку и лихорадочно записывая что-то в блокнот. — Он шевелится. Посветите вон оттуда, чтобы мне было лучше видно.

— Это не самое разумное из всего, что сейчас можно придумать, — сказал Билл.

— Не говорите глупостей. Я должен продолжать наблюдения. Мне не угрожает опасность...

— Осторожнее! — крикнул Билл, увидев, что стручок лопнул и из него выскочило крохотное существо.

— Ой! — завопил Кейн, отмахиваясь от существа своим фонариком. — Больно!

— Тихо вы там! — донесся до них крик Мордобоя. — От вас столько шума, что и мертвый проснется!

Билл вместе с Кейном колотили фонариками по милому крохотному чудищу до тех пор, пока оно не перестало шевелиться.

— Хорошо, что здесь так темно, — сказал Билл. — Если бы было лучше видно, я никогда не смог бы убить такую милую крохотную зверюшку. И один мой знакомый андроид был бы уже покойником.

— Ничего не понимаю, — говорил Кейн, дрожа от волнения. — Я был уверен, что они не нападут на меня. Вероятно, я недооценил их приспособляемость.

— Хотите взять эти остатки? — спросил Билл, направляя луч фонарика на растоптанную кучку шерсти и испытывая угрызения совести за убийство такого милого крохотного зверька. — Поизучаете их немного.

— Нет уж, спасибо, — ответил Кейн. — Оно хотело меня убить. Такие смертоносные существа нужно уничтожать без всякой пощады. Их нельзя держать ни в зоопарках, ни в лабораториях — они могут сбежать и натворить ужасных бед.

— Эй! Э-ге-гей! — донесся до них крик Мордобоя.

— Что с тобой? — крикнул Билл. — На тебя прыгнуло чудище?

— Нет! — крикнул Мордобой в ответ. — Я нашел топор!

— Прекрасно, — сказал Кейн, направляясь со всей возможной поспешностью к спасительной веревке. — Нам пора отходить. Если Кэрли здесь, у него нет никаких шансов.

— Погодите! — прокричал Мордобой. — Тут вокруг меня летает целая стая этих милых крохотных смертоносных зверюшек! Хорошо, что темно, так что не жалко рубить их топором.

Кейн уже наполовину поднялся по веревке, изо всех сил отбрыкиваясь от окружившего его облака шерсти. Подгоняемый страхом Билл в мгновение ока догнал его. Один за другим они вскарабкались по веревке к дыре, где Рыгай мужественно сдерживал натиск чудовищ, рыча, лая и щелкая челюстями с такой яростью, словно они покушались на его любимую окру.

— Тащите сюда вон тот матрац, — сказал Билл, вслед за Кейном выбравшись наконец из дыры. — Как только вылезет Мордобой, надо будет заткнуть этот вход в ад.

— Еле ушел, — сказал Мордобой, выскочив наверх сквозь дыру и помогая повалить стол поверх матраца. — Еще бы немного, и мне крышка.

— Молодец, собачка, — сказал Билл Рыгаю и потрепал его по голове.

— Нашли Кэрли? — спросила Рэмбетта, входя в комнату вместе с капитаном Блайтом и Кристиансоном.

— Нет, но там полно этих зверюшек, — ответил Мордобой. — Их там видимо-невидимо.

— А у нас тут свои проблемы, — сказал Блайт. — Получше смотрите под ноги.

— На нас напали те, что шмыгают, — объяснил Кристиансон. — Вроде того, которого раздавил Билл. Их тут, наверное, сотни.

— Вблизи они похожи на маленьких крабов, — сказала Рэмбетта. — И еще в них есть что-то от мышей. Зловредные создания. Посмотрите, как они отделали Блайту ногу.

У капитана одна штанина была изодрана в клочья, а лодыжка обмотана окровавленным бинтом. На ботинках Кристиансона виднелись многочисленные следы укусов.

— Ну, тут вам образцов будет сколько угодно, — сказала Рэмбетта Кейну. — Только стой и собирай, не сходя с места.

— Благодарю вас, я на время прекратил сбор образцов, — презрительно фыркнул андроид. — Возможно, что мне вообще не суждено оказаться на переднем крае науки. Работа с растениями тоже имеет кое-какие преимущества. Растения сидят, куда посадишь, и, как правило, не прыгают на вас с агрессивными намерениями.

— Все, что было в нашем списке, мы нашли, — сказал Блайт. — Но никаких следов Кэрли. Очень жаль, что я проспал занятия по ремонту автопилотов, но теперь исправлять эту маленькую ошибку уже поздно. Так что нет смысла мучиться угрызениями совести, все равно ничего не поделаешь.

— Станция огромна, — сказал Кристиансон. — Кэрли может быть где угодно. Понадобится не одна неделя, а то и не один месяц, чтобы обследовать каждый темный и опасный уголок, особенно если при этом придется постоянно увертываться от мерзких инопланетян. Мы можем погибнуть прежде, чем его найдем.

— Чем больше убиваешь, тем больше их становится, — сказал Блайт. — Выиграть эту битву у нас нет никаких шансов. И подумать только, ведь все из-за того, что я такой лакомка. Я уже жалею, что держал пончики под замком. Наверное, это было неправильно, но что сделано, то сделано.

— Раз уж вы взялись каяться, — вставила Рэмбетта, — не забудьте пожалеть и о том, что не давали нам воды.

— Да, и это тоже, — простонал Блайт.

По полу прошмыгнуло инопланетное существо, похожее одновременно и на мышь, и на краба. Прежде чем Билл сообразил, что происходит, нога его дернулась и раздавила инопланетянина.

— Неплохо сработано, — заметил Кристиансон. — Конечно, нога у вас великовата и не слишком красива, но инопланетян она давит отлично.

— Очень странно, — сказал Билл, соскребая остатки существа с подошвы. — Эта нога как будто сама решает, что ей делать. Она их давит прежде, чем я об этом подумаю.

— Если бы мы не подвергались такой смертельной опасности, было бы интересно получше изучить этот феномен, — сказал Кейн. — Может быть, это что-то вроде наследственной памяти. Я, кажется, припоминаю, что слоны очень любят давить мышей. Но поскольку речь идет о жизни и смерти, все исследования придется, конечно, отложить на будущее, а пока только скажем ей спасибо за такую быструю реакцию.

Билл раздавил еще одного инопланетянина.

— Сюда! — крикнула из дверей Киса. — Все за мной! Мы нашли то, что осталось от Кэрли!

Глава 13

— Смотрите под ноги! — предупредила Киса, ведя всех за собой. — Тут везде полным-полно инопланетян.

— Которых? — спросил Кейн.

— Мерзких, страшных, смертельно опасных, — огрызнулась Киса. — Какие еще они бывают?

— Говоря «которых», я имел в виду стадии их жизненного цикла, — пояснил андроид.

— А что, вам нужны еще образцы?

— Нет, — покачал головой Кейн. — Я просто хотел бы знать, что мне делать — отмахиваться от них руками или увертываться, если окажусь у них под ногами.

— Здесь по большей части та стадия, которая шмыгает, — сказала Киса, сворачивая налево, по темному извилистому коридору мимо скрытого в зловещей тени автопогрузчика. — Но попадаются и те, что побольше. Ларри сжег из своего огнемета одного размером с Кэрли. Ну и вони было!

— А что с Кэрли? — спросил Мордобой, пришибив обухом топора прошмыгнувшего мимо инопланетянина. — Не то чтобы я его очень любил, но раз уж он наш единственный шанс слинять отсюда, мне его малость не хватает.

— Слишком страшно объяснять, — сказала Киса с содроганием. — Подожди, сам увидишь. Он вот тут, где раньше была реакторная.

— Была? — переспросил Билл, но прежде чем Киса успела ответить, они вошли, и он увидел и унюхал все, что хотел знать.

В огромном зале кишмя кишели сотни маленьких инопланетян, которые шмыгали повсюду, словно фантастически безобразные пчелы в некоем небывалом улье. Но самое ужасное было то, что Билл понял, какая судьба постигла остальных членов экипажа станции космической связи. Они висели на стенах, как говяжьи туши, частично укутанные в коконы из чего-то похожего на паутину. Жизненные силы были давно из них высосаны, и они превратились в мумии.

— Кэрли вон там, — показала Киса, и они, увертываясь и отшвыривая ногами шмыгавших вокруг существ, пробрались в дальний конец комнаты, где Ларри и Моу отгоняли инопланетян от свежего кокона.

— Он шевелится, — сказал Билл.

— Они откусывали от него по кусочку, — сообщил Моу. — Посмотри на его ухо.

Наконец-то Билл мог различить клонов: в руках у Ларри был огнемет, у Моу огнемета не было, а Кэрли был тот, который наполовину превратился в мумию.

— Но в нем еще порядочно жизненной силы, — сказал Мордобой, одним ударом топора размозжив головы сразу двум инопланетянам. — Сдается мне, он что-то хочет сказать.

— Очень трудно понять, что он говорит, у него весь рот забит паутиной, — сказал Кейн. — Не то он говорит «Спасите меня», не то «Прикончите меня», не то «Сделайте что-нибудь, ради бога». По крайней мере, мне так кажется.

— А мне нет, — возразил Билл. — По-моему, это скорее «Помогите!». Давайте вытащим его.

— А может, не стоит? — спросил Мордобой. — Если он хочет, чтобы мы его прикончили, может, так и сделать? У меня это здорово получается.

— Ты что, спор нанюхался, Мордобой? — накинулась на него Рэмбетта. — Нельзя же убивать единственного человека, кто может починить автопилот.

— А, я забыл, — смущенно ответил Мордобой. — Просто мне охота поработать топором.

— Вот и поработай — помоги его высвободить, — сказала Рэмбетта, принимаясь разрезать кокон ножом.

Пока они, с головы до ног покрытые паутиной, высвобождали Кэрли из кокона, слоновья нога Билла с топаньем гонялась за инопланетянами по всему залу, увлекая его за собой.

— Если бы не смертельная опасность, я счел бы это в высшей степени увлекательным, — сказал Кейн, прикончив инопланетянина своим фонариком. — Похоже, у них здесь главная кормушка.

— Похоже, это такое место, откуда я хотел бы поскорее унести ноги, — отозвался Билл, продолжая скакать по залу. — Как там у вас дела, Рэмбетта?

— Готово, — откликнулась та. — Все на выход!

— Я иду туда, куда меня тащит нога, — вскричал Билл, раздавив еще одного инопланетянина и направляясь к пульту управления, где их было видимо-невидимо. — Мне тут хватит работы на много лет.

Инопланетяне кишели повсюду, от их омерзительного шмыганья начинала кружиться голова, а от многочисленных укусов болело все тело. По какой-то неведомой причине они не трогали только пса, держась от него подальше.

— Надо сматываться отсюда! — крикнул Мордобой, носясь вслед за Биллом по всему залу и радостно размахивая топором. — Кончай от меня бегать!

— Это не я, это моя нога! — крикнул в ответ Билл, увлекаемый ногой к очередному скоплению инопланетян. Он потерял равновесие и с грохотом свалился на пол посреди остатков кокона.

— Помогите! — умоляющим голосом завопила Киса. — Я запуталась в этом коконе правой рукой!

— Я запутался обеими правыми руками! — вторил ей Билл.

Мордобой помог Кисе и Биллу высвободиться из хрустящей паутины и взвалил Билла на плечо. Нога Билла все еще пыталась давить инопланетян, но, не доставая до пола, колотила Мордобоя по спине.

— Закройте дверь! — крикнула Рэмбетта, когда они выбежали из зала. Заприте ее!

— Какой в этом смысл? — поинтересовался Кейн. — Мы имеем дело с исключительно могучими существами.

— Прекратите свои пораженческие выступления! — воскликнула Киса, отдирая от правой руки прилипшие клочья паутины. — Эти твари похуже чинджеров. Мы все погибнем!

— Там, в коридоре, стоит автопогрузчик, — сказал Кейн. — Кто-нибудь умеет им управлять?

— Я умею, — отозвался Билл. — Точно на таком я работал на базе снабжения.

— Тогда садись на него и завали эту дверь всем, что только найдешь тяжелого, — предложила Рэмбетта. — Может, это их удержит.

Билл завел погрузчик и уже через несколько минут ухитрился навалить у двери огромную кучу разнообразных тяжелых предметов. За все это время им на глаза попались только два инопланетянина, с которыми Мордобой управился топором прежде, чем нога Билла успела среагировать и стащить его с сиденья погрузчика.

— Этого должно хватить, — сказала Рэмбетта. — Возвращаемся на корабль. Не забудьте захватить все запчасти. Я сюда ни за что не вернусь.

За время их отсутствия Ухуру соорудил у выхода из шлюзового коридора новый люк из нескольких кусков железного лома. Он долго не хотел открывать, но в конце концов им удалось убедить его, что ни один инопланетянин поблизости не прячется.

— Когда будете входить, учтите, я держу вас под прицелом огнемета, — предупредил он, чуть приоткрыв люк. — Если что-нибудь сюда прошмыгнет, тут же сожгу.

— Хороший огнемет, — заметил Ларри, пока они по одному протискивались сквозь щель. — Он легче моего.

— Я сделал его из тостера, — сказал Ухуру. — В такие моменты приходится проявлять изобретательность. Как Кэрли?

— Его немного покусали, особенно уши, но в основном с ним все нормально, — сообщил Моу. — Насколько с ним вообще что-нибудь может быть нормально.

— Кому-то надо стеречь люк, — сказал Ухуру, все еще облаченный в скафандр. — Нельзя пускать сюда этих чудищ.

— Я буду стеречь первым, — сказал Ларри. — Пока вы не подлатаете Кэрли.

Осмотр, наскоро проведенный в рубке управления, показал, что существенного ущерба Кэрли не претерпел — ему только обгрызли ухо и сильно искусали ноги. Однако его психологическое состояние оставляло желать много лучшего.

— Вы не знаете, когда случается что-нибудь очень скверное, это не остается в памяти? — спросил он, пока Кейн обматывал его голову бинтом.

— Конечно, — сказала Рэмбетта. — Так всегда бывает. Чего только не бывает, когда идет тотальная война. Но пусть даже война — это ад, мы все равно должны пройти сквозь ад, чтобы нанести поражение гнусным чинджерам...

— Вот это да! — заметил Билл. — Ты говоришь прямо как сержант-вербовщик.

— А я и была сержантом-вербовщиком! Как это ты догадался?

— У меня ничего не остается в памяти после двух бутылок пива, — похвастался Мордобой. — Но обычно в таких случаях я потом просыпаюсь в каталажке.

— Это защитный механизм, который помогает людям переживать психические травмы, — объяснил Кейн, завязывая бинт изящным бантиком. — Мозг, оберегая себя, хитроумным образом блокирует опасные воспоминания.

— Так вот, на этот раз мой мозг ничего не блокировал, — медленно произнес Кэрли. — Я помню все свои жуткие переживания до последней ужасающей подробности. Эти кошмарные инопланетяне! Этот скрежет зубов! Эти когти! Этот наводящий ужас мрак, заполненный омерзительными существами!

— Но ты все равно сможешь починить автопилот? — озабоченно спросила Киса.

— Может быть, — пробормотал Кэрли. — Если у меня не случится рецидив. Волосы дыбом встают, когда я вспоминаю все, что было.

— Успокойся, — посоветовал Билл. — Теперь ты в безопасности. По крайней мере, мне так кажется.

— Это очень помогает, — поддержала его Киса, обрабатывая места укусов на ногах Кэрли. — Все мы должны излучать положительные эмоции.

— Кто это говорит про положительные эмоции? — вмешалась Рэмбетта, сняв сапог и разглядывая следы укусов у себя на ноге. — Это у тебя-то положительные эмоции? Да ты только и ноешь, что мы все погибнем.

— И очень может быть, что погибнем, — простонала Киса.

— Нас потрепали, но мы еще живы, — заявил Мордобой. — Меня тоже порядком покусали, но можете не волноваться, им от меня досталось!

— Все мы ранены, кроме Рыгая, — сказал Билл, увидев пса, выходящего из оранжереи с несколькими побегами окры в пасти.

— Возможно, они не любят собак, — предположил Блайт.

— Если уж они любят андроидов, то должны любить и собак, — сказал Кейн. — Навернос, дело не в этом.

Все уставились на Рыгая, но он выглядел точь-в-точь таким же безобразным и непристойным, как и всегда.

— Нам нужно оружие, — заявил Мордобой. — Тяжелая артиллерия или что-нибудь еще в этом роде.

— Я сделаю огнемет из микроволновой печи, — сказал Моу. — Всех пожжем!

— Не смей трогать мою печь, — огрызнулся Ухуру. — Она для приготовления пищи.

— Ты думаешь, лучше его сделать из офицерских писсуаров? — с готовностью спросил Моу. — Я могу сделать огнемет из чего угодно.

— А как насчет бомб? — поинтересовался Мордобой. — Огнемет — штука неплохая, но бомба — тоже ничего. Бабах! Кишки во все стороны, шерсть клочьями, инопланетяне всмятку!

— Нет, надо бы что-нибудь более прицельного действия, — сказала Рэмбетта. — Ухуру, ты не мог бы соорудить что-то вроде ручных гранат?

— Для этого нужна взрывчатка, — ответил тот. — Много взрывчатки.

— Так сделай ее, — сказала Рэмбетта. — Мне помнится, ты уже и раньше ее делал.

— Порох! — заявил Ухуру. — Самая примитивная взрывчатка, известная испокон веков. Я как-то слышал про это по телевизору. Для него нужны только сера и уголь.

— Как интересно! Ведь у нас это есть в оранжерее, — сказал Кейн. — Только не берите все, сера мне нужна, чтобы регулировать кислотность почвы, в которой растет окра. Должно быть строго определенное значение кислотности. Иначе окра вырастет совсем горькой, еще хуже, чем сейчас.

— Но мне нужен еще нитрат калия, — сказал Ухуру. — Где я возьму нитрат калия?

— На камбузе, — предложил Билл. — Я знаю, потому что учился на техника-удобрителя.

— Ну да, не иначе как он там лежит где-нибудь рядом с сахаром, — саркастически заметил Ухуру.

— Это то же самое, что селитра, — сказал Билл. — Всякий солдат знает, что в еду добавляют селитру. Считается, что она снижает половое влечение. Только она мало помогает.

— Это правда? — спросил Моу у капитана Блайта.

— Ну, в пищу для рядовых ее действительно добавляют, самую чуточку, — ответил капитан. — Чтобы не слишком зверели за время длительных рейсов.

— А если вам понадобится сдобрить смесь магнием, то разберите несколько сигнальных ракет, — посоветовал Кейн. — Получится необыкновенно взрывчатый состав.

— Похоже, это годится. Пойду возьмусь за дело, — сказал Ухуру. — Но нам придется распределить обязанности. Работы много. У кого запасные предохранители?

— У меня, — сказала Рэмбетта.

— Хорошо. Билл займется предохранителями. На главном щите перегорели все до единого, да и на камбузе барахлят всякий раз, как я включаю печь.

— А еще Билл умеет управлять погрузчиком, — вставила Киса. — Ты бы видел, как он двигал все эти тяжести.

— Прекрасно, — ответил Ухуру. — Это нам пригодится, Билл. Надо перенести из ремонтных отсеков несколько стальных плит. Нам повезло, что здесь у нас ремонтная мастерская. Нашлось множество нужных запчастей.

— Я бы предпочел оказаться на вооруженном до зубов корабле-истребителе, — сказал Билл. — Тогда у нас было бы сколько угодно оружия.

— Придется обходиться тем, что есть, — ответил Ухуру. — Нет смысла жалеть о том, чего нет. Кто принес серебряную фольгу?

— Ларри, — ответил Моу.

— Нет, не он, — возразила Киса. — Он нес платы для компьютера. Я все время была рядом с ним. У него в списке фольги не было.

— Но ведь у кого-то она была, — сказал Ухуру. — Какой идиот забыл ее принести? Она нужна для починки защитных экранов. Мы не сможем взлететь без защитных экранов.

Билл заглянул в свой список. Там стояло: «ДВА (2) ЛИСТА АНОДИРОВАННОЙ СЕРЕБРЯНОЙ ФОЛЬГИ».

— Мне было не до того, — объяснил Билл. — Совсем из головы вылетело.

— Всем было не до того, — проворчала Рэмбетта. — Но остальные забрали все, что было в списках, хоть им и пришлось отбиваться от инопланетян.

— Придется тебе туда вернуться, Билл, — мрачно сказал Ухуру. — Нам не обойтись без экранов.

Глава 14

Чтобы даже не думать о фольге, Билл занялся заменой предохранителей. Эта тонкая работа, в которой он в свое время изрядно набил руку, действовала на него успокаивающе. Вынул предохранитель — вставил предохранитель. Особая квалификация требовалась для того, чтобы прочесть крохотные цифры, напечатанные на каждом предохранителе: как правило, они были бледные и едва различимые. Билл гордился своим мастерством. Он даже питал некоторую слабость к предохранителям. Предохранитель или работает, или не работает: у него почти не бывает промежуточных состояний, так что особенно задумываться тут не о чем. К тому же здесь предохранители были маленькие — не то что те огромные, которые ему приходилось ворочать на боевых космолетах. И вдобавок предохранительные щиты почти всегда устроены в таких отдаленных уголках, куда почти никто не заглядывает, так что Биллу никто не мешал предаваться размышлениям.

Он наслаждался этой спокойной, тупой работой, когда подошла Рэмбетта и начала отвлекать его разговорами.

— Мне велели сращивать провода, — сказала она, вытаскивая один из самых острых своих ножей и срезая изоляцию с ярко-оранжевого кабеля. — Корабль здорово потрепан.

— Мне-то можешь не рассказывать. Вам всем повезло, что я такой опытный специалист по предохранителям, — скромно сказал Билл. — Тут их столько перегорело, что хватит заполнить всю пещеру под станцией.

Рэмбетта содрогнулась.

— Не напоминай о ней, она мне будет всю жизнь сниться.

— Мне все кажется, что за каждой дверью прячется какое-нибудь ужасное чудище, — задумчиво продолжал Билл, сунув предохранитель под высокое напряжение для проверки. — Мордобой убил двоих на камбузе. Блайт отнес их на компост. Говорит, получается отличное удобрение. Что слышно про Кэрли?

— С ним все в порядке, если не считать уха. Сейчас он копается в автопилоте. Думаю, обойдется. Ну-ка, подержи этот оранжевый провод.

— С удовольствием, — ответил Билл, беря провод в одну из своих правых рук.

— А теперь вот этот, желтый, — сказала Рэмбетта, протягивая другой провод, который он взял в другую правую руку.

— Ой! — заорал Билл: его ударило током, да так сильно, что волосы у него встали дыбом, а клыки задымились.

— Отлично, — сказала Рэмбетта. — Значит, оба под током. Это мне и нужно было знать. Держи, пока я буду их сращивать.

— Ой! Ой-ой-ой! — орал Билл.

— Замечательно, — сказала наконец Рэмбетта, обматывая провод изоляционной лентой. — Теперь все. Еще увидимся.

— Ой! — вскрикнул Билл напоследок.

Понадобилось не меньше пяти минут, чтобы в пальцах у него перестали бегать мурашки и он смог взяться за следующий предохранитель. Он оказался перегоревшим, и Билл пытался разобрать на нем номер, когда появился Кейн.

— А, вот вы где, Билл, — сказал Кейн. — Я вас разыскиваю.

— Ну вот вы меня и нашли, — проворчал Билл. — А теперь катитесь отсюда. Я занят.

— Я хочу проверить на вас одно свое предположение, — произнес андроид. — Так сказать, поднять его на флагшток и посмотреть, не отзовется ли кто. Послушайте. С тех пор как мы вернулись на корабль и оказались в относительной безопасности, меня с новой силой охватила научная любознательность.

— Надеюсь, вы не собираетесь наделать глупостей — например, протащить сюда в консервной банке каких-нибудь смертоносных инопланетян? — подозрительно спросил Билл.

— Ну, не настолько я любознателен. Но вся эта ужасная история, несомненно, даст материал для замечательной научной публикации. Я прославлюсь, а если вы мне поможете, то я сошлюсь на вас в сноске. Конечно, если мы выберемся из этого трудного положения живыми.

— А вы не хотите оставить всю эту чушь при себе и отвалить отсюда?

— Нет, послушайте, я серьезно. Мне удалось почти полностью раскрыть жизненный цикл этих существ. Когда мы прилетели сюда, эти твари каким-то образом учуяли, что появился дополнительный источник пищи, — они, вне всякого сомнения, обладают чутьем на жизненную силу, на тот поток жизни, что струится в жилах всякого живого существа. В результате вылупилось новое их поколение. Те, что постарше, которые уже были здесь к моменту нашего появления, очевидно, питались тем, что осталось от мумифицированного экипажа. Правда, замечательный сценарий?

— Изумительный, — насмешливо ответил Билл, которому вовсе не хотелось, чтобы его рассматривали всего лишь как закуску для инопланетян.

— Я так и знал, что вы сумеете увидеть, как прекрасна эта сложная и чудовищно злобная форма жизни, — радостно сказал Кейн. — Остальные не хотят меня слушать.

— И правильно делают, садист вы этакий! — воскликнул Билл. — Убирайтесь отсюда!

Но Кейн, увлеченный своей теорией, не обратил внимания на этот намек. Он назидательно поднял палец и с горящими от возбуждения глазами продолжал:

— Я предположил, что на каждой следующей стадии жизненного цикла они становятся крупнее и опаснее, чем на предыдущей. До сих пор самые крупные, каких мы видели, были размером с Кэрли, но это, конечно же, не предел. Когда вы снова пойдете за фольгой, вам, может быть, повезет, и вы повстречаете еще более крупных.

— Заткнитесь, будьте добры! — простонал Билл.

— Но даже если это случится, вы, наверное, не сможете взять для меня образчик? — вкрадчиво намекнул Кейн и с трудом увернулся, когда Билл замахнулся на него. — Конечно, я понимаю, что прошу слишком многого. Но мне необходимо иметь хотя бы их описание, по возможности подробное. Очень пригодились бы и обмеры. Когда вы с ними повстречаетесь, постарайтесь сохранить объективность. Не спешите, делайте записи. В моей статье не должно быть никаких неясностей.

— Если вы сейчас же не уйдете, я вас убью, — сказал Билл, шаря вокруг себя в поисках самого тяжелого предохранителя, которым можно было бы проломить череп настырному андроиду.

— Вы, наверное, шутите, Билл. Смотрите на это как на служение науке. А если вам в самом деле крупно повезет, вы можете даже увидеть матку.

— Чью матку?

— Это научный термин, которым обозначают самку-производительницу у насекомых. Ведь кто-то должен был отложить все эти яйца. Она, вероятно, огромна, намного крупнее тех, что размером с Кэрли. И опасна. В природе нет ничего страшнее матери, которая защищает свое потомство. Я бы много дал, чтобы ее увидеть.

— Договорились! Можете идти вместо меня, — радостно воскликнул Билл.

— Благодарю за любезное предложение, но чтобы написать эту статью, я должен остаться в живых, а тот, кто повстречается с маткой, вряд ли уцелеет. По правде сказать, я думаю, что придется в моей статье обойтись без этого раздела. Остается удовлетвориться догадками, касающимися этой стадии их жизненного цикла. Конечно, я постараюсь, чтобы такие догадки были логичными и последовательными. Я уверен, что отсутствие этого раздела не должно помешать опубликованию статьи.

— Это хорошо, — солгал Билл, берясь за очередной предохранитель, недостаточно тяжелый, чтобы вышибить мозги андроиду. — Вся Вселенная с нетерпением ждет, когда появится статья об инопланетных чудищах.

— Вот видите! Я так и знал, что вы поймете. Ну, мне пора возвращаться и заниматься наведением порядка. Оранжерея в ужасном состоянии. Было очень приятно с вами побеседовать. Увидимся.

Предохранитель разбился о дверь мгновение спустя после того, как Кейн закрыл ее за собой. Билл снова с наслаждением погрузился в свое тихое, однообразное занятие. Солдату нужно иметь такое место, где он может в одиночестве собраться с мыслями. Где можно спокойно подумать, что к чему, помучиться сомнениями, а то и перепугаться до полусмерти при малейшем звуке.

Внезапно Билл заметил, что это место уже не такое тихое и спокойное, каким было сначала. Тишину нарушало какое-то поскрипывание и царапанье. Билл искренне понадеялся, что это просто металлические конструкции потрескивают от температурных перепадов. Потом до него донеслись многочисленные шорохи, писк и шмыганье — он взмолился про себя, чтобы это оказались обыкновенные крысы.

Шмыганье? Билл с опаской огляделся вокруг, но ничего особенного не заметил. Его слоновья нога зловеще подергивалась. Кажется, Рэмбетта сказала, что двух инопланетян убили внутри корабля? А если их тут было двое, то почему не трое? Не четверо? Не целая сотня? Билл содрогнулся и поскорее вставил предохранитель на место. Он весь обливался потом, руки у него тряслись. Спокойная минута миновала, надо быстрее кончать и возвращаться к остальным. Оставаться в одиночестве, наедине с невидимыми смертоносными существами, которые могут прятаться в любом темном углу, — это почти самоубийство. Шорохи, царапанье и шмыганье становились все громче. Билл уронил предохранитель. Что-то шевельнулось у него под ногами.

— Ой! — завопил Билл, отпрыгнув назад и занеся высоко в воздух свою слоновью ногу. — Ой!

— Не дави меня, Билл! — вскричал чинджер ростом сантиметров в пятнадцать, размахивая всеми четырьмя лапками. — Только ногу отшибешь. Неужели ты меня не узнал?

— А, Усер, это ты! — воскликнул Билл, с огромным трудом остановив свою ногу на полпути.

— Я самый, — ответило крохотное зеленое существо.

— Как ты сюда попал? — спросил Билл.

— Очень просто. Через загрузочный люк рядом со шлюзовым коридором. Он был открыт, а тот кретин, что стоит там на страже с самодельным огнеметом, задремал. На вашем месте я бы держал этот люк закрытым. А того сторожа повесил бы за большие пальцы. Здесь места опасные.

— Но как же ты сюда попал? — удивленно спросил Билл снова. — Я хочу сказать — на эту планету, в этот момент времени?

— Космолет чинджеров, на котором я находился, принял сигнал бедствия, который вы автоматически начали передавать, как только потерпели аварию, и направился сюда, чтобы выяснить, что произошло. Хотя вы наши противники — исключительно по вашей собственной инициативе, — мы все же порядочные существа и оказали бы помощь всем, кто остался в живых. Но не здесь. Как только мы поняли, на какой вы планете, то решили держаться отсюда подальше.

— Киса была права, — простонал Билл. — Мы все погибнем. Инопланетяне покончат с нами — не те, так другие.

— Не впадай в панику, Билл. Разве я когда-нибудь пытался причинить тебе вред? Это тебе внушили на военной службе. И между прочим, я вовсе не считаю себя инопланетянином, — добавил Усер. — Для меня инопланетяне — это вы. Но если оставить в стороне философские проблемы, вам сейчас нет особой нужды опасаться нас, чинджеров.

— Это большое облегчение, — ответил Билл. — Вы много тысяч лет не знали, что значит драться, но когда решили научиться, это получилось у вас необыкновенно быстро.

— Только в порядке самозащиты, чтобы спасти все, что нам близко и дорого. А здесь мы задерживаться не собираемся. Это слишком опасно. Мы давно знаем о существовании этой планеты и изо всех сил стараемся держаться от нее подальше. Мы очень смеялись, когда вы решили устроить здесь станцию космической связи. Это был шедевр чистого идиотизма.

— У военных всегда так, — согласился Билл. — Если нужно сделать какую-нибудь глупость или совершить преступление, лучше всего обратиться к армии.

— Но самое невероятное — вы ухитрились поставить станцию как раз над гнездилищем инопланетян. Это то же самое, что стоять на единственном муравейнике посреди пустыни. Даже самый тупой осел догадался бы сделать хоть два шага в сторону. Что еще раз доказывает: никакого «военного мышления» не существует, это два понятия, между которыми нет ничего общего.

— Но я-то не виноват, что наш корабль попал сюда. У нас не было выбора. И к тому же все решения принимали другие.

— Вот это и есть самый нелепый и опасный ход мысли, — сказал Усер. — Все та же старая песня: «Я только выполнял приказ». Люди, которые отказываются шевелить собственными мозгами и рассуждают таким образом, причинили Вселенной больше всего зла. Когда снимаешь с себя ответственность и перекладываешь ее на других, это может на время успокоить, но рано или поздно за все приходится держать ответ.

— Конечно, — согласился Билл, с трудом следя за ходом рассуждений чинджера: за время военной службы его мыслительные способности заметно ослабли. Чтобы не перетруждать свой мозг, он решил переменить тему. — Кстати, ты, случайно, не знаешь, как там идет война? Я немного отстал от событий.

— Война идет прекрасно или очень плохо — это зависит от точки зрения.

— Кто побеждает? — спросил Билл.

— Да никто не побеждает, дурья башка! — воскликнул чинджер. — Или, точнее говоря, каждая сторона утверждает, что побеждает именно она, а это, в сущности, сводится к тому же самому. Почти во всех уголках Галактики идут бои. Потери ошеломляющие, даже если принять в расчет инфляцию.

— Император очень любит эту войну, — вздохнул Билл. — Он будет продолжать ее, сколько сможет. Она способствует подъему экономики и дает работу множеству людей. Особенно нам, солдатам.

— Но ведь мы с тобой знаем, что война бессмысленна, что ее не могут выиграть ни те, ни другие. Продолжать ее — значит действовать наперекор всякой логике.

— Ну, военное мышление никогда не отличалось логичностью, — сказал Билл. — А как ты узнал, что я здесь?

— Мы перехватывали ваши радиопереговоры, и из них я узнал, что ты на этом корабле, — сказал чинджер, усевшись на свой хвостик и откинувшись назад. — Вот и решил заглянуть сюда и посмотреть, как продвигается твоя миротворческая миссия.

— Признаться, в последнее время у меня как-то руки до этого не доходили, — уклончиво сказал Билл.

— Что может быть важнее, чем положить конец этой бессмысленной войне? — возразил Усер. — Нет ничего важнее.

— У меня голова была занята только тем, как бы выжить, — сказал Билл. — Я только и делал, что давил инопланетян да старался увернуться от старухи с косой. Ни на что больше времени не было.

— Насколько я помню, ты взялся сеять распри и вести пропаганду в нашу пользу, — сказал чинджер. — В обмен за это ты получил новую ступню. Кстати, о твоей ступне — что с ней случилось? И чем это у тебя заканчивается нога? Ничего безобразнее я в жизни не видел. Кажется, такие штуки есть у одного крупного млекопитающего серого цвета.

— Это длинная история, — ответил Билл. — Я обменялся ступнями и остался вот с этой.

— Не исключено, что я мог бы достать тебе новую ступню в обмен на стратегическую информацию и военные секреты. Никакого смысла в них все равно нет, но у нас начинает зарождаться класс военачальников, таких же глупых, как и ваши. Вот что самое ужасное в этой войне.

— Вообще-то от этой ступни есть, оказывается, кое-какая польза, — сказал Билл, постукивая ею по полу. — В нашем нынешнем отчаянном положении удобно всегда иметь при себе давилку для инопланетян.

— Ну, дело твое. Но я действительно хотел бы видеть с твоей стороны более конструктивные миротворческие действия. Я подвергаю себя немалому риску, вступая с тобой в контакт, и за это ты мог бы склонить в нужном направлении хоть кого-нибудь.

— Но я принял участие в мятеже.

— Это правильный шаг, — одобрил чинджер. — Эрозия власти способствует независимому мышлению. Если народные массы начнут подвергать сомнению действия тех, кто рвется к власти, мы, возможно, сумеем порвать цепи тупоумия, которыми скованы и которые не дают нам покончить с этим идиотским конфликтом.

— Ах да, — вспомнил Билл, — могу сообщить тебе, куда направляется корабль и какой груз на борту. Должно быть, это секретные сведения.

— Такой секрет вряд ли может представлять интерес, — сказал чинджер, — потому что вы, скорее всего, не протянете столько времени, чтобы успеть покинуть эту планету. Но все равно давай.

— Мы направляемся на Бету Дракона, — сообщил Билл. — И везем груз окры.

— Я так и знал, что эта информация не представляет интереса, — сказал Усер. — В районе Беты Дракона нет ничего, кроме свалки разбитых космолетов. Мы там всыпали вам как следует. Жаль, что я так ненавижу эту войну, а то бы непременно гордился нашей победой. А окра зачем? Лакомство для измученных солдат?

— Да нет, скорее хобби нашего капитана, — ответил Билл. — Он выращивает ее, а сам не ест.

— Никогда мне не понять вас, людей, — воскликнул чинджер, воздев вверх три руки и почесывая брюшко четвертой. — Вечно вы совершаете действия, лишенные какого бы то ни было смысла.

— Ну, это не совсем лишено смысла. Мой пес любит окру.

— Вот именно, — подхватил Усер. — Ты знаешь, что люди — единственные существа во Вселенной, которые держат других существ в качестве домашних животных? Поневоле задумаешься.

— Я об этом как-то не думал, — сознался Билл.

— Кто-то идет сюда, — сказал чинджер. — Мне надо уходить. Не знаю, приду я еще или нет, потому что наша команда рвется поскорее улететь с этой опасной планеты. Но я хочу, чтобы ты знал: даже если ты погибнешь и мне от тебя больше не будет никакой пользы, ты был довольно симпатичным человеком, насколько это возможно для человека.

— Спасибо, — отозвался Билл. — Взаимно, крошка.

— Если выживешь, не забудь и дальше сеять распри, — сказал Усер, проткнув насквозь металлический корпус корабля и готовясь шмыгнуть в дыру. — Ну а если не выживешь, можешь забыть.

— Что это было? — спросил вошедший Ухуру. — По-моему, я видел, как кто-то прошмыгнул мимо меня. Ты с кем-то разговаривал?

— Да нет, ни с кем, — солгал Билл. — Я читал вслух номера на предохранителях.

— Стекло у меня в шлеме опять запотело, ни черта не видно, — пожаловался Ухуру, пытаясь протереть стекло перчаткой снаружи. — А от этих идиотских лампочек на макушке одни только блики. Жаль, что их нельзя отключить. Они мне совершенно не нужны — разве что в темноте.

— Я почти кончил с предохранителями, — сообщил Билл.

— Плюнь на предохранители, — сказал Ухуру. — Сейчас нам срочно нужна фольга. Пора тебе возвращаться в пещеру, навстречу неминуемой гибели.

Глава 15

— Возьми этот огнемет, — сказал Моу, когда Билла снаряжали в путь. — Я его сам сделал из насоса для прокачки унитазов.

— А вот несколько гранат, — сказал Ухуру. — Имей в виду, обращаться с ними нужно поосторожнее. Постарайся ни на что не наткнуться. Их можно повесить на пояс.

— Возьми у меня один из ножей, — предложила Рэмбетта. — Только не этот, он у меня самый лучший, самый любимый. Знаешь, сколько я глоток им... В общем, кроме него, можешь взять любой. Ведь ты, скорее всего, живым не вернешься, и я не хочу потерять еще и мой самый лучший нож. Ты ведь понимаешь?

— Да, да, — тупо пробормотал Билл. Он уже ничего не понимал: все мысли были вытеснены страхом.

— Не забудьте провести наблюдения, о которых я говорил, — напомнил Кейн. — Мне нужен ясный и подробный доклад о вашей встрече с инопланетянами.

— А куда мне идти? — жалобно спросил Билл, ответив идиоту-андроиду неприличным жестом. — Кто-нибудь знает, где искать эту фольгу?

— Она, наверное, хранится на складе, — сказал капитан Блайт. — Вы его сразу найдете — он за реакторной, где все эти мерзкие инопланетяне.

— Замечательно, — пробормотал Билл. — А как выглядит эта фольга?

— Это анодированный алюминий, — объяснил Ухуру. — В листах длиной метров шесть и шириной метров пятнадцать. Они, скорее всего, скатаны в рулоны.

— Погодите! — воскликнул Билл. — А как я их потащу?

— Под мышкой, — посоветовал Ухуру. — Они очень тонкие и совсем не тяжелые.

— Может, и не тяжелые, но они же длинные, — сказал Билл. — Даже если они скатаны вдоль, все равно рулон получается в шесть метров длиной. Мне придется тащить его волоком и при этом отбиваться от инопланетян. А если фольга погнется или изомнется?

— И думать не смей! — вскричал Ухуру. — Это калиброванная фольга, изготовленная с величайшей точностью и очень малыми допусками. Наверное, надо послать кого-нибудь тебе в помощь. Есть добровольцы?

— Только не я, — простонала Киса. Она оказалась единственной, кто хоть как-то откликнулся на предложение вызваться добровольцем: остальные только поспешно попятились.

— Не отвечайте все сразу, — сказал Ухуру. — Может быть, кинем жребий? Вот соломинки.

— Знаю я эти твои соломинки, — заявила Рэмбетта. — Убери их с глаз долой.

— Ну ладно, — сказал Ухуру. — У меня есть другие.

Он выложил на стол нарезанные пластиковые трубочки, указал на одну, которая была короче других, взял их в руку и перемешал, чтобы не было видно, которая короче.

— Ну, это, по-моему, справедливо, — неохотно признала Киса, выбирая себе соломинку.

— Конечно, раньше жить мне было куда легче, — пожаловался капитан Блайт, зажмурив глаза и вытягивая соломинку. — Если предстояла неприятная работа, я всегда мог отдать приказ какому-нибудь бедняге. А эти демократические процедуры мне очень не по душе.

— У меня короткая! — радостно вскричал Мордобой. — Я с тобой, Билл! Нам мало что светит. Ты готов умереть как мужчина?

— Ну, не совсем, — признался Билл.

— Что ж, такова судьба солдата, — торжественно произнес Ухуру. — И так и сяк подыхать — либо в казарме от скуки, либо на поле битвы от руки врагов. Вообще-то я бы и сам с вами пошел, только мне нужно все приготовить для установки экранов — на случай, если вы все-таки ухитритесь вернуться живыми.

— Премного благодарен, — насмешливо отозвался Билл, от которого не укрылась нотка трусливого лицемерия в его голосе.

— Мне нужен огнемет, Моу, — заявил Мордобой. — Без огнемета я туда не полезу.

— Вот этот я сделал из агрегата к холодильнику, — гордо сказал Моу. — Осторожнее, он заправлен ракетным горючим.

— Дай-ка свой хороший нож, Рэмбетта, — попросил Мордобой. — Он мне пригодится.

— Ни за что, — огрызнулась Рэмбетта.

— Но если они не вернутся, он тебе все равно не понадобится, — рассудительно заметила Киса. — Дай ему нож.

— Ты не знаешь, что это за нож! — вскричала Рэмбетта. — Его вручила мне мать на церемонии совершеннолетия, когда я получила свою первую летучую мышь. Это у меня единственная память о ней и о том прекрасном мире, который теперь так далек. Мордобой, ты бы мог отдать свой топор?

— Еще чего? — возмутился Мордобой. — Но нам нужен этот нож. Давай-ка его сюда, не то сам возьму.

— Ну зачем мы ссоримся? — простонала Киса. — Неужели нам мало врагов, чтобы еще ругаться между собой?

— Это нервы, — сказал Кейн. — Типичная человеческая реакция на непреодолимый страх — кидаться на всех, кто оказался поблизости.

— По-вашему, я трусиха? — вскричала Рэмбетта. — Все вы, мужчины, одинаковы, даже андроиды. Значит, если я женщина, то у меня кишка тонка? Я вам покажу! Давай мне свой огнемет, Ухуру, я иду туда. Если эти двое неуклюжих недотеп — наша последняя надежда, то не видать нам фольги и можно сразу сдаваться.

— Ну-ка покажи им, на что способна настоящая женщина! — поддержала ее Киса. — Ур-р-а-а!

— Не отдам я огнемет, — сказал Ухуру, крепко прижав его к себе.

— Возьми вот этот, — предложил Моу. — Я сделал его из кое-каких радиодеталей и гигиенического пакета на случай качки.

— А вы, недотепы, что стоите разинув рот? — крикнула Рэмбетта, хватая огнемет. — Пошли!

— Пошли! — заревел Мордобой, со свистом рассекая воздух топором. — Кровь и смерть! Вот потеха!

Билли неохотно двинулся за Мордобоем и Рэмбеттой к шлюзовому коридору, где они громкими криками и несколькими точными ударами разбудили сладко спавшего Ларри. Билл с облегчением заметил, что Усер, покидая корабль, закрыл за собой загрузочный люк.

— Я первая, — заявила Рэмбетта, распахнув люк ногой и обдав коридор длинным языком пламени. — Вы двое идите за мной. Не шумите и не стреляйте, пока не выберемся из коридора. Я не желаю, чтобы меня поджарил какой-нибудь идиот, которому не терпится пострелять.

Билл с радостью последовал ее указаниям и нырнул в дымящийся узкий коридор впереди Мордобоя: он подумал, что самое безопасное место будет посередине. Пробираясь по темному коридору, он размышлял о том, что на самом деле он вовсе не трус. Это всего лишь разумная стратегия — нужно принимать во внимание все факторы, способствующие выживанию, и тщательно их взвешивать. И не высовываться зря.

— Приготовиться! — сказала Рэмбетта, когда они приблизились ко входу на станцию. — Ставим огневую завесу и выскакиваем. Считаю до трех. Раз! Два! Пошли!

Билл немного задержался, потому что ждал команды «три» — как послушный солдат, привычный в точности выполнять приказы. Но когда Мордобой могучим ударом вытолкнул его в вестибюль станции, он нажал на спусковой крючок огнемета и обдал все вокруг пламенем.

— Попал! — заорал он. — Смотрите, как горят!

— Это скафандры горят, — сердито сказала Рэмбетта. — Никаких инопланетян тут нет.

— А что, если они прятались в скафандрах? — принялся оправдываться Билл. — Наверняка так и есть — они только и ждали, пока мы подойдем поближе, а потом выскочили бы наружу и кинулись бы на нас. Тут бы нам и конец.

— Не иначе, — сказала Рэмбетта. — Только я в это поверю не раньше, чем ты пройдешь проверку умственных способностей.

— Солдаты не проходят проверку. Только офицеры, — объяснил Билл.

— А вот в этом скафандре есть один жареный инопланетянин, — крикнул Мордобой, обследовав дымящиеся остатки. — И в этом тоже.

Рэмбетта бросила на Билла восхищенный взгляд.

— Здорово ты с ними управился, — сказала она. — Прости меня за эту шутку насчет проверки. Наверное, тебе надо встать впереди и вести нас.

— Да нет, у тебя прекрасно получается, — поспешно ответил Билл. — Продолжай и дальше.

— Ну тогда вперед! Через дверь и по коридору. Но сначала расчистим путь.

Мордобой ногой распахнул дверь, Рэмбетта швырнула в нее гранату, полученную от Ухуру, и отскочила назад. Сильнейший взрыв сотряс коридор, и в комнату повалили густые клубы дыма.

— Здорово шумнули, — радостно сказал Мордобой. — А можно я тоже одну брошу?

— Гранаты надо беречь, — возразила Рэмбетта. Дым понемногу рассеивался. — Они могут нам еще пригодиться. За мной!

Билл двинулся вперед, стараясь держаться как можно ближе к Рэмбетте и стиснув обеими правыми руками огнемет. Мордобой шел за ним по пятам. Они быстро, но осторожно направились вдоль по коридору, мимо дверей, тянувшихся по обе его стороны.

— Поднажми! — рявкнул Мордобой, подтолкнув Билла в спину.

Мгновение спустя за первой из дверей прогремел взрыв.

— Мне показалось, там кто-то шевельнулся, — объяснил Мордобой. — Хорошие гранаты получаются у Ухуру.

— Хватит баловаться! — крикнула Рэмбетта. — Надо найти фольгу.

Еще две секунды спустя взрывы прогремели во второй и третьей комнатах. Мордобой виновато улыбался, а Рэмбетта дала команду остановиться.

— По-твоему, в каждой комнате что-то шевелится? — спросила она саркастическим тоном. — Если ты будешь и дальше расшвыривать гранаты направо и налево, у нас ни одной не останется к тому времени, когда они и в самом деле понадобятся.

— Не могу удержаться, — ухмыльнулся Мордобой. — Вот потеха. Бабах! Бабах!

— Отставить! — приказал Билл, вспомнив, что был назначен полицейским. — Беречь гранаты!

— Постараюсь, — проворчал Мордобой. — Очень трудно удержаться. Мордобой — настоящий солдат, машина для убийства. Не люблю сидеть без дела. Так и подмывает оттяпать кому-нибудь ноги. Смерть и кровь — вот это по-моему.

— Да мы только просим тебя не слишком усердствовать, — сказала Рэмбетта, приближаясь к реакторной. — Хоть разгляди их сначала.

— Не уверен, что стоит их так уж разглядывать, — возразил Билл. — Я за то, чтобы истреблять их сразу.

— Верно! — обрадовался Мордобой. — Вот как говорит настоящий солдат!

— Ого! — сказала Рэмбетта. — Посмотрите-ка.

Дверь в реакторную еще держалась, но лишь еле-еле. В ней были прорезаны изнутри огромные щели, с краев их свисали капли расплавленного металла, похожего на жидкую лаву.

— У них, наверное, какая-то очень крепкая кислота, — сказал Билл. — Хорошо, что тут нет Кейна, — он обязательно потребовал бы, чтобы мы взяли образцы.

— Склад вон там! — крикнула Рэмбетта. — За той дверью.

— Наконец-то! — сказал Мордобой. — Можно я хоть сейчас брошу туда гранату? Пожалуйста!

— Никаких гранат, идиот! — презрительно отозвалась Рэмбетта. — Ты хочешь наделать дыр в этой фольге? Ухуру сказал, что с ней нужно обращаться осторожно.

— А может, малость поработать огнеметом? — с надеждой спросил Мордобой.

— И не думай, — приказала Рэмбетта.

— А что, если просто открыть дверь и заглянуть туда? — предложил Билл. — Очень возможно, что из-за всего этого гранатометания мы уже утратили элемент внезапности.

— Мордобой ничего не делает наполовину, — заявил громила, занося топор. — Дело делать надо, а не болтать.

Прежде чем они успели его остановить, он одним ударом топора вышиб дверь. Она с грохотом упала на пол.

— Очень умно, — сказал Билл, пятясь от двери. — Так они ни за что не догадаются, что мы здесь.

— Не вижу там, внутри, никаких инопланетян, — сказала Рэмбетта, стоя в дверном проеме с огнеметом наготове.

— Тут места хватает, — заметил подошедший Билл. — Запросто можно спрятать хоть целую сотню.

Склад был огромен — в нем вполне мог бы поместиться космолет размером с «Баунти», и еще осталось бы место для целой эскадрильи истребителей. На решетчатом металлическом полу были раскиданы как попало ящики и всевозможные приспособления для погрузки. Сложенные штабелями тридцатиметровые стальные балки казались в этом громадном пространстве не больше спичек, а стоявший рядом погрузчик выглядел игрушечным.

— Не вижу никакой фольги, — сказал Билл.

— Она может быть где угодно, — отозвалась Рэмбетта, осторожно двигаясь вглубь склада. — Надо идти искать. Пошли. Смотрите внимательно, не шевельнется ли кто-нибудь.

Это последнее предупреждение было совершенно излишним, во всяком случае для Билла. Он последовал за Рэмбеттой, не снимая дрожащего пальца со спускового крючка огнемета. Его нервная система, уже доведенная до полного расстройства пережитыми опасностями, давно перешла грань, за которой начинается откровенная паника. Если бы ему попался на глаза даже таракан, он мгновенно превратил бы его в пар.

— Вот он! — вскричала Рэмбетта, припав на колено и подняв огнемет. — Вон там! Отойди в сторону, Мордобой, ты мешаешь стрелять!

Чудище размером намного больше Кэрли поднялось из-за штабеля ящиков, рядом с которыми стоял Мордобой. Оно шипело, рычало, истекало ядовитой слюной и скрежетало острыми зубами. Когтистая лапа, протянувшись к Мордобою, выхватила у него из рук топор и отшвырнула в сторону метров на сто с такой же легкостью, как солдат выбрасывает только что опорожненную пивную бутылку. Потом оно, злобно взмахнув чешуйчатым хвостом, выскочило из-за ящиков и схватило Мордобоя.

— Оно меня душит! — прохрипел тот. — Оно откусило мне ухо! И лезет к горлу! Ох!..

Рэмбетта выхватила нож, подаренный ей матерью, и кинулась к инопланетянину. На мгновение она застыла перед огромным чудищем, пригнувшись и приготовившись к прыжку. Инопланетянин, глядя на нее сверху вниз, словно на какое-то ничтожное насекомое, легко держал на весу брыкающегося Мордобоя.

— Вот тебе, прыщавое чудище! — вскричала Рэмбетта, подпрыгнув и нанося ножом удар за ударом. — Да здравствует император! Смерть гадам!

Озадаченное неожиданным нападением, чудище отбросило Мордобоя в сторону, схватило Рэмбетту и принялось трясти ее, как тряпочную куклу. Потом оно швырнуло ее на Мордобоя и нависло над ними, изрыгая ядовитую слюну и слизь.

Билл, уловив подходящий момент, бросился вперед и уперся стволом огнемета в ходившие ходуном ребра чудища. Оно еще не успело двинуться, когда он нажал на спуск. Эффект оказался поразительным: пламя охватило чудовищную тушу, и она мгновенно превратилась в гигантский клуб дыма.

— Наверно, они становятся совсем сухие, когда вырастают до такой величины, — сказал Билл. — Это надо запомнить.

— Отлично сработано, Билл, — одобрила Рэмбетта, вытирая с ножа ядовитую слизь. — Даже я не смогла бы лучше.

Мордобой поднялся на ноги и стоял, сердито озираясь вокруг.

— Где мой топор?

— Где-то там, — показал Билл.

— Я пошел за топором. Сейчас вернусь.

— Заодно посмотри, нет ли там фольги, — крикнула ему вдогонку Рэмбетта, проверяя свой огнемет. — Я по горло сыта этим местом. Все отдала бы, чтобы оказаться подальше отсюда. Например, попивать «Радость Галактики» в каком-нибудь баре с хорошим приятелем. Отличное пойло — с одного глотка косеешь, с двух отдаешь концы.

— Звучит неплохо, — солгал Билл.

Они долго бродили среди штабелей. Ящики с сублимированной туалетной бумагой попадались им сотнями, но никакой фольги видно не было.

— Эй! — крикнул Мордобой. — Посмотрите-ка!

— Нашел фольгу? — отозвался Билл, спеша вместе с Рэмбеттой к Мордобою, который стоял на коленях, что-то разглядывая на полу.

— Нет. Топор нашел, — сказал он. — И вот это.

«Это» оказалось огромной дырой в металлическом полу — судя по всему, такую дыру могла проесть только какая-то крепкая кислота. Дыра вела в длиннейший туннель, усыпанный оранжевой шерстью. Дальний конец его терялся в темноте.

— Не думаю, чтобы фольга была там, — сказала Рэмбетта. — Похоже, этот туннель идет до самой пещеры со стручками.

— Ну, проверять я не стану, — заявил Мордобой. — Эй, а это что такое?

— Там что-то движется! — вскричала Рэмбетта. — Что-то невозможно огромное, покрытое оранжевой шерстью и слизью!

— Я думаю, сейчас мы повстречаемся с маткой, — простонал Билл. — И вряд ли она поблагодарит нас за то, что мы убиваем ее детишек.

Глава 16

Чудовищная матка, преисполненная злобы и ярости, медленно поднималась из отверстия в полу. Гигантская когтистая лапа, размером вдвое больше Мордобоя, устрашающе уверенным движением легла на край отверстия. Потом показалась вторая лапа, потом третья. За ними последовала огромная плоская голова с многочисленными рядами скрежещущих зубов, по которым текла вонючая слизь. С каждым вздохом чудище издавало страшный раскатистый хрип, словно горб терся о горб, — от этого звука у Билла по спине побежали мурашки. Он попятился назад, а чудище все продолжало выползать, громоздясь над тремя людьми. С рычанием и шипением оно поставило на край отверстия сначала одну огромную ногу, потом другую, потом еще одну, потом еще две. Гигантский хвост метнулся из стороны в сторону, едва не раздавив Мордобоя в лепешку.

— Бежим! — предложил Билл.

— Гранатами его! — рявкнул Мордобой.

— Не подведи, мамочка! — крикнула Рэмбетта.

— Сюда! — заорал Билл, который уже решил предпочесть бегство бою и во все лопатки несся в дальний конец склада, где громоздилось больше всего ящиков. — Попробуем спрятаться, вдруг она нас не найдет!

— Хорошо придумано! — вскричала Рэмбетта. — Побежали, Мордобой. Все за Биллом!

— А что, если я... Ой! Чуть не задела. Должно быть, ты права.

Все трое нырнули за штабель ящиков, на каждом из которых была надпись: «ТУАЛЕТНАЯ БУМАГА СУБЛИМИРОВАННАЯ. 10 000 РУЛОНОВ. ЗАЛИТЬ ВОДОЙ И ОТОЙТИ ПОДАЛЬШЕ». В голове у Билла мелькнула страшная мысль: а что, если это завезли сюда по ошибке вместо фольги? Такие вещи случались сплошь и рядом.

Злобное чудище с топотом и треском двигалось через склад, оглашая воздух ревом и изрытая ядовитую слюну. Усаженный шипами хвост описывал широкие смертоносные круги, сокрушая все на своем пути. Казалось, чудище движется наугад, расталкивая штабеля ящиков, как пушинки. Потом оно остановилось, медленно повернуло громадную голову и уставилось прямо на притаившихся людей.

— Получай! — крикнул Мордобой, швыряя две гранаты. — Вот тебе!

Билл распластался на полу, чтобы не попасть под осколки. Гранаты взорвались с оглушительным грохотом.

— Попал? — спросил он, не отрывая лица от пола. — Ее разорвало в клочья?

— Не совсем, — отозвался Мордобой. — Только поцарапало кое-где, и все. Пожалуй, слизи из него теперь побольше течет. Было бы у нас тысячи две гранат... Ого-го! Оно идет сюда!

— Я задержу ее огнеметом! — крикнула Рэмбетта. — Мордобой, прикрой меня! Билл, гони сюда тот погрузчик!

— Ты хочешь, чтобы я вступил в бой с этим инопланетянином на погрузчике? — спросил Билл. — Ты что, совсем спятила? Или опять спор надышалась?

— А что, ты видишь где-нибудь тут боевые танки? — насмешливо сказала Рэмбетта. — Приходится воевать тем, что есть. Пошевеливайся, идиот!

Поминутно оглядываясь, Билл бегом бросился к погрузчику. Его слоновья нога оставляла в полу глубокие вмятины. Инопланетное чудище стояло неподвижно, окутанное пламенем, которым поливали его из огнеметов Рэмбетта и Мордобой. Но несмотря на это, оно как будто ничуть не пострадало, оказавшись почему-то негорючим — не то что те другие инопланетяне-гиганты. Но оно явно пришло в ярость и оглушительно ревело, размахивая хвостом.

Билл прыгнул на сиденье погрузчика, завел двигатель и выжал сцепление. Из всего, что находилось поблизости, больше всего были похожи на оружие сложенные штабелем стальные балки, поэтому он захватил ковшом несколько штук и направил их вперед, как копья.

— А ну, покажи ей, Билл! — кричал Мордобой. — Скорее, она вот-вот до нас доберется!

Билл подумал, что у него есть очень слабый и ненадежный шанс оттеснить чудище обратно в дыру. Если это случится, им, возможно, удастся завалить дыру, взорвав в ней несколько гранат. Надолго это чудище не удержит, но, по крайней мере, они выгадают какое-то время и, может быть, успеют разыскать фольгу и выбраться из гибельной ловушки. Он направил погрузчик к чудищу, включив максимальную скорость. Успех представлялся крайне сомнительным, но выбора не оставалось.

— Так ее! — вскричал Мордобой, когда Билл с грохотом врезался в чудище-матку. — Я буду ее поджаривать, а ты жми!

— Сюда! — крикнула Рэмбетта. — Я нашла фольгу!

— Так ее, Билл! — отозвался Мордобой, пятясь. — Нажимай на нее, а я помогу Рэмбетте с фольгой.

Это изменение первоначального плана Биллу не слишком понравилось. Ему отнюдь не улыбалось остаться лицом к лицу с разъяренным чудищем на расстоянии вытянутой балки и без всякого огневого прикрытия.

Чудище все еще дымилось и оглушительно ревело — не то от боли, не то от ярости, не то от того и другого вместе. Оно попыталось увернуться от погрузчика, пошатываясь, как боксер, пропустивший крепкий удар по голове. Ему удалось обогнуть балки сбоку, и оно чуть не дотянулось до Билла, когда тот круто развернул погрузчик и с маху ударил чудище с такой силой, что оно упало на свои многочисленные колени. Билл тут же включил задний ход и отвел погрузчик назад, готовясь к следующей безнадежной атаке.

— Мы фольгу забрали, — крикнула Рэмбетта. — Пошли отсюда!

Билл не стал дожидаться вторичного приглашения. Он сбросил балки на пол, навалился на педаль газа всей тяжестью своей слоновьей ноги и со скрежетом помчался к выходу, оставляя за собой запах горелой резины. Подъехав к двери, Билл резко затормозил, погрузчик развернуло и боком вынесло в коридор.

— Где это ты выучился так лихо ездить? — рассмеялась Рэмбетта, складывая гранаты кучей в дверном проеме.

Билл и Мордобой поспешно укладывали на погрузчик фольгу.

— Вон она! — крикнула Рэмбетта, прыгнув вслед за Мордобоем на площадку погрузчика. — Поехали!

Билл включил первую же переднюю скорость, какая попалась под руку, и снова изо всех сил надавил на газ. Чудище было уже совсем рядом. Рэмбетта обдала кучу гранат пламенем из своего огнемета, сильнейший взрыв потряс коридор и чуть не опрокинул погрузчик.

— Ого-го! — вскричал Мордобой, когда погрузчик выровнялся. — Чуть не вляпались.

— Дверь завалена? — спросил Билл, все внимание которого было устремлено вперед, так что он даже не мог оглянуться.

— Надеюсь, — ответила Рэмбетта. — А побыстрее ты не можешь?

— Я делаю все, что могу. Ух! — Билл крутанул руль, и погрузчик дважды тряхнуло — он переехал двух инопланетян. Они были той разновидности, что шмыгают, и нога Билла радостно задергалась.

— Смотрите! — крикнула Рэмбетта. — Они вырвались из реакторной!

Вокруг кишели отвратительные, покрытые оранжевой шерстью инопланетяне всех размеров, от крохотных и милых до уродов величиной с Кэрли. От двери реакторной осталась только куча расплавленного шлака. Пол был покрыт оранжевой шерстью и слизью. Погрузчик занесло, и он заскользил куда-то в сторону.

— Осторожнее с фольгой! — кричала Рэмбетта, пока Билл пытался заставить погрузчик снова слушаться руля.

— Ур-р-а-а! — орал Мордобой, швыряя гранату в гущу инопланетян. — Левей, Рэмбетта! Жги их!

Рэмбетта направила струю пламени на скопище инопланетян, которых мгновенно охватил огонь. Зрелище было отвратительное. Но они еще не успели догореть, как на их месте появились другие.

Мордобой швырнул еще одну гранату и крикнул:

— Смотрите! Подмога идет!

— К нам или к ним? — спросил Билл с надеждой, не отрываясь от руля.

— Угадай с двух раз, — мрачно ответила запыхавшаяся Рэмбетта.

Коридор был весь полон инопланетян, которые, злобно оскалившись и отталкивая друг друга, рвались вдогонку за погрузчиком с такими аппетитными пассажирами. Мордобой схватил свой огнемет и поливал их пламенем, пока не кончилось горючее. Он взмахнул огнеметом, как дубиной, прикончил несколько инопланетян, оказавшихся поблизости, и швырнул его в морду одному размером с Кэрли.

— Беру твой! — крикнул он, схватив огнемет Билла, и обдал пламенем десяток инопланетян, которые пытались взобраться на погрузчик. — До шлюза совсем немного! Скорее!

Круто свернув за угол, Билл изо всех сил нажал на тормоз, и погрузчик со скрежетом остановился у входа в шлюзовой коридор. Пока Билл отстегивал привязной ремень, Рэмбетта и Мордобой уже соскочили с площадки.

— На фольге полным-полно чудищ! — вскричала Рэмбетта. — Какие страшные — кошмар просто!

С десяток инопланетян шмыгали взад и вперед по рулонам фольги. Билл дергался и плясал на месте, стараясь сдержать свою слоновью ногу, которая рвалась их давить, угрожая привести драгоценную фольгу в полную негодность.

— А, попались! — радостно заорал Мордобой.

— Никаких гранат! — завопила Рэмбетта. — И ни в коем случае никаких огнеметов!

— Ничего, для них и топор хорош, — отозвался Мордобой, весело оскалившись и приканчивая инопланетян одного за другим с хирургической точностью.

— Я беру этот конец, — сказал Билл, хватаясь за рулон. — Мордобой, бери тот. Рэмбетта, прикрывай отступление.

— Будет сделано, приятель! — отозвалась Рэмбетта, обдав вестибюль огнем.

Билл поднял передний конец рулона и вошел в шлюзовой коридор. Мордобой нес задний конец. Рэмбетта швырнула на прощанье несколько гранат, чтобы никто не вздумал последовать за ними, а Мордобой, изогнувшись всем телом, поливал коридор впереди пламенем из огнемета, чтобы расчистить путь.

Когда они добрались до конца коридора, Ларри открыл им люк и сразу же захлопнул, как только они вошли. Все остальные нетерпеливо ждали у входа.

— Ну и досталось нам! — сказал Мордобой, потный и перемазанный копотью. — Но мы дрались, как положено солдатам.

— Похвально, — отозвался Кристиансон. — Но и мы, знаете ли, тоже натерпелись. Канализация опять течет.

— Фольга! — вскричал Ухуру. — Двадцать минут работы — и мы сможем стартовать. Пошли, Ларри, поможешь мне.

— А я починил автопилот, — сообщил Кэрли, когда Ларри и Ухуру ушли, таща за собой рулон фольги. — Во всяком случае, я надеюсь, что он заработает. Возможно. А может быть, и нет.

— Это у него отравление слизью, — шепнул капитан Блайт. — Время от времени начинает заговариваться.

— Вообще-то должен заработать. И вывести нас на Бету Дракона. Или завести в какую-нибудь «черную дыру». Во всяком случае, я сделал все, что мог.

— Меня весьма интересуют инопланетяне, — сказал Кейн. — Что вам удалось выяснить?

— Вы были правы насчет матки, — едва выговорил Билл, бессильно опускаясь на пол. — Мы с ней повстречались.

— Изумительно! — вскричал Кейн. — И выжили, чтобы рассказать мне про нее! Это фантастическая новость. Моя статья прогремит на всех обитаемых планетах. Мне снова предстоит славное будущее. Как она выглядела?

— Жутко здоровенная, — сказал Мордобой.

— А вы не могли бы уточнить? — переспросил Кейн. — «Жутко здоровенная» — это не очень научный термин. Насколько здоровенная? Кто-нибудь ее обмерил?

— И омерзительная, — добавила Рэмбетта. — Ни разу еще не видела ничего омерзительнее.

— Прошу вас, сформулируйте это несколько более объективно, — простонал Кейн. — Я не думаю, что в моей статье будет уместно слово «омерзительная».

— Страшная, — сказал Билл. — Чешуйчатое многоногое чудище, из которого сочится ядовитая слизь и лезет оранжевая шерсть.

— Вы ее убили? — с тревогой спросил Кэрли. — Или мне еще нужно волноваться из-за нее и, может быть, снова испортить автопилот?

— В последний раз, когда я ее видел, она выглядела не слишком хорошо, — ответил Билл, чуть уклонившись от истины.

— Но мне для статьи нужны более конкретные детали, — сказал Кейн. — Неужели никто ее не обмерил?

— А идите-ка вы... — предложил Билл. — Потом расскажем. Если захотим. Давайте сначала унесем отсюда ноги.

— У нас тут одна небольшая проблема, — сказала Киса после некоторого колебания. — С твоим псом, Рыгаем.

— А в чем дело? — спросил Билл. — И где он? Не знаю почему, только я соскучился по этой вонючей скотине.

— Он тоже по тебе скучал, — сказала Киса. — Когда ты пошел за фольгой, он даже скулил и визжал.

— Молодец песик, — сказал Билл. — Знает, как я его люблю.

— Но он исчез, — простонала Киса. — Совсем исчез.

— Что? — завопил Билл. — Должно быть, он в оранжерее с окрой?

— Он на станции космической связи, Билл, — сказал Кэрли. — Он проскользнул мимо Ларри сразу после того, как ты туда пошел, и убежал в шлюзовой коридор. Он сейчас там совсем один, среди всех этих жутких, покрытых слизью зомби. Увы!

— Бедный беспомощный песик! — простонала Киса. — Неужели ты думаешь его бросить?

— Я думаю, — ответил Билл. — Не торопите меня. Я размышляю.

— Он на вас надеется, — сказал капитан Блайт. — Только самые низшие формы жизни способны покидать друзей в беде.

— Этот пес тебя любит, — сказала Рэмбетта. — Что ты собираешься делать?

— Пятнадцать минут до старта, — послышался из динамика голос Ухуру. — Если у кого-нибудь остались еще какие-нибудь дела, делайте их поскорее.

Билл громко вздохнул и взял из рук Моу огнемет.

Глава 17

— Мне понадобятся еще гранаты, — буркнул Билл, покачивая головой при мысли о том, какую откровенную глупость он собирается совершить.

— Возьми нож моей мамочки, — предложила Рэмбетта, неожиданно растрогавшись. — С ним мне всегда везло.

— Это тоже может пригодиться, — сказал Кэрли, протягивая ему какой-то ящичек, покрытый мерцающими огоньками.

— А что это такое? — спросил Билл.

— Локатор, — сказал Кейн. — По крайней мере, я так думаю. Я сам его изобрел, а Кэрли построил из кое-каких кухонных принадлежностей и пары старых транзисторов.

— А как он работает?

— Нужно нажать вот эту кнопку, — объяснил Кэрли, наклоняясь над ящичком и нажимая на зеленую кнопку сбоку. — Он реагирует на любые формы жизни, но я вмонтировал туда подпрограмму, которая настраивает его на те формы жизни, от которых пахнет окрой. Сейчас он включен на максимальную дальность. Все эти крохотные точки — мы. А вон та зеленая точка — Рыгай.

— А вот эти точки? — спросил Билл.

— Инопланетяне, — признался Кейн.

— Там их что-то многовато, — сказал Билл, содрогнувшись. — И почти все — между мной и Рыгаем.

— Локатор может еще подавать сигнал писком, если ты захочешь, — гордо сказал Кэрли. — Но там их так много, что он будет пищать все время. Мне бы на твоем месте это не понравилось.

— Я очень рада, что была с тобой знакома, Билл, — сказала Киса, крепко его обнимая. — Я только хочу сказать, что ты, по-моему, решил совершить благородный и самоотверженный поступок... Я, кажется, сейчас заплачу... Пусть даже это невероятная глупость, которая, полагаю, будет стоить тебе жизни. Мало что на свете прекраснее, чем любовь между мужчиной и его собакой.

— А может, возьмешь мой топор? — спросил Мордобой. — Конечно, он будет тебе малость мешать, и из-за этого инопланетяне, скорее всего, тебя слопают. Но я так понимаю, что должен тебе его предложить, хоть мне и не очень хочется.

— Спасибо, Мордобой, — сказал Билл. — Но я думаю, мне лучше отправиться налегке.

— Кстати, раз отправляешься, так уж отправляйся, — заметил Кристиансон. — А то нам не терпится улететь отсюда.

— Возьмите еще рацию, — сказал Кейн, прикрепляя ее к поясу Билла. — Это гарантирует нам обстоятельное, достоверное описание — из первых рук — ваших встреч с инопланетянами для моей статьи. А если вы захотите произнести какие-нибудь предсмертные слова, то мы услышим их в точности такими, какими они вырвутся из ваших холодеющих уст.

— Очень мило с вашей стороны, — проворчал Билл, проверяя уровень горючего в огнемете и борясь с желанием испробовать его на Кейне.

— Свой очередной гибридный сорт окры я назову в вашу честь, — сказал капитан Блайт. — Abelmoschus heroicus billus. Неплохо звучит.

— Мне пора, — сказал Билл, входя в шлюзовой коридор и выпустив в темноту пару языков пламени на всякий случай.

Вестибюль станции, уже не раз становившийся полем битвы, превратился в дымящиеся развалины. Останки инопланетян и сожженные скафандры были разбросаны по полу среди обуглившихся обломков, как окурки после бурной вечеринки. Но самое главное — ничто здесь не шевелилось. Билл отрегулировал локатор так, что сам оказался у одного края экрана, а зеленая точка, обозначавшая Рыгая, — у другого. К его большому огорчению, между ними располагалось великое множество точек, обозначавших инопланетян.

Билл осторожно подошел к двери, ведущей в главный коридор, и быстро заглянул туда. В коридоре кишело так много инопланетян, что их было не сосчитать, и справиться с ними мог бы только танк, вооруженный тактическими ядерными ракетами. Нужно было искать обходной путь.

Вентиляционные ходы! Билл благословил неведомого конструктора, который спроектировал такие удобные туннели, столь хитроумно соединяющие все части станции. Он сгреб скафандры в кучу, забрался на нее, дотянулся до ближайшей вентиляционной решетки, снял ее и с трудом влез в отверстие.

Сразу же после этого возникли проблемы. Вентиляционные ходы оказались чертовски узкими, Биллу с трудом удавалось по ним протискиваться, а уж о том, чтобы в случае нужды развернуться, не приходилось и думать. Теперь Билл проклинал этого кретина конструктора, который не сделал их немного пошире, чтобы человеку было удобно по ним передвигаться. Кроме того, он ни по каким признакам не мог определить, где находится, — оставалось полагаться на локатор Кэрли и на собственное чувство направления. Вскоре он понял, что и на то, и на другое полагаться особенно не приходится.

Все боковые ходы в этом запутанном лабиринте выглядели одинаковыми. Билл пополз вперед, надеясь, что движется более или менее параллельно главному коридору. Он взглянул на экран локатора, и у него появилось нехорошее предчувствие, что Рыгай находится в реакторной, где инопланетян больше всего. Но ему ничего не оставалось делать, как ползти дальше, время от времени сверяясь с экраном локатора.

Дважды он заполз в тупики и вынужден был выбираться из них задом. Он решил, что если когда-нибудь возьмется за проектирование вентиляционных ходов, то сделает их такими высокими и широкими, чтобы по ним можно было свободно ходить, устроит там яркое освещение, повесит на каждом перекрестке по дорожной схеме и поставит кое-где фонтанчики с питьевой водой. Но пока темноту, царившую в туннелях, немного рассеивали лишь пятна света, падавшие на стенки из вентиляционных решеток. Одно такое пятно виднелось прямо впереди.

Билл тихо подполз к решетке и заглянул вниз. Приятно было то, что он оказался как раз над серединой коридора.

Неприятно же было то, что там кишело еще больше отвратительных инопланетян, чем раньше, если это вообще возможно. И слишком многие из них были размером покрупнее Кэрли, так что им ничего не стоило при желании дотянуться до вентиляционной решетки. Билл содрогнулся, увидев совсем близко столько этих страшных существ, и попытался убедить себя, что они его не могут видеть, а если он затаит дыхание, а сердце его не будет биться слишком громко, то, может быть, все и обойдется.

— Как дела, Билл? — во весь голос рявкнула рация. — Говорит Ухуру.

— Тсс! — прошипел Билл, поспешно отползая от решетки и уменьшая громкость.

— Ты еще жив, Билл? Если да, то тут рядом стоит Кейн со своим блокнотом, он ждет отчета о твоих наблюдениях. У тебя есть что ему сообщить?

— Скажи ему, пусть засунет свой блокнот сам знаешь куда! — хрипло прошептал Билл. — Здесь полным-полно инопланетян.

— Он хочет знать, сколько именно, — сказал Ухуру. — Он говорит, что «полным-полно» — это недостаточно точно.

— Послушай, Ухуру, — прошептал Билл, во все лопатки ползя в ту сторону, где, как он надеялся, находилась реакторная. — У меня тут дело идет о жизни и смерти. Мне некогда болтать о всяких пустяках.

— Похоже, мы сегодня не в духе, — недовольно сказал Ухуру. — Так вот, к твоему сведению, если тебя это интересует, мы почти готовы стартовать. Мы можем тебя подождать, но не слишком долго. Когда начнется отсчет, отбоя уже не будет. А если тебя убьют, сообщи нам, чтобы мы зря не ждали.

— Непременно, — проворчал Билл, в ярости выключая рацию.

Он надеялся, что ни один инопланетянин не слышал их разговора. Повернуться, чтобы взглянуть назад и проверить, он не мог. На экране локатора его окружало со всех сторон огромное количество точек, — несомненно, это были те инопланетяне, что кишели в коридоре. По крайней мере, он надеялся, что это они, и старался не замечать, что две из этих точек как будто в точности повторяют его путь.

Множество изнурительных, долгих, страшных минут и крутых, запутанных и тесных поворотов спустя Билл окончательно убедился, что они следуют за ним. Похоже было, что они тоже находятся в вентиляционном ходе, позади него. И понемногу приближаются! Билл пополз быстрее, но при этом задел за какой-то выступ и нечаянно переключил локатор на подачу звукового сигнала. Сердце у него падало все ниже с каждым сигналом, пока не оказалось где-то между пяткой и щиколоткой, но остановиться, чтобы попробовать отключить звук, он не решался.

Сигналы с каждой секундой становились все чаще и громче. Билл вытащил нож, хотя прекрасно понимал, что в такой тесноте от него будет мало пользы. Наконец сигналы слились в непрерывное гудение, а светящиеся точки — в сплошное пятно. И тут он почувствовал, что кто-то коснулся его ноги.

— Ой! — завизжал Билл. — Ой!

— Тише! — прошептала Рэмбетта. — Хочешь, чтобы они узнали, где мы?

— Рэмбетта! — шепнул Билл в ответ. — Это в самом деле ты? Рад тебя видеть, хоть и не могу в этой темноте. И повернуться тоже не могу.

— Тут никто не может повернуться, приятель, — задыхаясь, шептала Рэмбетта. — За мной ползет Мордобой, я между вами, как котлета в гамбургере. И к тому же он все время тычется в меня своим топором.

— Я не виноват, — прошипел сзади Мордобой. — Я тут застрял, как пробка в бутылке.

— Зачем вы пошли за мной? — спросил Билл. — Это же самоубийство.

— Ну, скажем, я решила присмотреть, чтобы не пропал нож моей мамочки, — шепнула Рэмбетта. — Я не переживу, если он потеряется.

— А я хочу побросать еще немного гранат, — прорычал Мордобой. — Отличная потеха.

— По-моему, Рыгай в реакторной, — прошептал Билл.

— Мы тоже так решили, — буркнула Рэмбетта. — На следующем перекрестке поворачивай направо. Перед тем как идти, я посмотрела план. Осталось совсем немного.

Билл снова пополз вперед. Повернув направо, он увидел невдалеке свет, падающий сквозь решетку. Добравшись до нее, он заглянул вниз. Посередине комнаты в безнадежном положении сражался Рыгай, окруженный со всех сторон инопланетянами размером побольше Кэрли. Держась на почтительном расстоянии от его грозно щелкающих челюстей, они протягивали к нему когтистые лапы, и видно было, что рано или поздно кто-нибудь до него доберется. Вся комната была залита слизью и полна ползающих и шмыгающих инопланетян.

— Слушай мой план, — зашептала Рэмбетта. — Ты проползи вперед, мимо решетки. Я сниму ее, закреплю где-нибудь в углу и привяжу к ней вот эту веревку. Мы с Мордобоем спустимся первыми — это будет отвлекающий маневр. Потом спускаешься ты и забираешь собаку. А потом удираем. Понял?

— Что такое отвлекающий маневр? — вмешался Мордобой. — Если драка, то я за. Люблю подраться. Пошли!

Рэмбетта привязала веревку, и они с Мордобоем соскользнули по ней вниз, вовсю работая огнеметами и расшвыривая повсюду гранаты. Отвлекающий маневр получился первосортный. Инопланетяне горели, взрывались и с писком разлетались в клочья. Спустившись вниз, Билл высоко оценил произведенный переполох и обрадовался, увидев, что пес несмотря ни на что остался невредим.

— Гав! — рявкнул Рыгай, пробиваясь навстречу Биллу сквозь кольцо инопланетян. — Гав! Гав!

— Я попался! — крикнул Мордобой. Инопланетянин, весь покрытый липкой слизью, обхватил его своими омерзительными лапами и теснил к пульту управления. — Помогите!

Рыгай мгновенно кинулся на инопланетянина и перегрыз ему глотку.

— Твой пес спас мне жизнь, — вскрикнул Мордобой, от толчка плюхнувшись задом на пульт. В тот же момент оглушительно зазвенел сигнал тревоги. На пульте с бешеной скоростью замигали зеленые огоньки, заливая кровавую сцену зловещим мерцанием. Откуда-то из-под потолка забили струи пара.

— Что ты там натворил? — крикнула Рэмбетта, одним взмахом ножа отрубая инопланетянину лапу. — Что случилось?

— Похоже, я сел на какую-то кнопку, — признался Мордобой.

— На какую? — завопил Билл, хватая пса в охапку. — Что на ней написано?

— Погоди, — крикнул в ответ Мордобой. — Она вся в слизи, сейчас оботру. Ага, вот теперь видно. Там написано: «КНОПКА САМОУНИЧТОЖЕНИЯ СТАНЦИИ. НЕ НАЖИМАТЬ!»

— Кажется, дело идет к тому, что у нас возникнут кое-какие проблемы, — заметила Рэмбетта. — Эта кнопка подрывает реактор. Надо уходить!

— СТАНЦИЯ САМОУНИЧТОЖИТСЯ ЧЕРЕЗ ПЯТЬ МИНУТ, — донесся из динамика нудный женский голос. — ВСЕМУ ЛИЧНОМУ СОСТАВУ ПРИНЯТЬ НУЖНЫЕ МЕРЫ ПРЕДОСТОРОЖНОСТИ. ЭТО МАГНИТОФОННАЯ ЗАПИСЬ. ЖЕЛАЮ ПРИЯТНОГО ВРЕМЯПРЕПРОВОЖДЕНИЯ, КТО БЫ ВЫ НИ БЫЛИ И ГДЕ БЫ НИ НАХОДИЛИСЬ.

— Дай сюда собаку, — сказал Мордобой, сунул Рыгая под мышку, одним прыжком достиг веревки и вскарабкался по ней, как обезьяна. — Я смываюсь!

Билл вслед за Рэмбеттой поднялся по веревке, на прощанье обдав реакторную пламенем из огнемета и швырнув пяток гранат.

Ползя как можно скорее по вентиляционному ходу, Билл включил рацию и вызвал Ухуру.

— У нас тут кое-что неладно, — сказал он.

— Я не глухой, слышу, — отозвался перепуганный Ухуру. — Везде гудят сирены и звенят звонки. Мы уже начали отсчет. Очень надеюсь, что вы поспеете вовремя, потому что дожидаться вас мы не можем.

— Налево! — крикнула Рэмбетта. — Сейчас налево, Мордобой!

— Зачем им понадобилось устраивать кнопку самоуничтожения на станции, которая обошлась дороже, чем годовой доход целой планеты? — спросил Билл, спеша за Рэмбеттой по пятам. — Какая бессмыслица!

— Это военные придумали, — ответила Рэмбетта. — Значит, смысла здесь не ищи. Направо, Мордобой, направо!

— СТАНЦИЯ САМОУНИЧТОЖИТСЯ ЧЕРЕЗ ЧЕТЫРЕ МИНУТЫ, — зевнув, произнес механический голос, перекрывая звон тревожных сигналов и шипение пара, заполнившего воздух.

— Откуда берется весь этот пар? — воскликнул Билл. — Не хватает еще, чтобы после всего, что было, нас обварило до смерти!

— Не знаю откуда, — ответил Мордобой. — Только похоже, что надо пошевеливаться поскорее.

— Налево! — крикнула Рэмбетта. — Нет, погодите. Направо! Черт возьми, все эти ходы на одно лицо!

— Это тупик! — взвыл Мордобой. — Мы заблудились!

— ЕСЛИ ЭТО ВАС ИНТЕРЕСУЕТ, СТАНЦИЯ САМОУНИЧТОЖИТСЯ ЧЕРЕЗ ТРИ МИНУТЫ. СООБЩАЮ, ЧТО ЕСЛИ КТО-ТО ИЗ ЛИЧНОГО СОСТАВА ЕЩЕ ЗДЕСЬ, ТО ИХ ШАНСЫ ВЫЖИТЬ ПРИБЛИЗИТЕЛЬНО РАВНЫ НУЛЮ. ИЛИ ЕЩЕ МЕНЬШЕ. ПОСЛЕДНЕЕ, ЧТО ОНИ МОГУТ СДЕЛАТЬ, — ЭТО СУНУТЬ ГОЛОВУ МЕЖДУ НОГ И НА ПРОЩАНЬЕ ПОЦЕЛОВАТЬ СЕБЯ В ЗАД.

Глава 18

— Отпусти пса! — крикнул Билл. — Мордобой! Отпусти его!

— Только что я его спас, а теперь ты хочешь, чтобы я его бросил? — завопил Мордобой. — Кончай эти шутки!

— Я не шучу! — крикнул в ответ Билл. — Любой дурак знает, что собака отыщет дорогу домой откуда угодно.

— Меньше чем за три минуты? — воскликнула Рэмбетта. — Это Рыгай-то? Не хочу сказать ничего плохого, только он не самая умная собака из всех, каких я знала.

— Он, наверное, голоден, — возразил Билл. — Держу пари, что он направится прямиком туда, где есть окра. Поставь его на пол, Мордобой, и пойдем за ним.

— Если собираешься держать пари, не советую ставить слишком много, — сказала Рэмбетта.

— По-твоему, лучше сидеть на месте и препираться, пока реактор не взорвется? Или у тебя есть еще какие-нибудь предложения?

— Ищи! — крикнул Мордобой, бросая пса.

— Пошел! — воскликнул Билл, когда пес затрусил прочь. — Идем за ним!

Все трое ползли вслед за псом по темным, извилистым вентиляционным ходам, пока не оказались, к немалому собственному удивлению, у решетки, которая выходила в вестибюль станции. Они кубарем скатились вниз и помчались по кучам обломков и мусора ко входу в шлюзовой коридор.

— Молодец, собачка! — задыхаясь, сказал Билл.

— СТАНЦИЯ САМОУНИЧТОЖИТСЯ ЧЕРЕЗ ДВЕ МИНУТЫ. СООБЩАЮ ОСТАВШЕМУСЯ ЛИЧНОМУ СОСТАВУ, ЧТО ИСКАТЬ СПАСЕНИЯ УЖЕ ПОЗДНО. ЖЕЛАЮ ВСЕГО НАИЛУЧШЕГО.

— Ухуру! — крикнул Билл в микрофон, когда они были уже у входа в коридор. — Ухуру!

— Мне очень жаль, но вы опоздали, — отозвался тот. — Мы стартуем через пятьдесят секунд. Рад был с вами познакомиться.

— Мы уже у люка! — прошипела сквозь зубы Рэмбетта, выхватив рацию у Билла. — И мы намерены войти! Если не откроете, мы подорвем люк, и всем вам придется дышать вакуумом, если вы вообще сможете оторвать эту посудину от земли.

— Ну если вы так ставите вопрос... — пробормотал Ухуру и нажал на кнопку, открывающую люк.

За какую-то долю секунды все трое и собака проскочили внутрь корабля, и люк за ними с грохотом захлопнулся.

Билл кинулся в сторону рубки управления.

— Тридцать секунд, — услышал он на бегу голос.

— В оранжерею! — вскричал Мордобой, следуя по коридору за Рыгаем. — Там грядки с окрой, они помягче, чем кресла!

— Я с тобой! — завопила Рэмбетта, метеором проносясь мимо.

— Десять секунд! — объявил Ухуру в тот момент, когда Билл ворвался в рубку, рухнул в ближайшее кресло и пристегнулся. — Пять секунд!

— Знаете, возможно, я немного ошибся в расчетах, — отчаянным голосом взвыл Кэрли. — Я не знаю...

— Старт! — завопил Ухуру. — Не зевай, Кэрли!

— Сработало! — крикнул Кэрли в ответ. — Зажигание в главном двигателе!

— Что, у нас загорелся двигатель? — простонала Киса. — Мы все погибнем!

— Нормально! — воскликнул Ухуру.

— Что нормально? — простонала Киса. — Что мы погибнем?

— Да нет, зажигание в двигателе, идиотка!

— Ох! — охнул Кэрли. — Ох, эти перегрузки! Меня сейчас расплющит в лепешку!

— Лучше перегрузки, чем недогрузки, — отозвался Ухуру. — Держитесь все!

— Вводи поправку к курсу! — взвизгнул Ларри. — Выправи курс!

— Да нет, надо изменить дифферент, — вмешался Моу. — Круче дифферент!

— Как я сделаю, так и будет! — заорал Кэрли, колотя по клавишам компьютера. — Мне надоело слушать ваши идиотские советы. Поехали!

— Следите за экранами! — закричал Ухуру. Космолет весь стонал от натуги, а перегрузки продолжали нарастать. — Смотрите, чтобы не перегорели экраны!

— Киса права! — завизжал Ларри. — Мы все погибнем!

— Доверьтесь мне, — заявил Кэрли. — Если мы не будем на достаточном расстоянии от станции к тому моменту, когда... Держитесь! Она взорвалась!

Ударная волна, долетевшая со станции, круто накренила космолет и швырнула его в сторону. Адское субъядерное пламя взорвавшегося реактора испепелило гнусных инопланетян, захвативших станцию, до последней их мерзкой молекулы. Не осталось ни единого клочка отвратительной оранжевой шерсти, ни единой капли ядовитой слюны и слизи — все превратилось в новенькие, чистенькие атомы.

Но и на борту космолета всем изрядно досталось. Их швыряло из стороны в сторону, вправо и влево, как актеров в любительском фильме, снятом качающейся камерой. Только все это происходило не на экране, а в жизни, и они, сотрясаемые перегрузками, вопили и визжали, пока космолет не выправился и не унес их далеко от этой ужасной планеты и ее омерзительных обитателей.

— Больше так не надо, — хрипло произнес Билл, когда они достигли орбитальной скорости и корабль перестал трястись и вибрировать. — Мы вне опасности?

— Будьте уверены! — гаркнул Кэрли. — По такому случаю можно и выпить!

— Правильно! Разлейте вино! — закричала Киса. — Значит, мы все-таки не погибнем!

— Не особенно налегайте на вино, — взмолился капитан Блайт, доставая из кармана атомный штопор. — Его должно хватить до самой Беты Дракона.

— А долго лететь? — спросил Билл, хватая штопор и втыкая его в пробку. Штопор сработал автоматически: пробка мгновенно превратилась в пар, и из бутылки полилось шипучее вино.

— Возможно, порядка двух-трех месяцев, — прикинул Кэрли, подставляя свой бокал. — Насколько я могу судить. Конечно, я вполне мог допустить ошибку, и даже трагическую, и не исключено, что мы обречены скитаться среди звезд вечно. Вы уж извините, что я так говорю, ведь я все еще заговариваюсь. Это у меня отравление слизью.

— Мордобой тебе верит, — сказал этот отважный воин, входя в рубку в сопровождении Рыгая. — Ты молодец.

— Хм... Спасибо, — ответил Кэрли, покраснев от смущения и скромно опустив глаза, и снова протянул Биллу пустой бокал. — Я всего лишь старался действовать, как подобает мужчине.

— Что за глупость, и к тому же отдает свинским мужским шовинизмом, — заявила Рэмбетта, входя в рубку. — Налейте мне. Всем налейте, кроме Кейна, — он числится андроидом, ему не положено.

— А нашему замечательному песику? — спросил Мордобой, подставляя миску Рыгая. — Только до краев.

Билл понял, что впервые за долгое-долгое время может расслабиться. Наливая вино в собачью миску, он чувствовал, как спадает напряжение. После всего, что они пережили, приятно было наконец знать, что опасность миновала. Билл чувствовал безмерную усталость и подумал, что теперь проспит до самой Беты Дракона.

— Мне не терпится услышать ваш рассказ об инопланетном чудище — матке, — сказал Кейн. — Только его и не хватает в моей статье. Я должен все записать, пока впечатления еще свежи в вашей памяти.

Билл опустился в кресло и устало покачал головой.

— Ничего не выйдет. По-моему, все вы, андроиды, безнадежные психи, — буркнул он. — Или это ученые все такие? Пока нормальные люди — мы то есть, ну более или менее нормальные — сражаются не на жизнь, а на смерть и претерпевают небывалые и жуткие приключения, вы сидите тут и задаете вопросы! Идите отсюда — займитесь своей окрой!

— Я могу понять ваши чувства, дорогой мой Билл, но кто-то ведь должен сохранить все для науки, — возразил Кейн. — Иначе мы не могли бы учиться на собственном опыте и человечество никогда не совершило бы триумфального марша к звездам.

— Ну что за гнусный козел, — вздохнул Билл. — Потом, там видно будет, но только не сейчас. Я слишком обалдел, чтобы даже думать об этом. К тому же от меня, по-моему, пованивает, да и от всех здесь тоже, так что допьем эту бутылку — и в душ.

— Отличная мысль, — поддержал его Ухуру. — Только сначала еще вина. Пойду принесу бутылку. — Он с довольным видом скинул скафандр вместе с ожерельем из долек чеснока. — Белого или красного? А, чего там, пусть будет и то, и другое. А может, прихвачу еще чего-нибудь закусить.

— Годится, — обрадовался Билл. — Закусить сейчас самое время.

— Смотрите-ка, на Рыгае ни единой царапины, — восхищенно сказал Мордобой. — Здоров драться этот пес!

— Ну, я-то не так легко отделалась, — заметила Рэмбетта, перевязывая себе руку. — Нам повезло, что мы вообще остались живы. Я лучше выйду одна против целой армии чинджеров, чем еще раз встречусь хоть с одним из этих инопланетян.

— К несчастью, они уже вымерли, — сокрушенно сказал Кейн, покачав головой. — Какая потеря для науки!

— Помнится, вы на это смотрели иначе, когда они лезли на вас со всех сторон, — фыркнула Киса.

— Даже у андроидов случаются необъяснимые приступы самосохранения, — заметил Кейн. — Идеал — вещь недостижимая, хотя я к нему и близок. Тем не менее я понимаю, что в конечном счете куда лучше было бы, если бы я сохранил научную объективность. Теперь эти отвратительные чудища больше не существуют, а я не сумел сберечь ни единого образчика, который мог бы приложить к своей статье. Капитан Блайт превратил все мои образцы в компост.

— Тут я впервые в жизни на стороне капитана: ни на что больше, кроме компоста, они не годятся, — заявила Киса, поднимая бокал. — За попутный ветер и тихую погоду!

— С удовольствием за это выпью, — поддержала ее Рэмбетта.

— Я тоже за самый скучный, лишенный всяких событий рейс, — сказал Билл. — Чтобы ничего не было, кроме хорошей кормежки, обильной выпивки и мягкой койки.

— Немного напоминает жизнь домашней кошки, но я согласен. И никаких чудищ, — сказал Кэрли, усаживаясь поудобнее и поправляя бинт на ухе. — От них одни только неприятности.

— Кто-то покорежил все на камбузе! — с воплем влетел в рубку Ухуру, уже снова облаченный в скафандр, поверх которого болтались целых три ожерелья из долек чеснока. — Даже микроволновая печь разбита!

— Что? — встрепенулся Кристиансон. — Что случилось?

— Это ужасно! — продолжал Ухуру. — От камбуза ничего не осталось! И везде оранжевая шерсть и слизь!

— Шерсть и слизь? — воскликнул Блайт. — Это значит...

— Это значит, что мы все погибнем, — простонала Киса. — Я так и знала, что как только мы почувствуем себя в безопасности, случится что-нибудь в этом роде. Неужели это никогда не кончится?

— Сейчас кончится, — прорычал Мордобой, пристегивая к поясу гранаты и хватая топор. — Вперед, солдаты! Все за одного, один за всех!

Никто не двинулся с места. Мордобой продолжал, со свистом размахивая топором у них перед носом:

— Я так понимаю, что выбирать не приходится. Или мы идем туда и прикончим его, или сидим тут, пока не попадем к нему на обед. Пошли!

Все с большой неохотой поплелись за Мордобоем и Ухуру в сторону камбуза, держась как можно теснее друг к друг и поминутно оглядываясь. Никогда еще «Баунти» не казался им таким огромным и с таким множеством уголков, где могли бы притаиться инопланетные чудища.

— Ну и беспорядок, — сказала Киса, когда они добрались до камбуза. — Какой ужас. Горшки, кастрюли, тарелки, кружки, сковородки — все разбросано.

— Да нет, — сказал Ухуру, — это тут у меня обычное состояние. Главный ущерб — вон там.

Дальняя часть камбуза выглядела так, словно там разорвалась бомба. Печь была наполовину съедена кислотой, дверца морозильника сорвана. Все покрывала слизь, к которой прилипли клочья оранжевой шерсти.

— Оно слопало все мои бифштексы! — вскричал Блайт, заглянув в морозильник. — А они были из самой лучшей вырезки!

— Сюда! — крикнула Рэмбетта. — По-моему, я напала на след.

— Похоже на то, — сказал Билл, уставившись на омерзительный след, который вел в коридор. — Ухуру, передай-ка мне несколько гранат.

— Не могу понять, как оно проникло внутрь корабля, — говорил Ухуру, раздавая самодельные гранаты. — Я точно знаю, что никого тут не было. Я сам проверил весь корабль локатором. А после этого Ларри ни на минуту не отходил от люка. Ведь так, Ларри?

— Ну, более или менее, — ответил тот.

— Что значит «более или менее»? — зарычал Мордобой. — Мы тут рискуем жизнью, а ты пускаешь сюда чудовищ!

— Может, я и задремал разок, — признался Ларри.

— Задремал? — загремел Ухуру. — Разок?

— Ну, может, раза два или три, — ответил Ларри. — Во всяком случае, не больше, чем раз пять, я уверен. Было очень скучно там сидеть.

— Я тебе покажу скучно! — завопил Кэрли, схватив огнемет. — Поджарю, как яичницу!

— Нет, прошу тебя, не надо! Я за себя не отвечаю, это со мной всегда было. С самого детства. Не сплю, не сплю, а потом — раз! Стоит мне только закрыть глаза. Я могу спать где угодно, когда угодно. У меня к этому просто талант. Могу даже стоя.

— Сейчас ты у меня уснешь навеки! — вскричал Кэрли. — Ты впустил на корабль этот кошмар!

— Не могу поверить, что ты мне родственник, — заявил Моу. — Не верю, что ты мне брат. Ты, должно быть, совсем с другой планеты, с такой, где живут одни кретины.

— Строго говоря, если вы клоны, то он тебе не брат, — сказал Кейн. — Вы генетически идентичны. Можно даже доказать, что вы одно и то же лицо.

— Ну уж нет! — воскликнул Кэрли. — Этот тупоумный осел...

— Прекратите демонстрировать братскую любовь, — вмешалась Рэмбетта. — Похоже, что оно направилось в пятый ремонтный отсек.

— Надеюсь, оно из тех, что шмыгают, — сказал Блайт, когда они осторожно приближались к пятому ремонтному отсеку. — Тогда Билл его затопчет, и все.

— Сильно сомневаюсь, — возразил Кейн. — Ущерб, причиненный камбузу, слишком велик, чтобы его могли нанести те, что шмыгают. Я бы сказал, что мы имеем дело с таким, которое размером с Кэрли.

— А возможно, и покрупнее, — с содроганием добавила Киса, взглянув на расплавленную дверь, которая вела в ремонтный отсек.

— Хватит предаваться этим диким фантазиям, — приказала Рэмбетта. — Они подрывают боевой дух, а его у нас уже и так немного. Доберемся до чудища, тогда и увидим.

Через расплавленную дверь они вошли в огромный отсек, рассчитанный на то, чтобы туда можно было поставить на капитальный ремонт целый звездный крейсер. В нем показалось бы крохотным все, что угодно, кроме огромного инопланетного чудища, которое возвышалось посередине, источая слизь, роняя клочья шерсти и устремив голодный взгляд на людей.

— Что это? — вскричал Кейн.

— Матка, — отозвался Билл, и в голосе его прозвучали мрачные кладбищенские нотки. — И она только что раздавила в лепешку наш погрузчик, так что еще раз устроить тот же фокус мы теперь не сможем.

Глава 19

— Да, теперь наш замечательный план уже никуда не годится, — вздохнула Рэмбетта. — Сдается мне, придется менять тактику.

— Такую махину огнеметами не уничтожить, — заметил Ухуру. — Только шерсть опалим.

— И еще сильнее его разозлим, — уныло произнес Билл. — Мы уже пробовали.

— Гранатами его? Да нет, не пойдет, — сказал Мордобой. — Что делать-то?

— Нет, я уже больше не могу! — дрожащим голосом произнесла Киса, кусая кулачки и пятясь. — Не могу даже смотреть на эти когти!

— Ну, раз не можешь, не смотри. И заодно не смотри на эти клыки, — посоветовала Рэмбетта. — А мы-то только-только почувствовали себя в безопасности!

— Изумительное зрелище, — сказал Кейн. — Но, к несчастью для науки, я чувствую, что перехожу в режим самосохранения и вот-вот утрачу всякую научную объективность.

— Что же нам делать? — взвыл Кэрли. — Это еще страшнее, чем все мои кошмары!

— Можно открыть грузовой люк, чтобы его вынесло наружу, — предложил Ларри. — Может быть, сработает.

— Может быть, — сказал Билл. — Только нас тоже вынесет наружу, не говоря уж о том, что в корабле не останется воздуха.

— А если не грузовой люк, а аварийный шлюз? — спросила Рэмбетта. — Он поменьше, но оно там должно поместиться. Вдруг получится?

— Хорошо бы получилось! — сказала Киса. — Очень хочется, чтобы оно оказалось снаружи.

— Ну да, — заметил Кристиансон. — Оно, конечно, постарается туда втиснуться, если мы как следует попросим, и будет стоять смирно, пока мы не закроем внутренний люк.

— Предлагаю кому-нибудь выступить в качестве приманки, — сказал Кейн. — Пусть кто-нибудь — конечно, не андроид, а кто-то повкуснее, — стоит внутри шлюза и изображает из себя пищу.

— Мы можем кинуть жребий, кто будет приманкой, — с надеждой предложил Ухуру. — Это самый справедливый способ, и у меня как раз с собой есть соломинки.

— Не пойдет, — заявила Рэмбетта. — Мы все вляпались в эту историю вместе и останемся вместе до неминуемого конца. Я за то, чтобы мужественно кинуться на него и сверхчеловеческими усилиями загнать в шлюз.

— Прошу меня извинить, но это совершенно нереально. И, кроме того, у нас могут быть потери, — возразил Блайт. — В том числе даже среди офицерского состава. — Он содрогнулся при одной мысли об этом.

— Солдат всегда солдат, — продекламировал Мордобой с идиотским видом.

— Мне кажется, нам надо как следует подумать, — пробормотал Кристиансон. — Я согласен с капитаном. Лучше разработать такой план, который не угрожал бы потерями среди офицерского состава.

— Слишком много болтовни! — загремел Мордобой. — Действовать надо! Убивать! Громить! В бой! Рэмбетта, становись впереди. А я с топором буду замыкающим — присмотрю, чтобы какой-нибудь трус не вздумал отступить.

Все с величайшей неохотой выстроились в боевой порядок и медленно начали спускаться в отсек по металлической лесенке. Они не прошли и половины пути, как чудище кинулось на них. Ларри швырнул в него все свои гранаты сразу, а Рэмбетта и Билл открыли огонь из огнеметов. Чудовище отшатнулось, дав им время окончить спуск.

— Разделяемся на две группы! — крикнул Мордобой. — И тесним ее к шлюзу!

— Чур, я не с Ларри! — воскликнул Моу.

— А что, если разделиться на три группы? — вкрадчиво предложил Кэрли. — Я за это и предлагаю лично встать у двери и стеречь ее.

— Некогда тут голосовать, — вскричала Рэмбетта. — Ты, ты, ты и ты — со мной! Сюда! Быстро! Остальные — с Мордобоем.

— Эй, сюда! — рявкнул Мордобой.

— Он становится хуже любого офицера, — пожаловался Ларри, взваливая огнемет на плечо и становясь рядом с Кисой. — И такой же безобразный на вид.

— Тесним его понемногу. У кого огнеметы, жарьте! Вперед! Вперед!

С ревом заработали огнеметы, окутав чудище стеной пламени. Ухуру одну за другой швырял ему под ноги гранаты, заставляя его непрерывно приплясывать, но не причиняя никакого ощутимого ущерба. Биллу казалось, что его палец навсегда прирос к спусковому крючку огнемета.

— Рассыпьтесь! — крикнула Рэмбетта. — Вы стоите слишком близко друг к другу, оно управится с вами одним взмахом... Эй! Берегитесь хвоста!

Команда Рэмбетты рассыпалась во все стороны. Массивный хвост чудища описал широкую дугу, угодил в массивное брюхо капитана Блайта, и тот кувырком покатился по полу.

— Моя нога! — вопил он. — У меня сломана нога!

— Тогда стреляйте сидя, — крикнул ему Кристиансон, увернувшись от нового взмаха хвоста и швырнув пару гранат. — Почему вы такой трус, Блайт? Нога — всего лишь нога.

— Прекратить огонь! — скомандовала Рэмбетта. — Все назад! Оно схватило Кейна!

Дымящееся чудище держало Кейна в огромной когтистой лапе. Громадные острые зубы, с которых стекала ядовитая слюна, устрашающе щелкнули в нескольких сантиметрах от лица андроида. Вокруг стоял отвратительный запах горелой оранжевой шерсти.

— Сейчас я его! — крикнул Ларри, бросил свой огнемет, пробежал мимо Рэмбетты, выхватив по пути два ножа у нее из-за пояса, и кинулся на чудище. Одним прыжком он оказался у него на колене и полез вверх по покрытой шерстью лапе, кромсая ее ножами. Чудище извернулось, схватило его и подняло высоко в воздух, держа в вытянутой лапе и бросая жадные взгляды то на него, то на Кейна.

— Сюда, Кэрли! — вскричал Моу и бросился вперед. — Поможем Ларри!

— Иду! — отозвался Кэрли. — Займись правой лапой, я беру левую!

Мгновение спустя клоны уже лезли по чудищу, как обезьяны. Оно успело только откусить Кейну левую руку, но сморщилось, выплюнуло ее, отшвырнуло андроида в сторону и перенесло свое внимание на троих клонов, которые, очевидно, представлялись ему более лакомыми кусочками.

Билл подбежал к Кейну и оттащил его подальше.

— Ничего, все будет в порядке, — солгал он, разрывая рубашку и сооружая турникет на остатке руки. — Главное — не волнуйтесь.

— Я потерял много жидкости из гидросистемы, — простонал Кейн, закатив глаза. — Закрутите, пожалуйста, турникет потуже. Я должен вздремнуть, у меня совсем сели аккумуляторы... Если бы вы отыскали конечность, которой я лишился, то есть шанс, хотя и небольшой, что ее можно будет прикрепить снова.

— Непременно отыщу, — пообещал Билл.

— Я... Я теряю сознание... — прошептал Кейн. — Спасибо за помощь. Желаю всего наилучшего. И, на всякий случай, прощайте.

Глаза андроида закрылись. Он лежал неподвижно, не дыша.

«Умер? — подумал Билл. — А был ли он вообще, строго говоря, живой?» Билл попытался припомнить все, что знал о физиологии андроидов, но убедился, что не знает ничего. Он приложил ухо к груди Кейна и услышал, как крутятся колесики и переключаются реле. По-видимому, андроид был все еще на ходу.

— Вот его рука, Билл, — сказала Киса, осторожно кладя на грудь Кейну помятую конечность. — Ты сделал для него все, что мог. Пойдем-ка, надо помочь Мордобою.

Мордобой и Рэмбетта кинулись на выручку клонам. Мордобой рубил одну лапу чудища топором, а Рэмбетта поливала другую пламенем из огнемета. Ухуру, сидя верхом на мотающемся из стороны в сторону хвосте, пытался перепилить его самым большим из ножей Рэмбетты.

— Оно сейчас съест Ларри! — крикнул Кэрли, который каким-то чудом удерживался на скользком от слизи плече чудища.

— Попалось! — завопил Моу, карабкаясь по грудной клетке чудища, как по лестнице. — Вот тебе, такое-сякое!

С этими словами он забросил гранату прямо в пасть чудища, между его страшных челюстей. Это была одна из лучших гранат, изготовленных Ухуру, и взорвалась она с ужасающим грохотом. Чудище выронило Ларри и, шатаясь, попятилось. Из его ушей повалили клубы дыма. Кэрли свалился на пол, но Моу каким-то чудом еще держался.

— Ну и что? — крикнул Билл, присоединяясь к Рэмбетте и помогая ей поливать огнем лапу чудища. — Убил?

— Кажется, только зуб выбил, — простонал Моу, заглядывая в широко разинутую смертоносную пасть. — Я пошел! — крикнул он, спрыгивая на пол.

Рыгай с лаем и рычаньем кружил вокруг чудища, очень похоже изображая злую собаку и хватая его зубами за все, что только подворачивалось.

— У меня все переломано! — вопил Ларри. — Я не могу встать!

— Вот тебе! — рявкнул Мордобой, изо всех сил размахнувшись топором и прорубив наконец толстую шкуру чудища. Из раны хлынуло то, что заменяло ему кровь, и оно упало на одно колено.

— Кончать с гадиной! — взревела Киса, поливая ближайшую к ней лапу пламенем из огнемета Ларри.

— Берегитесь! — крикнул Ухуру. — Оно валится!

Все разбежались в разные стороны. Огромная туша рухнула на пол, все еще щелкая страшными челюстями и пытаясь дотянуться до кого-нибудь когтистыми лапами, истекая слизью и кровью, корчась и рыча.

— Все сюда! — скомандовал Мордобой. — Надо оттеснить его в шлюз.

Некоторое время было неясно, кто кого в конце концов оттеснит. Несмотря на то что все, кто уцелел, собрались вместе и вели наступление единым фронтом, оказалось, что когти и клыки ничуть не слабее огнеметов и гранат. Люди то продвигались вперед, то снова откатывались назад. В огнемете Билла кончилось горючее, и он пользовался им как дубинкой, пока чудище не вышибло огнемет у него из рук. Тогда он принялся одну за другой швырять гранаты. Наконец им удалось прижать чудище к раскрытому люку, ведущему в шлюз.

— А что дальше? — вскричала Киса. — Оно туда не хочет лезть!

— Сейчас уговорю, — прорычал Мордобой.

Великан оказался лицом к лицу с поверженным чудищем, размахивая топором и отрубая все, до чего мог дотянуться. Пальцы и когти чудища разлетались во все стороны. Рыгай мертвой хваткой вцепился ему в кончик хвоста. Мордобой все рубил и рубил. В конце концов чудище отступило в шлюз, успев перед этим зацепить Мордобоя окровавленной лапой. Тот катился по полу, пока не налетел на искореженные остатки погрузчика.

— Эй! Эта гадина поломала мне руку! — заревел он. — Закройте люк и выкинете ее наружу!

— Не закрывается, — простонал Кэрли, тщетно нажимая на зеленую кнопку. — Выключатель сломался!

— Пусти-ка меня! — завопила Киса. — Я королева выключателей!

Она сорвала с выключателя крышку и начала орудовать внутри ножом. Внезапно одна из лап чудища протянулась к ней и схватила ее поперек туловища. Киса отчаянно билась, пока Рэмбетта рубила ножом гигантскую лапу. Из выключателя вылетел сноп искр, и люк начал закрываться.

— Назад! — крикнул Ухуру. — Берегись!

— Помогите! — визжала Киса, изо всех сил отталкивая коготь, которым чудище старалось проткнуть ее насквозь. Люк замер на месте — лапа чудища не давала ему закрыться. Билл кинулся к люку.

— Я задыхаюсь! — кричала Киса. — Я погибну!

— Ну нет, — сказал Билл, подпрыгнув высоко в воздух и обрушившись на лапу всей тяжестью своей слоновьей ноги. Лапа подалась назад, и люк с грохотом захлопнулся.

Рэмбетта ткнула в красную кнопку, и послышалось громкое шипение, сотрясшее весь корабль. Наружный люк шлюза распахнулся, и давление воздуха вышвырнуло чудище в открытый космос.

Люди застыли на месте. Все было кончено.

В наступившей тишине послышались стоны Блайта. Мордобой, шатаясь, подошел и уцелевшей рукой подобрал с пола топор. Все были избиты, изломаны, в синяках, — но они победили.

— Неплохо сработано, Билл. Неплохо для полисмена, — сказал Мордобой.

— Все мы неплохо сработали. — Рэмбетта принялась собирать свои ножи. — Вся команда. Даже Кристиансон не оплошал.

— Мне очень понравилось кидать гранаты, — сказал тот. — Жаль, что этому не учат в офицерской школе.

— А где Кейн? — спросила Рэмбетта. — Я его что-то не вижу.

— Вон он, там, — ответил Билл. — У самого... Нет! Нет! Не может быть!

— Вот теперь я точно знаю, что мы все погибнем! — воскликнула Киса, когда инопланетное чудище еще большего размера, чем матка, рыча и источая слизь, показалось из темного угла отсека.

— Смотрите! — завопил Кэрли. — Вон там еще одно! Их двое!

— Трое! — крикнул Кристиансон, когда показалось новое чудище. — И каждое крупнее предыдущего!

— Пожалуй, я согласен с Кисой, — заметил Билл. — На этот раз мы все наверняка погибнем.

Глава 20

— Я хотел бы поделиться с вами одним довольно любопытным наблюдением, — сказал Кейн, садясь и мрачно разглядывая свою оторванную руку.

— Нам сейчас не нужны наблюдения, — со вздохом ответила Рэмбетта. — Нам нужно обыкновенное чудо, и немедленно.

— Было наивно с нашей стороны считать, что эта колония располагает только одной маткой, — с некоторым трудом выговорил Кейн. — Матери-одиночки являются нормой только для самых примитивных видов.

— Ну вот, значит, теперь нам иметь дело еще и с мамашами, и с папашами? — сказала Рэмбетта. — Ничего себе! Огнеметы пустые, гранаты почти кончились, мы все еле живы и совсем без сил, руки и ноги у нас переломаны, а вы тут рассуждаете об их семейных проблемах?

— Нет, — прохрипел Кейн. На лбу у него мигал сигнал: «ДАВЛЕНИЕ В ГИДРОСИСТЕМЕ НИЖЕ НОРМЫ». — Я хотел поделиться наблюдением, которое имеет прямое отношение к нашему положению.

— Ну валяйте, — сказал Билл. — Все равно нам крышка. По моим расчетам, остается секунд тридцать до того, как они на нас кинутся.

— Кого из нас еще ни разу не тронули инопланетяне? — спросил Кейн.

— Всех тронули, и еще как! — ответила Киса. — Ни у кого нет к ним иммунитета, даже у вас.

— Нет, погодите! — вмешался Билл. — Рыгая они ни разу не тронули. Они как будто его боятся.

— Может быть, потому, что у него так воняет из пасти? — предположила Киса. — Скорее раздайте всем собачьих консервов!

— Тепло, — сказал Кейн. На лбу у него загорелся сигнал: «АККУМУЛЯТОРЫ РАЗРЯЖЕНЫ». — Чем питается этот пес?

— Окрой! — вскричал Билл. — Он ничего больше жрать не хочет.

— А есть на корабле такое место, где мы ни разу не видели инопланетян? — спросил Кейн.

— В рубке? — высказал догадку Кэрли.

— Нет, там я их один раз видел, — сказал Ухуру. — Попробуйте угадать еще раз, и поскорее. По-моему, они уже на нас нацеливаются.

— Оранжерея, где растет окра! — вскричал Билл. — Там ни разу ни одного не было!

— Логично, — одобрил Кейн. На лбу у него тускло загорелся сигнал «ЖИЗНЕННАЯ СИЛА ИССЯКАЕТ». — Я настоятельно предлагаю перебазироваться в оранжерею и забаррикадировать дверь. Правда, кому-то придется меня нести. У меня в гидросистеме осталось слишком мало жидкости, и мои ноги не действуют.

— Вы хотите сказать, что у нас есть шанс? — спросила Рэмбетта.

— Только если мы поспешим, — сказал Ухуру, поднимая Кейна. — Они приближаются.

— У меня осталось несколько сигнальных ракет, — сказал Кэрли. — Можно брошу?

— Почему бы и нет? — ответил Билл, беря ракету и швыряя ее навстречу чудищам. — Закройте глаза!

Помещение заполнилось ярким светом. Ослепленные инопланетяне неуверенно топтались на месте.

— Я останусь здесь с огнеметом, — сказал капитан Блайт, подползая. — Задержу их, чтобы вы успели уйти.

— Вы это серьезно? — спросил Билл.

— Ну, не совсем, — ответил Блайт. — Но я решил сначала предложить, а уж потом просить кого-нибудь меня отнести. Знаете ведь, у меня нога сломана.

— Сюда! — крикнул Мордобой. — Вверх по лестнице!

Все сломя голову кинулись к выходу из отсека. Правда, большую скорость развить не удалось: многих пришлось тащить, а у остальных давали себя знать разнообразные ушибы и увечья. К тому времени как они добрались до лестницы, ведущей к люку, преследователи оказались уже в нескольких шагах позади, а силы у всех были на исходе.

— Это последняя ракета, — предупредил Кэрли, швыряя ее под ноги брызжущим слизью чудищам.

Ракета остановила их ненадолго, но за это время все успели подняться по лестнице и через расплавленный люк выскочить в коридор. После этого они умудрились установить новый мировой рекорд по скорости бегства от инопланетных чудищ в самой израненной категории и в конце концов добрались до оранжереи. Ввалившись туда, они заперли на засов тяжелую стальную дверь и завалили ее мешками парниковой земли. Только после этого они занялись своими разнообразными ранами и повреждениями.

— Сколько масла в него надо залить? — спросил Мордобой. Рука его была в лубке, наскоро сооруженном из дощечек от ящиков с рассадой.

— По-моему, не хватает примерно трех литров, — ответил Билл, взглянув на масляный щуп. — Я думаю, он придет в себя, когда аккумуляторы подзарядятся.

— Вы молодцы, ребята, что пришли мне на помощь, — сказал Ларри, обращаясь к Моу и Кэрли. — Я бы сделал то же самое, будь я на вашем месте.

— Ну конечно, дурья твоя башка, — ответил Моу. — Может быть, и сделал бы.

— Жаль, что мы выкинули матку через шлюз, — размышлял вслух Блайт, опираясь на грабли вместо палки. — Из нее получился бы замечательный компост.

— Можете попробовать, что получится из тех других, — предложила Киса. — Там за дверью бродят целых три потенциальных кучи компоста, истекая слизью и посыпая все вокруг шерстью. Они только и ждут, когда вы выйдете к ним и трахнете их по голове своими граблями.

— Не три, а десять, — поправил ее Ухуру, качая головой. — Я снова наладил локатор. Он показывает, что там десять огромных инопланетян и множество точек помельче — возможно, стручков или тех, что шмыгают. И почти все они прямо тут, за дверью.

— Лично я не намерен в ближайшее время совершать никаких дальних прогулок, — сказал Кристиансон. — На мой взгляд, это очень уютное место, здесь можно просидеть весь рейс.

— Боюсь, это нам не удастся, — сказал Билл, стоя у двери и положив на нее руку. — Она начинает нагреваться. Думаю, что они поливают ее с той стороны кислотой.

— А как же окра? — спросила Киса.

— Они слишком голодны. Готов спорить, что сейчас они готовы сожрать что угодно, — ответил Билл.

— Правильно, — вставил Кейн, садясь и моргая глазами. — А если они собираются отложить яйца, им нужно еще больше пищи. Можно считать, что... Эй, а что... это с моей рукой?

— Неплохая работа, а? — гордо сказал Кэрли. — Это мы с Биллом приспособили ее на место.

— Но она приделана вверх ногами! — вскричал Кейн. — Вы все сделали неправильно!

— А иначе она никак не подходила, — возразил Билл. — Некоторые провода были слишком изжеваны и иначе не доставали.

— Это ужасно, — простонала Киса. — Что нам делать?

— Можно попробовать нарастить провода, — ответил Кейн, разглядывая свою руку и сжимая и разжимая кулак. — Может быть, и получится.

— По моим расчетам, эта дверь продержится еще с полчаса, — заметила Рэмбетта. — Если у кого-нибудь есть какой-нибудь план, то самое время его выкладывать.

— Можно нажать на кнопку самоуничтожения корабля, — сказал Кэрли. — Она там, в рубке.

— Замечательно. Ну и кретин! — сердито отозвался Билл. — Мы ведь тоже взорвемся вместе с кораблем, идиот! Я тоже против того, чтобы везти с собой домой инопланетян, но всему есть пределы, и ты, по-моему, их перешел.

— А что, если выпустить воздух из всего корабля, а тут оставить? — спросил Ухуру. — Это можно сделать?

— Вообще-то можно, — подумав, ответил Блайт. — Когда я конструировал эту оранжерею, я постарался, чтобы она была насколько возможно автономной. Здесь отдельные системы подачи воздуха и воды. Нужно только перекрыть дверь и два вентиляционных хода, которые соединяют ее с остальным кораблем, и все.

— Я могу заварить дверь! — воскликнул Билл. — Но как мы выпустим воздух из остального корабля?

— Для этого достаточно нескольких бомб, если заложить их где надо, — ухмыльнулся Ухуру. — Берусь проделать в корпусе «Баунти» столько дыр, что он станет похож на швейцарский сыр.

— А я могу подключить автопилот к компьютеру оранжереи, — сказал Кэрли. — И управлять кораблем мы сможем отсюда.

— К компьютеру оранжереи? — переспросила Киса. — К этому вот крохотному ящичку, что стоит за цветочными горшками?

— Если он может управлять поливом, то я научу его управлять и навигационной аппаратурой, системами связи и атомным реактором, — сказал Кэрли. — Принцип везде более или менее одинаковый.

— Рекомендую поспешить, — сказал Кейн. — Время дорого.

Все засуетились. Блайт с Кейном занялись изготовлением пороха, а Кристиансон помогал Ухуру готовить бомбы. Билл принялся с помощью мощного сварочного аппарата наглухо заваривать дверь, которая вела в оранжерею, а Киса сооружала хитроумные магнитные держатели для взрывчатки. Моу собрал из валявшихся кучей старых сельскохозяйственных орудий несколько часовых механизмов и уверял всех, что бомбы взорвутся в один и тот же миг. Рэмбетта вызвалась вместе с Ухуру выбраться по вентиляционным ходам и помочь ему установить бомбы там, где эффект от них будет наибольший.

— Не забудьте, нам вовсе не надо, чтобы корабль разлетелся на куски, — говорил Блайт, помогая Ухуру пролезть через вентиляционное отверстие. — Нужно только проделать несколько дыр. Не увлекайтесь.

— Все сделаем, — отвечал Ухуру, поднимая за собой на веревке мешок с бомбами.

— Несмотря ни на что и невзирая на мятеж, я все же несу ответственность за корабль, — объяснил Блайт. — Если он будет уничтожен, его стоимость вычтут из моего жалованья. Я могу позволить себе оплатить несколько дыр, но полное уничтожение корабля мне не по карману.

— Если он будет уничтожен, вам ни о чем беспокоиться не придется, — заметила Рэмбетта, уползая в вентиляционный ход вслед за Ухуру.

— Да, это утешительная мысль, — сказал Блайт, поворачиваясь к Биллу. — Как идет сварка?

— Недурно, — отвечал тот, склонившись над горелкой. — Если вы подтянете вон тот шланг, я смогу достать до самого дальнего угла.

По ту сторону двери слышалось непрерывное шуршанье, царапанье и шмыганье. Билл легко мог представить себе скопище инопланетян, собравшееся там, в каких-нибудь нескольких сантиметрах от него. Он отогнал эту мысль, заварил последний шов и перешел к другому вентиляционному ходу — не к тому, которым воспользовались Рэмбетта и Ухуру. Кейн подошел к нему со стальной плитой в руках. С помощью Блайта он установил плиту на место, и Билл принялся ее приваривать.

— Кто-то сюда лезет! — вскрикнула Киса.

— А вы как думали? — отозвался Кристиансон. — Конечно, лезет — целая толпа инопланетян ломится в дверь.

— Нет, — простонала она. — Кто-то лезет сюда по вентиляционному ходу, куда уползли Ухуру с Рэмбеттой!

— Для них это рано, — сказал Кэрли. — Слишком рано.

— Оно приближается! — стонала Киса. — Я слышу его хриплое дыхание!

— Ого! — вскричал Кэрли. — Вот оно!

Билл встал под вентиляционным отверстием, держа наготове сварочный аппарат и открыв кран горелки до отказа. К счастью, шланг оказался чуть короче, чсм надо, иначе показавшиеся из отверстия Рыгай, а за ним Мордобой мгновенно превратились бы в головешки.

— Вы меня до полусмерти напугали, — простонала Киса. — Где вы были?

— Мне надо было заглянуть в каюту, — смущенно ответил Мордобой. — Забыл там кое-что.

— Что забыл? — вскричал Кэрли. — Неужели что-то настолько важное, что ты отважился ради этого рискнуть жизнью и выступить сразу против всех инопланетян?

— Вот, фотку там оставил, — сказал Мордобой. — Другой у меня нет.

— Должно быть, ты в самом деле сильно любишь свою мать, — прочувствованно сказал Билл, выключая сварочный аппарат.

— Мать? — удивился Мордобой. — Не было у меня никакой матери. Я приютский. Это моей подружки фотка.

Билл взял фотографию, которую протянул ему Мордобой. На ней была точная копия Мордобоя, только женского пола — гора мускулов, которой позавидовал бы чемпион по борьбе.

— Она... жутко красивая, — сказал Билл, возвращая фотографию. — Есть за что ее... полюбить.

— Спасибо, — отозвался Мордобой. — А вот это я нашел у тебя под койкой. — Он протянул Биллу довольно большую коробку и сложенный листок бумаги. Билл взял коробку, развернул листок и прочитал:

Дорогой Билл,
если ты доживешь до того, чтобы получить это письмо, оно, возможно, принесет тебе пользу. Надеюсь, ты не обидишься, но эта твоя ступня — едва ли не самое безобразное зрелище, какое мне доводилось видеть, и уж наверняка ковылять на ней очень неудобно. Я позволил себе снабдить тебя устройством, с помощью которого ты сможешь ее поменять. Чтобы включить его, нужно только нажать на красную кнопку, а когда загорится зеленая лампочка, сунь эту свою отвратительную конечность в отверстие. На ней появится почка, которой потребуется примерно два месяца на то, чтобы вырасти до окончательного размера.

Твой друг-чинджер Усер

P. S. Не забудь о нашей договоренности. Продолжай делать доброе дело и сеять распри среди солдат.

— Что это такое? — поинтересовался Мордобой.

— А разве ты не прочел? — спросил Билл, скомкав записку и сунув ее в карман.

— Не так уж хорошо я умею читать, — ответил Мордобой. — Разве что книжки с картинками.

— Это посылка из дома, — солгал Билл.

— Небось какое-нибудь домашнее печенье, — проворчал Мордобой, отбирая у Билла сварочный аппарат. — Ненавижу домашнее печенье. Дай-ка я тут доварю.

— Вы, несомненно, очень обрадуетесь, узнав, что я закончил первый набросок своей статьи, которая произведет переворот в науке, — объявил Кейн, демонстрируя рукопись страниц на пятьдесят, соединенную огромной скрепкой. — Мне понадобится еще некоторое время, чтобы ее завершить, поскольку приходится пользоваться компьютером по очереди с автопилотом, а работать на клавиатуре рукой, которая приделана вверх ногами, довольно трудно.

— А вот и мы! — крикнул Ухуру, появляясь вместе с Рэмбеттой из вентиляционного хода. Блайт и Кристиансон тут же пришлепнули на место стальную плиту, и Мордобой принялся ее приваривать.

— Ну натерпелись мы страху! — продолжал Ухуру. — Ужас!

— Что, инопланетяне гнались за вами? — спросил Кэрли. — И чуть вас не догнали?

— Нет, — отвечал Ухуру. — Ползать по этим ходам очень страшно. Они слишком узкие, и уж очень там темно. Нигде не бывает так темно, как в вентиляционных ходах. Развернуться там негде, а заблудиться легче легкого. Такой способ передвижения, что хуже его нет, можете мне поверить. К тому же я где-то там порвал скафандр. И теперь у меня злокачественная клаустрофобия и — апчхи! — аллергический насморк от пыли, которой я там надышался.

— Осталось сорок пять секунд, — объявил Моу. — Заряды сейчас взорвутся. Ты все заварил, Мордобой?

— Сейчас кончаю, — ответил тот. — Эй! Свет погас! Я ничего не вижу!

Под потолком зажглись тусклые аварийные лампочки.

— У нас перегорел предохранитель! — вскричала Киса. — А предотвратить взрыв уже невозможно! Мы останемся без воздуха и погибнем!

— Дайте-ка сюда свою статью, Кейн! — крикнул Билл.

— Сейчас не время заниматься наукой, — пытался возразить Кейн, но Билл вырвал у него из рук статью, сорвал скрепку и швырнул листки на пол. — Эй! Моя скрепка! Это последняя, больше на корабле не осталось!

Билл кинулся в дальний конец комнаты, сорвал крышку с электрощита и засунул скрепку вместо предохранителя.

— Пять секунд! — крикнул Моу.

Свет зажегся снова, и Мордобой поспешно принялся за последний шов.

— Готово! — вскричал Мордобой. В то же мгновение корабль потряс сильнейший взрыв. Всех швырнуло влево, потом вправо, потом снова влево.

— Мы еще... — начал Ларри.

— Неужели... — начал Моу.

— Значит... — начал Кэрли.

— Все в порядке, — со вздохом облегчения сказала Рэмбетта. — Я слышала страшное шипение, треск и шум — очень похоже, что инопланетян вынесло через дыры наружу.

— Давайте перекусим! — вскричал Кэрли. — Где там еда, Ларри?

— Какая еда? — отозвался тот. — Ты же должен был запасти еду.

— Можете на меня не смотреть, — сказал Моу. — Я собирал часовые механизмы для бомб.

— Что же нам делать? — простонала Киса. — Только отделались от инопланетян, а теперь, оказывается, умрем с голоду!

— Ну, не совсем, — вздохнул Билл. — Мне кажется, Рыгай на правильном пути.

Пес стоял посередине грядки с окрой, с довольным видом махая хвостом. Из пасти у него свисало несколько недожеванных побегов.

Три недели спустя Билл, нажав на красную кнопку, избавился от своей слоновьей ноги. Он пришел к выводу, что теперь в том, чтобы давить инопланетян, нужды уже не предвидится. Появившаяся вместо нее почка оказалась тоже крохотной и розовой, но что из нее вырастет, предсказать было невозможно.

Окра вызывала у всех стойкое отвращение, хотя капитан Блайт проявил незаурядную фантазию, изобретая новые способы ее приготовления. Он научился делать с окрой все, что угодно, за исключением одного — чтобы она не была похожа на окру. По самым благоприятным оценкам Кэрли, должно было пройти еще от шести до восьми недель, прежде чем у них появится возможность сменить диету.

На следующий день после того, как Билл воспользовался подарком Усера, ему почудилось, будто что-то прошмыгнуло среди грядок с окрой. «Надеюсь, что это мышь», — подумал он. И в тот же момент у него появилось странное ощущение, что, скорее всего, это не мышь.

Билл, герой Галактики, на планете Десяти Тысяч Баров

(В соавторстве с Дэвидом Бишофом)

Глава 1

На плакате, висевшем в приемной Галактического бюро расследований, красовался двухметровый ящер; из его слюнявой, клыкастой пасти торчала человеческая рука. Это был на редкость отвратительный чинджер с острыми серповидными когтями. На его чешуе играли зловещие блики. Жуткие глаза чудовища горели адским пламенем, на зеленую грудь стекала слюна, перемешанная с человеческой кровью, и капала на лапы, меж которыми торчал желто-зеленый хвост с серебряными прожилками. Страшное, гипнотическое зло сияло в фасеточных глазах ящера. Казалось, он сошел со страниц садомазокомиксов AC/DC[1] — так, во всяком случае, показалось сержанту Биллу с Фигеринадона-II. Сам Билл предпочитал комиксы Фурвилла.

УБЕЙ ЧИНДЖЕРА ВО СЛАВУ КРИШНЫ! — кричали сияющие переливчатым светом трехмерные буквы, что сильно смахивало на вывеску парикмахерской.

Билл задумчиво глазел на плакат, выковыривая из зубов остатки утренней чашки студня, который ему выдавил кухонный автомат.

— Сильная вещь! — подал голос сидящий за столом человек. Его имя горело на сверкающей голотабличке: ГЕРВИЛ СКИММИЛКВЕТОСТ. — Это новый образец, полученный из императорского отдела оперативной информации.

Парень был типичным плутоватым клерком: низеньким, глупым и нерасторопным. Врожденные дефекты: зеленая кожа, шишки, заостренные зубы и все такое — делали его похожим на крокодила. В Галактике много мутантов, и они будут появляться до тех пор, пока существуют радиация, плохая

---

[1] AC/DC — переменный/постоянный ток, название популярной рок-группы.

наследственность и генные мутации плюс право продюсеров из Голливуда на их неограниченное воспроизводство. И это было нормально: ведь кто-то должен служить в Галактической канцелярии; все дееспособные организмы рекрутировались в армию и там выполняли свой долг перед императором.

Мутанты неплохо управлялись с компьютерами и даже ухитрялись не замызгать соплями терминал, поскольку за их косыми глазами все же были какие-то мозги. Клерки из них получались вполне сносные.

— Говорят, они снимали настоящего чинджера. И рука настоящая. Скандал даже вышел, когда он сожрал руку и ее не смогли вернуть тому парню, который одолжил ее для съемки, — но вышло классно. Чинджерам доверять нельзя, их нужно гандошить... я хотел сказать — уничтожать...

Он вынул из ноздри когтистый палец, с огорчением осмотрел его и опять сунул в нос, намереваясь копнуть поглубже.

— Хм-м-м. А что я хотел сказать?

Насколько Билл заметил, у этого субчика только одно было в порядке. Он перегнулся через стол и улыбнулся самой обольстительной улыбкой галактического солдата.

— А ножки у тебя ничего, зеленыш, — пропел Билл.

— Что? — Клерк перестал ковырять в носу и, растерянно моргая, подался вперед.

— Ножки, говорю, красивые. Точнее, должны быть, если снять ботинки. Можно взглянуть?

— Но... мистер солдат...

— Зови меня просто Билл, дружок. Рядовой Билл.

Билл с трудом удержался, чтобы не применить к парню любовный захват за шею типа «сержант—новобранец». Все-таки здесь не учебка. Это была любимая забава Билла — странная, даже извращенная тяга к «пожиманию ножек».

— Рядовой Билл, я правильно вас понял? Вы что, хотите посмотреть на мою *ногу*?

— Точно. Я торчу от ножек. Такая «ножная» болезнь. Один лепила сказал, что это педофилия. У меня самого с ногами не все в порядке. Когда начинает чесаться мизинец, ничего с собой поделать не могу. О-о-ох!

Без лишних разговоров Билл задрал ногу, шлепнул голой ступней по столу клерка-крокодила и принялся энергично чесать мизинец. Ах, что за нога: двенадцать пальцев, ногти золотые, а кожа — в нарядную клеточку.

У парня глаза полезли на лоб, челюсть отвисла — он захлопнул рот, эффектно щелкнув зубами.

— Ё-моё! Вот так нога. Разрешите спросить — как это случилось?

— Тебе расскажу. На планете Венерия я совершенно случайно отстрелил свою родную ступню — вот что случилось. — Жалея себя, Билл даже носом шмыгнул. — Знаешь, такое трудно пережить.

— Но... но... разрешите спросить, — у парня в голосе появились жалобные нотки, — зачем?

— Очень просто. Это был единственный способ сорваться с той планеты. Запасных ног не оказалось, и меня пришлось эвакуировать. В конце концов ногу мне пришили и снова отправили на войну. Но уже на другую планету.

— *Вот эту ногу?* — ужаснулся Герв.

— Да нет, другую, идиот. У меня было столько ног — я мог быть ростом в километр. У меня было столько ног, что я чувствую себя ходячей ортопедической лабораторией. У меня было столько ног...

Парень выглядел испуганным и зачарованным одновременно.

— Ох, я понял, — глупо хихикнул он. — Я слышал, что солдаты по многу лет проводят в своих дредноутах без женской компании. Тут что угодно может случиться — и случается. Вот почему вас так на ножки тянет.

Билл с грозной миной навис над столом.

— Поосторожней, мля. Ты хочешь сказать, что я извращенец?

— Нет-нет, рядовой Билл, — отпрянув, заныл клерк: он заметил, как бицепсы и трицепсы вздулись на теле Билла, словно скафандр. — Я, видите ли, не привык показывать нашим посетителям ноги.

Парень примиряюще улыбнулся, но Билл упрямо тянулся к его шее.

Но тут закудахтал селектор:

— Скиммилкветост! Это вызванный солдат там с ума сходит?!

— Да, сэр, — ответил Герв, испуганно глядя на Билла.

— Ну только одним глазком, а? Слово даю, даже пальцем не трону!

— Чем вы там занимаетесь? В «доктора» играете? Пусть этот сфинктор рваный ко мне идет!

Селектор вырубился с громким щелчком.

— Ну покажи, будь другом, — уговаривал Билл. — Я денежку тебе дам. У меня есть любовные ягоды с Бетельгейзе, очень сочные. Бери, они твои. Ну прошу тебя...

— Нет. Ничего мне не надо. Если уж ты так хочешь, смотри и проваливай отсюда, пока меня не вышибли со службы.

Клерк скинул ботинок, стянул носок. И поднял бледнозеленую ступню так, чтоб Билл смог рассмотреть.

Билл вздохнул.

Это была самая прекрасная нога из всех, что ему довелось увидеть.

Само совершенство, от прекрасной пятки до восхитительных кончиков розовых ногтей. Она не уступала великим творениям Микеланджело или Рафаэля. Жаль только, что зеленая. Биллову ногу было даже не с руки (точнее, не с ноги) сравнивать.

— Прелесть, что за нога, — умилился Билл. — Спасибо.

— А что у тебя со второй ногой? Она тоже какая-нибудь особенная?

Билл тряхнул головой.

— Совсем плоская. Все пальцы переломаны. Шишки да мозоли. Обычная солдатская нога. Вот тебе есть чем гордиться. Береги ногу, друг. — Он смахнул слезу. — Ладно, пойду гляну, чего там этот чурбан хочет.

Билл расправил плечи и пошел в кабинет Дж. Эдгара Инсуфледора, заместителя директора ГБР по борьбе с чинджерами и отражению колунистической угрозы.

А когда вошел, то оказался под прицелом лазерной пушки Ховитцера, тип одна тысяча второй. Орудие было установлено на клепаном стальном столе заместителя директора.

— Стоять! А то разнесу!

Билл остановился и быстро поднял руки, показывая, что он сдается, оружия не имеет и вообще желает в туалет.

— Это я. Рядовой Билл. Верный солдат империи. Прибыл по вашему приказанию, сэр!

— А ты, случаем, не чинджер-шпион? — прорычал в ответ голос.

Билл заметил ежик седых волос над орудийным столом.

— Никак нет, сэр. Неужели я ростом два двадцать и весь зеленый, сэр?

Билл из богатого личного опыта знал, что рост среднего чинджера далеко не два двадцать, а только двадцать сантиметров, да и то с хвостом. Правда, эти обитатели миров с высокой гравитацией были очень сильными, опасными и безжалостными убийцами, да к тому же еще и пучеглазыми. Но Билл благоразумно решил играть по правилам интергалактической пропаганды, тем более что перед ним был один из создателей этой чепухи.

— Чертовски похож! Отрезал хвост и загримировался, чего проще. Прежде чем войти сюда, ты успешно прошел визуальный контроль и провалил тест на ай-кью. Для чинджера ты слишком туп.

— Спасибо, сэр! — В этом традиционном солдатском заклинании Билл одновременно выразил уважение и лютую ненависть к начальству.

— Отлично, Билл.

Лазерная пушка опустилась, и Билл сразу почувствовал себя свободнее. Из-за бронированного стола поднялся человек, лицом похожий на помесь кабана-бородавочника с пожарным краном. Изо рта у него торчала сигара размером со средний космический корабль.

— Состоите ли вы, состояли ли когда-либо в этой жизни или раньше, или хотели состоять, или предполагали, или думали о том, чтобы, возможно, стать в будущей жизни, в ином измерении, действительным членом Колпартии?

Билл задумчиво нахмурил бровь.

— Это что, провокационный вопрос?

Колпартия!

Читательская угроза!

Билл с трудом припомнил, что на его родном Фигеринадоне когда-то была Колпартия, которую уничтожили во время боевого рейда; он тогда был совсем ребенком. Это время он запомнил хорошо, потому что мама перестала покупать ему вишневую газировку, а еще потому, что Леона Троцкого, жившего на их улице, солдаты подвесили за большие пальцы в городском парке. Билл очень тогда горевал — Троцкий часто угощал его газировкой, приучил к чтению классических агитпроповских комиксов и вообще познакомил с миром комиксов. Ирония судьбы состояла в том, что, по словам миссис Билл, настоящее его имя было Фред Джонс, просто чудак увлекался русской историей и литературой и никогда не состоял в Колпартии. Но — Билл это понял, когда стал постарше, — галактические солдаты сначала вешают человека, а потом уже задают вопросы. К тому же подготовку они проходят не в библиотеках, а в военных лагерях. Тогда Билл спросил маму, есть ли что-то общее между копрофилом и влюбленным копом. Мама вполголоса ругнула «проклятых интеллектуалов» и с тех пор поощряла Билла в его увлечении комиксами, потихоньку выпалывая остатки пугающей образованности.

Колпартия — сокращенное название Коллективной народной партии читателей, которая не имела ничего общего с Интергалактической Коммунистической партией или Святым Карлом Марксом. Они были абсолютно нейтральны в политическом отношении и угрожали устоям императорской власти не более, чем солдатский сортир на занюханной планете. Как бы то ни было, но император правил на тоталитарный манер со всеми вытекающими отсюда последствиями, а Компартия к тому времени уже была привычным пугалом, поэтому-то Министерство параноидальной дезинформации обрушилось на несчастную Колпартию со свирепостью ядерного удара.

Несчастные читатели тысячами отправлялись в тюрьму за чтение «вредных» книг. Был создан специальный комитет, который просматривал миллионы книг и изымал те из них, которые считались неподходящими для рядового гражданина галактической империи. Перефразируя философа Сантаяну, можно сказать, что те, которые не знают истории, обречены повторять ее. Императору было бы лучше не трогать читателей. Репрессии радикализовали сотни тысяч людей, и они тут же стали революционерами, которых так боялась власть (набросавшись за день бомб, революционеры возвращались домой, чтоб перед сном, уютно устроившись, почитать любимую книжку). Вот так и родилась читательская угроза — Колпартия.

— Провокационный вопрос? Конечно нет, идиот.

Сигара противно задергалась, когда человек принялся скакать по комнате; под накрахмаленной рубашкой, словно студень, перекатывался жир, модный галстук в горошек метался, как на ветру.

— По-твоему, я просто сотрясаю воздух?

Билл предпринял маневр, всегда спасавший его, когда приходилось общаться с чиновниками.

— Послушайте, я ни на что не намекаю. Полковник приказал мне явиться сюда сегодня ровно в одиннадцать ноль-ноль для получения специального задания. Я не член Колпартии, а нормальный любитель галактических комиксов и порнушки — когда удается ее достать, чем и горжусь. Так что вы лучше припомните, зачем меня вызывали, а я пока посижу здесь и выпью лекарство. Доктор велел мне принимать его каждый час.

Он вытащил аптекарскую бутылочку, наполненную пятидесятиградусным ромом (даже Билл понимал, как неуместно приносить с собой в ГБР простую водку), отвинтил пробку, отпил добрую половину содержимого и, широко открыв рот, энергично выдохнул.

Билл знал, что если бы он выкинул подобный номер в кабинете своего командира, то с первым же кораблем был бы отправлен на фронт. Но он находился в ГБР, и можно было расслабиться.

Замдиректора нисколько не рассердился, напротив — не без удовольствия принюхался.

— Невероятно! Именно такой парень мне и нужен!

— Что? Тоже хотите треснуть? — Билл протянул бутылочку, ощущая, как алкоголь теплой волной растекается в груди.

— Хм... Нет, спасибо, рядовой Билл. Я просмотрел бумаги, освежил память и теперь знаю, зачем ты тут. Извини за допрос. Это уже рефлекс. Целыми днями только и думаешь о чинджерах да колпартийцах. Билл, тебе поручается очень ответственное задание. На твои могучие плечи возлагается ответственность за судьбу всей Галактики! Или что-то в этом роде. Присаживайся, Билл, давай отвернем эту чертову пушку. Мы не собираемся поджаривать нашего перспективного специального агента.

Билл сел, сделал еще глоток и спрятал фляжку в нагрудный карман. Хорошо хоть сообразил завинтить бутылку и сунуть горлышком вверх, а то и так пролил граммов сорок первоклассного рома себе на брюки, всю промежность замочил, и теперь там растекались прохладные струйки.

Билл поежился, но невольный «ох» подавил.

— Ха! Ха! Ха! — сказал замдиректора, наставив палец на Билла. — Я все видел!

— Ух, извините, но...

— Не надо извиняться, солдат. Я и сам petit frisson, как подумаю о спецзадании, возложенном на нас великим императором!

Преисполнившись патриотических чувств, замдиректора ГБР развернулся и, вскинув руку, отдал честь светлейшему императору, трехмерный портрет которого висел на стене. Компьютерное изображение (это был все тот же император с безвольным подбородком, которого Билл едва не встретил в юности) привычно ответило на приветствие.

Замечательно, подумал Билл, уставившись на портрет, они даже не удосужились выправить косоглазие.

Приятно было осознавать, что у императора тоже есть проблемы со здоровьем. Казалось, что правый глаз императора, независимо от левого, повернулся и уставился на Билла. Да нет же, это ведь просто картинка. Картинка ли? Конечно, картинка. Не будет же сам император следить за каким-то рядовым. Правда?

Однако так и рехнуться недолго, подумал Билл. Ведь правда!

— Да, конечно, вы правы. — Билл никогда не спорил с начальством и не пытался его понять; он, конечно же, не знал, что такое «frisson». — Так что там насчет секретного задания, сэр?

Он не собирался торчать здесь до бесконечности, да и запас спиртного был на исходе.

— Задание? Ах да, правильно, задание.

Дж. Эдгар Инсуфледор вытащил из стола лазерный пистолет и прикурил от него сигару, попутно проделав дырку в потолке. Билл заметил, что дырок там уже много, и решил, что выше либо пустой кабинет, либо комната пыток.

— Все очень просто, Билл. Планета Баров. И чинджеры. — Он выплевывал слова вместе с табачной крошкой. — Разрыв и завихрение цепи временного континуума.

У Билла челюсть отвисла.

— Планета Баров? — выдохнул он. — Вы сказали, планета Баров?

Он больше ничего не расслышал, кроме этих восхитительных, невыразимо прекрасных слов.

— Я не сказал планета Буров или планета Бэров, рядовой. Ты расслышал правильно. Планета Баров. Я посылаю тебя именно туда. Там, похоже, источник всех неприятностей. Трансгалактический сейсмограф отметил пространственно-временные возмущения, а наши агенты доносят, что за всем стоят чинджеры. Но даже если это не так, все равно надо поставить их на уши. Чинджеры уже давно пробираются к секретному ключу Времени — и знаешь зачем, Билл?

— Планета Баров? — Билл повторял слова, словно молитву. — Планета Баров!

Планета Баров — волшебная мечта каждого галактического солдата! Возможно, это всего лишь легенда, но солдатам не дано знать правду: планета Баров — место курортное, а отпусков рядовым не полагается.

— Я тебе объясню, зачем это понадобилось чинджерам, Билл. Потому что они хотят нанести удар не просто из-за спины — эти паразиты хотят ударить по нам из *прошлого*! Вот в чем причина.

— Я согласен! — с энтузиазмом вскричал Билл и взмахнул черной рукой. — Согласен! Согласен!

— Чинджеры! — с чувством произнес Дж. Эдгар Инсуфледор. — Цель всей моей жизни — очистить мир от этих вонючек!

Внезапно дверь с грохотом распахнулась. И к заместителю директора, размахивая лапами и щелкая зубастыми челюстями, с топотом устремился не кто иной, как чинджер, точная копия того, что был изображен на плакате в приемной! Только вот руки у него в пасти не было. Чинджер ее, видимо, досл и теперь отправился на поиски свежей человечинки.

Не может быть, подумал про себя Билл. Не бывает таких больших чинджеров.

Его извечный враг, чинджер по кличке Успр (Билл впервые познакомился с ним, когда тот прикинулся услужливым новобранцем по имени Усердный Прилежник), ростом был не больше двадцати сантиметров.

Но трудно было спорить с ревущим ящером, в лапах которого блестели ножи и пистолеты, а в глазах горело обещание мучительной смерти.

К счастью, гигантский чинджер кинулся прямо к Дж. Эдгару Инсуфледору, не обращая на Билла ровно никакого внимания. Однако замдиректора был начеку.

— Иди сюда, вонючка космическая. Иди, ты у меня сейчас получишь, дрянь!

Замдиректора вытащил точную копию доисторического автомата, которым в давние времена пользовались секретные агенты, и прицелился в наступающее чудовище.

— ГРРРУМАРГГГГГГГГГ! — прорычало исчадие космоса.

Билл никогда раньше не слышал, чтобы чинджеры так кричали. Ему доводилось слышать, как они ругались на древнегреческом, суахили, русском и, конечно, на своем родном свистящем языке. И тем не менее этот чинджер издал свой клич так непринужденно, что Билл поверил ему на слово. В таких случаях Билл отступал не раздумывая, но на сей раз он быстро сообразил, что, отступив к двери, сразу попадет под автоматный огонь. И прыгнул на кушетку.

— Получай, грязное животное! — вскричал Дж. Эдгар Инсуфледор.

Когда расстояние между противниками сократилось до метра, замдиректора открыл огонь. Автомат загрохотал, пули, чмокая, впивались в зеленую шкуру, клочки мяса полетели во все стороны. Из тела чинджера фонтаном брызнула кровь. Его отбросило назад, пистолеты выпали из простреленных лап. У него остался только кинжал. Чинджер воинственно завизжал и снова кинулся к заму, размахивая клинком, сверкающим, как молния.

Билл беспомощно скорчился за кушеткой. Он не понимал, что происходит, но эти игры были покруче, чем приключения на Денубе.

— Ага! Я вижу, горячий свинец тебе по вкусу! — спокойно процедил замдиректора; его дымящаяся сигара стояла торчком, как восклицательный знак. — Ну тогда получай добавку, чинджер!

Дж. Эдгар Инсуфледор отстрелил лапу с кинжалом и всадил остаток магазина чинджеру в грудь. Чудовище рухнуло на пол, как мешок с картошкой, и забилось в мучительных конвульсиях. Щелкая челюстями, оно еще пыталось достать замдиректора.

Дж. Эдгар Инсуфледор отбросил свой «томпсон»[1].

— Вот так работают настоящие истребители, — сказал он, улыбнувшись; добрые морщинки собрались в уголках его глаз.

---

[1] «Томпсон» — автомат американского производства.

Он вытащил из-за стола двуручный палаш. — Хорошо, чинджер. Сейчас ты узнаешь, как настоящие мужчины поступают с врагами.

Дж. Эдгар Инсуфледор шагнул вперед и с яростью раскроил чинджеру череп.

Зеленая кровь брызнула на стены и в глаза Биллу, который как раз отважился высунуть голову из-за кушетки. Пока он протирал глаза, чинджер был изрублен на куски. Он лежал бездыханный, истекая кровью. Только кончик хвоста тихонько подрагивал, словно змея, которой отрубили голову.

— Билл! — крикнул Инсуфледор. В пылу битвы его рубашка расстегнулась, обнажив мужественную волосатую грудь. Он поставил ногу на поверженное чудовище, словно охотник, позирующий перед фотокамерой. — Неплохая вышла драчка, а? Молодец, что быстро спрятался! С этими зверюшками шутки плохи!

Билл неуверенно выбрался из своего укрытия.

— У вас, случайно, нет глоточка виски в заначке?

— Пст. Я не притрагиваюсь к алкоголю. Он отравляет мои драгоценные жизненные соки. Но тебя ГБР выбрал не только за внушительный послужной список, но и за твое пристрастие к алкоголю!

Скиммилкветост просунул голову в кабинет.

— О господи. Благодарение Митре, сэр! Вы его уложили. Этот жуткий чинджер ворвался в приемную, отшвырнул меня в сторону и кинулся на вас! — Клерк повернул зеленую голову к Биллу и подмигнул. Билл в растерянности разинул рот. — Но вы, как всегда, защитили себя и всю Галактику!

Замдиректора довольно хрюкнул.

— На сегодня хватит. Вызови уборщиков, пусть вычистят эту гадость. Да, Скиммилкветост, голову обязательно сохрани как трофей, ладно? Будет о чем поговорить за обедом!

— Слушаюсь, сэр!

— Приступим, Билл. Ты отправишься на планету Баров, компьютерная капсула с инструкциями будет вживлена в левую мочку твоего уха. Несмотря на твое пристрастие к напиткам, мы решили, что ты недостаточно — скажем прямо — алкоголик, а это необходимо для полной маскировки. — Инсуфледор затянулся сигарой, откопал на столе перепачканную зеленой кровью папку и протянул Биллу. — Здесь вся информация о самом крутом из всех алкашей в галактической армии. Он будет твоим напарником. Первая часть задания состоит в том, чтобы разыскать этого парня, вытрезвить на время получения инструкций и притащить сюда. Затем мы отправим вас на планету Баров для выполнения основной задачи.

— Слушаюсь, сэр! — выкрикнул в экстазе Билл. В его глазах уже хороводили бутылочки.

Он не мог упустить такой шанс. Шутка сказать — планета Баров! Мечта всех солдат, самая дорогая его мечта.

— Скиммилкветост, проводите рядового. И поторопите уборщиков, пусть поскорее здесь уберут. Передайте охране, чтобы впредь были повнимательнее, понятно? Не могу же я все время работать за них!

— Слушаюсь, сэр! Рядовой, не будете ли вы так любезны помочь мне вытащить эту тварь из кабинета, чтоб она не раздражала нашего замдиректора?

Секретарь взялся за одну ногу и кивком показал на другую. Билл пожал плечами и, собравшись с силами, ухватился за ногу. Они выбрались из кабинета и захлопнули дверь. Одна из лап чинджера застряла в проволочной скульптуре модернистского вида, украшавшей приемную. Билл дернул посильнее — и нога, наполовину оторванная пулей, оторвалась окончательно; из нее потянулись волокна мышц, жилы, провода.

Провода?

Билл ожидал чего-нибудь в этом роде. Ящер с самого начала показался ему подозрительным.

— Это самая лучшая идея нашего зама, психиатр тоже так считает. Ему каждый день приходится защищать благополучие империи за письменным столом. При этом он не может убить ни одного врага физически. Потому время от времени мы напускаем на него киборга — чинджера или колпартийца, — что помогает ему встряхнуться. Старику это так нравится! Теперь он будет сиять целую неделю — возможно, даже никого не выпорет!

Билл бросил ногу и вытер руки о штаны.

— Дай сюда мою папку и скажи, где ближайший Макротгат-бар — пора мне позавтракать чем-нибудь жиденьким.

— Конечно, сержант. — Секретарь передал Биллу папку и протянул часы с каким-то хитрым приспособлением. — Квантовый субпространственный передатчик для сверхсекретной связи, на случай, если у вас возникнут сложности или какие-нибудь вопросы. Да, кстати. Не рассказывайте никому про ногу, ладно?

Билл хотел было употребить свою ногу по прямому назначению, но решил временно воздержаться от энергичных мер, раз уж он в каком-то смысле будет теперь зависеть от этого придурка.

Он отправился пропустить стаканчик-другой, сильно надеясь, что по дороге не столкнется ни с чинджером, ни с колпартийцем.

Глава 2

Билл чувствовал себя полностью и безоговорочно счастливым.

Точнее, не совсем безоговорочно. И не полностью. Остатки человеческих чувств уже задрожали в его душе; они подняли свои головки из бездонной пропасти забытья, словно хрупкие апрельские ростки, навстречу обещаниям весны, готовые расцвести цветками надежды.

Планета Баров!

Все эти годы — теперь они казались веками, — что он провел в армии; годы военных лагерей, суровых битв на жутких планетах; годы, проведенные в провонявших солдатским потом кораблях — до сих пор тошнит, как вспомнишь, — на жесткой солдатской койке, без гроша в кармане... все эти годы самая мысль об отпуске была под запретом — солдаты увольнялись только в вечность. Солдат должен был служить своему императору двадцать четыре с половиной часа в сутки и триста шестьдесят шесть дней в году — и это при том, что куцый галактический календарь был вдвое короче древнего юлианского. Тяжкую солдатскую жизнь скрашивали скудные удовольствия: утренние девочки по цене кредитка — минутка (вечером девочки стоили намного дороже); суррогатные сигареты (их курили только для того, чтоб хоть немного сократить постылую жизнь); комиксы (ура-патриотическая чушь, где все негодяи — либо чинджеры, либо колпартийцы); ну и, конечно, выпивка. Но даже эти нехитрые радости простого солдата были достаточно пресными. Потаскушки были далеко не первой молодости и из последних сил заколачивали деньгу на инвалидную коляску. Сигареты делались из табачного мусора и крошки — сортовой табак приберегали для начальства. Литературные достоинства комиксов в лучшем случае не мешали использовать последние в качестве туалетной бумаги.

А спиртное...

Назвать сие пойло ракетным топливом — значило бы обидеть все ракетные двигатели в обитаемой Вселенной. Это был отвратительный на вкус дешевый синтетический этиловый спирт. Ходили слухи, что его доставляют с планеты Гробовщиков и при этом сильно разбавляют жидкостью для бальзамирования трупов.

Билл долгое время не понимал разницы, но в течение своей бурной, полной приключений жизни ему удалось отведать настоящего пива, натурального вина и даже несинтетического виски, джина и рома. Теперь он не колеблясь посвятил бы остаток жизни тому, чтобы попасть на планету, где можно от души наслаждаться изысканными продуктами виноделия.

Такой планетой и была, по слухам, планета Баров.

И вот ГБР посылает его именно туда!

Но при условии, что он отыщет парня, досье которого в ванильской папке он сегодня получил. (Билл точно знал, что папка была ванильская, а не манильская, потому что, поднабравшись за завтраком, употребил ее на закуску.)

Так случилось, что человек, которого Биллу предстояло разыскать — младший лейтенант Хардтак Брендокс, — в данный момент находился на одной с ним планете, где располагался Центр галактической администрации и главное производство по пошиву женского белья, — на планете под названием «Шкаф».

После бесчисленных вопросов, расспросов, запросов и справок (не говоря уже о посещении многочисленных любимых баров Брендокса) Биллу удалось выяснить, что дивизия Брендокса в настоящий момент находится на базе «Печальный эфир».

— Короче! — рявкнул из-за кучи бумаг капитан Квотерпаундер и подозрительно глянул на Билла. — Лейтенант Бренди? Жуткий алкаш. Он даже потеет спиртом. Но ты опоздал, охламон. Вчера надо было приходить. Его направили на Чертову планету.

— Какую планету?

— Чертову планету, чучело, — ты что, плохо слышишь? Название такое. Ее так в народе называют. Планета Смерть —

шестьдесят девять, если быть точным. Самая настоящая мясорубка, и наши парни там бьются с вонючими чинджерами, Ахура Мазда, спаси их души!

— Может, отзовёте его обратно? У меня правительственное задание. — Билл показал висевший на руке браслет, выданный ему в ГБР.

— Прах тебя возьми, рядовой. Эта побрякушка здесь ничего не стоит. Брендокс уже отправлен на стартовую площадку. — Капитан мрачно уставился на свой хронометр. Убедившись, что он ещё ходит, впился глазами в циферблат, украшенный портретом любимого императора. — До старта осталось два часа. Если поторопишься, то, может, успеешь. — Он злорадно усмехнулся. — А то, может, и прокатишься с ним. Я слышал, что в этом году Смерть — шестьдесят девять в большой моде у самоубийц.

— Нет уж, спасибо. Мне жить не надоело, — бодро ответил Билл.

Капитан с подозрением глянул на него.

— Что с тобой, солдат? Не жалеть самой жизни за правое дело — твои прямой долг. Со щитом или на щите! Сам знаешь.

— Нет, сэр! То есть да, сэр! — Билл с ужасом понял, что чуть было не проболтался о своём назначении на планету Баров. А это совершенно недопустимо, и не только потому, что задание совершенно секретное, но и потому, что капитан мог запросто пристрелить его на месте — из чистой зависти. — Это со мной от радости. От одного только вида прекрасного портрета нашего доброго императора, что у вас за спиной.

— Неужели? Оно и понятно. Ты бываешь на Шкафу раз в год, а мы выбираемся отсюда раз в год. Понял?

Билл усмехнулся, оскалив клыки по последней армейской моде. И отдал честь сразу обеими правыми руками.

— Ясно, сэр!

И рысью помчался на розыски лейтенанта Брендокса, пока корабль не унёс его в глубокий космос.

Стартовый комплекс под названием «Счастливые старты» находился в двух часах езды на гравикаре, но Билл гнал как сумасшедший и умудрился доехать за полтора, задавив по дороге пару кошек, собаку, одну старушку и одного младшего лейтенанта.

347

Как всегда, приближаясь к имперскому космодрому, Билл не смог удержать вздох изумления при виде огромных кораблей, нацеленных в небо. Их обшивка сверкала под лучами солнца, серебряные гордые носы, казалось, бросали вызов приключениям.

Затем, как обычно, он почувствовал горькое разочарование, когда охрана пропустила его за голографический фасад космодрома и его взору открылась закопченная реальность имперской стартовой площадки. Из растрескавшейся земли вырывался черный дым. Запах дизтоплива и серы наполнял воздух. Чумазые техники, словно муравьи, сновали туда-сюда на задрапированных рабочих тележках. Штук двадцать кораблей торчали из черной земли, как диковинные грибы. Их обшивка была изрыта космической пылью и загажена птичьим пометом бесчисленных миров.

На каком из них Брендокс, вот вопрос!

Билл остановил серокожего военного с капральскими нашивками и попытался хоть что-нибудь у него выяснить.

— Смерть — шестьдесят девять? Трудно сказать. Сейчас к старту готовятся сразу три корабля. А вот какой из них летит туда?

На лбу у капрала Билл заметил характерные шрамы. Роботомия. Вот почему его не отправляют; наверное, раньше он был нарушителем или сорвался в самот (это слово никогда не расшифровывалось, потому что в Галактической армии выражение «самовольная отлучка» было под запретом). Роботомия — почти то же самое, что и лоботомия, с одной лишь разницей: на место удаленного серого вещества устанавливался микрокомпьютер, который управлял поведением жертвы по заданной программе.

Капрал печально вздохнул:

— Хотел бы и я отправиться на славную битву. Увы, я всего лишь наземный таракан. Служу империи в дыму и грязи. Но, как говорит император, даже те на службе, кто стоит и ждет!

— Ждет? Чего ждет? Перестань молоть чепуху и покажи мне корабль.

Капрал посмотрел на него остекленевшими глазами и улыбнулся.

— Ладно, не бери в голову, — успокоил его Билл. — Сам разберусь. Не так уж это трудно.

Готовый к старту корабль выглядит иначе, чем эти развалюхи. У него должны быть задраены все люки — неплохая мысль! Обычно они дрожат, как вулкан перед извержением, испуская клубы пара изо всех щелей, как перегревшийся чайник. Иногда корабли и впрямь взрывались; при этом погибала и команда, и пассажиры, и те, кто по невезению оказывался поблизости. В прошлом, в эпоху атомных двигателей, случалось, что взрывом сметало целые города. Поэтому теперь запретили использовать атомные двигатели на старте. Начальный толчок давала катапульта, потом включались двигатели на реактивной тяге. И если взрыв все-таки происходил, то на большой высоте, где, как известно, высших офицеров не бывает.

Билл быстро отыскал корабль, который, судя по всему, собирался стартовать. Он гремел особенно громко, как пустое ведро, и весь дрожал, как закипающий чайник. Механизмы натужно выли, то тут, то там вспыхивали сигнальные огни. Однако трап еще не был поднят. Внизу стоял охранник с планшетом и атомной авторучкой. Билл понял, что до старта осталось всего несколько минут.

— Эй, приятель, на борт нельзя въезжать на гравикаре! — крикнул постовой, толстый сержант с чипсом на погоне.

Чипс был явно кукурузный — видимо, остался от завтрака. Билл, может, и сострил бы по этому поводу, да времени не оставалось.

— Я и не собираюсь въезжать на корабль, я...

— Тогда проваливай отсюда. В укрытие. У старой катапульты повернешь направо, доедешь до кладбища и налево, а потом прямо до свалки. Шевелись!

— Послушай, этот корабль отправляется на Чертову планету?

Сержант Порки глянул на него так, будто Билл свалился с планеты Чурбан.

— Понятное дело, он летит к чертовой матери. Они все туда летят.

— Да нет. Это название такое. Чертова планета.

— Слушай, парень, если не знаешь, как она называется, я ничем тебе не смогу помочь.

Свист пара заглушил его голос.

— Что? — переспросил Билл.

— То, что на второй базе, — сказал часовой.

— Кто?

— Ну те, кто на первой. Они сдерживают янки-империа-листов. Всякий солдат это знает, мля. — Сержант подозрительно прищурился. — Ты что, чинджеровский шпион?

Билл, конечно, не убил его на месте, хотя сил это стоило немалых. Стиснув зубы, он сунул под нос сержанту удостоверение Галактического бюро расследований.

— Вот как. Сыщик. Извините, ваша честь. Чем могу помочь?

— Куда отправляется этот корабль?

— На Смерть — шестьдесят девять, сэр. В туманность Миссионеров.

— На Чертову планету?

— Так точно, сэр. — Сержант энергично кивнул. — Это сущий ад. Ни один солдат еще оттуда не вернулся. Живым. Зачем только ГБР вас туда посылает? Спецзадание?

Билл облегченно вздохнул:

— Я не собираюсь туда лететь. Мне нужно отыскать здесь парня, которого туда направили. Он нам нужен. Есть на борту офицер по фамилии Брендокс?

Охранник сверился с планшетом.

— Так точно, есть, сэр, Брендокс, он на борту. Но мы закрываем люк через пять минут. Не может же корабль выйти в ближний космос с незакрытым люком.

— Следующая шутка будет последней. Немедленно задержите старт!

— Но я не могу! — вскричал охранник, дрожа от страха. — Если эти развалюхи не стартуют вовремя, то они взрываются. Режим экономии энергии, приказ императора.

— Я должен вытащить этого парня до старта. А солдат всегда исполняет свой долг!

То есть если он вытащит этого парня, значит они вместе попадут на планету Баров. Билл припарковал гравикар (предварительно потратив сорок пять секунд на то, чтобы наехать на ногу сержанту, зато крик его был бесподобен) и поскакал вверх по трапу.

«Вельзебуб» был обычным «мясовозом» — так солдаты называли корабли, на которых отбросы армии отправлялись исполнять свой последний долг, — это сразу стало ясно по резкому «штурмовому» запаху, который ударил Биллу в нос. Это был старый грузовик, мобилизованный по случаю войны, не то чтобы не первой молодости, скорее вовремя не списанный за заслуги. Он буквально трещал по швам. Кругом весело искрило короткое замыкание, весь корабль дрожал, как старая собака во время течки. Билл продирался сквозь свисающие кабели, задыхаясь от вполне осязаемой духоты. Лифты намертво заржавели, и ему приходилось карабкаться по трапам. Наконец он попал в большой темный отсек, который слабо освещался сердечником реактора и несколькими свечами.

— Есть здесь лейтенант Брендокс?

Стоны. Запах черствого хлеба и бобов, звяканье цепей. В полутьме шевелились неясные тени.

— Лейтенант Брендокс, гришь? — простонал кто-то.

— Точно, — обрадованно поддержал разговор Билл.

— Так это не я!

— И не я!

— А я уж точно не Брендокс! — посыпались ответы.

Черт! А время шло. Люк могут задраить в любую минуту, и тогда Биллу не миновать посадки на Смерть-69, а оттуда нет возврата!

— Мля, а где же он?

— Выше, в штрафном отсеке. Там они все сидят, головорезы, в одиночке.

Билл не стал расспрашивать про коллективную одиночку, и не потому, что времени не было, просто он хорошо знал, что это такое. Билл вскарабкался по трапу еще выше — тут был настоящий свинюшник, да и реактор светил поярче.

Недурно, подумал он. Лишний загар не повредит.

— Лейтенант Брендокс! — завопил он. — Младший.

— Алло, приятель! Это я, — промямлил голос. — В чем дело?

Прислонившись к переборке, сидел дошедший до ручки человек с бутылкой прозрачной жидкости в руках. У него был красный нос, а белки глаз так налились кровью, что можно было различить только дырки зрачков. На Билла повеяло запахом чистого спирта. Первый раз в жизни запах этот показался ему отвратительным. Он задыхался от вони.

— Выпить хочешь?

— Не сейчас. Глянь-ка! — Билл помахал удостоверением ГБР перед остекленевшими глазами. — Пошли, лейтенант. Надо двигаться, и побыстрее.

— Пшли, вот только бутылку захвачу.

— Давай. Потому-то мы тебя и искали.

Билл подхватил алкаша, который смердел, как самогонный аппарат. Сделав глубокий вдох, Билл даже решил на время воздержаться от пьянства, по крайней мере до прибытия на планету Баров. Брендокс сделал несколько неверных шагов, но тут раздался резкий металлический лязг, и он резко сел.

— Уупс! — крякнул лейтенант. — Забыл. Не так все просто.

Брендокс тряхнул вольфрамовое кольцо, опоясывающее грудь и прикованное к переборке цепью из импервиума, самого прочного из известных металлов.

— Термоланцет у тебя есть?

— Две минуты до закрытия люка! — проскрипел в селекторе противный голос.

Билл взвизгнул. Он дернул за цепь, наперед зная, что толку не будет. На поиски ножовки времени уж точно не было — а даже если бы он ее и нашел, она пригодилась бы не больше, чем рыбе зонтик под метеоритным дождем.

— Прости, Брендокс, похоже, ты крепко влип. Ну да ничего, говорят, что в это время года на Чертовой планете невероятной красоты закаты.

— Надеюсь побывать там, вот только отбарабаню свое на Смерти — шестьдесят девять, — вежливо поддержал разговор Брендокс. — Надеюсь, и девки там хорошие.

Пьяный лейтенант тут же вырубился.

— Оно, может, и к лучшему, — бормотал Билл, пытаясь отыскать выход. — Не придется тащить на себе этого бухаря на планету Баров.

Билл собирался доложить, что лейтенант Брендокс не может участвовать в операции по техническим причинам.

Он отыскал трап и стал спускаться.

Билл продирался сквозь мрачный трюм, стараясь как можно быстрее выбраться из этого ада. Он так торопился, что не заметил ржавую цепь, протянутую над полом на уровне колена. И налетел на нее со всего маху, больно врезавшись в переборку. Хруст — лопнула цепь. Однако армейские надежные рефлексы (и не менее надежная голова) спасли его от потери сознания, хотя врезался он в металлическую переборку именно головой. Затуманенным взором Билл пытался отыскать выход, четко при этом сознавая, что если по прошествии двух минут он успеет высунуть только голову из этого проклятого корабля, то его задница все равно отправится на Чертову планету.

Тоже, конечно, способ попасть на Смерть-69.

А, вот он! Выход!

Внезапно черная тень преградила Биллу путь.

— С дороги, мать твою! — добродушно рявкнул тот. — Я хочу сойти!

Тень превратилась в косматого, заросшего бородой человека, который кутался в лохмотья.

— Медленно поворачиваюсь, — зловещим голосом заухал человек. — Шаг за шагом... сантиметр за сантиметром... — Человек задрал ногу, на которой болтался обрывок цепи. — Я свободен! Не могу поверить! Ты меня освободил! Я долгие годы, всеми забытый, просидел на этом корабле! А ты меня освободил! Как мне тебя благодарить?

— Уйди с дороги! Мне нужно спуститься!

Селектор снова заверещал:

— Одна минута до закрытия люка. Следующая остановка — Чертова планета!

— О нет! Опять на Смерть — шестьдесят девять! Это верная гибель! — Человек рухнул на колени и жалобно запричитал: — Пожалуйста, приятель, возьми меня с собой!

— Уйди с дороги!

— Молю вас, сэр! Я открою вам тайну Вселенной! Я знаю смысл жизни!

— Послушай, придурок, даже если ты можешь открыть мне капитанский бар — мне все равно! Это корыто скоро взлетит, и я не собираюсь здесь оставаться!

— Я не лгу!

— Тридцать секунд до старта... Последний шанс купить страховку. Десять миллионов кредиток за голову. Двадцать девять секунд...

Билл запаниковал. Дал парню хорошего пинка. Оборванец упал назад, кувыркнулся вниз. Ухватился было за поручень и рухнул, отрезав Биллу дорогу. Билл в ужасе замер.

— Двадцать пять секунд. Счастливо проваливать, ребята! — подбадривал селектор.

Биллу доводилось попадать в передряги, и он знал, что в панике человек способен на многое.

Надо только сильно испугаться!

Не думая об опасности, страшась только одного — как бы снова не попасть на планету типа Венерии, — Билл закричал что было сил и головой вперед нырнул к выходу.

Приземлился он на удивление мягко.

Послышалось «Уф!», потом «Ох!».

— Послушай, приятель! Ты нас покидаешь? Нам и так несладко, а тут еще всякие козлы на голову валятся!

По счастью, Билл приземлился на лежак, плотно забитый солдатскими телами.

Ему не понравилось слово «козел», но селектор напомнил, что осталось ровно десять — нет, девять секунд до закрытия люка.

Путаясь в чужих руках и ногах, Билл буквально по головам скатился с лежака.

— Эй, парень, куда ты так спешишь?

— Точно! Оставайся с нами!

Раздавая тумаки, Билл вырвался на свободу. И рванулся к светлому пятну люка.

— Четыре секунды. Две секунды.

— Погоди! — завопил Билл. — Ты пропустил цифру «три».

— «Три»? — удивился голос в селекторе. — Неужели я пропустил «три», Мадж? Зуб даю, я сказал «три». Ну ладно: три секунды, одна секунда...

— Эй, а «две»? — возмутился Билл.

— Черт возьми. «Две» я уже говорил! Слушай, парень. Ты что, хочешь, чтобы я повторил отсчет специально для тебя? Я могу. Мне не трудно.

Люк был совсем рядом.

Крышка медленно закрывалась. Билл вспомнил джунгли, потную жару и боль, когда пришлось самому себе отстрелить стопу, чтобы выбраться из этого ада. Подстегнутый видением, он прыгнул вперед и проскочил в люк в последнюю микросекунду.

И покатился по рампе, чертыхаясь из последних сил, пока не уткнулся в две пары ног. Одна пара в ботинках, другая — без; босые мозолистые ноги были грязны до невероятности.

— Алло, приятель, это и есть твой Брендокс?

«Кой черт!» — чуть было не вырвалось у Билла. Но он наткнулся на умоляющий взгляд. И все же собирался сказать свое «кой черт!», однако что-то остановило его. Непонятно что: слабый голос сострадания или микроскопический осколок совести, закатившийся в пыльный угол сознания еще в молодые годы. А может, просто зло взяло.

— Да. Это он. Я забираю его.

— Ладно, садитесь в свой гравикар и проваливайте, а то когда эти штуки взлетают, они сжигают вокруг все живое.

И часовой рванул прочь от корабля что было сил. Значит, не шутил.

Моргая от радости, человек, которого Билл ненароком спас, быстро забрался на заднее сиденье.

Билл сердито уселся на водительское место и врубил двигатель.

— Не понимаю, зачем я это сделал. Ничего не понимаю, — пробормотал он, когда гравикар рванулся вперед.

— Ты не пожалеешь, Билл. Я тебе обещаю, — ответил человек. Его голос звучал сейчас намного ровнее и был до странности знакомым.

Через несколько секунд Билл почувствовал, что корабль стартует. Вокруг бушевало пламя, гравикар тряхнуло. Но он гнал вперед, прислушиваясь, как «Вельзебуб» с ревом уходит ввысь, навстречу своей страшной судьбе.

Когда опасность миновала, Билл остановился и обернулся к пассажиру.

— Всё, братишка. Дальше доберешься сам. Я лучше...

Заднее сиденье было пусто.

Билл пожал плечами, но по спине у него забегали мурашки. Куда исчез парень?

Холодное дуновение суеверного ужаса приподняло его волосы и, казалось, заморозило кишки. Это был дух погибшего солдата. Билл нажал на газ.

Глава 3

— Рядовой Билл?

Билл поднял пьяные глаза, все вокруг было странного пивного цвета.

— Рядовой Билл, ты слышишь меня? Отвечай!

Билл понял, отчего все окрашено в цвет пива — он вырубился в баре космопорта. Здесь царил приятный полумрак и было очень уютно. Вот только глаза болели, а все оттого, что он упал лицом на два бокала с пивом. Билл ухватил бокалы и с громким чмокающим звуком оторвал их от глаз, повел вокруг туманным взором. Посетителей было немного, и двое уже вовсю храпели в какой-то алкогольной луже, в лучших армейских традициях штурмовиков.

— Это кто? — спросил Билл.

— Посмотри на свой наручный подпространственный передатчик, идиот! — заверещал настойчивый голос у его запястья.

Билл тупо уставился на прибор и наконец рассмотрел на экранчике негодующее лицо Инсуфледора.

— Слушай, Билл. Может, оно и к лучшему, что ты не сумел вытащить Брендокса. Мы решили, что алкогольное прикрытие будешь обеспечивать сам. Таланта тебе не занимать.

Билл попытался что-нибудь ответить, но в голову ударило, и он смог только икнуть.

— Прекрасно. Заметно, что ты усердно готовишься. Однако ситуация такова, что тебе потребуется напарник. Это наш лучший агент. Его зовут Эллиот Метадрин. Сейчас он находится рядом с тобой. Поздоровайся с напарником, Эллиот, постарайся с ним подружиться. Покажи ему, что значит добрый, честный императорский агент.

Человек, стоявший рядом с Биллом, повернулся и дружелюбно протянул руку:

— Ага! Рад познакомиться с вами, рядовой Билл. Отличное у нас задание! Планета Баров! Думаю, там можно прилично повеселиться. Хо! Хо!

Билл нахмурился и захлопал глазами, пытаясь сосредоточиться. Что за черт? Вроде опять знакомый голос? Похоже, он где-то уже его слышал. А может, и не слышал. Билл затрепетал при одном только упоминании о планете Баров и содрогнулся от ужаса, вспомнив, как бежал с «Вслзебуба». И так, трепеща и содрогаясь, он неловко пожал руку незнакомцу.

Эллиот Метадрин, блондин с детскими голубыми глазами, был так аккуратно выбрит, такой был весь гладкий, что казалось, будто он по утрам бреется не меньше чем до пояса. Одет он был в отглаженный костюм с пристойным голубым галстуком — который очень подходил к его глазам — с золотой булавкой. Рядом лежал футляр для скрипки.

— Оч-шень, — выдавил Билл, язык слушался плохо.

— Ага. Ну и навтыкаем мы этим чинджерам, правда, Билл? — Эллиот Метадрин с энтузиазмом тряхнул головой. —

Вот увидишь. Из нас выйдет отличная команда. Надеюсь, операция на мочке уха прошла без осложнений.

Только теперь Билл обратил внимание, что у него и впрямь болит мочка уха. А может, просто нервные окончания потихоньку выбирались из алкогольного тумана. Голова раскалывалась, в покрасневшем, распухшем ухе пульсировала боль. Билл заказал аспирин, порцию новокаина, вытрезвляющую пилюлю и пиво. Бросил таблетки и новокаин в бокал, тщательно все перемешал и одним духом выпил смесь.

— Яаaaрх! — вскрикнул Билл, когда коктейль взорвался в желудке, нервная система тревожно зазвенела.

Через минуту голова стала ясной, он был абсолютно трезв. И это его расстроило. Изображение начальника на браслете снова подало голос:

— Из вас получится отличная пара, ребята. Мне пора заняться своими делами, так что постарайтесь подружиться. Все инструкции зашиты у тебя в ухе, Билл. Если по ходу операции вам придется подстрелить парочку колпартийцев — тем лучше! Пока, конец связи.

— Класс! Мистер Дж. Эдгар Инсуфледор — лучший босс в мире!

— Купи мне чего-нибудь выпить, Эллиот. Да и себе тоже. Должны же мы познакомиться, а?

— Конечно. Бармен, моему другу нужно повторить...

— Новокаина побольше? — невозмутимо спросил бармен.

— Да нет, придурок. Я уже протрезвел, так что лучше выпить. Большую пива и стопку виски.

— А мне шипучку. С двойным сиропом!

— Погоди-ка! Это что же, меня посылают на планету Баров с трезвенником? Что же это за маскировка, святый Кришна?!

— Ох, да пью я, Билл. На деле меня считают вполне приличным алкашом.

— Алкоголиком, ты, наверное, хотел сказать. Так почему же ты не желаешь со мной выпить? Если два парня хотят получше узнать друг друга, они обязаны опрокинуть по паре стаканчиков. Но только не шипучки.

— Ага. — Эллиот Метадрин торжественно склонил голову, словно Билл сказал что-то важное и мудрое. — Ладно, я выпью пива.

— Вот так-то оно лучше. Для начала я расскажу тебе всю свою жизнь. Родился я, значит. А когда подрос, один парень, его звали Сгинь Сдохни, завербовал меня. У него были вот такие клыки. — В ответ на вопросительный взгляд Билл щелкнул пальцем по зубам. Они отозвались нотой «ре». — Я прошел огонь и воду, выпил много пива, разбил несколько сердец и еще больше голов, ну и сучья жизнь! Иногда даже себя жалко. Наверное, скоро сдохну. Надеюсь, не раньше, чем мы выполним задание. А как ты жил?

— Класс! Вот это жизнь! Вот это опыт! Ну ты крутой! Живой пример для всех нас. Ага!

Билл насторожился. Парень нес какую-то чушь. Но бармен отвлек его от подозрений, наполнив опустевший стакан. Билл хорошенько хлебнул и расслабился.

— Ну давай, теперь ты рассказывай, парень.

— Сейчас! — Паренек утер рукавом пену с губ. — Особенно рассказывать нечего, но я попробую.

Из рассказа Эллиота получалось, что он родился агентом. То есть на одной из Агент-планет, образовавшихся вокруг Солнца, под названием «Агент-плюс». Эта солнечная система была колонизирована агентами секретных служб, офицерами правопорядка и государственными чиновниками еще в доимперскую эпоху, в один из мирных периодов в истории человечества. Оставшись без работы, сотрудники правоохранительных органов эмигрировали на одну из уже заселенных планет, где обосновались расисты, либертарианцы и протофашисты, скрывавшиеся здесь от закона. Они установили свою систему законов и объявили незаконными все виды деятельности, кроме торговли оружием. И принялись изобретать новые законы, все более кровавые и жестокие. Когда на планету прибыли секретные агенты — сразу грянула настоящая война.

Местные преступники, отчаявшись, вынуждены были импортировать со своей Галактики бандитов, мафиози и торговцев наркотиками, чтобы как-то противостоять нашествию агентов. К великому удовольствию законодателей, один предприимчивый делец создал документальный телеканал для передачи прямых репортажей из А-мира по галактической системе телесвязи, который очень быстро вышел на первое место по популярности. Вскоре остальные планеты стали подражать

А-миру, и тут — бах! Мирное существование в Галактике нарушилось.

Во время спасения всеобщего мира и была создана империя, которая должна была бороться за мир во всем мире, любой ценой. Люди бросились воевать друг с другом, но в конце концов победила империя. Но с наступлением мира генералы и адмиралы забеспокоились. Они с энтузиазмом подхватили первые слухи об угрозе нашествия чинджеров. Это были, конечно, пустые слухи, поскольку чинджеры даже не знали, что такое война. Но военных это никоим образом не смущало. Истерическая пропаганда сделала свое дело — война началась! Теперь генералы могли сражаться с врагами и награждать друг друга орденами и медалями.

Эллиот происходил из древнего рода агентов. Его предки сделали себе состояние на том, что, с одной стороны, боролись за установление сухого закона, а с другой — зарабатывали на подпольном производстве алкогольных напитков. (Вот почему Эллиот весьма толерантно относился к алкоголю.) Он прошел обучение в Агентурной академии, где стал классным специалистом по лазерному, бластерному и огнестрельному оружию, освоил десять боевых искусств и мог голыми руками сделать отбивную из любого противника. Он увлекался орнитологией, вязанием и собиранием священных комиксов (это было единственное разрешенное религиозное издание, выпускаемое индуистами).

Билл без особого интереса выслушал всю эту чепуху, попивая пиво и время от времени кивая. Они выпили еще по несколько кружек. Билл заметно обмяк, но Эллиот оставался все таким же свежим, несмотря на то что напитки заметно крепчали.

Мужская дружба тоже заметно окрепла.

— Неплохо. Подходящая биография, — подвел итоги Билл. — А теперь расскажи-ка анекдот.

— Ага. Анекдот? Зачем анекдот, рядовой Билл?

— Да так, что-то посмеяться хочется.

— Ага, ладно. Дай вспомнить. Вот, есть один. — Эллиот промочил горло. — Один парень почувствовал себя плохо и пошел к доктору. Доктор осмотрел его. Парень и спрашивает: «Что со мной, доктор?» — «Плохи твои дела, — отвечает доктор. — У тебя галактический СПИД, венусанский лишай и соларианская проказа». — «А что же делать?» — спросил бедолага. «Для начала я посажу тебя на диету: лепешки, пицца и печенье». — «Почему лепешки, пицца и печенье?» — «Больше ничего под дверь камеры не пролезет!»

Билл грохнул. Потом хлопнул кружкой по столу и треснул Эллиота по спине.

— Отлично! Это круто! Мне понравилось. Настоящий армейский анекдот!

— Ага. Рад, что тебе понравилось, Билл.

— А что, если нам немного расслабиться перед операцией?

— А может, запросим инструкций у твоего прибора?

— Зачем? К чему напрашиваться на приказы, которые придется выполнять? Тебе еще надо многому учиться. Завтра с утра и приступим. Предлагаю закончить вечерок за стаканчиком виски, а попозже можно и в бардачок заглянуть, если еще будет открыто.

— Ага. Звучит заманчиво, Билл. А что такое бардачок?

Да, подумал Билл, погружаясь в пьяный дурман, отличный парень. Туповат, но это ничего. Вот только что-то в нем не так... какой-то он скользкий... словно ящерица... чересчур прыткий.

Но в общем, подумалось ему, в остальном Эллиот Метадрин — парень что надо, можно с ним пить.

Глава 4

Эллиот и Билл прибыли на борт роскошного межзвездного крейсера под гордым названием «Старблутер». Билеты для них были заказаны заранее. Поскольку солдатам разрешалось путешествовать только третьим классом, Билл нацепил фальшивые лейтенантские лычки, которые ему выдал Эллиот. Это была простая маскировка на время перелета, но Билл сразу и всерьез заважничал. Он раздувал ноздри, бранил обслугу и даже разок побагровел — то есть подражал привычкам благородного офицерства в меру сил. Они были в глубоком космосе, и Билл наслаждался каждой секундой своего пребывания вне армии, когда по его душу явился террорист-убийца с таким жутким бластером, каких Билл еще не видывал.

Это случилось как раз в тот момент, когда Билл балансировал на краешке трамплина для прыжков в воду, в розовых с зеленым отливом плавках и с банкой пива в руке; он мучительно прикидывал расстояние до поверхности воды. Его живот с хорошо развитым прессом покраснел от многочисленных шлепков о воду. На этот раз Билл решил исполнить прыжок по всем правилам, чего бы ему это ни стоило, ценой собственной жизни, если угодно.

— Как ты думаешь, Эллиот, может, стоит немного отойти от края доски?

Эллиот, развалившись в шезлонге, внимательно посмотрел на Билла, пытаясь разрешить задачу, попутно прихлебывая «Альдебаран Арахне».

— Я пытаюсь понять, куда ты полетишь, Билл. Ага, может, тебе лучше выбросить банку. Мне кажется, она нарушает равновесие.

— Согласен, — ответствовал Билл. Он допил пиво, смял банку и бросил ее Эллиоту. — Неплохая мысль. Кстати, Эллиот. Давно хотел тебя спросить... Почему ты все время говоришь «ага»?

Это уже стало раздражать Билла. И не потому, что он что-то имел против слова «ага». Нет, Биллу не нравилось, что это же самое «ага» часто употреблял Усердный Прилежник в лагере имени Леона Троцкого, который на поверку оказался замаскированным чинджером по имени Успр и немало насолил Биллу. Для того чтобы выдать себя за Усердного Прилежника, двадцатисантиметровое существо использовало человекообразного робота, которым управляло из кабинки, устроенной в черепной коробке.

Билл стал подозрительным. Он пригласил Эллиота окунуться в корабельном бассейне, полагая, что если Эллиот робот, то он непременно утонет. Но тот, хотя и надел роскошные плавки, от купания уклонился.

Следуя указаниям компьютерной капсулы, вшитой в левую мочку Биллова уха, Билл и Эллиот заняли места на борту круизного лайнера «Старблутер». Это была переоборудованная мусорная баржа, которой спецы из «Бес Плезир К°» постарались придать вид сверкающего айсберга. Лайнер оказался битком набитым офицерами, их женами, шлюхами, подружками — а частенько и дружками, — ведь офицеры собирались повеселиться. Развлечения и еда были одинаково безвкусными, но это не имело никакого значения, поскольку пассажиры постоянно были пьяны в стельку, намереваясь привести почки и печень в хорошую банкетную форму до прибытия на планету Баров. Выглядело это довольно отвратительно, но Билл находил такую жизнь прекрасной. Что ясно характеризовало его систему ценностей. Теперь он ждал ответа на поставленный вопрос.

— Ага, Билл. Я не знаю. Папа с мамой тоже всегда так говорили. В конце концов, ведь я — агент.

Но Билл не дал себя запутать.

— А может, по какой другой причине?

— Другой не знаю. Ага. А почему тебя это так беспокоит?

— Да так. Я знавал одного чинджера, который все время говорил «ага».

— А, ты имеешь в виду Успра. Да, мы об этом знаем. Я ждал, что ты меня об этом спросишь, Билл. И с удовольствием тебе отвечу. Нет, я не Успр. Разве я похож на четырехлапую зеленую ящерицу?

— Нет, конечно, но...

— Ну вот видишь. Всего-то проблем. Перейдем к более неотложным делам. Почему бы тебе не проконсультироваться по технике прыжка с К-капсулой? Может, она тебе что умное подскажет?

Компьютерная капсула представляла собой настоящий шедевр биоэлектроники; она напрямую соединялась с мозгом Билла. У нее имелся потрясающий банк данных, зачатки искусственного интеллекта, к тому же ее можно было использовать в качестве карманного калькулятора. Трудность состояла в том, чтобы научиться ее правильно использовать, без особого вреда для собственного уха.

Но в данном случае приходилось выбирать между болью в ухе и отбитым в доску животом.

Билл решительно дернул себя за ухо.

— ВОПРОС: как я должен прыгнуть, чтобы не удариться животом?

Прибор был начинен всевозможными сенсорами, соединенными с нервной системой Билла, имел огромную память и симулятор речи с противным гнусавым голосом (смешно даже, думал Билл, прибор в ухе, а голос насморочный). Но хуже всего оказалось то, что сумасшедший программист, который спроектировал прибор, видимо, был без ума от этнической музыки давно исчезнувшей Земли. Он, похоже, перекатал компьютерную фонотеку на одном из древних кораблей и запихнул ее в память К-капсулы, которую затем вшили в ухо

Биллу. Программист, видимо, развлекал себя этой музыкой в долгие часы работы над прибором. И бог бы с ним. Но он сделал такое паршивое программное обеспечение, что фрагменты музыки просочились во все без исключения сервисные программы и файлы. Теперь ухо Билла терзало нечто латиноамериканское с придурочным припевом «мула-чула».

— Ну, говори, — возвысил голос Билл, стараясь перекрыть гитарный перезвон. — Как мне нырять?

Билл ожидал чего угодно, но только не экстраполяции предполагаемой траектории в рамках функции вес/сопротивление среды/сила тяжести и натурально впал в отчаяние.

— Нет! — вскричал он. — Что за хреноту ты несешь, не надо. Я и так прыгну, но моя смерть будет на твоей совести!

— Слушай сюда, козел. Твоя пластика сделает честь любому танцору фламенко при условии, что этот танцор давно сдох!

— Знаешь, я хочу только одного — чтобы ты был только машиной, как оно и задумывалось, и выполнял только то, о чем тебя просят! — заорал Билл, в отчаянии дергая себя за ухо. — Брось ты наконец эту проклятую музыку и отвечай толком!

Эллиот Метадрин выглянул из своего шезлонга.

— Ага, опять треплешься со своим ухом? Интересно, почему мне такую капсулу не вшили?

— А надо бы! — Билл крутил ухо, пытаясь вырубить взбесившийся прибор. — Я сейчас прыгну, и так прыгну, что...

Билл так и не успел объяснить, как он прыгнет на сей раз: ему пришлось исполнить прыжок без долгих объяснений.

Потому что вдруг откинулся палубный служебный люк, и оттуда выскочил террорист.

Он был почти двухметрового роста. Длинные косматые волосы перехвачены цветастой ленточкой — чтоб в глаза не лезли. На носу сидели неуклюжие старомодные очки. Грязная футболка, клеши и мокасины составляли его костюм. На шее болтался кривой медальон, пацик[1]. В руках он держал огромный лазерный маузер — настоящий символ войны.

Билл еще не видел пистолета страшнее.

— Умри, империалистическая свинья! — вскричал мерзкий тип и навел пистолет на Билла.

---

[1] *Пацик (жарг.)* — этим словом советские хиппи называли знак пацифистов.

Избрав войну делом своей жизни (возможно, «избрав» — слово не совсем точное), Билл частенько попадал на мушку. Однако в данном случае он оказался безоружным и стоял на самом виду — словно учебная мишень, — выбора у него не было.

Он головой вниз прыгнул в воду.

Энергетический луч сжег воздух в том месте, где он только что стоял.

В воду Билл вошел ногами и постарался сразу уйти на глубину. Он почувствовал, как над ним вскипела вода — террорист пытался его достать. Но Билл знал, как трудно поразить подводную цель, к тому же из всех видов водного спорта погружение давалось ему легче всего. К счастью, он находился в самом глубоком, около двенадцати метров, конце бассейна, так что было где себя показать. К сожалению, его подвела дыхалка: он не успел сделать хороший вдох перед прыжком — поэтому, едва достигнув дна, он уже подумывал о всплытии.

Билл был достаточно умен, чтобы сообразить, что всплывать лучше подальше от места погружения. Поэтому он до последнего плыл под водой, пока не врезался в стенку бассейна, и только потом рванулся вверх. Очень надеясь на то, что к моменту его всплытия Эллиот уже пристрелит мерзавца и что его не скрутит кессонная болезнь.

Билл выскочил на поверхность и, делая глубокий вдох, заметил, что в помещении бассейна царит настоящая паника. Шезлонг был расстрелян в щепки, кругом валялись обгорелые полотенца, на воде покачивался надувной матрац Эллиота. В воздухе висел густой запах горелого мяса.

Билл выбрался из бассейна и побежал прятаться. Спустя некоторое время он осторожно выглянул из-за двери с надписью «Для женщин».

Кого-то поджарили, это точно... но ни обгорелых и никаких других трупов видно не было. Билл уже собрался было с духом, чтобы перебежать в мужскую раздевалку, но тут в дверь ввалился Эллиот Метадрин, сделал несколько неуверенных шагов и со стоном повалился на пол. В правой руке он сжимал крупнокалиберный бластер, левая рука была сильно обожжена.

— Санитар! — по фронтовой привычке завопил Билл. — Санитар!

— Ага, сейчас. Может, лучше вызовешь корабельного доктора, а, Билл? — Лицо Эллиота Метадрина перекосилось от боли, но он пытался встать. — Сомневаюсь, что здесь есть санитары. Этот парень здорово меня зацепил.

Билл осмотрел рану. Ничего хорошего. Хотя одно все-таки хорошо: судя по ране, Эллиот никак не мог быть чинджером по имени Успр, замаскированным под человека. Напарник Билла был человеком, это несомненно.

Человеком на грани потери сознания.

— Отключился, — отметил Билл и пошел к телефону, чтобы вызвать врача.

Похоже, аварийные службы на борту «Старблутера» уже были подняты по тревоге. Повсюду мигали красные аварийные сигналы. Помощь могла прийти в любой момент.

Билл хотел задать Эллиоту пару вопросов, прежде чем его увезут в медицинский блок. Пришлось похлопать его по щекам, чтобы привести в чувство. Наконец Эллиот открыл глаза.

— Эллиот, кто был этот парень? Что с ним?

— Не знаю, Билл, — ответил Эллиот. — Я подстрелил его, а он в ответ поджарил меня. Потом поднялась тревога, и он убежал. Я гнался за ним по коридору до самого носа... И там он... исчез.

— Скрылся, говоришь, и ты не смог его найти. Значит, он все еще на лайнере.

— Да нет. Я сказал, что он исчез. Растворился в воздухе, словно привидение. Вот только что был — растрепанный, с дикими глазами — и растаял в воздухе.

— Растаял?

— Нет, погоди. Это было похоже на дыру. Такая зона энергетической флуктуации... он вошел в нее и... исчез. — Эллиот глубоко вздохнул. — Ага, Билл. Как ты думаешь — может, он перемещается во времени? Я думаю, что он один из тех, за которыми мы охотимся... и мне кажется, что он хотел убить именно тебя.

— Я думаю, — промямлил Билл. — Я думаю, что мне необходимо принять стаканчик-другой.

— И еще, Билл. Я его узнал... нет, не в лицо, конечно, а в общем. Это хиппи, Билл. Хиппи с Адской планеты. Билл, ты понимаешь, что это означает?

У Билла округлились глаза.

— Да-а-а. Это означает, что и тебе не худо бы выпить.

Глава 5

Хиппи!

С Адской планеты!

Билл не понимал, что это значит, но звучало не очень приятно. Однако Эллиот отключился и толком ничего не успел объяснить. Его увезли в корабельный лазарет. Билл отправился в бар и заказал целый жбан виски — но перед принятием напитка не забыл проверить, на месте ли пистолет и снят ли он с предохранителя.

В полутемном баре Билл принялся наводить справки о террористе.

— Эй, ребята, — обратился он к группе престарелых лейтенантов и выживших из ума капитанов, которые пьяно раскачивались, вытаращив налитые кровью глаза. — Кто-нибудь знает, кто такие хиппи с Адской планеты?

Если кто-то что-то знал, то ответить не смог. А может, они так нарезались, что и вопроса не расслышали. Биллу ничего не оставалось, как заказать себе еще порцию, чтобы хоть как-то убить время до прибытия на планету Баров. Эллиот Метадрин вышел из строя на несколько дней... А Биллу и в голову не пришло обратиться за информацией к К-капсуле.

А может, у него просто не было настроения слушать этническую музыку.

Как бы то ни было, остаток путешествия Билл усердно подготавливал свой организм к грядущим испытаниям. То есть пил.

— Ага, Билл! Отличное место!

Эллиот Метадрин взмахнул здоровой рукой. Другая, вся в пластиковых бинтах, висела на перевязи. Врачи на «Старблутере» сделали невозможное. В эпоху компьютерной микрохирургии, общей регенерации и имплантации они умудрились-таки напортачить. Обычно поддающаяся лечению рука приходила в норму в течение нескольких дней. Но доктора умудрились задать компьютеру неправильный состав лекарственного раствора и надолго вывели руку Эллиота из строя.

— Вах! — радостно согласился Билл. — Местечко что надо!

Он увернулся от футбольного мяча. Группа коротко стриженных молодых людей в дурацких доспехах гоняли мяч, делая красивые пасы. Зрители тоже принимали в игре горячее участие, награждая друг друга тумаками. Вокруг царила бодрящая атмосфера соревнования и спортивного единения.

Билл и Эллиот только что прибыли на планету Баров. Следуя указаниям К-капсулы, они на юрком челноке отправились на остров с весьма экзотическим названием «Чаша роз».

Причудливые голограммы изображали старинные здания: от небоскребов до лачуг, в разных стадиях разрухи, воспроизводя городские виды древней Земли. Стилизованные под старину распивочные и коктейль-холлы работали на полную катушку.

Ведь это же планета Баров!

— Ага, ну как тебе все это, Билл? — поинтересовался Эллиот. — Я еще понимаю — бары, но при чем тут спорт?

Еще на «Старблутере», как-то заскучав в баре, Билл дернул себя за мочку уха и выслушал информацию о планете под мрачный аккомпанемент славянской народной музыки.

— Видишь ли, Эллиот, главная достопримечательность планеты Баров, разумеется, бары, и тем не менее это все-таки курортная планета. И как на любом курорте, здесь существует множество специализированных отделений.

— Как этот остров, например?

— Совершенно верно. Это курорт для пьющих футболистов и болельщиков.

— А что такое футбол?

— Я не знаю. То есть я прослушал описание игры, но ни черта не понял. Какие-то два двора, пасы, передачи, ворота. Что-то в этом роде.

— Звучит довольно сложно. Как мне кажется, это игра для интеллектуалов.

— Да. Умственное напряжение в процессе игры так изматывает болельщиков, что они начинают колотить друг друга. Иногда они напиваются до бесчувствия, в толпе возникает паника и давка, и сотни из них гибнут. Отличный спорт, правда?

Увернувшись от мяча, Эллиот ответил:

— Ага, но я предпочитаю более спокойные развлечения.

— И все-таки отличная планета, а, Эллиот?

— Да, Билл, — согласился Эллиот, с отвращением принюхиваясь к резкому запаху пота. — Мне кажется, что им пора помыться!

— Тебя бы сейчас не беспокоили никакие запахи, если бы мы сидели там, где должны сидеть — в баре «Травести» у Дядюшки Нэнси! Пойдем, возьмем по стаканчику и приступим наконец к выполнению задания ГБР! А уж потом я себе позволю то, что и не снилось ни одному солдату! — Счастливая слеза выкатилась из уголка глаза и упала в пивную лужу. — Уж я устрою себе отпуск, крутые каникулы! До сих пор не могу поверить! Слов не хватает — но уж я все равно устрою!

— Рад за тебя, Билл, — поддержал его Эллиот. — Я тоже намерен отдохнуть. Да и рука тем временем заживет.

— Правильно. Сочувствую тебе, Эллиот. Ты спас мне жизнь. Теперь я твой должник. Можно я тебе выпивку поставлю?

— Ага. Я думаю, Билл, что у тебя еще будет возможность вернуть мне кровный долг до конца операции.

Билл рассеянно кивнул, поглощенный созерцанием многочисленных вывесок. На одних барах сияли неоновые вывески, другие обходились простыми деревянными щитами с намалеванными на них названиями и нехитрыми картинками. Бары всех мыслимых форм и размеров. Барищи и барчики. Наливочные, распивочные, рюмочные и бутербродные. Все они излучали волны дружеского веселья, вокруг раздавались звуки лихих песен и потасовок. Плюс обольстительный букет запахов восхитительных напитков, которых Билл еще никогда — никогда! — в глаза не видел.

Даже с орбиты планета Баров представляла собой незабываемое зрелище. Она была восьмой по счету от солнца, которое называлось «Бильярд-III», и напоминала восьмой шар[1]. Так, по крайней мере, показалось Биллу, когда он по ошибке забрел на обсервационную палубу, направляясь в туалет; планета была повернута ночной стороной и лежала на звездном ковре, как черный шар на яванском бильярде. Подумать только! Вместилище всех мыслимых и немыслимых человеческих пороков и слабостей, и сверх того — миллионов нечеловеческих. Страны, острова, архипелаги, перешейки, континенты, надводные корабли и подводные города — и всюду бары, бары, бары! Планета Десяти Тысяч Баров. И это не случайно. Остальные планеты в системе Бильярда-III, непригодные для

---

[1] *Восьмой шар* — в бильярдной игре под названием «пул» (*англ.* pool) восьмой шар окрашен в черный цвет.

жизни людей, были покрыты морями различных алкогольных напитков. Видимо, когда эта солнечная система формировалась и планетное вещество переходило из жидкой фазы в твердую, образовались сложные углеродные молекулы. Однако эволюция пошла здесь своим путем. Она породила только растительную жизнь, животные формы отсутствовали. Растения росли и умножались, впитывая энергию яркого солнца, синтезируя при этом сахар из природной двуокиси углерода. И вот — о счастливая мутация в бесконечной игре природы! — появилась очаровательная спора, родоначальница дрожжей. Вскоре в океанах началось всепланетное брожение. Так возникли целые океаны восхитительной бражки. Вот это океаны!

Профану трудно понять, как скальные породы и вулканические процессы образовали естественный цикл перегонки. Но ведь образовали же!

Так родилась планета Баров.

Более того, на остальных планетах системы эволюция шла параллельным путем и привела к столь же восхитительным результатам. Так появились и Скотч-планета, и Джин-планета, и Водка-планета...

Колонисты, заселившие единственную пригодную для обитания людей планету, приняли это за Божий знак и быстро понастроили баров, чтоб услаждать мучимых жаждой путешественников. Воротилы с планеты Баров осваивали богатства соседних планет при помощи негуманоидных существ, хорошо приспособленных к различным типам ядовитых атмосфер. Они поставляли напитки в кабаки планеты Баров и экспортировали в другие звездные системы. Торговая марка — планета с краником на боку — стала знаменита по всей Галактике как неоспоримый сертификат качества. Но напитки были ужасно дороги, Биллу лишь однажды довелось попробовать вино, изготовленное на планете Баров... это было незабываемо.

И вот он здесь!

Глядя в карту, выданную компьютером, Билл и Эллиот бродили по улицам, пытаясь отыскать нужное место, уворачиваясь от спятивших спортсменов, гоняющих мяч. Внимание Билла привлек рекламный щит, на котором были изображены полуодетые девицы, флаер и бокалы с шампанским, но Эллиот предложил развлечься чуть позже, когда свободного времени станет побольше.

Наконец нужное место нашли — оказалось, что на карте оно было заляпано горчицей.

— Это здесь! — взволнованно воскликнул Билл, указывая на старомодную вывеску, висевшую на цепях. — «У Дядюшки Нэнси».

Эллиот бросил взгляд на вывеску и озабоченно почесал голову.

— Что там нарисовано?

— Вроде женщина с короткой стрижкой и в вечернем платье, — беззаботно ответил Билл.

Что Билла действительно заботило, так это желание припасть поскорее к галлонным бокалам, которые, по слухам, использовались в таких тавернах. Сначала совершенно необходимо побаловаться пивком, а уж потом можно будет заняться и цепью Времени, и чинджерами, и всем остальным. Сейчас очень важно сразу взять темненького. Билл даже причмокнул. Одна только мысль о пиве вызывала у него обильное слюноотделение. Клыки его хищно блестели.

— Ага, Билл, но мне кажется, что ты не прав. Это больше похоже на мужчину в женском платье!

— Быть не может, — простодушно возразил Билл. — Мужчины платьев не носят. — Он утвердительно кивнул с убежденностью алкоголика.

Перед входом в зал находилась небольшая прихожая. Из гардеробной показалась голова человека.

Дрожа от нетерпения, Билл ухватился за дверную ручку.

— Эй, парни, — зарычал низкий бас из гардероба. — Куда это вы претесь в такой одежде?

— Ага! — весело откликнулся Эллиот. — В бар идем, пивка выпить!

— У нас и деньги есть! — заверил Билл, предвкушая удовольствие. — Можешь не сомневаться.

— Отлично, парень, я и не сомневаюсь. Но в такой одежде в зал входить нельзя. Такие уж тут правила. Идите сюда, я вас, так и быть, выручу.

Глаза Билла уже привыкли к полумраку, и он с удивлением заметил, что гардеробщик — крепкий парень с короткой стрижкой, лицо сплошь покрыто шрамами, как у видавшего виды солдата, — невозмутимо попыхивал сигаретой, несмотря на то что одет был в декольтированное бальное платье из легкого шифона. На открытой груди курчавились темные волосы.

— Правда, красивое? — заговорил мужчина, заметив, что Билл пожирает глазами его наряд. — Я купил его на распродаже у Блумера!

— Ага, класс! — согласился Эллиот. — Просто отличное! Но чем тебе наша одежда не нравится?

— Ничем. У Дядюшки Нэнси так не одеваются, вот и все. Если вы хотите выпить в баре «Травести», то будьте любезны надеть красивое платье. Таковы правила. Со своим уставом в чужой монастырь не ходят. А что, у вас с этим проблемы?

Билл был потрясен.

— Я никогда и ни за что не надену женское платье! Никогда и ни за что!

Но даже во время гневной тирады его ноздри щекотали обольстительные алкогольные пары, просачивавшиеся через дубовую дверь.

— Послушай, Билл, а тебе идет. И сидит хорошо.

— Заткнись, — огрызнулся Билл.

— Нет, правда, не вру. Зеленое тебе очень к лицу. А материальчик так просто высший класс! И покрой приличный. Мне кажется, что надо сильно подумать насчет солдатской парадной формы.

— Что, сортиры в платьях прикажешь чистить? Ордена на них вешать? Не нравится мне все это.

Билл чувствовал себя очень неуютно. Он давно сжился с военной формой — спал в ней, даже иногда ванну принимал. И теперь, скинув привычный мундир и облачившись в длинное вечернее платье зеленого цвета, он чувствовал себя не в своей тарелке. Густой воздух бара непривычно щекотал его волосатые ноги. Он чувствовал себя голым. Слава богу, придурок из гардероба разрешил не сдавать оружие. («Никаких проблем, ребята. Мужчина должен иметь пистолет. Но ваши штаны пока останутся у меня».)

Эллиот нарядился в серебристое платье с большим вырезом на груди, широкий черный пояс и черные туфли на каблуках. Метадрин радостно улыбался: похоже, новый наряд ему очень нравился, несмотря на некоторые трудности передвижения на каблуках. А Билл радовался тому, что парень из гардероба разрешил ему не снимать форменных ботинок. («Раз уж у тебя такое длинное платье, то никто твои говнодавы не заметит».)

Бар Дядюшки Нэнси оказался настоящим воплощением мечты рядового Билла. Стены, отделанные деревом и зеркалами и сплошь увешанные изображениями обнаженных красоток.

Приглушенный свет. Камин. Мягкая мебель. Дивный красный ковер. Бесконечная стойка бара обольстительно выгибалась, сверкая полированным красным деревом. На полках теснились бутылки. Над стойкой нависала целая гроздь разноцветных краников: пиво и эль, пульке и сидр! Здесь царила приятная алкогольная атмосфера, реяли запахи только что выпитых коктейлей и опрокинутых стопок.

Короче говоря, Билл так и представлял себе жизнь на небесах.

Странно, конечно, что все мужчины в баре одеты в женские платья. Юбки-брюки, мини-юбки, длинные вечерние платья. Платья всевозможных цветов, размеров и фасонов, всех времен и народов. При этом мужчины, независимо от возраста, вели себя совсем обычно, как будто были одеты не в женские платья, а в обычные военные мундиры или костюмы. Они болтали и смеялись, хлопали друг друга по спине и, стараясь поддержать праздничную атмосферу, усердно поглощали напитки. Однако Биллу никак не удавалось справиться с ощущением нереальности. Особенно трудно оказалось свыкнуться с тем, что он сам был одет в женское платье.

Два пустых табурета призывно манили к стойке.

— Грррк. Мне надо выпить.

— Ага! Обязательно, Билл! — отозвался Эллиот. — Я угощаю.

Они остановились рядом с молчаливым парнем в ситцевом сарафане.

— Повтори еще раз, Билл, — попросил Эллиот. — Это и есть то самое место, где происходит нарушение цепи Времени?

— Точно, — подтвердил Билл. — Если хочешь, я запрошу К-капсулу еще раз, но попозже. Тогда и подумаем, что делать дальше. А сейчас, если не возражаешь, мы выпьем, поболтаем с местными ребятами и, образно выражаясь, разнюхаем обстановку.

— Ага, согласен, Билл. Думаю, мне тоже не повредит стаканчик-другой. Посадка была довольно жесткой, даже для человека, привыкшего к перегрузкам!

Они взгромоздились на табуреты и облокотились на стойку. Билл наслаждался атмосферой бара. Да, здесь можно забыться. И посуда соответствует. Все посетители пили из объёмистых вробджнанских кружек. На их счастливых лицах висели клочья пены.

Не мешкая, Билл призывно поднял палец.

Тут же возник бармен, готовый принять заказ.

— Чем могу служить, джентльмены?

Билл открыл было рот, но от растерянности не мог выдавить ни звука. Он понял, что совершенно сбит с толку обилием напитков и не знает, с чего начать. Выбор был слишком богат.

— Ах... Аххх... Аххxx...

Бармен был круглолицый бородатый красноносый толстячок с косичками, в нарядном красном платье с воланами. Воплощение радушия.

— Понятно. Вы у нас впервые. Это бывает.

— Как вы догадались? — спросил Эллиот.

— Синдром новичка. Обычное дело. Как вы думаете, чего бы хотел ваш друг? Между прочим, у вас потрясные платья. — Бармен окинул взором ряды бутылок. — Хм-м. Что же мы имеем? Может, немного изысканного вина, выдержанного в подвалах у Дядюшки Нэнси?

— Фррр. — Билл одним движением головы изобразил твердое «нет». — Фррррр!

— Ах! Тогда начнем с крепкого! У нас есть бурбон, цена умеренная, но на вкус — слезы счастья!

— Ага, — отозвался Эллиот, — нет. Я думаю, что для начала мы возьмем два очень больших пива... Однако у вас выбор!

Билл, тяжело дыша, согласно закивал. Захлебываясь при этом обильной слюной.

— О боже, да у вашего приятеля синдром слюноотделения. Обычное недомогание на планете Баров. Значит, пиво. Не эль, не сидр... — бармен задумчиво перебирал варианты. — Желаете горького? Или лучше охлажденного светлого?

— Биллу хочется чего-нибудь вкусного. На службе у императора не часто приходится отведать хорошего пивка.

— Ах! Все понял! Сегодня мы получили лучшее горькое номер два. Старое «Черное сердце»! — Бармен схватил две огромные кружки.

— Лучшее номер два? Почему не просто лучшее?

— Потому что, к сожалению, очень старое уже кончилось. Но вы знаете, все сорта одинаково хороши. «Лучшее горькое» — не больше чем название марки. — Он уже открыл кран, и темная пенистая жидкость потекла в трехлитровую кружку. Вскоре бармен подставил под кран вторую. — Думаю, вашему другу оно понравится. — Он водрузил кружку на стойку перед Биллом.

Билл припал к ней. Он пил, пил, пил, а когда наконец оторвался, чтобы перевести дух, заметил, что отпил лишь малую часть! Билл еще немного попил и отставил кружку, чтобы отдохнуть от наслаждения.

Гастрономический оргазм!

О сладостные злаки, соединенные с водой и в чудесном превращении ставшие усладой языка! Томительные волны наслаждения наполнили все существо Билла, теплые, как поцелуй возлюбленной. Высшее наслаждение. Это было само дыхание настоящей поэзии вкуса!

Билл отер рукавом губы и блаженно икнул.

— Уа-ах! Это бесподобно! — выдохнул он.

— Наконец мы наблюдаем синдром удовлетворения, — прокомментировал бармен, поставив перед Эллиотом вторую кружку.

Эллиот попробовал напиток и нашел его восхитительным.

Билл хотел было глотнуть еще, но что-то его остановило. Благополучно отыкавшись, он впал в праздничное состояние, и ему захотелось пообщаться с радушным хозяином.

— Я Билл. С двумя «л». А это мой напарник, Эллиот! Мы туристы!

— Ага, правильно, туристы! — подтвердил Эллиот.

— Отлично, рад познакомиться, Билл и Эллиот! — ответил бармен. — А я Дядюшка Нэнси.

— Дядюшка Нэнси. Ага, хозяин?

— Правильно, — самодовольно подтвердил Дядюшка Нэнси. — Он самый.

— А скажи-ка, Дядюшка Нэнси. Объясни мне, дураку. — Билл, ухмыльнувшись, обвел глазами посетителей. — Почему у вас все мужчины носят женские платья?

— Поймешь — когда напьешься в платье, Билл, — усмехнулся в ответ Дядюшка Нэнси. — Однако мне пора заняться и другими клиентами.

— Ага, но извините, Дядюшка Нэнси, — вмешался Эллиот, — это что, книги там, на верхней полке?

Билл вслед за ним поднял глаза. Под самым потолком, в полумраке, виднелся длинный ряд книжных переплетов. Ниже был укреплен плакат с надписью на латыни: «Veni, bibi, transvestivi».

— Да, это книги! — Улыбка Дядюшки Нэнси стала еще шире.

— А что означает эта латинская надпись? — продолжал интересоваться Эллиот.

— Пришел, напился, переоделся! — перевел Дядюшка Нэнси.

— Ага, ясно, Дядюшка Нэнси, — продолжал Эллиот. — А эти книги... вы не состоите в Колпартии?

Разговоры тут же стихли, в баре повисла тишина. Все головы повернулись в сторону Эллиота. В баре заметно напряглись мускулы. Заиграли желваки. Сжались крепкие кулаки.

— Нет, что вы! — ответил Дядюшка Нэнси. — Но ведь читать не запрещено?

— Ага. Но это зависит... — начал было Эллиот, но Билл зажал ему рот.

— Мой друг хотел сказать, что никогда таких книг не видел.

Напряжение сразу спало, разговор в баре зашумел опять.

Билл облегченно вздохнул. Лично он ничего против книг не имел. Он предпочитал комиксы. И всегда придерживался правила: живи и давай жить другим, потому что сам любил пожить в свое удовольствие. Поэтому он ничего не имел против увлечения литературой. Сам Билл никогда не умел как следует читать. Какие же колледжи в деревне? Какие там, к черту, книги — он на планете Баров! Чинджерами надо заниматься!

— Очень рад, что они вам понравились! — воскликнул Дядюшка Нэнси. Он указал на полку, уставленную томами в кожаных переплетах, которая протянулась во всю длину бара. — Это моя коллекция классиков. Обратите внимание, как прекрасно они подобраны! Говорят, некоторые тома были выпущены еще на Земле. Конечно, это неправда, но неправда приятная.

С величайшей осторожностью он снял с полки книгу и положил перед Биллом и Эллиотом. Мягкий пергамент. Золоченый обрез. Черная с красным обложка. Великолепная вещь. Даже на Билла произвела впечатление.

— «Дэвид Копперфилд»[1], Чарлз Диккенс, — прочел Билл. — Это что, из жизни шахтеров?

— О нет! Это классическое произведение, Билл! — воскликнул Дядюшка Нэнси. — Прекрасная книга о ранних годах Викторианской эпохи.

— Как воняет весь этот хлам! — послышался недовольный гнусавый голос из-за спины Билла.

Билл обернулся и увидел того самого хиппи с Адской планеты, что пытался его поджарить!

Глава 6

Нет, это был не тот.

Хотя и похож как две капли воды на того самого хиппи, что стрелял в Билла и ранил Эллиота. У него были такие же длинные, перехваченные ленточкой волосы и клеши. Только этот покрепче и ростом повыше, лицо посерее и попрыщавее.

А поверх одежды этот шут гороховый натянул цветастое платье в стиле «му-му».

— Дерьмо, — упрямо повторил паренек. Дикий анархический огонь горел в его глазах.

— Я, кажется, уже предупреждал, что в моем баре хиппи делать нечего, — ответил на это Дядюшка Нэнси.

— Ага, но, по-моему, это отличная книга, — мягко возразил Эллиот. — А вы какие предпочитаете?

Паренек скрипнул зубами и возмущенно фыркнул. От него попахивало травкой. А изо рта несло сильно и дурно, в том числе синтетической пищей.

— Я люблю... — с вызовом начал он. И выпалил: — Порнуху!

— Ну что ж. — Билл спокойно хлебнул пивка. — Я тоже порнушку уважаю!

Тут парень схватил Билла за грудки.

— Не воняй, мужик! Это тебе никакая не порнушка или порнушечка, понял? А добрая старая порнуха!

---

[1] *Копперфилд* — можно перевести с английского как «медные копи».

— Понятно, мистер! — вмешался Эллиот. — Только зачем так обижаться!

В другой раз Билл, не задумываясь, учинил бы потасовку. Однако в женском платье драться неудобно — неприлично как-то, не по-женски. Да и платье порвать можно.

— Извини, старичок. Не хотел тебя обидеть. Выпьешь что-нибудь? Угощаю!

Парень все еще нервничал.

— Ладно. Хорошо бы чего-нибудь покрепче.

— Покрепче — это формальдегид? — презрительно скривился Дядюшка Нэнси. — Отличная мысль, приятель, однако мы дерьма не держим.

Биллу как-то довелось попробовать формальдегида, и из этого опыта он вынес твердое убеждение, что данный напиток противопоказан даже мертвецам. Он замотал головой.

— Ох, Дядюшка Нэнси. Не надо о грустном. — Он был уже приятно пьян и бесконечно дружелюбен. — Мне так хорошо и весело, и всем того желаю. Почему бы тебе не угостить моего длинноволосого приятеля самым крепким напитком, который только найдется в твоих кранах и бутылках?

— Сей секунд!

Бармен вытащил из-под стойки маленькую бутылочку с красной этикеткой. На которой было написано по-староанглийски:

СТАРАЯ СМЕРТЬ.

А внизу мелким шрифтом была сделана приписка: «Считаем своим долгом известить вас, что никому из живущих еще не удавалось допить бутылку до конца».

— Я тоже хочу такую, — с тихой завистью алкоголика произнес Билл.

— Третьим буду, — не отставал Эллиот.

— Это последняя, — отрезал Дядюшка Нэнси. — Но у меня есть еще три бутылки напитка из молока яков, и я с удовольствием их с вами выпью. Мой любимый напиток в это время дня. — Он вытащил бутылочки, проворно их откупорил, одну схватил сам, а две другие выдал приятелям. — За здоровье яков! — провозгласил бармен и залпом осушил бутылочку.

Таких напитков Биллу еще не приходилось пробовать: в желудке раздался приятный взрыв. Славно!

Глаза Билла увлажнились слезами радости. Он попытался выразить охватившее его чувство, но вместо слов изо рта вырвалось только громкое «Мууу!».

— Оп-па! — крякнул Дядюшка Нэнси, утирая невольные слезы. — Настоящий напиток. То, что надо! Мууу!

Эллиот Метадрин смог сделать только маленький глоток. Хиппи презрительно улыбнулся при виде такой осторожности и единым духом вылакал свою порцию. Казалось, что из ушей у него повалил пар. Но парень ничуть не окосел — и не пал замертво, — лишь в глазах его вспыхнул дикий огонь. Реклама, ясное дело, наврала, как всегда.

— Ну ладно. — Дядюшка Нэнси сердито скрестил руки на груди. — Кой черт тебя принесло ко мне в бар?

— Не доставай, дядя, — пробормотал хиппи, — я и сам вспомнить не могу. Что меня сюда потащило? Перекурил, наверное. Или перепил. Или глотнул чего-то не того. Или еще что.

Билл допил свою бутылочку и со стуком опустил ее на стойку.

— Налей мне чего попроще. Простое пойло круче цепляет.

Билл чувствовал странную бодрость. Обычно алкоголь здорово ударял его по мозгам. Но этот темный напиток лишь развеселил его.

— Ага, — заметил Эллиот. — Не нравятся мне эти разговоры!

— Отнюдь, отнюдь. Такое ощущение, будто меня кислотой накачали.

— Что, сильно жжет?

— Да нет, — ответил Билл. — Совсем неплохая штука, если знаешь, как развести. Но я это не употребляю. У меня это не катит.

Дядюшка Нэнси нахмурился.

— Сдается мне, что он толкует про лизергин диэтиламин.

— Что-что?

— Такое психотропное вещество, оно изменяет восприятие действительности, — пояснил Эллиот, рискнув сделать еще глоток.

— Хм-м-м-м, интересно, — встрепенулся Билл. — А сколько в нем градусов?

— О дьявол! Этот козел меня достал!— простонал хиппи. Казалось, что гнев выдавливает его глаза наружу. — Мужик...

эти книжки наверху, они тоже меня достали. Нехорошо, нехорошо.

Дядюшка Нэнси был сыт по горло. Раздраженно рыкнув, он опустил руку под стойку и нашарил увесистую дубинку, но тут хиппи неожиданно выпрямился и воздел руки к небу.

— Вспомнил! Теперь я вспомнил! Я вспомнил, зачем я приперся сюда! — радостно завопил он.

— И зачем же? — поинтересовался Дядюшка Нэнси, все еще сжимая дубинку. — Объясни ради бога, в чем дело?

— Порцию «Старой шинели»!

Ошарашенный страстным тоном парня, Дядюшка Нэнси счел за благо выполнить заказ и наполнил янтарной жидкостью объемистый бокал. Закатив безумные глаза, хиппи разом опрокинул напиток в глотку. Парень явно не владел собой. Он перегнулся через стойку и схватил Дядюшку Нэнси за подол платья. И быстро выхватил дубинку из его руки — тот даже опомниться не успел.

— Мужик, у тебя здесь сортир есть? Где он? Мне пора!

Дядюшка Нэнси ошеломленно ткнул пальцем в дальний угол своего заведения. Никто и глазом не успел моргнуть, а хиппи схватил со стойки едва початую бутылку «Старой шинели» и рванул в туалет, как человек, гонимый нуждой.

— Джеронимо! — воскликнул он.

И скрылся из виду.

— Не знаю почему, — промолвил Дядюшка Нэнси, — только не нравится мне этот парень.

— Ага, — добавил Эллиот, — мне тоже.

Билл непроизвольно пустил струйку пива, как блаженный слюни.

— Однако парень подал неплохую мысль, — пробормотал он.

И сделал большой глоток. И счастливо замер, ощущая, как пиво, весело журча, струится вниз по пищеводу, словно ручеек самого Бахуса. Теперь он точно знал, как хотел бы встретить свой последний час — упившись до смерти этим дивным напитком.

Когда он оторвал губы от кружки, то заметил, что все вокруг... да, стало совсем другим.

Поначалу Билл отнес все эти изменения на счет крайнего опьянения, но потом вспомнил, что как только мир в его глазах изменялся до такой степени, он обычно уже занимал позицию «лицом в пол». А сейчас он сидел на удивление прямо и, как бы ни был пьян, все же контролировал свои действия.

Бар изменился сильно.

Исчезли темные деревянные панели, исчезла пряная, прокуренная атмосфера. Яркие блики плясали на полированном металле, пластике, играли в зеркалах. Запах пива и табака исчез. В воздухе сильно пахло потом, тальком и спандексом.

Билл заморгал от яркого света. Его удивление переросло в тревогу. В самой отчаянной ситуации, если только под рукой есть алкоголь, любой солдат знает, что делать. Хорошенько выпить.

Билл схватил стоявший перед ним бокал и одним махом проглотил содержимое.

И, задохнувшись, принялся отплевываться.

Это была странная смесь йогурта, фруктов и черт знает чего еще. Билл слышал, что бывают какие-то жуткие безалкогольные коктейли, но пробовать, слава богу, не доводилось.

Он брезгливо отер губы рукавом. Он только что выпил витаминный коктейль. А куда же делось пиво?

Желая получить объяснения, он поискал глазами Дядюшку Нэнси и с удивлением обнаружил, что бармен уже не в женском платье. На нем был темно-синий трикотажный костюм, из раскрытого ворота торчали густые седые волосы. Билл осмотрелся и увидел, что и сам он, и Эллиот Метадрин лишились своих платьев. Оба были одеты в яркие, зеленые с красным спортивные футболки и трусы.

Внимание Билла привлекло громкое пыхтение, доносившееся из дальнего угла зала. Там очень накачанные мужчины занимались с тяжестями.

— Это уже не планета Баров, — со странным спокойствием изрек Эллиот. — Это планета Культуристов!

— Мое платье! — зарыдал бармен. И добавил: — Где мое любимое платье?!

— Хиппи! — воскликнул Эллиот, прищелкнув пальцами. Он указал в сторону туалета. — Может быть, в санузле расположен генератор пространства-времени?

Дядюшка Нэнси растерянно заморгал.

— Ну да, конечно, я хочу сказать, что все бары оборудованы пространственно-временной системой канализации. А насчет генераторов мне ничего не известно.

— Вот оно, Билл! Это то, что мы искали! — воскликнул Эллиот. Он сорвал с шеи ярко-красный платок и с отвращением швырнул его на пол. — То, что мы искали, было под самым нашим носом, а мы даже ничего не заметили! А все ты со своим идиотским пьянством!

— А чего в этом плохого, — промямлил Билл в свое оправдание. — Это же планета Баров. Была, по крайней мере.

Он мутным взором уставился на парней, занимавшихся тяжелой атлетикой. На дальней стене висели плакаты, изображавшие Мистера Планеты, Мистера Галактики и Мистера Вселенной. Их мускулы выпирали, как перезревшие дыни.

— Мои книги! — не унимался Дядюшка Нэнси.

— Что, и книги пропали?

— Нет, но посмотрите — они... они изменились!

Билл посмотрел. В самом деле, книги изменились. Сначала он не заметил разницы, но, приглядевшись повнимательнее, понял, в чем дело.

«Дэвид Копперфилд» Чарлза Диккенса превратился в «Праздник тела» И. Лифтема, а «Война и мир» Льва Толстого — в «Бицепсы и трицепсы» Бода Билдера.

— Мои книги! Мои классики! — рыдал Дядюшка Нэнси. Утрата книг потрясла его больше, чем исчезновение любимого платья... — Все превратилось в мускулистую дрянь!

— Здесь чувствуется рука нарушителей Времени, — процедил Эллиот Метадрин. — Это работа того сумасшедшего хиппи, что был здесь, — но как он умудрился это сделать? Решительно ничего не понимаю!

Билл тоже ничего решительно не понимал. Он был охвачен сильнейшими переживаниями: первоначальный шок переплавлялся в его душе в сильнейшую тревогу. Только вообразите — отыскать наконец источник вечного блаженства (или источник портвейна, что, впрочем, одно и то же) и вдруг — бах! Все пропало. Ужас! Наконец-то он попал на планету Баров, и вот все, что он может выпить — при этой мысли Билла даже передернуло, — витаминный коктейль!

— Что... что натворил этот проклятый хиппи? — нетвердым голосом вопросил он. Рот его машинально открывался и закрывался, словно дверь бара на ветру.

— Я сейчас тебе объясню, что он натворил! — съязвил Эллиот. — Но выдержишь ли ты такой удар? Он отправился в прошлое и изменил ход истории!

Дядюшка Нэнси, уставившись на свои книги, в отчаянии рвал на себе волосы, его лысина росла на глазах.

— Это означает, что мы проиграли? — пробормотал совершенно сбитый с толку Билл.

— Не знаю. Попробуем выяснить.

Эллиот подошел к одному из атлетов, который отдыхал между упражнениями, прихлебывая минералку и утирая пот.

— Позвольте спросить, сэр. Война с чинджерами еще продолжается?

— Чинджеры? — ответил тот с заметным австрийским акцентом. — О, ja, ja. Помню, в школе проходили. Ja! Мы смели этих паразитов. Сто годов назад!

— Ну что ж, — заметил Билл, — неплохие новости.

— Ja, und это было при четвертый рейх! Зиг хайль! — Австриец отдал честь висевшему на стене портрету, на котором был изображен человек с крохотными усиками. — Великий четвертый рейх! Тогда мы искоренили алкоголь и табак. Началась эпоха культуризма!

— Уничтожили алкоголь! — вскричал пораженный Билл. Для него это было равносильно концу света.

— Ситуация требует решительных действий, — объявил Эллиот. Он вытащил служебный жетон. — Меня зовут Эллиот Метадрин, я сотрудник Межпространственной службы по расследованию преступлений во Времени.

— Полиция Времени! — воскликнул пораженный Дядюшка Нэнси. — Будете в наших краях, ребята, — заходите непременно, выпивка за мой счет.

— А я-то думал, ты из ГБР, — сказал Билл.

— Теперь нет нужды маскироваться, Билл, — неожиданно по-деловому ответил Эллиот. — Я шел по следу, и он завел меня слишком далеко. Отступать поздно. — Он снова обернулся к культуристу. — Мне необходимы одежда и оружие.

— Ja, конечно, — ответила гора мышц. — Мы уважаем der полиция. Мы уважаем власть. Так завещал наш вождь, Святой Арнольд. Он хотел, чтобы мы были добрыми и почтительными — настоящими культуристами!

— Отлично, отлично, — оборвал его Эллиот. — Дядюшка Нэнси, а как действует пространственно-временная канализация? Этот волосатик наверняка ею воспользовался. Где находится пульт управления?

— Откуда, черт возьми, мне знать? — ответил Дядюшка Нэнси. — Я же не сантехник. Мы пользуемся временной канализацией для сбрасывания нечистот. Надо пойти и взглянуть.

— Вперед, Билл, — приказал Эллиот Метадрин. — Сначала переоденемся, а потом пойдем разбираться.

Переменившись в лице, Билл сокрушенно кивнул.

Не зря, видно, говорят: дело труба!

Глава 7

Дядюшка Нэнси проводил Билла и Эллиота в туалет.

— Ужасно! Вы только посмотрите, как все изменилось! — проворчал он, с ужасом глядя на цветную плитку, новые лампы, биде, автомат для одеколона. — Здесь был только горшок да еще раковина. Ах да — еще автомат с бумагой, но он обычно не работал. Так все было уютно, по-домашнему, с рисуночками. На стенах были такие рисуночки, понимаете?

Билл ошалело воззрился на сверкающие белизной писсуары.

— Мне бы по-маленькому, — пробормотал он.

— Только не здесь, идиот! — рявкнул Эллиот. — Здесь же темпоральный узел.

Билл захлопал глазами. Смешно, название мудренóе, а выглядит как обычный писсуар. Правда, необычно чистый и красивый, но все же писсуар.

— Извини — я могу и потерпеть...

Билл и бармен, замерев на месте, смотрели, как Эллиот дрожащей рукой взялся за ручку унитаза, глубоко вздохнул и дернул.

Результат оказался вполне драматическим. Это было покруче банального вакуумного горшка на обычном крейсере, собранном на скорую руку: там клиенты частенько с громким криком отправлялись в последний путь.

— Ух! — выдохнул Билл.

— Правильно, — подтвердил Эллиот. Невесть откуда в его руках появился небольшой прибор с кучей кнопок и экраном. — Судя по показаниям счетчика Времени — а они есть у каждого сотрудника полиции Времени, — в этом месте проходит разрыв Времени, и он немного больше, чем мы предполагали. Да, теперь я понимаю, как этот хиппи смог проникнуть в прошлое и учинить такой бардак. Сквозь такую дыру и слона можно протащить.

Билл потихоньку отошел назад и на всякий случай ухватился за ручку двери. Так спокойнее. У него было такое ощущение, будто он стоит на краю бездны. Будто его что-то тянет в разверстую пасть Времени.

На месте унитаза появился Портал. Окутанный роем искр и вихрями пульсирующего света. В глубине смутно виднелась панель управления, напоминавшая телевизионный пульт с несколькими экранами. На экранах мелькали разные интересные картинки, как бы передавая дыхание Времени.

Билл громко шмыгнул.

— Однако как воняет! — произнес он гнусавым голосом, поторопившись зажать ноздри.

— Конечно. Это потому, что цепь Времени на этом участке соединяет планету Баров с мирами Свалки. Все зависит от того, в какой отрезок Времени ты попал, — пояснил Эллиот. — Эта эра, например, особенно неприятна для наших современников. — Он потрогал свой нос. — Вот почему всех агентов полиции Времени лишают обоняния перед погружением во Время.

— А что это за эра? Ну, из которой вы явились? — поинтересовался Дядюшка Нэнси.

— Это закрытая информация, — твердо отрезал Эллиот. И, взъерошив волосы, уставился на свой прибор. Там бешено метались стрелки. Вспыхнул ярко-красный сигнал. — Ай-яй-яй! — воскликнул Эллиот, подняв встревоженный взгляд. — Этот Портал...

— Ни слова больше, — занял Дядюшка Нэнси. — Я чувствую, нас всех ждет жуткая смерть!

— Нет. Хотя все возможно. Все может случиться, потому что этот Портал Времени — даже в голове не укладывается, — судя по всему, обладает интеллектом!

— Больно слово длинное, — с сожалением произнес Билл. — Оно обозначает не просто мозги, правильно я угадал?

— Нет, придурок. Это означает, что он живой! Живой и мыслящий. А большего тебе все равно не понять! — Эллиот Метадрин озабоченно покачал головой. — За все время работы в полиции Времени я ни в одной эпохе не встречал ничего подобного!

— Увы, а мне часто приходилось сталкиваться с разными отвратительными типами вроде вас, — произнес низкий баритон. Голос обладал ярко выраженным британским акцентом, в манере говорить чувствовалась настоящая культура, звучала тонкая ирония и ощущалось пристрастие к жестким формам юмора. — Приветствую вас, несовершенные орудия биологического самовоспроизводства. Выражаясь словами моего высокочтимого предка, Александра Грэхема Телефона-Автомата Времени, — зачем звонили?

Эфирное сияние Портала Времени представляло собой чарующее зрелище. Изнутри он был выложен неведомыми кристаллами, излучавшими целую радугу цветов. Они создавали причудливую световую ауру, в переливах которой угадывались световые арии и даже целые симфонии. Возможно, это был Гайдн или Делиус — а может, это была опера «Микадо» Гилберта и Салливана? На упомянутых выше экранах вспыхивали сцены из истории Галактики. Подписание Декларации Независимости. Провозглашение императором Конституции. Взятие Ватерклозета Наполеоном Пятым.

— Вы... Вы Портал Времени? — запинаясь от смущения, спросил Билл.

— Да уж конечно, не портер Времени, так что не пытайтесь меня выпить, дражайший алкоголик! Прошу также не путать меня с портативом Времени. Я представляю собой полноразмерную, полноценную модель с базовым банком данных на уровне Итона и Оксфорда. И дорогой мой, это просто стыд, что мне приходится иметь дело со всяким, кто в состоянии, фигурально выражаясь, дернуть за веревочку! Особенно с такими шумными и неприятными приматами вроде вас.

— Ну что ж, покоримся, однако, неизбежности, — пропел в ответ Эллиот, воспарив до отпущенных ему природой пределов стилистики. — Как вы справедливо, хотя и несколько пространно, заметили, мы вас вызвали, и вы обязаны нам помочь! — Тут Эллиот продемонстрировал жетон полиции Времени, а затем показал кольцо секретного декодера космических капитанов.

— Вот именно! — встрял Дядюшка Нэнси. — И первым делом нам хотелось бы выяснить, куда, к дьяволу, провалился тот волосатый хиппи, что вошел сюда?

— Кого вы имеете в виду, мой мальчик? Длинноволосый парнишка, вы сказали? Да! Конечно! Вы, должно быть, говорите об этом жутком хиппи с Адской планеты. Ну конечно! Что ж, я полагаю, он отправился в прошлое с похвальными намерениями — поправить ход истории. Надеюсь, я ничего не перепутал, а то прошлой ночью мне пришлось подключить слишком много нанодов к своему квазоиду.

— Да вы посмотрите, — вмешался Билл. — Он, похоже, что-то изменил. Здесь раньше был отличный бар! А теперь какой-то потогонный зал, набитый культуристами с немецким акцентом!

— Хм-м-м. И в самом деле. Ну что же, такие вещи время от времени случаются. Раз уж в этой Вселенной существуют Порталы Времени, то незначительные изменения, вроде этого, просто неизбежны.

— Незначительные изменения! — возразил Эллиот Метадрин. — Мы толкуем о глобальном катаклизме! Я даже не уверен, существует ли теперь Галактическое бюро расследований!

Янтарный свет иронически мигнул.

— О? — отозвался Портал Времени. — Даже так? Давайте посмотрим в хрустальную сферу.

Из глубины Портала, сквозь нижнюю площадку выдвинулась сфера, наполненная искрящейся жидкостью. Внутри плавала золотая рыбка. Замелькали картинки. Билл увидел тяжелые танки и винтовые самолеты. Армейские сапоги топтали Галактику. Повсюду давали пиво с солеными сухариками.

— Хм-м-м. Может, оно и к лучшему, что все так переменилось? — размышлял Билл.

Очень уж он любил пиво с сухариками!

Наконец картинки перестали мелькать, возникла неровная надпись.

— Вот, ребята! — объявил Портал. — Вы можете наблюдать нынешнее положение вещей. «ГАЛАКТИЧЕСКОЕ БЮРО РАССЛЕДОВАНИЙ», — торжественно прочел он. — Как видите, мало что изменилось! Все тоталитарные системы похожи одна на другую. Например, несмотря на обилие витаминных коктейлей и йогуртов в этом оздоровительном центре, я думаю, вам не удастся здесь найти чашку доброго чая и парочку поджаренных лепешек!

Билл присмотрелся к надписи.

— Да ведь это надпись на сверхсветовом корабле! — воскликнул он, весьма довольный своей наблюдательностью.

Хотя, по правде говоря, с того места, где он стоял, надпись просто лучше всего была видна.

— Корабль? — удивился Дядюшка Нэнси.

— Ну да! Гляди... вот тут, сбоку... написано: «СС ГАЛАКТИЧЕСКОЕ БЮРО РАССЛЕДОВАНИЙ».

— Ты промазал, Билл! — вмешался Эллиот. — Никакой это не сверхсветовой корабль! Это обозначение СС! Печально известной секретной полиции нацистской партии!

Билл растерянно захлопал глазами.

— Да ладно вам, ребята. Вам-то какая разница? Вы разве не служите в секретной полиции, не шантажируете тех политиков, у которых есть хотя бы крупица совести, не воруете спиртное на приемах у императора?

— Ах, грязные недоноски! — вскричал Дядюшка Нэнси. — Так я и думал!

Эллиот Метадрин болезненно сморщился и в отчаянии принялся тереть кулаками виски.

— Послушайте, Портал Времени! Во имя правды, порядка и справедливости, во имя мира во всей Вселенной...

— У тебя есть вино? — вмешался Билл. — Я бы немного выпил.

— Заткнись, Билл! — скрипнув зубами, приказал Эллиот Метадрин и снова обратился к Порталу: — Вы должны помочь нам предотвратить этот... этот хаос. Вы должны доставить нас в тот момент Времени, куда отправился хиппи, чтобы изменить ход истории. То, что он сделал, — чудовищно!

— Хм-м-м? Вас интересует, в какое время отправился этот длинноволосый субъект? Вот те раз! Это начинает мне уже надоедать, но, черт возьми, я должен признать, что данный момент совершенно стерся из моей памяти. Конечно, я мог бы произвести тщательную ревизию всех моих блоков и отыскать нужную вам информацию. Однако, извините, я, кажется, зевнул — должен признаться, меня это не очень интересует.

— О... осмелюсь, однако, спросить, что же заставило вас выполнить просьбу хиппи?

Световые спирали замерли, изобразив в пространстве что-то вроде улыбки Чеширского кота.

— Поскольку мы совершенно откровенны друг с другом, дорогой мой, вам я скажу прямо — деньги, натуральные деньги.

Эллиот раздраженно хлопнул себя по лбу.

— Черт побери, ты кто такой? — Он вынул из кармана ручку и спиральную записную книжку. — Я хочу знать твое название, серийный номер и межгалактический регистрационный код машин времени!

— Полная чепуха! — грянул беззаботный голос. — Невообразимая. Я представитель очень древнего, нигде не зарегистрированного рода Порталов Времени. Мое имя — Дудли Д. Ду-ду, эсквайр, член Королевского ордена благородных трансреальных рыцарей временного пространства. Мой род существовал еще до начала всех Времен — а корни его уходят еще глубже!

— До начала всех Времен? — пробормотал Билл, пытаясь переварить услышанное. Но его мозг, и так довольно несовершенный, чуть было совсем не повредился. — Вы имеете в виду то время, когда еще не изобрели часов, таймеров и прочей чепухи? — И тут его озарила глобальная научная гипотеза. — То есть тогда бары вовсе не закрывались?

— Точно, приятель. Ох и славные же были деньки, — подхватил Дудли. — Впрочем, представь себе, никаких деньков тогда еще и в помине не было. Не изобрели еще деньков. И ночей тоже. А была одна нескончаемая вечеринка с перерывами на драки и занятия с девицами. Отчаянное стояло веселье — но несколько шумное и довольно утомительное.

— Подохнуть! — только и вымолвил Билл, глаза его закатились, мозг уже отказывался повиноваться.

— Рыцари Времени, — тихо, с почтением произнес Эллиот. — В управлении о вас ходили туманные слухи, в служебном сортире даже номера какие-то писали! Представляете, мы недавно обнаружили останки древней цивилизации, относящиеся к периоду дописьменной истории! Может, это... следы вашего рода?

— Не совсем. То, что рыцари Времени существовали до письменной истории, как я понимаю, есть факт общепризнанный? — чопорно, вопросом на вопрос ответил Дудли, эсквайр.

— Хм-м-м. Думаю, это часто служило поводом для шуток по вашему адресу! — фыркнул Дядюшка Нэнси, бармен.

— Выход на рыцарей Времени — один из фундаментальных ключей во всей Вселенной! И к тому же это очень дешевый способ перемещения во времени и пространстве! — воскликнул Эллиот. — Однако как удалось хиппи с Адской планеты получить такой ключ?

Дядюшка Нэнси поскреб в затылке.

— Может, они воспользовались отмычкой?

— Нет. Нет! — Эллиот мерил шагами пол. — Это слишком важное, фундаментальное событие! Дьявол, мы слишком мало знаем об этих хиппи! Но у меня такое ощущение, что, как только мы поймем природу их связи с рыцарями Времени — а также и вашу природу, рыцарь, — все встанет на свои места!

Блистательный Портал излучал прямо-таки божественное сияние, предвкушая наслаждение от изложения великой истории рыцарей Времени.

— А-хм! — начал он. — В глубокой древности, еще до появления регулировщиков уличного движения, депозитных сертификатов и звукового кино, в мире было много пустого пространства и абсолютно не было времени ни для кого и ни для чего. В те времена одна маленькая космическая раса первым делом изобрела ирландские анекдоты, чтобы бытие обрело хоть какой-то смысл. Вообразите — это был наш род, рыцарей Времени. Однако нет нужды говорить, что это мало что изменило, поскольку не может же следствие существовать прежде своей же причины. Такое положение вещей приводило к невообразимой путанице и сильно затрудняло расчеты.

«Что действительно необходимо, — изрек тогда один исключительно образованный джентльмен, рыцарь Симон Временной, ученый и философ, — так это упорядочить весь наш жуткий хаос. Говорю вам: если вы не знаете, в какое время дня должно пить чай, — вы недостойны называться цивилизацией!»

Таким образом, Симон Временной ввел само понятие Времени. Эта поразительная по революционности концепция была столь фундаментальна и имела столь глубокое космическое значение, что это затруднило ее повсеместное распространение. Поэтому потребовалось несколько эонов только для ее осмысления. Но когда это все-таки произошло, солнца и планеты начали отсчитывать дни, словно космический хронометр. Возникала и угасала жизнь, рождались и гибли цивилизации. Но за всем этим скрывалась одна скучная истина: появление Времени прибавило жизни столько же смысла, сколько прибавляет океану струйка муравья. По крайней мере, теперь хоть можно было сосчитать, сколько пустых и бессмысленных лет тянется средняя жизнь.

Все шло прекрасно, и уже можно было спокойно варить себе яйца всмятку, но, как вы понимаете, для рыцарей Времени Время было чисто умозрительной концепцией. Видите ли, Время — своего рода игра воображения на атомном уровне. В реальности оно существует для нас постольку, поскольку мы воображаем, что оно существует. Мы просто моделируем амплитудные колебания коллективного сознания, генерируемые Вселенной на атомном уровне. Таким образом мы можем перемещаться и быть перемещенными в так называемом Времени и всегда попадаем с корабля на бал, с которого мы и не уходили. В таком случае все это довольно скучно, да к тому же, я уверен, вам все равно не осознать грандиозный факт моего существования.

Дядюшка Нэнси скорчил рожу.

— Я все-таки не понимаю, какое отношение все это имеет к хиппи. И как, черт возьми, я могу вернуть свой бар?

Билл угрюмо почесал в промежности. Он вообще не понимал, что происходит и о чем, собственно, идет речь. И что еще хуже, было совсем неясно, когда наконец ему дадут выпить.

— Даже сквозь туман Времени, который вы тут напустили, я вижу проблеск смысла, — философствовал Эллиот. — Вот смысл проясняется, и — теперь я все понял! Каким-то образом хиппи усвоили все это на подсознательном уровне и гипотетически предположили ваше существование. Им нет нужды вызывать вас, как это приходится делать нам. Они каким-то образом вычисляют, что вы будете в определенной точке в определенный час, минуту, секунду, что вы будете открыты и они совершат прыжок туда, куда нужно! Поэтому их агент смог проникнуть в прошлое и изменить историю!

— Но при чем здесь нацисты? — спросил Дядюшка Нэнси. — Насколько я понимаю, это плохо согласуется с философскими установками хиппи.

— Мы выясним это позже, — сказал Эллиот. — Сейчас мы должны отправиться в прошлое и исправить то, что натворил там этот волосатый придурок!

Он повернулся к Порталу Времени.

— Дудли... сэр, полагаю, я обращаюсь к вам в соответствии с вашим титулом?

— Да, конечно! — самодовольно ответил Портал Времени, поддавшись умелой лести.

— Вам всего лишь нужно открыть нам Портал, как вы это сделали для хиппи, чтобы мы тоже смогли совершить прыжок в прошлое! Только так мы сможем все исправить!

— Исправить? Я не вижу, что там нужно исправлять. Говоря коротко и откровенно, мистер Эллиот Метадрин, — и я настаиваю на этом пункте — что я буду с этого иметь?

— Что же, у меня есть пара мегабаксов на дорожные расходы.

— Ах! Замечательно! Это намного больше того, что дал мне хиппи! Однако давайте сначала взглянем на ваши денежки, а уж потом займемся делами.

Эллиот достал сверкающие диски, на каждом из которых сиял портрет косоглазого императора. Откуда-то из глубины Портала Времени выдвинулся монетоприемник и со звоном проглотил деньги.

— Отлично! Сделка состоялась, и я приступаю к выполнению своих обязательств согласно договору. Дайте мне несколько минут, чтобы сосредоточиться.

Выдвинулась дрожащая антенна. В аппарате, напоминавшем с виду генератор Ван дер Граафа, заплясали искры. Из монетоприемника посыпались прозрачно-призрачные доллары и центы.

— Боже мой! Он заработал! — воскликнул Дядюшка Нэнси, указывая на клубы Времени, метавшиеся в зияющей дыре.

Билл тоже глянул. Среди разноцветной круговерти, клубившейся внутри Портала Времени, ему на мгновение удалось ясно увидеть образ — призрак прошлого, если хотите, того самого хиппи с Адской планеты, который давеча прыгнул из «сегодня» в неведомое «вчера» и растворился в мерцании звезд.

— Вот! — воскликнул Эллиот. — Вот оно! То самое мгновение! Останови его!

Он обернулся к Биллу и Дядюшке Нэнси.

— Ну что, ребята! Настал момент истины! Вы со мной?

— Уф, — крякнул Дядюшка Нэнси, криво и натянуто улыбаясь. — Я простой бармен. И я думаю, что... мне не повредит немного заняться аэробикой! Железки потягать! В бассейне поплескаться! Не пропадайте, ребята. Держите меня в курсе.

Виновато улыбаясь, бармен отступил назад.

— Как угодно, — холодно произнес Эллиот. — Пошли, Билл. Покажем Вселенной, что такое настоящие парни!

— Знаешь ли, — нечленораздельно промямлил Билл. — В последнее время я что-то неважно себя чувствую. Может, мне тоже стоит потренироваться месячишко, чтобы войти в форму, и уж тогда — за дело!

— ...А может, я устроюсь йогуртом торговать! — донесся от дверей голос Дядюшки Нэнси.

Йогурт!

Одно только слово положило конец колебаниям Билла. И задержало его отступление ровно настолько, чтобы Эллиот успел его схватить.

— Вперед, солдат! Пора отрабатывать императорские баксы!

Билл успел еще осознать, что Эллиот Метадрин швырнул его прямо в разверстую пасть Портала Времени.

Глава 8

Билл знал выражение — «падать вверх». То, как он достиг нынешнего своего положения в армии, наглядно иллюстрировало основной закон бюрократического продвижения вверх. Однако ему еще не доводилось испытать ощущение падения вверх — а именно это он сейчас и чувствовал, именно это сейчас и происходило.

И совсем не было похоже на парение в состоянии невесомости.

Нет, все было так, будто Вселенная внезапно перевернулась на сто восемьдесят градусов и тут он упал со скалы и полетел вверх, а не вниз, набирая скорость, прямо на скалы, торчавшие над головой. На скалы, которые, в общем-то, находились внизу.

Крутило желудок, вертело мозги, свистел в ушах воздух, почему-то жутко воняло заношенной спортивной обувью, что-то страшно визжало.

В последний миг скалы провалились куда-то вбок, и в бессмысленную круговерть ворвалось само Время.

И тут Билл упал на землю — упал мягко, как пушистое перышко.

Похоже, он на несколько мгновений потерял сознание, а когда очнулся, голова была легкой и только немного кружилась, как и положено после обморока. Что было намного лучше, чем очнуться с сильного похмелья или, к примеру, проснуться вдруг мертвым. Но ориентироваться было все-таки трудно.

Билл ошалело озирался, силясь понять, куда он попал.

А попал он в какую-то долину, окруженную горами.

Яркое горячее солнце безжалостно бросало палящие лучи с голубого неба.

Почва под ним была сухая, усеянная редкими кустиками коричневой травы. То тут то там торчали красивые, все в цвету, кактусы сагуаро.

Пустыня! Он угодил в пустыню. Билл пошарил руками, пытаясь отыскать фляжку в надежде, что в ней осталось несколько глотков чего-нибудь прохладно-алкогольного. Но не обнаружил ни фляжки, ни пива. Тьфу, дьявол! Как-то он прочитал в своей любимой книге, в своей Библии — «РУКОВОДСТВО ПО ЗАПОЯМ ДЛЯ ЗАПОЙНЫХ ПЬЯНИЦ», — что текилла выделывается из кактусов.

Вокруг их предостаточно. На несколько ведер хватит.

Но прежде чем Билл успел заняться привычными поисками спиртного, его внимание привлек глухой удар и удивленный вскрик:

— Уууфф!

Обернувшись, он обнаружил Эллиота Метадрина, уткнувшегося лицом в песок. Вся его задница была утыкана колючками кактуса, — видимо, приземление прошло не очень удачно.

— Ооох! — жалобно простонал Эллиот, медленно поднялся и принялся вертеть головой, пытаясь рассмотреть собственный зад. Затем начал энергично выдергивать колючки, словно швея иголки из подушечки.

— Ого! У тебя, похоже, высокий болевой порог! — заметил Билл, наблюдая за операцией и каждый раз сочувственно вздрагивая. — Я бы не решился на такое без бутылки. — Он обвел глазами местность. — Ты знаешь, Эллиот, мне не очень верится, что здесь можно изменить ход истории.

Эллиот выдернул последнюю иголку и с сомнением поглядел вокруг.

— Стало быть, ты не видел здесь того хиппи?

— Нет. Я вижу только птиц гуано — вон вверху летают. Может, это разумные обитатели планеты, которые прилетели поприветствовать нас?

— Нет, Билл, — возразил Эллиот. — Это обыкновенные канюки. Боюсь, что они ждут, когда мы подохнем, чтобы полакомиться нашим мясом. Сначала задницы склюют, потом кишки, ну а глаза оставят на десерт.

— Что ты такое говоришь, не надо! — содрогнулся Билл и с опаской глянул на парящих в высоте тварей. — Не хотел бы я так помереть. Правду сказать, я совсем не хочу помирать! Черт побери, куда это мы попали, Эллиот? Ты хоть немного представляешь себе? А если представляешь, то скажи, что нам делать?

— Я не совсем уверен, но это очень похоже на планету Дюн, или Пустынную планету, или, если верить голоисторическим книгам, это район пустынь давно исчезнувшей Земли. Знаешь, что сейчас было бы уместнее всего предпринять?

— Принять? Пива... нет, два пива. А еще лучше — три пива!

— Заткнись, Билл. Я хочу потолковать с Дудли Ду-ду, Порталом Времени.

— Думаешь, он нам подкинет ящичек пивка? — с сомнением отреагировал Билл.

Он уже почувствовал палящее солнце на своем загривке, ощутил, как шершавые волны жары сдирают с него скальп и обжигают все тело.

— Не мое ли это имя поминают всуе? Я не ослышался, джентльмены? — послышалась правильная английская речь.

Эллиот и Билл крутанулись на месте.

Там, на благоразумном расстоянии от зарослей кактусов, материализовался не кто иной, как вышеупомянутый сэр Дудли. Он явился в этот мир весь в облаке танцующего света.

— А ну говори! — сразу взял верный тон Билл. — Где мы, черт тебя возьми!

— Разве сюда отправился хиппи? — поддержал его Эллиот.

Хрустальные внутренности Портала мигали, переливались и вспыхивали в такт мелодии, удивительно напоминавшей бодрый марш полковника Буги. На телевизионных экранах мелькали кадры различных исторических эпох, затем их сменили виды бесконечно скучной игры в крикет.

Портал подозрительно долго молчал.

— Дудли! — позвал Эллиот. — Сэр Дудли. Мы полагаем, вы наводите справки, чтобы достаточно полно ответить на наш вопрос?

— Хм-м? Нет, вообще-то я смотрю крикетный матч Индия—Англия. Проклятые индусы бьют наших. Простите?

— Вы должны были отыскать того хиппи, который перевернул вверх дном всю Вселенную!

— Вы меня, конечно, извините, но вот крикет ни на йоту не изменился! Длиннейшая и скучнейшая игра этот крикет. Но со временем втягиваешься всей душой. Во всяком случае, будь у меня душа, я бы обязательно втянулся. Возможно, это самая интеллектуальная игра...

— Заткнись! — прозрачно намекнул Билл, энергично почесывая изжарившуюся на солнце голову, обжигая при этом пальцы. — Я слышать ничего не желаю ни о каких играх. Я хочу знать, как нам отсюда выбраться!

Портал Времени, охваченный восторгом от собственного красноречивого монолога, попросту не заметил его выпада.

— Я много размышлял над игрой в крикет. Она бесконечна, поэтому ее неверно считать собственно игрой. Однако вернемся к прохвосту хиппи. Так в чем, собственно, дело?

Огоньки опять начали свой шутовской танец, но вдруг вспыхнули все разом, — видимо, приключился климатический пароксизм. Из динамиков доносился марш Джона Филиппа Пьяного (любимая вещь Билла).

— Ты его нашел! Ты нашел его! — воскликнул Билл.

— Откровенно говоря — нет, не нашел. Удивительно. Похоже, на Центральном какие-то неполадки.

— На Центральном?

— Да. Похоже, парадоксальный процессор перегружен. Извините, но меня вызывают!

Сэр Дудли, Портал Времени, вдруг задрожал.

— Постойте! Вернитесь! — закричал Эллиот.

— Хоть выпить чего-нибудь оставь! — завопил Билл.

— Извините, джентльмены! Я должен явиться туда во что бы то ни стало. Надеюсь, вы не пропадете здесь без меня, в этой забытой богом...

Тут с громким звуком «плоп» Портал Времени исчез. Сухой ветер скорбно взвыл на том месте, где он только что стоял, соорудил из пыли фигуру дьявола, обрушил ее — и все замерло.

Эллиот тряхнул головой:

— Черт! Это уже слишком! Вот подонок, он даже не потрудился объяснить, где мы, к дьяволу, находимся. Ни место, ни год, ни время... абсолютно ничего не известно. Можно утешаться только тем, что хиппи тоже сюда угодил. И именно здесь изменил Время, прошлое и будущее. А нам придется исправлять его черные дела.

— А что ваш счетчик Времени, мистер полицейский? — поинтересовался Билл.

— Ах да. С ним приключилась маленькая неприятность! — Эллиот ткнул пальцем вниз. Прибор валялся на земле, индикаторы были побиты. Он явно не работал.

— Может, попробовать его починить?! — вскричал ошарашенный Билл. — Надо же хоть как-нибудь узнать, где мы!

Эллиот пристально смотрел вдаль.

— Хм-м. Я думаю, что мы скоро разрешим эту загадку, дорогой мой Билл.

— Разрешим?

Обернувшись, Билл проследил за его взглядом. И точно: к ним приближался петушиный хвост пыли.

Однако пыль эту подняли совсем не петухи, хотя Билл и Эллиот еще не раз пожалеют об этом, но позже.

Глава 9

Они надвигались под грохот копыт и вой боевых кличей, окутанные вонью плохо выделанных шкур, в авангарде выступали зловонные миазмы лошадиного помета и бизоньих лепешек.

Они мчались верхом на странных, свирепого вида четырехногих животных. Биллу эти звери были знакомы по комиксу «Ужасы древних вестернов», там они назывались то ли «рошади», то ли «лошади», что-то в этом роде. Обычно воины с горящими глазами вскакивали на спины этих рошадей — или все же лошадей? — раскрасив тела и лица боевыми красками. Сзади, как правило, словно гордые львиные гривы, развевались уборы из птичьих перьев, сверкая и переливаясь на солнце.

— Кр-рррак!

Мимо летели оперенные палочки и зарывались острыми концами в песок, глухо впивались в кактусы.

— Стрелы! — закричал Эллиот. — Билл, они стреляют в нас стрелами!

— Пули с перьями! — завыл Билл. — Эллиот, они стреляют в нас пулями с перьями!

Грохоча копытами, конный отряд пролетел последние метры, разделился надвое и окружил бегущих путешественников. Билл заметил, что ему преградили дорогу два свирепых на вид дикаря. Они выставили вперед острые пики.

Билл прикинул и решил благоразумно ударить по тормозам, поднять руки и сдаться. Эллиот в точности повторил маневр, но при этом весьма неглупо дополнил его: рухнул на колени, демонстрируя совсем уж полную капитуляцию.

Осознав, что это лучший выход в данной безнадежной ситуации, Билл тоже рухнул на колени.

Дикари натянули поводья скакунов, едва не растоптав капитулянтов. Однако пики не опустили; напротив, к своему величайшему неудовольствию, Билл почувствовал, что в горло ему уткнулась остро отточенная сталь.

— Ууух! — грянул сзади властный голос.

— Я так и думал, — с трудом вымолвил Эллиот, в его горло упиралась такая же сталь. — Индейцы!

— Те, что бьют в крикет команду сэра Дудли? — уточнил Билл.

— Нет, нет, Билл. Краснокожие индейцы. Индейцы североамериканских прерий нашей незабываемой старушки Земли! Не хотелось бы хвастаться, но в школе я неплохо успевал по истории.

— Откуда ты все это знаешь?

— Похоже, мы находимся в пустынных районах на юго-западе Америки. Эти парни выглядят точь-в-точь как персонажи моего любимого исторического фильма Джона Вайна «Форт Скрофула» и, кроме того, «Ууух» — это суровое индейское приветствие.

— Полная чушь, — произнес все тот же голос. — Я просто попытался выразить глубочайшее отвращение, охватившее меня от одного вашего вида.

Билл обернулся.

Высоко поднявшись в стременах и высокомерно выпятив грудь, там возвышался краснокожий весьма благородной наружности: хорошо сложен, огромные бицепсы перехвачены кожаными ремешками, украшены зубами убитых хищников. Таких типов Билл частенько встречал в барах и обычно побеждал в драках, поскольку люди благородные дрались честно, а Билл любил использовать запрещенные приемчики. Однако винтовка и натянутые луки, не говоря уже об остром наконечнике у горла, не оставляли никаких шансов затеять драку.

— Ох, — начал Билл, изобразив самую подобострастную улыбку, на которую только был способен. — Привет! Великолепная раскраска, — подлизывался он. — И костюмчик высший класс! У кого шили?

— Я хотел бы тебя о том же спросить, — зарычал в ответ индеец. — Никогда такой одежды не видел, а я как-никак Гарвард окончил. — Он растерянно поскреб в затылке. — Или все же Йель? Признаюсь, это чертово солнце меня совсем достало! Буффало Биллабонг! Мое лекарство!

— Да, Великий Громовержец! — отозвался невысокий грузный человек в громадной шляпе со страусовым пером. На ее полях болтались подвешенные на шнурках пробки. Он подбежал к коню своего повелителя. На плече у него висела объемистая кожаная сумка, из которой он извлек бутылку бледно-зеленой жидкости. — Держи, дружище. Привет, парни! Между прочим, шеф, ты получишь шкуру вождя в Институте бизнеса, в Калмазоо.

Красноносый тип достал огромную жестянку пива «Фостер» и, открывая ее, щедро окропил пеной присутствующих.

— Фу ты! Еще одна банка, и я совсем свалюсь. Однако как припекает!

Человек жадно припал к банке, его кадык энергично забегал по горлу.

Билл выпучил глаза. Боже, как он хотел пива! Однако еще больше он хотел сохранить в целости свою шейную артерию, не желая попусту орошать своей кровью бесплодную пустыню.

— Видишь, Билл, я же говорил, — подал голос Эллиот. — Классический индейский лекарь! Я полагаю, что мы и впрямь на юго-западе Америки, году этак в тысяча восемьсот восемьдесят пятом!

— И еще я вас спрошу, — прогремел Великий Громовержец. — Кто вы такие?! Отвечайте быстро, а то я выпущу из вас кишки и сделаю отличное спагетти для стервятников!

— Мы путешествуем во Времени, о повелитель! Мы скромные служители права и справедливости! — подобострастно затараторил Эллиот.

— Мы пытаемся поймать одного грязного волосатого хиппи, который задумал подменить саму ткань Времени, стопроцентный хлопок на полиэстер пополам с вискозой! — не подумав, ляпнул Билл и недоуменно тряхнул головой — зачем, мол? Жара проклятая!

— Да, и всю Вселенную там, в будущем, захватили нацисты, и только я и мой благородный спутник Бил...

— С двумя «л».

— Только Билл с двумя «л» и я можем спасти мир — если, конечно, арестуем вредоносного хиппи. Что скажете... шеф? Вы же не хотите, чтобы Вселенной правили толстозадые колбасники? Не говоря уже о вонючих выродках-наркоманах?

— Полиэстер пополам с вискозой! — молвил Громовержец. — Да ведь из этого материала пошит мой вигвам!

— Совершенно верно! — просипел лекарь, метнул пустую банку в канюка-стервятника и попал. — Вообще-то, — продолжал он, вытащив огромную трубку мира и набивая ее подозрительно зеленым табаком, — должен вам сказать, наш мир не так уж плох, ребята!

— Ага. — Поворотившись к своему компаньону, Эллиот зашептал: — Как ты думаешь, Билл, а может, хиппи примчался сюда, чтобы раздобыть травки, и случайно изменил ход истории?

— Что касается меня, я бы лучше пива раздобыл, — прохрипел в ответ Билл.

— Скажи, о благородный шеф, — жалобно заныл Эллиот, — почему бы нам нс перснссти наше пау-вау[1] в твой благословенный вигвам. Поговорим по душам, может быть, пивка попьем.

— Молчать! — приказал вождь. — Я говорю вам — нет! Поскольку мы не знаем, что с вами делать, грязные пришельцы из-за пределов мира, то мы обратимся к высшей власти!

— Ах! Значит, здесь есть представители кавалерии Соединенных Штатов! — обрадовался Эллиот. — Знаешь, Билл, учитель истории пам рассказывал, что кавалсрия всегда при-

---

[1] *Пау-вау* — церемония заклинания у североамериканских индейцев; *амер.* — шумное совещание.

ходила на выручку в таких случаях. Не считая, конечно, случая с Кримом.

— Крем? Еда? Выпивка? — У Билла в голове билась одна мысль, ну максимум две.

— Я сказал, гнусные пришельцы. Мы поставим вас пред алтарем богов, где и решим, что с вами делать!

— Алтарь богов, — простонал Эллиот. — Звучит не очень приятно.

Дикари быстро и крепко связали Билла и Эллиота и потащили по жаркой пустыне на встречу с местными богами.

Ничего не скажешь, подумал Билл, на редкость скверный выдался денек — и это первый день в прошлом.

Но удивляться было нечему, в прошлом у Билла скверных деньков было хоть отбавляй.

В лицо Биллу плеснула вода.

Как ни ненавидел он этот напиток, но теперь автоматически открыл рот, надеясь хоть немного унять испепелявшую его жажду. На мгновение ему пригрезилось, что он на какой-то райской планете, в одних плавках резвится с нимфами в прохладной воде — вот до какого сумасшествия может довести человека жара! Вообразите: курорт «Буль-Буль» на планете Глюк или пляж «Шлеп-Хлюп» на Аква-Ланге!

Но, хлебнув несколько глотков воды, Билл выплыл из обморока и сразу понял, что солнце жарит совсем не по-курортному и что он по-прежнему торчит в жуткой пустыне, к тому же в другом времени. Ко всем этим неприятностям добавились еще и колючки кактуса, обильно усеявшие мягкие части его тела.

— У-уух! — крякнул Билл и, моргая и отдуваясь, встал.

Похоже, с него сняли путы, однако это еще не означало, что все изменилось к лучшему. Билл протер глаза, сделал несколько шагов, пытаясь обрести равновесие.

— Эллиот! Где ты, Эллиот! — позвал он, слезящимися глазами обводя пышущие зноем окрестности.

Он проковылял вперед несколько метров, пока не ударился обо что-то. Он услышал резкий, шипящий стереозвук, будто он столкнулся с автомашиной, у которой проколоты оба передних колеса. Билл отступил назад, чтобы его случаем не переехало и чтобы получше разглядеть препятствие.

Билл со стоном протер глаза. А когда поднял взгляд, то увидел, что перед ним стоит то, чего он никак не ожидал увидеть.

— Ииииикс! — икнул Билл, сразу забыв про колючки в заду.

Перед ним на добрых три метра возвышалось огромное существо жуткого вида. Точнее, вида было два — обе его головы напоминали рыла аллигаторов или что-то чинджерообразное.

Раздвоенные змеиные языки выскакивали до смешного далеко. Горящие глаза уставились на Билла. И это еще было не самое ужасное. Протянутые к Биллу лапы оканчивались пальцами, похожими на жала скорпионов. Огромные обнаженные груди висели, как две авиабомбы, — стало быть, чудовище женского пола. На нем было даже что-то вроде юбки. Хотя юбкой это было назвать трудно, поскольку состояла она из живых извивающихся змей!

Нет, не такие женщины грезились Биллу в горячих солдатских снах!

Он отпрянул, но споткнулся и упал. Одним чудовищным броском монстр, жутко рыча, надвинулся на Билла.

— Не ешь меня! — заорал Билл. — Я невкусный! Эллиот! Помоги! Сэр Дудли! Помогите! Хоть кто-нибудь! Помогите!

Но ни Эллиот, ни сэр Дудли не отозвались, никто не пришел на помощь. Монстр подобрался вплотную и уже нависал над Биллом.

— Кто... кто ты? — зажмурившись, спросил Билл, ослепленный яркими лучами солнца.

— Мое имя, — отвечало чудовище, — Кью-тип, я могущественное божество ацтеков. Я охраняю долину и пожираю всякого, кто осмелится приблизиться к тайной двери, что ведет в запретный и загадочный мир! А ты кто?

— Билл.

— Билл. Хорошее имя, и в зубах не вязнет. — Две пары глаз сверкали под солнцем, словно драгоценные камни. — Биллушка... ты либо рехнулся, раз сюда забрел, либо могучие воины племени эпокси бросили тебя здесь в качестве приятной жертвы, которую мне, голодному и ужасному чудищу, должно проглотить!

— Ни то ни другое. Я всего лишь... э-э... мирный пилигрим, ищущий откровения. Я даже подумываю присоединиться к вере, тебя почитающей. Ни одна из религий еще не давала мне возможности обрести бога зримого. А кроме твоей божественной сущности, здесь есть еще боги?

— Так ты ищешь утешения в вере? Ничего не выйдет — ты должен быть рожден в племени. И тут никто не в силах тебе помочь. Включая даже таких богов, как Флегм, — он обожает питаться еще живыми человеческими сердцами. Есть еще Тексако, гигантский кондор, но он предпочитает питаться человеческими младенцами. Ну и, конечно, верховный бог — Коаксиалькоитус, который пожирает обнаженных девственниц! Есть еще целая куча младших божков, но эти составляют главный пантеон, пришелец. А теперь, если будешь стоять спокойно, я постараюсь управиться поскорее, чтобы не продлевать твоей мучительной агонии, и мой сытный жертвенный ужин пройдет без особых для тебя мук!

У Билла, однако, не было ни малейшего желания попадать к кому-нибудь на ужин, к богу там или не к богу.

— Погляди, я же весь в колючках! Я ведь тебе все горло расцарапаю!

— Нет проблем! Я сначала тебя убью, а потом все аккуратно выщиплю!

Ацтекское божество приближалось, грозно рыча. Шипели змеи, скорпионоподобные пальцы трещали.

У Билла появился повод отступить.

— Стой спокойно, от бога не уйдешь! — прогремело чудище. — Как же я тебя убью, если ты все время скачешь как ненормальный?

«Заставь его говорить!» Избыток адреналина породил спасительную мысль в голове Билла.

— Но я ищу покровительства богов, о великая Кью-тип. Не можешь ли ты открыть мне, грешному, что скрывается за той дверью?

— Что скрывается за тайной дверью? Ты говоришь про дверь туннеля, что ведет в иной мир? Про ту самую дверь, которую я охраняю? Послушай, да как же я могу вот так взять и все тебе рассказать? Это будет форменное разглашение, а я здесь, наоборот, для того поставлена, чтобы хранить секреты, и... Погоди, эй, вернись! Да ты надул меня! Ты вовсе не хотел знать, что там. Ты хотел сбежать от меня! Спорю, что и на вкус ты — дерьмо! Ты не заслуживаешь чести быть съеденным божеством!

— Я потом тебе расскажу, что надо есть на ужин, Кью-тип!

Билл уже мчался прочь. Он оторвался на несколько метров и, несмотря на боль, причиняемую колючками, был счастлив оттого, что жив. Удивляясь про себя, что у него еще так много сил для борьбы за собственную жизнь, Билл перемахнул через широкое русло пересохшего ручья, вскарабкался вверх по склону, исполнил достойный Геркулеса прыжок и перелетел через гребень, с удовольствием отметив, что шипение и свист Кью-тип стихли за его спиной. Он покатился по пыльному склону холма, тяжелое дыхание разрывало ему грудь.

И остановился, врезавшись в пару ног.

— Какая жалость! — произнес очень знакомый голос. — А мы-то думали, что тебя давно съели!

Билл поднял глаза. Сердце его опустилось, похоже, прямо в желудок. Перед ним стоял Великий Громовержец, а чуть поодаль, в полной боевой готовности — его люди.

— А ведь шустрый паренек, сэр! — заметил Буффало Биллабонг, лекарь племени. — Что ж, Кью-тип упустила свой шанс. Я предлагаю добавить еще одно полено в наш жертвенный костер.

Билл со стоном уронил голову в пыль. Ему определенно не понравилось последнее предложение.

Как говорится, из огня да...

Глава 10

...Да в полымя!

— Ну и дела! — воскликнул Эллиот Метадрин. — Это, пожалуй, будет самая крутая история в моей жизни!

Эллиот Метадрин был привязан к круглому столбу, прочно вкопанному в землю. Билла, к его огромному сожалению, привязали с другой стороны того же столба. Его ноги постепенно скрывались в мескитовых хворостинах, которые охапками сваливали молчаливые скво.

— Сэр Дудли вернется за нами! — успокаивал себя Билл, стараясь хоть как-то приободриться. — А каковы шансы, что твои ребята из полиции Времени отыщут нас?

— Мы — две пылинки в пучине Времени, Билл. Они никогда нас не отыщут! — простонал Эллиот. — И я боюсь, что на сэра Дудли тоже не стоит особенно рассчитывать!

— Что же нам делать? — спросил Билл.

— Полагаю, стоит попытаться образумить этих дикарей, — вздохнул Эллиот. — Хотя, должен заметить, они решительно настроены приготовить из нас фрикасе! Как ни приятна мне твоя компания, однако жаль видеть тебя здесь. Когда тебя потащили прочь, они что-то кричали насчет жертвы для одного из младших божеств.

Билл кратко изложил происшедшие с ним события.

— Хм-м. Страшно интересно, — произнес Эллиот. — Секретный туннель, говоришь? И охраняется ящероподобным ацтекским божеством. Знаешь, Билл, что-то не нравится мне вся эта природа-погода. Как-то не похоже все это на Аризону конца девятнадцатого века. Не знаю.

Билл не очень разбирался в истории — и сейчас это заботило его меньше всего, — он с тревогой наблюдал, как угрюмая скво тащит к нему очередную охапку дров. Естественно, самое большое полено она уронила прямо на его большой палец. Он подавил стон и процедил сквозь зубы:

— Тебе что, не нравятся вон те огромные ступеньки?

Ступеньками Билл назвал каменную пирамиду, метров пятнадцати высотой, покрытую потеками засохшей крови, украшенную человеческими сердцами, улыбчивыми черепами, похоронными венками и выгоревшими на солнце ленточками.

— Нет, Билл, нет. Такие пирамиды встречаются у всех индейских племен.

— Тогда, может, этот лекарь со странным акцентом, что все время дует «Фостер»?

— Нет-нет, Билл. Лекарь — неотъемлемая часть любого племени западных индейцев.

Билл хотел было поскрести затылок, да не вышло.

— Послушай, отложил бы ты на время свои лекции по истории и подумал бы лучше, как нам отсюда выбраться.

— Все это очень любопытно. Во многих отношениях это идеальная картина из жизни американского Запада. Но есть некоторые аномалии.

— Лошади, что ли?

— Я понимаю, ты получил никудышное образование и словарный запас у тебя весьма ограничен. При чем здесь лошади? Аномалии — это любые явления или объекты, которые не вписываются в привычную картину мира. Вот, например, не нравится мне здешнее небо. Оно какое-то не такое.

— Небо. Ну да, чересчур зеленое.

— Нет, Билл. Оно только кажется тебе зеленым, ты, наверное, дальтоник. Нет, тут все дело в солнце.

— Фу ты. Ну, оно горячее. Но даже такой идиот, как я, Эллиот, — острил Билл, пытаясь восстановить поруганную репутацию, — и без всякого словарного запаса знает, что солнце и должно быть горячим. Чтобы это знать, мне незачем оканчивать колледж, не то что некоторым!

— Гляньте, люди добрые, он еще и обижается! Да, конечно, большинство из известных нам солнц имеет очень высокую температуру, Билл. Но заметил ли ты, Билл, что это солнце очень уж сильно вихляется?

— А разве не все они вихляются?

— Конечно, если все время пить!

Билл проигнорировал этот выпад и, прищурившись, уставился на солнце.

— Возможно, ты прав. К тому же и движется оно как-то рывками. А сейчас и вообще колышется вперед-назад, будто не знает, идти ли ему на запад или вернуться и сесть на востоке.

— Вот-вот, и я совсем не уверен, что то, что ты заметил, Билл, возможно с точки зрения астрономии.

Но прежде чем Билл успел как следует осмыслить данное явление природы, явился шеф с лекарем в сопровождении угрюмых краснокожих с факелами в руках.

— Так, — сказал Буффало Биллабонг, открыв очередную банку «Фостера» и оросив все вокруг обильной пеной. Несколько капель упало Биллу на штаны, не долетев до рта, что причинило ему немыслимые страдания. — Привет, друзья. Ну что, устроим сегодня праздничный костер?

— Так ли уж это необходимо? — захныкал Эллиот. — Может, мы лучше бусами откупимся?

— У вас, случайно, не найдется немного огненной воды? — Билл наконец тоже кое-что вспомнил из комикса «Кудрявые ковбои-травести с Дикого Запада».

— Что вы мелете, идиоты? — одернул их Великий Громовержец. — Вы что, не можете нормально говорить по-английски? Что за дикую чушь вы несете?

— Но разве то, что вы собираетесь сделать, — не дикий обряд? — парировал Эллиот.

— Конечно, — огрызнулся Громовержец. — А как, по-вашему, мы еще можем умилостивить языческих богов, если не с помощью дикарского обряда? Не полагаете же вы, что они страшно обрадуются, коль мы вас просто окрестим?

— А почему бы и не попробовать? — предложил Билл.

— Ну да, это было бы слишком легко и приятно, однако не по-нашему, у нас более кровавые традиции, — вмешался Буффало Биллабонг. — Нет. Я полагаю, что будет куда уместнее поджарить вас. Тем самым мы не только умилостивим богов, но и сможем предложить им на закуску жареных ребрышек.

Не переставая прихлебывать пиво из огромной банки, он вытащил из кармана брюк потрепанную книгу. Шевеля губами, лекарь принялся читать замусоленные страницы. Стайка мух, резвясь, играла с пробками, развешанными на полях его шляпы.

— Это у вас молитвенник, как я посмотрю! — обратился к нему Эллиот. — Разве вы не понимаете, что все это смешно! Нет никаких богов! Похоже, ваши суеверные соплеменники стали жертвами...

— Заткнись, козел! — грянул Великий Громовержец. — А то собаками затравлю!

Этого оказалось достаточно, чтобы Эллиот замолчал. Билл тоже старался рта не раскрывать. Особенно после того, как вождь знаком подозвал псаря, который держал на поводке двух здоровенных собак, и сделал угрожающий жест в сторону несчастных жертв.

— Браво, — прокомментировал случившееся лекарь. Он поднял книгу. На кожаной обложке было выведено: «Руководство по обрядам в языческих культах».

— Отличная кулинарная книга! Так, посмотрим. Апчукан-дпек, великий бог этих мест...

— А я думал — Коаксиалькоитус! — вмешался Билл. — Ты же сам нам говорил.

— Ах да... верно. Послушай, приятель. Тебе это будет интересно. А, опять не тот рецепт. — Он листал страницы, пока не нашел то, что нужно. — Так-так-так. Похоже, мое сердце отныне будет принадлежать Коаксиалю — как и все сердца наших жертв, которые мы вырвем, чтобы отдать ему. Но он любит, чтобы мясо предварительно вымачивали в пиве «Фостер»!

Билл навострил уши.

— В пиве?

— Правильно, приятель!

Буффало Биллабонг сунул в рот пальцы и резко свистнул. Тут же, торжественно грохоча, появилась повозка, груженная банками «Фостера».

Рот Билла наполнился слюной. Он внимательно наблюдал, как два индейца-храбреца открыли пару банок и двинулись вперед. Их лица были суровы и серьезны. Индейцы непрерывно бормотали себе под нос ритуальные заклинания. Изредка доносились слова вроде «будвайзер», «хайнекен», «особое светлое», «портер».

«Похоже, эти индейцы не такие уж дикие, — подумал Билл, — как утверждал Эллиот».

Сгорая от нетерпения, он закрыл глаза и открыл рот. Однако вместо того, чтобы вылить пиво ему в глотку, индейцы вылили всю банку ему на голову. Пиво текло по волосам, за уши, под рубашку. Поначалу Билл отплевывался, но быстро опомнился и с шумом принялся всасывать сбегающие по лицу ручейки, но микроскопические глотки только усиливали жажду.

Когда банка опустела, Билл открыл глаза.

— Послушай, Буфф, я думаю, что надо влить немного маринада внутрь!

— Прекратите безобразие! Зажигайте костер, да поживее! — зарычал шеф. — Зажарьте наконец этих идиотов. Великий бог уже гневается!

— Нет, нет, погодите... — вмешался лекарь. — Он прав, шеф. Это неплохая мысль.

— О, сделайте одолжение. В конце концов, ты лекарь, тебе и отвечать за соблюдение протокола. Но поторопись! Не думай, что боги будут околачиваться здесь целый день в ожидании жертвы!

Билл радостно вздохнул. Совсем неплохо сделать хоть пару глотков пива, перед тем как погрузиться в пламя жертвенного костра. Хотя он не так представлял конец своей жизни. Билл увидел, как индейцы разжали Эллиоту рот и влили туда банку «Фостера».

Когда банку поднесли ко рту Билла, он осушил ее одним духом. Это произвело сильное впечатление на индейцев, и они решили влить в него еще банку. Билл, естественно, не стал отказываться, а, наоборот, вылакал пиво с удовольствием.

Однако после третьей и четвертой банок он почувствовал, что пить стало труднее. А после шестой — его живот раздулся, как барабан, — он почувствовал, что пьян. Но это было нормально, другое казалось странным — ему вдруг стало нехорошо.

И тут Билл умудрился пробулькать такое, что даже в бреду не могло ему пригрезиться:

— Я думаю, — (бульк!), — что пива уже достаточно...

— Совершенно согласен! — поддержал его шеф. — Давайте за дело! Я хочу увидеть своими глазами, как будут жариться эти двое бледнолицых! Боги будут довольны! Приступайте к барбекю!

Билл с удовольствием рыгнул. Он был так промаринован пивом, что его уже ничто не волновало. Напротив, Эллиот, который смог выпить только одну банку, взмолился. Он приводил веские аргументы в пользу своего освобождения, взывал к разуму дикарей, спрашивал, как отнеслись бы их мамы к подобным жертвоприношениям. На индейцев это не произвело никакого впечатления.

— Вот теперь пора, — сказал Буффало Биллабонг и кивком пригласил закончить приготовления. Затем принялся шарить в карманах. — Хм-м. У кого есть зажигалка?

— Вот возьми мою! — великодушно предложил Великий Громовержец и протянул лекарю одноразовую зажигалку и баллончик с жидкостью для заправки марки «Зиппо-барбекю».

— Отлично! — Лекарь схватил зажигалку и баллончик и стал поливать мескитовые поленья, сваленные у ног Билла и Эллиота. — Знайте, ребята, это совсем не страшно. Вы зажаритесь в считаные секунды. Мы вас поперчим, посолим, добавим чесночку с петрушкой и подадим богам.

Билл, нарезавшись «фостерским» в доску, предавался размышлениям о смерти.

«Как же я могу сейчас умереть, — думал он, — если я еще не родился? Это невозможно».

Кроме того, Биллу еще ни разу не доводилось умирать, и он совершенно не представлял себе, что от этого ожидать. В его бурной жизни бывали, конечно, такие моменты, когда он находился на волосок от смерти, но тогда косая только прикрывала ему глаза. А сейчас она закроет их плотно.

Уставившись на маленький огонек зажигалки, он задумался о жизни и смерти. В конце концов, это не самая плохая смерть: если не в сиянии славы, то, по крайней мере, в пламени огня. Подстегнутый обильным возлиянием, ум его воспарил, в голове роились высокие образы: Авалон, Олимп, святые Бар и Гриль... Держись, Жанна д'Арк! Билл Искрометный возносится к тебе! Так он думал.

Однако, когда робкий огонек уже приблизился к костру, Билл краем глаза заметил, что от горизонта отделилось облако странной формы и понеслось прямо к месту жертвоприношения. Глупо, конечно, волноваться при виде какого-то облака, но до сих пор здесь, в юго-западной части Северной Америки, Билл еще не видел ни одного облака. Надо сказать, что облако (Билл сморгнул, чтобы лучше видеть) неслось к ним с приличной скоростью, словно по делу.

Впрочем, облачный интерес у Билла мгновенно испарился, когда нехорошее гудение и зловещий треск возвестили, что дело принимает горячий оборот.

Он в ужасе опустил глаза и увидел, что зажигалка сделала свое дело: языки пламени уже поглотили поленья и вовсю лизали его ботинки. И это было не очень приятно.

— Ох... Ох... Нет, пожалуйста, я умоляю вас, милые дикари! — заливался Эллиот. — Я еще слишком молод! У меня осталось столько дел, столько женщин еще...

— И невыпитого пива! — добавил Билл. — Не надо меня жечь!

Он хотел умолять, искал подходящие слова, но не нашел, и вдруг потерял всякое терпение и страшно разгневался.

— Вы еще пожалеете, козлы!

Однако должного впечатления это не произвело, краснокожие лишь злобно ухмылялись в ответ.

Языки пламени взметнулись выше.

Краснокожие заулыбались и затеяли дикий танец, чтобы достойно отметить праздник.

Но необычайное ждало своего часа, чтобы еще случиться. Настолько необычайное, как попавший в рай адвокат.

Самозабвенно колотя в тамтамы, индейцы впали в такой экстаз, что не заметили, как их накрыла та самая необычная туча.

Мини-буря началась с оглушительных раскатов грома. На костер, шипя и булькая, обрушились с небес потоки воды. Ударила молния, попала в одного индейца и вышибла его из мокасин.

— Стойте! Сдается мне, что это послание богов! — воскликнул Великий Громовержец. — Я думаю, что это знамение!

Билл был счастлив получить весточку хоть от кого-нибудь. Свои амбиции, касающиеся посмертной славы, он уже удовлетворил вполне.

— Проклятье! — в отчаянии вскричал лекарь. — Маленький дождик всегда портит большой парад! О боги, разве мы сделали что-то не так, если вы заливаете дождем наш жертвенный костер?!

— Билл! — закричал Эллиот. — Смотри!

Билл глянул.

Да, на это стоило посмотреть.

— Ты прав! В повозке еще навалом «фостерского»!

— Да нет же, алкаш несчастный, нет! — верещал Эллиот. — При чем тут пиво? Туча! Ты на тучу посмотри.

Билл заморгал и попытался сосредоточиться на туче. Он увидел, что облачные клубы пришли в движение и из этого движения родилось лицо!

Посреди лица, обрамленного рыжими курчавыми волосами, торчал огромный клоунский нос, глаза были тоже как-то по-клоунски выпучены. Но в целом лицо вышло очень недовольное.

— Внемлите и трепещите! — прогремел шутовской бог и протрубил в рожок, спрятанный где-то внутри плотного облачка. — Я Кветцельбозо, шут-церемониймейстер всех ацтекских обрядов. Я послан Коаксиалькоитусом, чтобы сказать вам: вы все делаете неправильно!

— Неправильно! — воскликнул Буффало Биллабонг. — Святые небеса, мы их даже замариновали!

Бог-шут только ухмыльнулся:

— Да уж. Даже тут чувствуется. Но вы неправильно выполняете ритуал. Рецепт выбран верно, но жертва должна приноситься в соответствии с угодным богам ритуалом.

— О дьявол! Конечно! Я совсем забыл про торты! — запричитал лекарь.

— Правильно! — подтвердил бог-шут. — Прежде чем совершить ритуальное сожжение, необходимо хорошенько уделать лицо жертвы кремовым тортом!

— Это же надо так обделаться! — простонал лекарь, в отчаянии хлопнув себя по лбу. — Забыть про кремовые торты! — Он рухнул на колени перед шутовским облаком. — Что еще упустил недостойный раб, ваше великоносие?

— Игрушечного цыпленка с оторванной головой!

У Буффало Биллабонга округлились глаза.

— Цыпленок! Ну конечно! Как я мог забыть проклятого цыпленка?! Да, сегодня я явно не в ударе!

— Да, на этот раз ты допрыгался, придурок. Приготовься понести наказание, нерадивый слуга.

Лекарь обхватил себя руками и закрыл глаза. Из облака прямо ему в лицо ударила струя газированной воды, а затем оттуда же вылетела дохлая макрель и звонко шлепнула его по лбу.

Божественный смех кровожадно загрохотал в долине. Билл и Эллиот тоже хихикнули.

И все же это лучше, чем смерть на костре, подумал Билл.

Ах, если бы удалось бежать — да еще и пиво с собой прихватить, — все было бы отлично.

Буффало Биллабонг сокрушенно вздохнул и жестом отправил ближайшего индейца за забытым реквизитом.

И тут Билл почувствовал легкое прикосновение у запястий. Веревка резко натянулась и через секунду упала к его ногам.

— Хм-м? — вслух удивился Билл.

— Тсс! — одернул его Эллиот. — Огонь и вода ослабили путы. Не двигайся и не пытайся бежать, пока я не дам знак.

— Слушаюсь!

— Прошу прощения, мистер Кветцельбозо, — заговорил Эллиот. — Но я хочу задать вам важный философский вопрос.

— Представляю себе, — ответило облако. — Ты, наверное, хочешь узнать, правда ли, что мир покоится на спине черепахи, которую держат слоны?

— Не совсем.

— Хватит, дружок, я не намерен играть в вопросы и ответы перед жарким. Что там у тебя?

— Ответь мне на очень простой вопрос. Если вы, боги, так могущественны, то как вы допустили, что сюда явилась кавалерия США?

Все головы — включая бога — разом повернулись в сторону пыльной равнины.

Билл и Эллиот сбросили веревки и помчались что было сил, как будто от этого зависела их жизнь. Хотя, надо сказать, так оно и было.

Глава 11

Биллу порядком опалило зад. Он бежал, отдуваясь, налитый пивом живот хлюпал и тяжело раскачивался. Рядом надсадно хрипел на бегу Эллиот. Над головами свистели стрелы, бог-клоун метал им под ноги молнии, а они мчались в ту самую сторону, куда бежать никак не стоило: прямо во владения Кью-тип, которая уже спешила им навстречу, издавая грозный рык и злобное шипение.

В конце концов, выбиваясь из сил, размышлял Билл, лучше было бы подохнуть на костре, упившись «фостерским», чем лопнуть на бегу, не успев даже толком родиться.

— Дверь в туннель! — прокричал Эллиот, на бегу увернувшись от стрелы. — Ты говорил, что знаешь, где она!

Билл, спотыкаясь и проклиная все на свете, уворачиваясь от стрел, был слишком занят, чтобы отвечать.

— А, чтоб черти побрали этих ацтекских богов, еще одного несет! — простонал Эллиот. — Билл, ты говорил, что вход где-то рядом с этой ящерицей! Так где же? Говори скорее, а то придется выбирать между дикарями и этим монстром!

Билл и сам видел, что Эллиот прав.

Кью-тип, заметив человека, который давеча так ловко избежал ее клыков, пришла в сильнейшее возбуждение. Она радостно зарычала и кинулась к ним с явным намерением схватить, разжевать и переварить прежде всего Билла, чего бы ей это ни стоило.

— Туннель! — вскричал Билл. — Вон там! Там он!

Дрожащим пальцем он попытался указать то место, где видел таинственный вход в иной мир, как в свое время выразилась Кью-тип.

— Билл! — крикнул Эллиот. — Я ничего не вижу!

Он кричал отчаянно, на бегу содрогаясь одновременно от ужаса и отвращения, что не очень-то просто.

— Я не вижу никакой двери! Зато вижу божество! Это настоящий монстр!

И верно: щелкая слюнявыми челюстями, вытянув скорпионовые лапы, на них неслась Кью-тип в шипящей змеиной юбке.

— Убейте их! — разорялся Громовержец. — Пристрелите их!

Лавина стрел вспорола воздух. На сей раз Биллу даже не пришлось уворачиваться, ибо с ним приключилось нечто весьма уместное в данных обстоятельствах: он споткнулся. Споткнулся о камень и упал, умудрившись заодно свалить и Эллиота. Это был подарок судьбы. Туча стрел пронзила пустое пространство, за секунду до этого занятое их телами, и с хрустом впилась в тушу ацтекского божества по прозвищу Кью-тип.

Теперь уже много написано о том, что мифические божества в реальности состояли из плоти и крови или из чего то сильно напоминавшего плоть и кровь. Билл, конечно, ожидал, что Кью-тип окажется ранена, а в глубине души даже надеялся, что она окажется ранена очень тяжело.

Вместо этого он увидел, что ацтекское божество проявляет какие-то странные, электрические реакции.

Одну из голов снесло начисто, и на ее месте торчали какие-то провода и радиодетали. Большинство стрел отскочили от груди чудища, но те, что пробили его панцирь, разбрасывали целые фонтаны искр. Змеи на юбке судорожно извивались, между их телами проскакивали электрические разряды.

— Ах! Цап! Царап! Хряп! Хлоп! — скрипела Кью-тип. — Бей язычников! Императора на фиг! Фи фо фум физзл!

Затем, содрогаясь и изрыгая огонь и искры, она медленно накренилась и с металлическим звоном грянулась о землю.

— Тупые индейские бараны! — возопил Великий Громовержец. — Вы убили божество!

— Какое несчастье, — простонал Буффало Биллабонг. — В старые времена это называлось «плохие новости»!

— Неверные! — загромыхало облако-бог, заворачиваясь в тучу. — Вы посмели упустить их! Велик мой гнев, и говорю вам: много здесь будет поджарено краснокожих, если...

Зрелище было вовсе не божественное, потому что бог не успел закончить свою мысль. А все потому, что из останков Кью-тип поднялась дуга электрического разряда и вонзилась в облако. Внутри его раздался оглушительный взрыв. Сверху дождем посыпались катушки и транзисторы. Потом на индейцев обрушился целый водопад, чуть не потопив их в грязи.

— Роботы! — воскликнул Эллиот. — Билл, эти боги были роботами! Ты понимаешь, что это значит?

— Ничего хорошего! Если это означает, что мы попали на планету роботов-рабов, то нам же хуже!

— Никуда мы не попали, идиот! Все это наверняка можно просто объяснить, но не сейчас! Сейчас лучше бы тебе взглянуть вон туда — и рвать когти!

Билл глянул. И точно — в стене ущелья открылся проход. Кусок скалы с громким скрежетом отъезжал назад.

— Смотри! — заорал Билл. — А я что говорил!

— Хватит валяться, дохлый таракан! Надо двигать, пока индейцы не очухались!

Билла не пришлось долго уговаривать. Он вскочил и что было сил помчался к гостеприимно распахнутому входу. Эллиот громко топал рядом. Но скала раскрылась ровно настолько, что разом могли пройти только полтора человека. Подгоняемые страхом, приятели достигли входа одновременно. И разом втиснулись в тесную щель, словно комики в дешевом водевиле. Но только без всякой «пожалуйста-проходите-вы-первый» чепухи.

— Солдаты всегда впереди! — заорал Билл, изо всех сил заехав Эллиоту в бок.

— Ну уж нет! Я представитель полиции Времени и имею право пройти без очереди!

После краткого обмена мнениями и энергичной возни победило общее желание спасти свои многострадальные задницы — оно-то и заставило бедолаг крепко обняться и энергичным пинком в объединенный таким образом зад пропихнуло их разом внутрь.

Они влетели в темный туннель. Эллиот шмякнулся лицом в металлический пол, а Билл со всего маху врезался головой в переборку.

Дверь туннеля сразу же захлопнулась.

Билл мгновенно учуял разницу. Снаружи воздух был свеж и сух, как из хорошего кондиционера. А здесь, в полутемном коридоре, он был затхлым и вонял ржавым металлом и слабо пахло пиццей. Короче говоря, пахло в точности так, как на старом итальянском корабле СС «Какабене» с планеты Мондо Пиццола, на котором Биллу довелось служить.

— Погоди-ка, — произнес Билл, неловко поднимаясь. — Да ведь это же космический корабль! Здесь пахнет, как на обычном космическом корабле!

— Правильно, Билл! — отозвался Эллиот. — Вот почему я обратил твое внимание на вихляющееся солнце!

— Но почему корабельный коридор выходит в ущелье? — недоумевал Билл, уставившись на дверь, как баран на новые ворота.

— Ты все еще не понял, дурачок? Неужели тебе ничего не говорит тот факт, что боги оказались роботами? Все очень просто...

Эллиот неожиданно умолк, с ужасом глядя на неясную фигуру, которая приближалась к ним, угрожающе выставив вперед что-то длинное.

Выглядит и странно, и страшно, подумал Билл и, прищурившись, вгляделся в темноту. Что это у него в руках — не копье ли? Неужели опять какой-нибудь божок, который желает отомстить за смерть своих высших собратьев?

Но нет, он уже ясно мог рассмотреть приближающееся существо. То, что выглядело страшной дикарской пикой, на деле оказалось... половой щеткой. А нес щетку огромный мускулистый парень в комбинезоне цвета хаки. У него были очень широкие плечи и не одна, а две головы.

Прятаться было поздно. Поэтому Билл выступил вперед и поднял руку, приветствуя уборщика.

— Как поживаешь, братишка?

— Привет, ребята, — ответила та голова, у которой волосы были подлиннее. — А что тут делают посторонние? Обычно мы выметаем отсюда только черепа да кости. Ни разу к нам еще не попадали сразу двое живых парней — правда, Билл?

— Ни разу, Боб. Это уж точно. Маля-баля, — промямлила вторая голова, с короткими колючими волосами и подозрительно тупыми чертами лица.

— Нас зовут Билл-Боб, — дружелюбно представилась голова, та, что поумней. — Мы из новых людей!

— Дас-дас! Мы муу-тяшки буй-няшки, — лихо бредила вторая голова.

— Вы хотели сказать — мутанты? — с надеждой спросил Эллиот.

— Нет, мы чтим Священную корову, от которой происходят все вещи, в том числе и разум, — пояснил Боб. — Вы уж извините мою слабую половину. Братишка вышел покурить, когда бог мозги раздавал!

— Черт возьми, Боб! В самом деле? Что ж ты меня не позвал?! Я так хотел получить мозги!

Билл был потрясен и возмущен до глубины души!

Кто только додумался дать этому идиоту такое славное имя — Билл?!

И тут его осенило.

— Ох. Да ты, верно, из тех Биллов, что пишутся с одним «л»? — заметил он.

— А вот и нет! — ответил муу-тант. — Я из тех Биллов, что пишутся с тремя «л», — гордо поведал Билл.

— Нет, глупыш. В твоем имени два «л».

— Два? А я хочу еще одно! Вечно меня надувают!

Билл уже собирался вздуть вздорного муу-танта, чтобы слегка вправить ему мозги, но Эллиот взял инициативу в свои руки.

— Хватит молоть чепуху, Билл-Боб, — или как вас там? — мы секретные агенты. Я полагаю, вы сможете нас отвести к вахтенному офицеру, или кто там вами командует?

— Офицеры? Командиры? — бормотал Билл; его растерянное лицо казалось зеркальным отражением кретинской физиономии второго Билла.

— Билл, ты невероятно туп даже для военного. Неужели так ничего и не просочилось в этот мосол, что сидит у тебя на плечах? Ущелье, вихляющееся солнце, роботы, двуглавый муу-тант с половой щеткой и, наконец, железный коридор?

Билл что-то промямлил, почесывая затылок.

— Все так запуталось, Эллиот. Похоже, что американский Запад куда более загадочная штука, чем любой комикс!

— Да нет же, осел ты этакий. Мы на космическом корабле. Мы не попали в прошлое! Этот придурочный Портал Времени забросил нас совсем в другое место! Не было тут никакого хиппи: он отправился совсем в другое время и в другое место!

— Ёшь твою, — пробормотала идиотская голова, — этот парень так и сыплет длинными словами. Что значит первое слово? Самое длинное, «данетжеоселты»?

Билл, как ни тужился, ничего понять не мог.

— Послушай, Эллиот, но кому понадобилось запихивать пустыню и ущелье в космический корабль?

— И как только тебя пускают на космические корабли? Вот о чем я себя постоянно спрашиваю, Билл.

— Послушайте, — встрял Боб. — Мне страшно неудобно влезать в разговор, но мне еще чертовски много убирать, прежде чем я получу свою тарелку каши и стакан молока перед сном. Вы хотите, чтобы я отвел вас на мостик, или нет?

Эллиот даже подпрыгнул от радости.

— Ты слышал? Ты слышал, Билл? Он сказал — мостик. А мостики бывают только на кораблях. Значит, это — космический корабль!

— Мостики и на речках бывают, — угрюмо буркнул Билл, так до конца и не врубившись, в чем дело.

— Мне кажется, я должен вас предупредить, — сказал Боб. — Наш капитан немножко странный. По-моему, так и вовсе сумасшедший. Уж я-то знаю, можете мне поверить. Мне есть с чем сравнивать — вот он образец, всегда со мной. Но мы, муу-тяшки-двойняшки, знаем свое место. Вкалываем помаленьку, о прошлом стараемся не думать, по воскресеньям ходим в церковь, не шалим и не суем нос не в свое дело. А это не так-то просто, когда у тебя их два, — правда, Билл?

— Точно, Боб. Как скажешь. Только давай без длинных слов, без всяких там «я», «мы».

— Ну что, пойдем? — нетерпеливо предложил Эллиот. — Но сначала скажите, нельзя ли взглянуть на солнце? Мне очень интересно, как оно у вас устроено, на вашем корабле?

— На солнце? Конечно! Машинист солнечной тележки — мой хороший приятель.

— Как ты сказал — машинист?

— Да ладно, пошли... Я лучше покажу вам, сами все увидите, — махнул рукой двуглавый муу-тант.

Билл и Эллиот двинулись по коридору вслед за нелепой фигурой.

Прогулка была долгой и утомительной, но в конце концов они все-таки добрались до двери, которая отворилась со страшным скрипом, когда Билл-Боб, ухватившись за ручку, навалился на нее всем телом.

Они вошли.

Билл повидал немало интересного на своем веку, но такое видел впервые. Билл-Боб, Эллиот и Билл стояли на площадке, всего в метре над поверхностью, простиравшейся до самого горизонта. Она вся была покрыта блестящей голубой фольгой, из которой то тут то там торчали ржавые гвозди. Выглядело это очень странно. Вдаль уходили ржавые рельсы. Билл спрыгнул вниз, немного прошелся по путям и — глянул вверх.

И рухнул на колени, завывая от ужаса, испуганно вцепившись в рельсы. Над ним была пустыня, скалы, индейцы. И он падал — туда!

— Я падаю! Это конец! — визжал Билл.

— Замолчи, кретин! — усмехнулся Эллиот. Он подошел и принялся отрывать Билла от рельсов. — Никуда ты не упадешь — ты стоишь на небе...

— Мне от этого не легче!

— Смотри, бестолочь, — я что, падаю? А наш двуглавый приятель? Мы находимся внутри огромного корабля, вот и все. Корабль вращается, и центробежная сила прижимает все предметы к оболочке. Ты когда-нибудь слышал о центробежной силе?

— Слышал, но забыл.

— Да, образование у тебя хромает. Послушай, что будет, если ты возьмешь ведро с водой и начнешь его раскручивать на веревке?

— Обольюсь с головы до ног? — попытался угадать Билл.

— Да уж, ты как пить дать обольешься. Но вот любой другой человек раскрутит ведро так, что не прольет ни капли...

— Вон оно, едет! — крикнул двуглавый уборщик.

К ним, весело посвистывая, катилось по небу солнце.

По мере приближения сияние его слабело; и они увидели, что впереди солнца по рельсам едет старый паровозик.

— Кэйси! Кэйси! — крикнул муу-тант.

— А, Билл-Боб! Как поживаешь?

Из кабины паровоза высунулся человек. Он дернул за шнурок, и паровой гудок пронзительно завыл, как грешная душа, падающая с небес в чистилище. Паровозик пробился сквозь тучку, и они увидели, что он оборудован специальными генераторами для создания облаков. Вот так делали небо для суеверных индейцев.

Зрелище было невероятное — старенький паровозик, надрываясь, тащил за собой по ржавым рельсам многотонную махину термоядерного солнца.

— Вах! — развеселился Эллиот. — Вот и толкуй теперь про Аполлона с колесницей! Да этот парень даст сто очков вперед любому мифу.

— Что он даст? — всполошился Билл.

— Не бери в голову. Так, мифологические аллюзии, тебе все равно не понять, Билл.

Что ни говори, а зрелище было хоть куда: по фальшивому небу катил паровозик и тащил за собой солнце. Теперь Билл понял, почему солнце так отчаянно вихлялось: пути были старые и разбитые, рельсы кое-где прогибались, и паровозик отчаянно раскачивался. Билл, задрав голову, так долго рассматривал игрушечный мир, что у него отчаянно закружилась голова.

— Удивительно, не так ли, Билл? — заметил Эллиот. — Теперь ты все понял? Понял, как устроен мир там, внизу?

Билл уклонился от прямого ответа.

— Да, на песочницу сильно смахивает.

— Это Кэйси Муу-Джонс, машинист искусственного солнца. Кэйси, эти ребята путешествуют во Времени, они попали к нам по ошибке.

Большой краснолицый человек сплюнул табачную жвачку, откусил новую порцию табака и принялся чавкать, разглядывая незнакомцев.

— Кто еще сюда заявится, кроме как по ошибке?

— А вы не расскажете нам, как все это появилось? — спросил Эллиот.

— Откуда мне-то знать? Откуда, например, у меня три больших пальца?

Машинист красноречиво выставил три грязных больших пальца.

— Это все оттого, что ты муу-тант, Кэйси! — рассмеялся Боб.

— Святая корова! И то правда. Извините, парни, но я должен ехать. Рано еще закат устраивать. Ребятам будет скучно там, внизу, без света. — Машинист ткнул пальцем вверх. — Попозже я отгоню эту штуку на западную ветку, выключу и поставлю на подзарядку. Ну и тоска, прости господи!

— Конечно, Кэйси, — сказал Боб, — мы же понимаем, работа есть работа. Ты еще ни дня не пропустил, ну, может, парочку, — помнишь, когда угля не подвезли? То-то все радовались, что можно поспать лишку. Только индейцы были недовольны, как всегда. Пока, увидимся!

— Надеюсь, мое солнышко все еще ездит! Отведи-ка ты этих пришельцев наверх, к капитану. Смотрите, ребята, поосторожней там, в коридорах, — иногда попадаются опасные муу-танты. Ну ладно, пора ехать! Под лежачий камень молоко не течет. Ха. Ха.

Оба — нет, все три муу-танта весело посмеялись над немудреной шуткой. Кэйси Муу-Джонс нажал скрипучий клапан, выпустил облачко пара, и паровоз потащился прочь, волоча за собой сияющий груз.

— Очень познавательно, однако неудивительно, что вы так подвержены мутациям, — сказал Эллиот. — Это солнце очень опасно в радиоактивном отношении.

— Что солнце! — отмахнулся Боб. — Это чепуха. Видели бы вы главный реактор. Там можно целое стадо зажарить!

— Бо-го-хульство! — простонал муу-Билл.

— Ах ты, черт, и правда, — опомнился муу-Боб. — Мы не употребляем в пищу ни гамбургеров, ни котлет, на нашем корабле вообще не принято есть мясо, потому что это — оскорбление Священной коровы, да святится Вымя ее!

— Отложим религиозные дискуссии, — вмешался Эллиот. — Ты говорил о мостике. Может, все-таки отведешь нас туда?

— Конечно, нет проблем.

— Но, Боб, — встревожился муу-Билл. — Ты помнишь, что случилось в прошлый раз?

— Не переживай, братишка! Ты только постарайся рта не открывать! Можешь помолчать часок, чтобы не ляпнуть какую-нибудь глупость?

— А если умное — можно?

— Давай не будем рисковать. Закрой пасть и молчи, хорошо? А то отмочишь что-нибудь вроде «генеративного корабля».

— Хорошо, хорошо!

Муу-Билл крепко сжал челюсти.

— А что он из себя представляет, ваш капитан? — спросил Эллиот.

— Увидите.

— Как вы думаете, можно мне будет воспользоваться радио? Может, мне удастся связаться с начальством? — с надеждой спросил Эллиот.

— Об этом вы лучше капитана спросите, — ответил муу-Боб. — Пошли. Алло, братишка, а правда приятно иногда от работы оторваться?

— Мммммммммм! — промычал в ответ муу-Билл, не раскрывая рта.

Глава 12

Пока они тащились по душным и пыльным коридорам, Билл уяснил для себя две вещи.

Первое: он очень хотел выпить.

Второе: он ни слова не понял из того, о чем говорил между собой двуглавый проводник. Интересно, что это за генеративный корабль?

— А что такое генеративный корабль? — спросил он у Эллиота, когда они брели позади довольного мутанта на мифический мостик. — Это что, корабль на генераторной тяге?

— Ну и дела! — отозвался муу-Боб. — Да этот парень поглупее моего братца будет!

— Хммммммммм! — утвердительно промычал муу-Билл.

— Нет, Билл. Есть «генератор», и есть «генерация». Понимаешь, это когда люди рожают детей, а дети — других детей. Проще говоря — поколение.

— А при чем тут поколения? — пробормотал Билл, все еще не соображая, что к чему. — Я знаю, что такое поколения, но при чем тут космический корабль?

— Слушай и запоминай, неуч. Генеративные корабли — это часть истории древней Земли. Ведь когда-то существовала Земля, и у нее была своя история. Если бы ты не прогуливал, то знал бы об этом.

— Земля. Как же, знаю. Там изобрели пиво, вино и крепкие напитки!

— Это колыбель Священной коровы! — вставил муу-Боб.

— Давай про корову попозже, хорошо? — не упускал инициативу Эллиот. — Сейчас, я полагаю, надо ответить на вопрос Билла. Знаешь, Билл, сверхсветовые корабли появились не сразу. Когда-то о космических путешествиях и речи не было. В ту пору, как ты мог заметить во время нашего индейского приключения, люди путешествовали верхом на лошадях. Но на лошади не то что от звезды до звезды — от планеты до планеты не доскачешь, согласен?

Эллиот продолжал рассказывать, то и дело приводя кучу утомительных подробностей о том, как люди верили в теорию относительности Эйнштейна и полагали, что материальное тело не может двигаться со скоростью, превышающей скорость света. И все равно нашлись сумасброды, которые горели желанием полететь к звездам и покорить их. И тогда некий фаштвующий негодяй подал сумасшедшую идею: он предложил посадить людей в огромный корабль и отправить к звездам. Мол, когда-нибудь потомки первых членов экипажа смогут достичь далеких планет и обосноваться там.

Эта весьма сомнительная идея нашла отклик в умах ученых, и те быстро доказали, что если обеспечить экипаж всем необходимым, то замкнутая колония может существовать в космосе сколь угодно долго и запросто сумеет добраться до ближайших солнечных систем. Правда, прежде чем они достигнут цели, должно смениться несколько поколений — но чего же бояться, если на корабле есть все необходимое?

Однако люди все-таки боялись — да и кому понравится такое путешествие в один конец? Тогда за дело взялись парламентарии, журналисты и вербовщики. Оболваненные умелой пропагандой, первые «добровольцы», обливаясь слезами, отправились в глубокий космос на генеративных кораблях.

К несчастью, вскоре появились два новых неприятных фактора.

Во-первых, после того как первый отряд генеративных кораблей отправился в космос, был изобретен СС-движитель. Человечество постепенно забыло об экипажах, отправленных в районы Альфы, Беты и Проксимы Центавра.

Во-вторых, с течением времени отдельные узлы и приборы на кораблях стали выходить из строя. Отремонтировать их оказалось невозможно, а заменить — нечем. На большинстве кораблей люди дегенерировали до состояния дикости. Знания и навыки были утрачены, управление брошено, корабли постепенно сбились с курса и пропали в космосе.

Вот такая история приключилась с генеративными кораблями.

— А при чем здесь искусственный мир? — спросил Билл. — Зачем было устраивать целую пустыню внутри корабля?

— Очевидно, кто-то предвидел возможность дегенерации людей. Поэтому и была создана искусственная замкнутая модель цивилизации, со своей системой верований, в которой могли бы существовать одичавшие люди. А когда корабль прибудет на другую планету, их можно будет обучить заново. Как видишь, все-таки предполагалось, что корабли хоть и не все, но достигнут намеченной цели.

Да, Биллу возразить было нечего.

— Это полностью объясняет присутствие индейцев, — заметил, однако, Билл. — Но откуда здесь мутанты?

— Я думаю, что скоро мы все узнаем. Может быть, произошел бунт и мутанты захватили управление кораблем?

— Но куда же они направляются?

— Вот это нам и предстоит узнать.

— На мостике?

— А ты понемногу начал соображать, как я погляжу. Надеюсь, мы скоро увидим капитана, а может, и саму Священную корову... Похоже, что это местное божество.

Так, за разговорами, они продвигались по душным и пыльным коридорам, которые скудно освещались пятнадцативаттными лампочками, половина из которых не горела. Они свернули в очередной коридор, и тут Билл заметил иллюминатор, в котором светились и мерцали огоньки.

— Звезды! — воскликнул он.

— Нет, — пояснил муу-Билл. — Это коллекция священных светлячков. Нам, техническому персоналу, не разрешается смотреть на звезды. Только монахи — служители Вымени Священной коровы — могут взирать на страшное сияние звезд!

— Такие же огоньки, только в космосе, — пожал плечами Билл. — Смотреть-то особо не на что.

— Ты с религией не шути, Билл, — предостерег его Эллиот. — Некоторые народы почитали звезды как божества!

— Боги-шмоги! — прокаркал муу-Билл. — Звезды — это сияющие лепешки Священной коровы!

Брат тут же звонко и резко закатал ему по лбу.

— Говорил я тебе, чтоб ты рта не раскрывал!

Глупая половина муу-танта скорчила обиженную мину.

— Уууупс!

Муу-Билл быстро закрыл рот и прикрыл его руками. Двуглавый муу-тант пересек небольшой холл и вывел их на балкон, который выходил в большое помещение, сплошь заставленное рядами холодильных камер.

— Эй, а там что такое? — заинтересовался Билл.

— Отгадай, — предложил Билл-Боб.

— Спиртное, — выпалил Билл.

— Мммммммммх! — Муу-Билл разволновался куда больше Билла, но рот открыть не решался.

Муу-Боб выглядел очень довольным.

— Нет. Вторая попытка.

— Там помещены люди, погруженные в анабиоз, — попытал счастья Эллиот.

— Опять нет! — ответил муу-Боб. — Там молочные продукты!

— Молочные продукты? — поразился Эллиот.

— Напитков из молока яков там, случайно, нет? — спрашивал Билл ненавязчиво, зондируя вопрос о наличии спиртного.

— Нет. Здесь много масла, цельное молоко, сливки, сметана, обезжиренное молоко. Великолепные сыры в большом ассортименте. Пахта и прочее, прочее, прочее, правда, братишка?

— Мммммммммм! — подтвердил муу-Билл.

Билл-Боб повернулся к выходу из хранилища, но Эллиот схватил его за шиворот.

— Ты обещал отвести нас на мостик и представить капитану!

— Мостик? Капитан? — Муу-Билл недоуменно вращал помутившимися глазами. — Ах да! Конечно! Извините, но молочные продукты так сильно на меня действуют!

— Значит, ячьего молока у вас нет? — досадовал Билл.

Наконец Билл-Боб привел их к большой круглой двери.

И ирисами отворил ее. То есть буквально: выдернул из ближайшего цветочного ящика несколько ирисов и швырнул их в дверь. Дверь открылась.

Они вошли на мостик генеративного корабля.

Биллу частенько приходилось бывать на мостиках различных кораблей — медяшку драил. Хоть большую часть времени он проводил на своем служебном месте — в тесной каморке, где хранились запчасти лазерных пушек. На боевой вахте, всегда готовый отразить нападение чинджеров — по крайней мере, так писала ежедневная газета «Боец».

На большинстве императорских крейсеров мостики были страшно утилитарны. Обычно там стояло кресло с ремнем безопасности — для капитана; кресло без ремня, но оборудованное ручкой управления, — для штурмана. Здесь же крутилась туча техников, которые в поте лица трудились над кнопками, рычажками и хитрыми приборами, управляющими сверхсложными двигателями. Поскольку капитан и штурман принадлежали к классу привилегированных идиотов, никаких кнопок и рычажков им не полагалось.

Однако этот мостик представлял собой нечто совершенно иное.

Приборные панели были вписаны в изящно изогнутую плоскость, по ним пробегали разноцветные огоньки, вспыхивали голографические изображения звезд, планет, комет; мириадами звезд переливалась Галактика. Такой красоты Билл еще не видел. Даже шкафы компьютеров выглядели намного современнее, чем на любом из императорских крейсеров.

Но больше всего Билла поразила команда во главе с капитаном.

— Капитан Мууунью! — начал рапорт мутант, приложив обе руки к разным вискам. — Докладывает уборщик третьего класса Билл-Боб! На борту гости, сэр! Представляете, они путешествуют во Времени!

— Святые звезды! — изумленно выдохнул Эллиот. — Да ведь это же коровы!

Да, заметил про себя Билл. Обыкновенные коровы.

Не люди с коровьими мордами и не коровы с человеческими головами. Не коровы-мутанты и не мутанты-люди. Это были самые обычные жвачные дойные буренки. Они глупо таращили глаза, помахивали хвостами, отгоняя мух, и с удовольствием пощипывали гидропонную травку.

— Капитан! — обратился к одной из коров Билл-Боб. — Разрешите представить: вот это — Билл, а это — Эллиот!

— Муу! — ответил капитан. — Муууууууу!

Затем приподнял хвост и сделал то, что обычно делают коровы, когда приподнимают хвост.

— Видали?! — умилился Билл-Боб. — Наш капитан парень что надо. Шутник каких поискать!

Совсем смешавшись, но не желая никого обидеть, Эллиот выступил вперед и вскинул руку в традиционном галактическом приветствии.

— Здравствуйте, капитан!

— Муу! — ответила корова и принялась за свою жвачку.

Эллиот ошарашенно замотал головой:

— Да ведь это же обычные коровы!

— «Обычные коровы»! — обиделся мутант-уборщик. — Что такое вы говорите! Вовсе это не обычные коровы. Это Священные коровы. Специально выведенные для божественного существования и управления генеративным кораблем!

Билл кивнул, припомнив кое-что из довоенной жизни.

— Судя по экстерьеру, у вас отличные техники-осеменители!

Билл-Боб заулыбался.

— Да! Вот понимает же человек, слава богу!

— Неудивительно, что корабль сбился с курса! — гнул свое Эллиот. — Древние индусы и те были умнее. Они, по крайней мере, не позволяли своим священным коровам летать на космических кораблях!

— Муу, — мудро ответила на выпад корова. — Мууууу!

— Не могу смотреть на это! Вы их специально дразните!

— Послушайте, — с отвращением произнес Эллиот. — Если вы не против, я взгляну на радиооборудование? Я уже говорил, мне необходимо связаться с начальством.

— Обратитесь к старшему радисту, — посоветовал муу-Боб, указав на небольшую корову, стоявшую у пульта управления. — Рекомендую, лейтенант Элси!

— Муу! — отозвался лейтенант Элси.

— Видишь! Похоже, она не возражает! — обрадовался Билл. — Действуй, Эллиот!

Тряхнув головой, Эллиот принялся действовать. Пока он возился с проводами и приборами, Билл-Боб принес Биллу стакан молока с печеньем. Хотя это никак не могло заменить Биллу пиво, он с отвращением отпил немного, чтобы утолить жажду. Коровы тихо и благостно помукивали.

Билл признался себе, что здесь малость скучновато, хотя это намного лучше, чем поджариваться на индейском костре.

— Хорошо, Билл, — наконец подал голос Эллиот. — Надеюсь, эта штука будет работать.

Эллиот принялся отбивать SOB[1] — специальный сигнал полиции Времени.

Помощь пришла через несколько секунд, хотя и с несколько неожиданной стороны.

— Привет, ребята! — поздоровался сэр Дудли, Портал Времени. — Он неожиданно материализовался на мостике генеративного корабля.

— Фу, дьявол, какая неприятность!

Оказывается, сэр Дудли материализовался прямо на том, что можно назвать (дабы избежать более сильных выражений) счастьем жука-навозника.

— А, это ты! — заорал Билл. — Какого черта ты нас сюда забросил?

— Не кипятись, приятель. Даже рыцари Времени имеют право на небольшую ошибку. А позвольте поинтересоваться, что делают коровы на капитанском мостике?

— Во всяком случае, если они и ошиблись местом, то не больше твоего! — сурово осадил его Эллиот. — Я так понимаю, что никакого хиппи здесь и в помине нет!

— Хм-м, верно, нет. Он отправился в тысяча девятьсот тридцать девятый год, в город Нью-Йорк, Соединенные Штаты Америки. На давно исчезнувшую древнюю Землю, которая тогда еще никуда не исчезала. Не знаю, каким образом мне удалось вас сюда забросить, но я намерен исправить ошибку. Безотлагательно. И, кроме того, дорогой Эллиот, чтобы хоть немного загладить свою вину, я захватил для вас счетчик Времени самой последней модели. Это прибор из далекого будущего, он намного совершеннее прежних моделей. Гарантия — целых двенадцать месяцев, и встроенные видеоигры есть.

— Премного благодарен, — ответил Эллиот, пристегивая прибор.

— Коров не напугайте! — встревожился муу-Билл; вид говорящего Портала Времени вызывал у него легкое беспокойство.

_____

[1] *SOB* (англ. Save our butts) — образовано автором по аналогии с SOS; буквально означает «спасите наши задницы».

— Я полагаю, вам не о чем беспокоиться, — успокаивал его Эллиот.

— Джентльмены, если вы соблаговолите войти, — объявил сэр Дудли, — то я буду рад доставить вас точно в то время и место, где хиппи изменил ход истории. Надеюсь, это хоть немного загладит мою вину.

— Я тоже надеюсь, — пробормотал Эллиот.

Билл одним махом допил молоко и вслед за Эллиотом Метадрином прошел сквозь Портал Времени навстречу неведомому.

— Мууу, — промычали на прощание космические коровы и снова принялись щипать траву, жевать жвачку и производить лепешки.

— Ну что, — произнес муу-Боб. — Пора приниматься за работу, а, Билл?

— Ох... пора, Боб. А после работы почитаем порнокомикс. Правда, Отто?

Из шкафа выбрался человек в нацистской форме, где он прятался все это время.

— Хм-м-м. Такое ощущение, что я тоже совершил небольшое путешествие во Времени.

— Зиг хайль! — вдруг рявкнули коровы, на поверку оказавшиеся нацистками. — Зиг хайль!

Глава 13

— Мы в Нью-Йорке Нью-Йорке. — Эллиот, прищурившись, вглядывался в экранчик наручного прибора.

— Что за дурацкое название? — усмехнулся Билл.

— Понятия не имею — так написано. Похоже, жители так любят свой город, что дали ему двойное имя.

Билл не то чтобы был космополитом, но много чего повидал в империи. Бывал он и в разных городах — и в человеческих, и в нечеловеческих, и в очень маленьких, и даже в Гелиоре, столице Галактики — в городе-планете.

Но ничего похожего на Нью-Йорк Нью-Йорк ему еще не доводилось видеть.

Город сразу ему понравился. Хотя вонь на улицах стояла невероятная.

Не понравились ему только многочисленные кучки, оставленные собаками, и, тщательно очистив о поребрик ботинок, он стал осмотрительнее. Однако ему очень пришлось по душе, что люди одеваются неброско, и фасон шляп был совсем неплох. Приятный стиль ретро. А еще больше понравились ему многочисленные бары, которые представляли собой разительный контраст по сравнению с однообразной архитектурой и угрюмым видом горожан.

Короче говоря, все это до боли напоминало Фигеринадон-II и навевало воспоминания о доме.

Сэр Дудли, Портал Времени, колыхался в воздухе.

— Ах, наконец-то вы на месте. Просто замечательно, что на сей раз все так благополучно закончилось.

Эллиот бросил скептический взгляд на гранитное здание, возвышавшееся прямо перед ним.

— А вы уверены, что хиппи сошел именно здесь? — Он вскинул руку и сверился с показаниями счетчика Времени. — Хм-м. Вроде все верно.

— Еще бы. Я припоминаю, что он хотел попасть именно в это здание. Здесь находится издательство «Акне», выпускающее суперкомиксы. Он кинулся туда как сумасшедший. Как говорится — сломя голову.

— Однако. А как мы вернемся домой?

— Просто, — ответил сэр Дудли. — Когда закончите здесь дела, найдете меня на Всемирной ярмарке во Флашинге. Я буду смотреть крикет в Британском павильоне. Заодно и ярмарку посмотрите. Тууудл-ууу!

Он легонько задрожал и исчез.

— Надеюсь, он не потеряется, — пробормотал с опаской Билл.

— Не волнуйся, дружок. Вперед. Следующая остановка — офис издательства «Супер-пупер комикс». Если верить приборам, то сейчас там директором Крафт-Нибблинг, крестный отец порнокомиксов.

Билл глянул вдоль улицы.

— А это не бар там виднеется? Тебя, наверное, тоже жажда мучит. Почему бы нам сначала не выпить?

— Я понимаю, ты обо мне заботишься. И это приятно. Но давай отложим на время это мероприятие. Более того, если мы успешно выполним задание, я похлопочу, чтобы полиция Времени купила тебе бар на деньги пенсионного фонда.

Билл нахмурился:

— А ты мне лапшу на уши не вешаешь?

— Да что ты! Это очень важное задание, Билл. На твоих плечах сейчас лежит ответственность за судьбу всей Вселенной. Так что бар — это не слишком большая награда.

— А что, если нанять еще и девочек-официанток?

— Не надо жадничать, Билл.

— Договорились! За одну операцию — один бар.

Билл расправил плечи и затопал прямо к вращающимся дверям здания. Он вошел в дверь и принялся нарезать круги. Очень скоро у него закружилась голова, и он вывалился из дверей прямо в объятия Эллиота, так и не сумев проникнуть в здание.

— Это ловушка! — вскричал Билл. — Западня!

— Да нет же, Билл, — успокоил его Эллиот. — Это двери очень древней конструкции, так называемые «вращающиеся двери». Как перейдешь на другую сторону — сразу выходи из них. Не надо ходить кругами.

— Ох!

Билл чувствовал себя еще не совсем хорошо — однако собрался с силами и повторил попытку. Он вошел в двери, но, неправильно рассчитав силы, толкнул ее слишком сильно. Поэтому все-таки сделал несколько лишних витков и только потом выпал — на сей раз, к счастью, с нужной стороны.

Тут же из дверей появился Эллиот и, недовольно скривив рот, наблюдал, как Билл отряхивает со штанов пыль.

— Постарайся больше так никогда не делать, ладно? Не пристало представителю полиции Времени так себя вести.

— Ладно, Эллиот, — буркнул Билл. — Все будет в порядке.

— Тогда пошли искать хиппи!

Двери лифта распахнулись, и они очутились перед рядом дверей серого цвета. На одной из них было написано: «Издательство „Акне“».

Билла поразило обилие комиксов, представленных в фойе. Толстые, в отличных обложках, на которых были изображены и крутые сыщики, и раскосые бандиты восточного типа, и пучеглазые монстры, и красотки с пышными прическами и роскошными бюстами — большей частью в ночных сорочках, таких коротких, что виднелись кружевные трусики.

— А как их, интересно, смотрят? — заинтересовался Билл.

— А очень просто. Берут и листают. Не забывай, мы в глубоком прошлом. А это — так называемая «макулатура», — принялся объяснять Эллиот, сверившись с показаниями счетчика Времени, — род популярных изданий, представляющих бульварную прессу в двадцатые, тридцатые и сороковые годы двадцатого века. Обложки довольно яркие, чего не скажешь о содержании. Если ты при чтении шевелишь губами — то это как раз для тебя. «Акне» поначалу издавало несколько журналов, в том числе и специальных. А потом Крафт-Ниблинг придумал комиксы.

— Да? — Билл с интересом разглядывал девочек на обложках.

— Не увлекайся, Билл. Пойдем-ка лучше потолкуем с самим Крафтом-Ниблингом.

— Пошли. — Билл все же прихватил с собой экземплярчик «Экзотических чудачек» с потрясающей блондинкой на обложке.

За столом сидела угрюмая секретарша.

— Полиция Времени, — представился Эллиот, помахав в воздухе жетоном. — Мы хотим видеть Крафта-Ниблинга. По важному делу.

Брюнетка моргнула и перестала жевать резинку.

— Извините. Коммивояжерам вход воспрещен.

— Я хотел бы повидаться с фотомоделью, которая позировала для этой обложки, — встрял Билл и продемонстрировал экземпляр «Экзотических чудачек».

— Дверь вон там. Будете уходить — осторожней, пружина тугая, можете под зад получить.

— Это офис издательства «Супер-пупер комикс»? — спросил Эллиот строгим деловым тоном.

— Валил бы ты отсюда, приятель...

— Значит, редакторы сидят здесь.

— Ты плохо слышишь, дядя?

— Большое спасибо.

Без дальнейших разговоров и не обращая никакого внимания на возмущенные крики, Эллиот устремился в офис, волоча за собой Билла.

Они попали в скромное помещение, сплошь заставленное столами и полками. На стенах, в аккуратных рамочках, висели обложки супер-пупер комиксов. Тут были и разноцветные космические корабли, и диковинного вида инопланетяне, и фантастические планеты, и далекие галактики. В одном углу, пристроившись на холодильнике, высокий человек с длинными неухоженными волосами что-то ожесточенно царапал на листках бумаги.

Исчеркав очередной лист, он бросил его в пустую корзину из-под молока, где уже валялась изрядная куча бумаги. Долговязый не обратил на вошедших ровно никакого внимания.

Не то что его напарник. Человек, сидевший за опрятно убранным столом, поднял глаза. Он был постарше на вид, зачесанные назад волосы тронуты сединой. На нем был галстук и круглые очки. Человек поднял глаза и нахмурился.

— Как вы сюда попали, придурки?

— Через дверь, — отшутился Эллиот. — А вы, значит, редактор Крафт-Ниблинг?

— Вильям Крафт-Ниблинг? Который изобрел атомную бомбу? Отнюдь, — изумленно поднял брови похожий на филина человек. — Позвольте, я главный редактор «Садомазосупермена»!

Эллиот затряс головой, пытаясь прочистить мозги.

— Атомная бомба? Тут что-то не так. Да кто же вы?

— Как кто? Максвелл Перкинс, конечно. Рад был познакомиться, и всего вам доброго.

Билл, естественно, понятия не имел, кто такой Перкинс. Однако Эллиот, тонкий знаток истории, похоже, знал это имя.

— Максвелл Перкинс — легендарный редактор издательства «Скрибнер». Издавал Ф. Скотта Фицджеральда, Эрнеста Хемингуэя и Томаса Вулфа и многих других? — глядя на свой прибор, уточнил Эллиот.

— Да, на этот раз угадали. Кстати, вон там, у холодильника, сам Томас Вулф... Ну что там, Том?

— ...Блуждающие члены и груди ее ответили на... Цветущие, налитые мужественными соками, истекающие страстью юноши. И цветы, эти роскошные гениталии полей и лугов...

Огромный помятый автор бредил как одержимый. Закончив очередную страницу, он отправил ее в корзину из-под молока.

— Отлично! Это то, что надо, Томас! — Максвелл гордо глянул на посетителей. — Конечно, потребуется правка. Комикс есть комикс. Вулф молотит, как трактор. Но, в конце концов, за это мне и платят. Том пишет новый сериал — «Возбуждение», — а эта вещица называется «Лингам и Йони на реке Любви». В каком-то смысле это продолжение фиц-джеральдовского «Огромного члена Великого Гэтсби».

— Погодите, — взмолился Эллиот, — но ведь Томас Вулф и Скотт Фицджеральд никогда не писали порнокомиксов!

— Еще как писали! — раздраженно возразил Перкинс. — Это величайшие писатели нашего времени. А порнокомиксы — величайшее достижение литературы двадцатого века!

Билл разглядывал обложки на стенах и вслух читал названия:

— Эрнест Хемингуэй, «И восходит эрекция». Уильям Фолкнер, «Секс-бомбы с Юга». Ого! Круто замешано!

— Здесь что-то не так, — мрачно тряхнул головой Эллиот. — Совсем не так! Или сэр Дудли доставил нас в другую Вселенную. Или хиппи нагадил намного раньше!

Билл постучал пальцем по очередной обложке.

— А это, случайно, не «Извращенцы со Святой горы» Томаса Манна? Очень похоже!

— Потрясающий стиль! — отвечал Перкинс. — Сплав секса и настоящего искусства. А как продается!

— Погодите минуточку... Вы сказали, что Крафт-Нибблинг изобрел атомную бомбу?

— Совершенно верно.

— Но этого не может быть... здесь какая-то ошибка.

Тут Эллиот заметил на столе газету. Он схватил ее и прочитал заголовок: «Коммунистические предатели, выдавшие ядерные секреты русским, казнены».

— Это что — фантастика?

— Нет, вполне реальный факт, — ответил Перкинс. — Сам шеф СС схватил их на месте преступления!

— СС! — воскликнул Эллиот. — Вы хотите сказать, что в Соединенных Штатах сейчас у власти нацистское правительство?

— Извините, но мы не пользуемся больше этим термином, с тех пор как в тысяча девятьсот тридцать шестом году Дядюшка Адольф изменил название партии. Теперь она называется «национал-капиталистическая».

— То есть теперь надо говорить «накисты»? — вмешался Билл.

— Именно. А еще говорят, что цветные совсем не соображают. Вот и верь после парням из Коннектикута!

Вконец ошалевший Эллиот опять обратился к Перкинсу:

— Так вы сказали, что Крафт-Нибблинг изобрел атомную бомбу... Но погодите — ведь Томас Вулф должен быть давно мертв?!

Долговязый писатель внезапно очнулся.

— Порнокомиксы спасли мне жизнь! — страстно воскликнул он. — Когда я впервые прочел «Сексуальные приключения Тома Сойера» Марка Твена, то понял, что это мое призвание!

— Ничего не понимаю. — Эллиот был совершенно сбит с толку. — Фашистское правительство в Америке? Засилие порнографии! Придется нам проконсультироваться с Дудли еще раз. Все гораздо хуже, чем я предполагал. Пошли, Билл!

Глава 14

Они стояли на шумном городском перекрестке. Эллиот сверялся со счетчиком Времени.

— Квинс, — бормотал он. — Сэр Дудли сказал, что отправляется туда. Это район Нью-Йорка, где проходит ярмарка. Похоже, придется добираться на метро.

— Что это еще за метро такое? — изумился Билл.

— Метро — такой подземный поезд, Билл. Судя по показаниям счетчика, нам нужна линия «N». Вход рядом, за углом.

— Почему бы нам не взять аэротакси? — капризничал Билл, которому страсть как не хотелось тащиться на древней колымаге, да еще и под землей.

— Потому что мы с тобой сейчас находимся в глубоком прошлом, когда еще не было никаких аэротакси, Билл. А на обычное такси у меня не хватит местных денежек. Если верить счетчику, метро стоит никель — это пять местных центов, — а я только что нашел на тротуаре двадцать пять центов. Соображаешь?

Билл односложно хрюкнул в ответ. Правду сказать, он и не пытался соображать, а любовался вывеской на соседнем здании — «Бар».

— Может, рванем пивка? — предложил он.

— Нет ни времени, ни денег. Нам сюда. — Эллиот потащил его вниз по бетонным ступеням в сумрачный мир нью-йоркского метро.

Они не заметили, что за ними ненавязчиво последовал человек в надвинутой на лоб шляпе, сером плаще и с черной повязкой СС на рукаве.

Вонючий механизм под названием «поезд метро» грохотал и раскачивался на ходу. Очень скоро Биллу стало нехорошо. Чтобы отвлечься от процессов, происходящих в желудке, он откинулся на спинку сиденья и принялся читать объявления, написанные на потолке вагона: «Дядюшка Адольф любит тебя!», «Курите сигареты „Броне Страйк"!“, «Пей баварское!»

Поезд подходил к Квинсу. Понемногу все пассажиры вышли, и в вагоне остались только Билл, Эллиот да еще незнакомец в сером пальто и шляпе, который сидел в другом конце вагона.

Вагон сильно дернуло. Мигнули лампы. В животе у Билла что-то глухо ухнуло. Эллиот с озабоченным видом нажимал кнопки счетчика Времени.

— Опять не сходится, — огорченно бормотал он, качая головой. — Каждое следствие должно иметь причину... но в данном случае я никак не могу отыскать ее в потоке Времени.

Все это настроило ум Билла на то, что у других людей называется «философский лад».

Здесь, в вагоне подземки, несущейся под Нью-Йорком, в фашистской Америке, в далеком 1939 году, все казалось чужим, постылым. И это было плохо. А что всего хуже, сквозь легкую тошноту уже прорастало чувство голода — не ели они уже давно. Черное покрывало беспросветной тоски опускалось на Билла.

Такого с ним никогда раньше не случалось. Обычно солдатская пища была так нашпигована транквилизаторами, а военные марши настолько заряжены гипноблоками, что те, кто не погибал в первом же бою, редко занимались самокопанием, а уж в депрессию не впадали никогда. К слову сказать, психопрограммирование достигло таких высот, что на поле боя часто можно было видеть солдатские трупы с блаженными улыбками на лицах.

Билл твердо знал, что любые комплексы легко излечиваются алкоголем.

Обычно, если у солдата возникали психологические проблемы, он мог обратиться к военному капеллану или психиатру, который выпускал ему пары, делал невромассаж или лечил психошоком. А если это не помогало, врачи прибегали к мозготомии, хотя это средство считается излишне радикальным даже для солдат. Обычно лечение состояло в том, что психиатры совали в руку больного пару кредиток и наказывали выпить за здоровье императора и за его счет.

Но сейчас Билл ощущал определенный дискомфорт от долгого отсутствия успокаивающих средств, которые регулярно получал любой слуга императора. Сидя в металлическом гробу, несущемся под землей в неведомый Квинс, с жалобно бурлящим животом, он испытывал настоящий стресс образца двадцатого века.

«Что есть жизнь, в конце концов?» — думал Билл.

Мозг его содрогался под шквалом сомнений. Желудок отвечал глухим урчанием.

Вдруг Билла охватила лютая тоска.

Ох, как он скучал по Фигеринадону-II!

Ох, как он скучал по маме! Хотя и не мог вспомнить ее лица.

А больше всего он скучал по своему робомулу!

Начисто забыв о желудке, Билл принялся напевать колыбельную, которую так часто напевал робомулу в детстве.

Билл не понимал, что значат слова, но мелодия ему нравилась, и он пел ее каждый вечер, когда после работы в поле чистил и смазывал робомула, прежде чем поставить его на ночь в стойло. Робомулу — звали его Нед — песенка, похоже, тоже очень нравилась, поэтому он никогда не ломался.

Скупая скорбная слеза пробежала по щеке Билла.

— Где ты, Нед? — простонал он. — Мне так тебя недостает, дружище!

— Ты часом не рехнулся? — всполошился Эллиот. — Что случилось?

Билл сглотнул, утирая кулаком глаза.

— Похоже, что-то в глаз попало.

— Неудивительно. На редкость грязный вид транспорта.

Только тут Билл заметил, что человек в плаще, сидевший в другом конце вагона, незаметно подошел и теперь стоял прямо перед ними. У него было жесткое и злое лицо.

— Так, — произнес он, протянув Биллу носовой платок, — я вишу, вам что-то попал в глаз.

— Спасибо, — ответил Билл. Он взял платок и промокнул глаза. — Спасибо.

— Bitte schön.

Человек взглянул, как бы проверяя, не следит ли за ними кто-нибудь. Затем вытащил из кармана отвратительный на вид люгер.

— Как вам нравится мой маленький schusser? Его зовут Отто. Отто хочет, чтобы вы рассказали, кто вы такие и откуда!

— Билл... — Эллиот даже запнулся. — Это же нацист!

Неожиданно Эллиот отважно бросился на человека в плаще — но люгер успел рявкнуть три раза. Первая пуля разбила счетчик Времени, вторая впилась Эллиоту в горло, а третья пробила сердце, выбросив из спины целый фонтан крови.

Эллиот захрипел и рухнул на пол вагона.

Билл очумело смотрел на убитого. Теперь он остался совсем один в нацистском Нью-Йорке, в 1939 году. Он сидел в вагоне электрички, и в лицо ему смотрел люгер. Биллу приходилось бывать и в худших переделках, просто не хотелось сейчас вспоминать.

— Может, теперь ты мне скажешь, кто ты и откуда прибыл? — повторил вопрос нацистский агент. Теперь стало ясно, что это за фрукт. — Говори, schweinhund? Отвечай мне. Как твой имя? Вильгельм?

— Билл. С двумя «л».

— Ja. Ты из полиции Времени?

— Нет, это мой напарник оттуда, Эллиот. А я простой солдат. Я вообще попал сюда по ошибке. Мое дело с чинджерами воевать, а не с нацистами. Так что не волнуйтесь.

Нацистский агент хохотнул.

— Хорошо, не буду. А теперь ты скажешь мне все о своем друге из полиции Времени и скажешь, как вы попасть сюда из будущего. А еще ты, может быть, скажешь мне биржевую информацию?

— Биржа... Нет, мистер наци. Вы не поняли. Я из далекого, очень далекого будущего. Я даже не знаю, что такое биржа. У нас вообще нет никаких бирж, потому что все принадлежит императору.

— Очень интересно. Теперь... правду мне говорить! Зачем вы у нас шпионить? Что вы говорить с Макс Перкинс? Куда вы ехать... и когда Берлин Панцерблитцен побеждать в чемпионате мира по бейсболу?

— Я... я правда ничего не знаю! — лопотал Билл. — Значит, я... Эллиот и я... мы только пытались предотвратить изменение истории, и все. Понимаете, здесь не должно быть никаких наци. Произошла какая-то ужасная ошибка. Отдали бы вы мне свой пистолет и шли бы себе спокойно...

— Информация! — гаркнул нацист. — Я хотеть информация!

Билл понял, что влип крепко. Но разве он не солдат императора? Разве его не учили драться? Так что же он медлит? Как там надо правильно выбивать пистолет из руки? Он медленно поднялся и стал отступать от грозного нациста, который угрожающе размахивал пистолетом.

Билл отступил еще на шаг — и попал в лужу крови. И поскользнулся. Нога сама вылетела вперед и выбила пистолет из руки противника. Билл грохнулся на пол.

Нацистский агент вскрикнул и отпрянул.

Билл, не мешкая, прыгнул на врага.

Они вместе рухнули и забились на полу, как две большие рыбы, пытаясь дотянуться до люгера. Первым дотянулся до него агент.

— Schweinhund! — заорал нацист. — Ты умрешь! Слышишь? Умрешь!

Билл не отвечал, из последних сил стараясь отвести вражескую руку с пистолетом в сторону.

Нацист собрался с силами и неожиданным рывком отбросил Билла. Задыхаясь, он поднялся и навел пистолет на поверженного Билла.

— Мне наплевать, что скажет начальство! Тот, кто на меня напал, — умирай! Я тебя убивай!

Во время борьбы шляпа слетела с головы нациста, и теперь Билл ясно видел белобрысые волосы и правильное арийское лицо, изуродованное злобной усмешкой.

Злющие глаза сверкнули голубым пламенем, когда наци поднял свой люгер.

— Хе! Хе! Хе! — проквакал он.

Билл собрался для последнего прыжка, в отчаянной надежде опередить выстрел.

И тут, когда наци уже собирался нажать на курок, откуда ни возьмись возник яркий свет и с шипением срезал вражескую голову с плеч долой.

Обезглавленное тело рухнуло рядом с Биллом, который тут же вскочил и оглянулся, пытаясь отыскать взглядом своего спасителя.

И никого не увидел.

Только он да два трупа в вагоне, несущемся во тьме подземелья.

Билл в изумлении раскрыл рот.

«Что все это значит?» — подумал он.

Но прежде чем он успел окунуться в дебри предположений, труп Эллиота вдруг пискнул тоненьким голоском:

— Привет, Билл! Похоже, ты чуть не влип в историю?

Глава 15

— Усердный Прилежник! — воскликнул Билл, немало пораженный.

— Ага, Билл! Это я! Но не мог бы ты звать меня просто Успр? Это мое настоящее имя, и я, как и всякий чинджер, очень им горжусь!

Билл оглянулся:

— Ты где?

— Да тут, внизу!

Билл опустил глаза. Голос исходил из простреленного тела Эллиота Метадрина! Билл увидел, как его старый противник перепрыгнул с груди трупа на сиденье вагона. И гордо дунул в горло крохотного бластера, которым только что отделил голову и шляпу наци от плаща и, что самое важное, — от люгера.

Билл познакомился с Успром еще в лагере имени Леона Троцкого, где тот под видом и именем Усердного Прилежника поражал всех блеском начищенных ботинок. Ростом Успр был точнехонько двадцать сантиметров с хвостом; у него было четыре лапы и неприятная с виду мордочка. Держался он настороженно. Что было неудивительно, поскольку и сам император, и его солдаты горели желанием стереть с лица Вселенной всех (очень, впрочем, миролюбивых) чинджеров, до последнего.

Билл удивился еще больше, когда увидел, что верх черепа Эллиота Метадрина откинут на шарнире, словно крышка, и вместо мозга внутри устроена кабинка. Там стояли миниатюрное кресло и даже маленький водяной радиатор.

— Отсек управления... робот, — пробормотал Билл. — А как же кровь?

— Ты, видно, совсем поглупел на военной службе, Билл. Ты что, кетчупа никогда не видел? Мне пришлось залить в этого робота целых три галлона. Очень эффектно выглядит при ранениях.

До Билла наконец дошло, что под личиной Эллиота Метадрина все это время скрывался Успр! А Эллиот Метадрин был всего лишь киборгом, которым управляла вражеская рука. Вот бы удивился Дж. Эдгар Инсуфледор, если бы видел все это! Сам Билл не очень удивился. Он слишком хорошо знал повадки чинджеров.

Билл очень обрадовался при виде крохотного знакомца, несмотря на то что это был враг.

— Рад тебя видеть, Успр. Конечно, ты враг и все такое, но все равно — приятно видеть знакомое лицо. Не очень-то весело тащиться в одиночку на метро в какой-то там Квинс, на Всемирную ярмарку, чтобы разыскать там чертов Портал Времени.

— Знаю, знаю, — оборвал его Успр. — Как ты думаешь, где я был все это время? Я был Эллиот Метадрин!

— Ах да. Конечно!

— Знаешь, Билл, раньше, когда я возносил молитву Великому Чинджеру, сидящему на небесах, я неустанно просил его о том, чтобы тебя назначили адмиралом императорского флота. Хотя из последних донесений разведки стало ясно, что он еще более тупой, чем ты.

— Спасибо, Успр! — посветлел лицом Билл. — Это самые теплые слова, которые я от тебя когда-либо слышал. Ну да ладно — что будем делать?

— Ага, Билл. Я полагаю, что нам лучше сойти на станции во Флашинге.

— Это ты правильно придумал.

— Приятно слышать, что ты со мной согласен. А потом мы пойдем на так называемый крикетный матч в так называемый Британский павильон и отыщем там сэра Дудли. И затем попытаемся выяснить, что же, черт возьми, произошло! Извините за выражение. Все идет наперекосяк! Я неплохо знаю вашу историю и тем не менее не могу себе представить, как могло случиться, что нацисты захватили в Америке власть. Я сильно подозреваю, что не последнюю роль здесь сыграло нарушение потока Времени, которое, кстати, привело к тому, что вся художественная литература превратилась в порнокомиксы.

— Точно, — громко согласился Билл, хотя ни слова не понял из рассуждений Успра.

— Но важнее всего, — продолжал Успр, — убедиться в том, что чинджерам не грозит никакая опасность. Пошли.

Билл сошел во Флашинге, а вагон с телом убитого наци, громыхая, унесся в дебри Квинса. Успр сидел в нагрудном кармане рубашки, что причиняло Биллу огромные неудобства, поскольку чинджеры, несмотря на скромные размеры, как и все обитатели миров с высокой гравитацией, весили немало. Билл протопал вверх по ступенькам и оказался на Всемирной ярмарке 1939 года.

— Ага, — пискнул Успр, выглянув из кармана, — не очень-то это похоже на то, что показывал счетчик Времени, но ведь это другой тысяча девятьсот тридцать девятый год, правильно?

— Полагаю, что так.

Однако Биллу здесь нравилось. Куча павильонов, ларьков, киосков со всевозможными напитками и закусками.

— Интересно, а бары здесь есть? — задумчиво спросил он.

— Не смей даже думать о выпивке. Мы на задании.

Они прошли под аркой и оказались на территории выставки.

— А вот и свастики. — Успр указал на крестообразные эмблемы, украшавшие все здания и киоски. — Их здесь не должно быть.

— Нет?

— Будем надеяться, что с сэром Дудли ничего не случилось... и что Британская империя все еще существует, и что здесь есть Британский павильон. Да, все это выглядит не очень хорошо, Билл. Правду сказать, очень плохо выглядит! Ох, не нравится мне это время!

Билл рассматривал ярмарочные витрины и бесчисленные бочки с пивом. Похоже, что в этом 1939 году недостатка в барах не было. Работник он неплохой и вполне смог бы тут пристроиться. Пусть Успру здесь не нравится, зато ему все это по душе.

Однако он императорский солдат.

Он должен верой и правдой служить своему императору.

Он обязан выполнить задание. Сдержать клятву. Сохранить верность.

Билл не очень-то верил всем этим заклинаниям, но все-таки продолжал выполнять долг. Потому что армейская промывка мозгов сделала свое дело — свободной воли у него осталась малая крупица.

Билл очень любил ярмарки и выставки. На Фигеринадоне-II тоже бывали ярмарки, и однажды, когда ему было десять лет, мама взяла его на Всемирную ярмарку «Фигеринадон-II». Она, конечно, была поменьше этой, но десятилетнему пареньку показалась огромным великолепным праздником.

Там же, на фигеринадонской ярмарке, он решил стать техником-осеменителем. Ярмарка проходила под лозунгом: «Через культурное осеменение — к лучшей жизни!» К тому времени Билл уже имел пятилетний стаж работы на ферме и смог по достоинству оценить новые технологии и приборы осеменения. Он даже не представлял себе, что существует так много разных аппаратов и что на основе научных методов генной инженерии можно получить потомство с нужными показателями.

Это было откровение. Мальчик был очарован. Он снова и снова приходил в павильон осеменения. Билл прошел осеменительный тест на ай-кью и показал удивительные результаты. Техники-осеменители не могли нарадоваться на даровитого ребенка и в конце концов объявили, что мальчик просто гений. Они даже хотели присудить ему стипендию имени Томаса Д. Краппера и послать в частный колледж на планету Осеменителей. Но матери нужен был помощник на ферме, и Билл не смог поехать. Вот какие прекрасные воспоминания сохранились у Билла о ярмарке на Фигеринадоне-II.

И вот он попал на другую Всемирную ярмарку. Билл почувствовал невольный приступ ностальгии.

Он уже решил, что все равно выпьет пива, несмотря на возражения Успра. В конце концов, они теперь пользуются его ногами, одной парой на двоих, значит можно покачать права.

И Билл решительно объявил:

— Я собираюсь выпить пива, Успр. И мне наплевать на то, что ты скажешь.

— Только не заводись. И давай побыстрее. Главное — меня пивом не облей.

Билл выудил из кармана доллар. К счастью, Успр предвидел, что им потребуется наличность, и, прежде чем выйти из вагона, они обшарили карманы убитого нациста.

На банкноте был изображен Джордж фон Вашингтон, черноволосый человек со смешными маленькими усиками.

Билл поспешил к ближайшему киоску и вскоре уже припал к огромной кружке пива. Отличного, надо сказать, пива.

— Ну вот, — пропищал Успр. — Выпил наконец свое пойло — теперь твоя душенька довольна? Как насчет того, чтобы заняться спасением Вселенной?

Умиротворенный Билл согласно икнул.

— Конечно, конечно. Но я хотел бы тебя сначала спросить, Успр. Тебе-то зачем все это нужно? Зачем весь этот маскарад с Эллиотом Метадрином? И с полицией Времени? И как вышло, что мы с тобой оказались по одну сторону баррикад?

— Билл, неужели ты думаешь, что мы, чинджеры, не могли предвидеть, чем грозят нам все эти фокусы со Временем? Конечно, никакой полиции Времени на самом деле не существует, но если бы она все-таки существовала, я бы первый вступил в ее ряды. И наконец, мы, чинджеры, конечно, не питаем нежных чувств ни к вашему императору, ни к вашей расе в целом, но как-то ведь надо положить конец преступным манипуляциям со Временем! Они уже привели к тому, что в поле Времени по всей Вселенной напряжения достигли критического уровня, а это, уж поверь мне на слово, совсем не безобидная вещь.

Билл, по правде говоря, мало в чем смыслил, кроме военного дела и осеменения, поэтому ни слова не понял из того, о чем толковал Успр. Но послушно кивал, словно китайский болванчик, ощущая в желудке приятную тяжесть от выпитого пива.

Чинджер Успр указал ему плакат со схемой ярмарки. Билл принялся читать указатель.

ВЫСТАВКА ПИВА.

ВЫСТАВКА ЗАКУСОК.

ВЫСТАВКА САПОГ.

ВЕСЕЛЫЕ АТТРАКЦИОНЫ MIT DER FUHRER.

ВЫСТАВКА ШНАПСА.

ВЫСТАВКА WIENERSCHNITZEL UND DACHSHUND.

ИНОСТРАННЫЕ ПАВИЛЬОНЫ НИЗШИХ РАС.

— Ага! — воскликнул Успр. — Нам туда! Пошли!

— Выставка шнапса тоже, наверное, интересная. Я даже знаю, что означает это слово. Мы могли бы начать осмотр оттуда...

— Заткнись, — хохотнул Успр. — Спасение Вселенной — прежде всего! — Он высунул голову из кармана и осмотрелся. — Иди вон туда. Если верить схеме, то нужный нам павильон находится в конце этой аллеи.

Билл пожал плечами и направился, куда было указано, к Британскому павильону.

Похоже, дела Британской империи шли плохо: павильон выглядел совершеннейшей развалюхой, на скорую руку сколоченной из ящиков и фанеры. Здесь не было ни фотографий, ни витрин с образцами. Только потрепанный «Юнион Джек» со свастикой в углу сиротливо висел на дальней от входа стене. Да еще перед допотопным проекционным аппаратом стояло несколько разбитых стульев. На экране тянулись ленивые кадры крикетного матча. Прямо перед экраном мирно почивал сэр Дудли.

— Дудли! — высунулся из кармана Успр.

— Конечно! — сразу проснулся тот. — Но позвольте — вы кто?

— Раньше я был Эллиот Метадрин.

— Да что вы? Однако вы несколько уменьшились!

— Да уж. Однако обсудим это позже. А сейчас вы должны доставить нас в ту точку Времени, где мы сможем остановить это безумие!

— Охотно! Этот мир не очень мне по вкусу, поэтому я не против. Но где находится искомая точка?

— По моим расчетам, — пустился в объяснения Успр, — интересующая нас точка находится несколько глубже в прошлом, потому что вся блумсберрийская компания вдруг решила заняться порнографией и тем самым превратила порнуху в престижный жанр литературы. Дудли, вы должны доставить нас в начало двадцатого века, в Англию. А именно в Лондон, Блумсберри, в резиденцию Вирджинии Вулф! Нам необходимо потолковать с ней об этом деле!

— Ах! Старая добрая Англия, моя любовь! Прыгайте внутрь, ребята!

— Давай, Билл! — скомандовал Успр. — Вперед!

Билл решительно шагнул внутрь Портала Времени. Он начал понемногу привыкать к этой процедуре.

— Погодите, я еще не совсем готов!

Билл попытался остановиться, но не смог удержаться на краю.

И с жутким криком упал в колодец Времени.

И успел еще услышать сердитый крик Успра, когда тот вывалился из нагрудного кармана рубашки.

Глава 16

Билл падал.

Будучи практикующим алкоголиком, он и раньше частенько падал. Но не так, как сейчас. То ему казалось, что он падает вниз, то, наоборот, вверх. Иногда чудилось, что он падает на юг, север, запад, восток. А иногда возникали совсем уж причудливые ощущения. Свирепые ветры швыряли его по облачным небесам невообразимого цвета. Пронзительная музыка и головокружительные запахи дурманили голову. Мимо проносились голоса и звуки, ощущение было такое, что он сидит внутри радиоприемника, а какой-то идиот беспорядочно гоняет стрелку настройки по всем диапазонам.

Падал Билл долго.

Он несколько раз терял сознание, но вокруг бесновалась такая круговерть, что он даже не заметил этого.

Цвета, цвета, цвета.

Музыка, музыка, музыка.

Голоса, голоса, голоса.

Голос:

— Человек, я вижу тебя и говорю тебе!

Билл оглянулся, но никого не увидел и понял, что голос обращается к нему. И внезапно понял, что падение прекратилось. Он сидел на чем-то облачном.

— Это вы мне? — спросил Билл.

— А кому же еще, ты же сам видел — никого больше нет! — одернул его голос. — Ты что здесь делаешь?

— Ну, там был Портал Времени, и чинджер Успр сказал мне, что мы должны отправиться в прошлое, чтобы с кем-то о чем-то поговорить. И тут...

— Ну хватит. Этого вполне достаточно, чтобы понять, что твоя жизнь представляет собой бардак.

Голос был глубокий, властный, как у адмирала, выступающего по радио. Билл невольно поежился и с тревогой огляделся вокруг.

А вокруг, насколько хватал глаз, простирались облака. В просветах между ними, где-то далеко, Билл заметил звезды. Сверху, из разрыва между облаками, огненным столбом опускался единственный луч света.

Билл встревожился. Не нравилось ему все это.

— Простите, сэр, не подскажете, где я...

— Заткнись! — приказал голос. — Я хочу загадать тебе загадку. Такую загадку, Билл, которая подскажет тебе разгадку. Вот она. — Луч загадочно задрожал. — Что делает агностик-гипноманьяк?

— Хм-м-м... ничего себе загадка, — пробормотал Билл.

— А ты напрягись, Билл. И свой, с позволения сказать, мозг тоже напряги.

— Может, он ничего не делает?

— Да, ты законченный идиот. Правильный ответ: «Я не знаю».

В голосе послышались тяжелые басовые ноты. Облака глухо заворочались. Билл неловко заворочался вместе с ними. Ситуация становилась все более неприятной.

— Я не знаю, — промямлил Билл.

— Уже лучше. Ну, сейчас я тебе выдам фунт изюму!

Билл испуганно вздрогнул и замер в ожидании удара.

Но дальше пошли совсем уж загадочные вещи.

— Агностик-гипноманьяк не спит всю ночь и думает: где собака зарыта?

Облака весело грохнули.

Билл ничего не понял, но счел за благо посмеяться за компанию.

— Правда смешно, а, Билл?

— И не говорите, просто класс!

— Жаль только, что не я это придумал. Но загадал я тебе эту загадку неспроста. Я, как правило, стараюсь не появляться на людях, но когда возникает нужда, стараюсь делать это ненавязчиво.

— Ох... да. Понимаю, — пробормотал Билл, вконец запутавшись.

— Неужели ты так ничего и не понял, Билл? — в отчаянии громыхнул голос. — Собака ведь зарыта именно здесь!

— У меня никогда не было собаки, — опечалился Билл. — У меня был только робомул.

— Это переходит всякие границы. Ты говоришь, что думаешь, но не думаешь, что говоришь; делать два дела сразу — это для тебя слишком. Прикажешь все для тебя разжевать и в рот положить? Может, мне обратиться кустом горящим или яблоком тебе по башке треснуть? Нет, погоди, кажется, я знаю...

Билл едва различал слова. Его вдруг охватила жажда, страшно захотелось выпить. Он никак не мог взять в толк, о чем грохочет невидимый голос. Пиво — огромная запотевшая кружка пива заполнила его сознание.

О, Зороастр! Как он ее хотел!

Вдруг с легким звоном перед ним материализовалась кружка пива из его мечты.

Билл отреагировал быстрее мысли. Он ухватил кружку и в одно мгновение ополовинил ее, не успев даже осознать всей полноты свершившегося чуда.

— Очень вкусное, интересно, что за сорт такой?

Гневное отчаяние зазвучало в голосе:

— Да какая тебе разница, идиот ты этакий?! Одумайся, сын мой. Если сможешь. Вспомни свое сокровенное, невысказанное желание. Чье имя помянул всуе, когда возжелал пива в душе твоей?

Билл растерянно захлопал глазами.

— Ну, Зороастра, кажется, помянул.

Он с удовольствием хлебнул еще пивка.

И тут его как громом поразило. Он даже пеной подавился.

— Зороастр! Это ты! То есть, извините, сэр, я хотел, — хлюп (глоток), — это и вправду вы? Вы и вправду есть?!

— Ну, наконец-то, Билл. Да, это твой Бог обращается к тебе — потому что ты грешен. Пьянствуешь, бегаешь за юбками — прелюбодействуешь! — и убиваешь ни в чем не повинных чинджеров, офицеров достаешь... нарушаешь все заветы церкви, взрастившей тебя. Или я не прав?

Внутри у Билла все оборвалось. Из глубины памяти всплыли старые детские страхи. Забытые картины Преисподней жгли теперь его мозг. Он вдруг понял, что давно, очень давно не молился Зороастру — о, вероотступник! Конечно, в армии были и церковь, и священники, но они толковали только о том, что император есть воплощение Бога, да накачивали прихожан наркотиками.

В детстве Билл был примерным прихожанином, чем очень гордилась его мать. Он даже был солистом в церковном хоре.

— Я был плохим зороастрийцем, — простонал Билл и покаянно опустил голову.

— А что ждет чад моих, отпавших от меня? — вопросил голос.

— Они на тысячу лет будут прикованы к скале посреди огненного моря.

— И вот беру я цепи, Билл.

Послышался зловещий металлический звон, и душа Билла ушла в пятки.

— Нет, не надо, нет! Значит... значит, я умер?

С громким стоном Билл рухнул на колени, сложив руки в покаянной молитве. К несчастью, он совсем забыл, что у него в руках кружка с пивом, и в результате неприятно вымок.

Голос тихонько прыснул.

— Пиво-то зачем разливать, Билл?

— Прошу! Умоляю! Дайте мне еще один шанс — больше мне ничего не нужно. Дайте мне жизнь, я обещаю прожить ее много лучше, не так, как прежде!

— Это совсем не трудно. По правде говоря, Билл, ты не совсем умер.

— Не совсем?

— Нет. Надо сказать, ты еще очень здоровый парень. Но ты своими руками готовишь себе наказание за грехи. Я, например, ясно вижу, что у тебя начинается цирроз печени, — да от такой жизни любая другая печень уже давно бы отсохла!

— Я жив! — смеялся и приплясывал Билл. Но внезапно замер на месте. — Но если я не умер — то где же я?

— Это не так просто объяснить, Билл, особенно человеку с таким ограниченным воображением, как у тебя. Тебе когда-нибудь приходилось нажимать на головизоре кнопку «пауза»?

— Конечно. Я вообще неплохо разбираюсь в технике.

— Оно и видно, в кнопках ты лихо сечешь. — В голосе послышались нотки сарказма. — Однако пора объяснить тебе, в чем дело. Видишь ли, я хотел сказать тебе пару слов.

Билл скромно кивнул:

— Я понял, о великий и всемогущий Зороастр. Я внимаю тебе. Со смирением. Ты говоришь, чтобы я бросил пить? Я брошу! Ты говоришь, чтобы я перестал сквернословить? Я не оскверню больше уста непотребным словом! Я буду регулярно ходить в церковь. Только не надо цепей! Не надо огня!

— Не волнуйся — ничего такого не будет. Все эти ужасы выдумали священники, чтобы пугать простых крестьян. Это не более чем мифы, Билл. Во всяком случае, я здесь не для того, чтобы тебя пугать. Мне кажется, тебя больше интересует искупление, спасение и святые молитвы.

Билл с энтузиазмом кивнул:

— Как скажете, так и будет, мистер З.

— Я выдернул тебя из этой юдоли скорби, пока ты падал в прошлое между временем и пространством и был легкодоступен. Обычно я не вмешиваюсь в мирские дела, но то дело, которым ты сейчас занят, — очень важное. Поэтому я и решил использовать момент, чтобы переговорить с тобой.

— Ты меня осчастливил, о всемогущий Зороастр!

— Вот так-то оно лучше, Билл. Однако лесть и раболепство — ничто перед лицом Бога. На самом деле я достаточно терпеливый Бог, не то что некоторые. Не то что один мой коллега с Явы или Аллах, с его вечным отрубанием рук. Я стараюсь не вмешиваться в естественный ход вещей во Вселенной. Свобода воли и все такое. Человечество само во всем виновато.

— Точно в дырочку, сэр.

— Войны, насилие, детоубийство — все это, конечно, трудно стерпеть. Но я стараюсь.

— Но убивать чинджеров — правое дело, верно, сэр? Я убью кучу чинджеров во славу твою! Даже Успра могу убить, если будет на то воля твоя!

— Знаешь, Билл, это не совсем то, чего я от тебя жду. К тому же чинджеры намного лучше вас, людей. Иногда мне даже хочется их немного испортить. Но дело совсем не в чинджерах, Билл!

— Порнокомиксы. Они должны исчезнуть.

— Ну зачем же. Неплохое развлечение. Жаль, у меня совсем нет на них времени — но это уже ближе к теме. Я вообще считаю, что они придуманы специально для дрочил. Спасибо, сын мой, что обратил мое внимание на эту проблему. Возможно, ты все-таки умнее, чем я думал. И все же дело не в порно-комиксах, Билл. Нацисты — вот в чем проблема.

— Нацисты?

— Да, нацисты. Прут, как саранча. Их необходимо остановить, а то они захватят всю Вселенную! Они даже мне уже наступают на пятки.

— Но...

— Хороший вопрос, Билл. Почему они меня беспокоят? Я тебе отвечу. Если бы богам было присуще чувство вины, то я, наверное, чувствовал бы себя виноватым. Видишь ли, я как-то взялся готовить новую мораль для чистой и светлой жизни в новом мире, который как раз собирался создавать, но забыл вовремя снять кастрюлю с солнца, и мое варево скисло. Я выбросил кастрюлю прочь и сразу забыл о ней. К несчастью, эта мерзость по чистой случайности упала на Землю, а еще точнее — на территорию Германии, была такая страна. Тут-то все и началось. Нужно ли продолжать?

Билл растерянно заморгал:

— А что случилось?

Послышался божественный вздох:

— Да, как видно, продолжить придется. Нужно ли тебе все объяснять? Очевидно, да. Значит, мерзость эта пролилась и — voilà. Нацисты. Вообрази себе! Нацисты — еще более низкая форма жизни, чем адвокаты, императоры и младший офицерский состав.

— Так что же я должен сделать, о Зороастр?

— Это очень просто. Победить нацизм. Как сообщают мои источники, заваруха со Временем — их рук дело. Повелеваю тебе уничтожить их и даю тебе, Билл, свое божеское на то благословение. Сделай это, и благодать моя осенит тебя!

— Я исполню все, Зороастр. Приложу весь мой опыт и солдатское умение. Но я сделаю это! Вот если бы ты еще подсказал мне, где их найти, — это сильно облегчило бы мою задачу.

— Видишь ли, Билл, как бы я ни желал тебе помочь — а я очень хочу помочь, — здесь есть свои трудности. Неловко признаваться, но я не представляю себе, что происходит! Похоже, другой бог держит сейчас нить твоей жизни, и, ей-богу, он вышивает очень сложный узор...

— Но... но... но... — бессвязно бормотал Билл.

— Понимаю, Билл, насколько неприятно тебе это слышать. Я хоть и бессмертен, но далеко не всемогущ. Поэтому советую рассчитывать только на себя — я, конечно, буду за тебя болеть. Иди и сокруши их, мой могучий тигр!

Тучи под ногами Билла разошлись, и он опять рухнул в мутный водоворот беспросветного Хаоса.

Глава 17

Хаос был небольшим городком на планете Пилигрим, затерянной где-то на юге Галактики. Эта планета была широко известна как место, где колонисты, направляющиеся осваивать новые миры, проходили последние проверки и испытания, чтобы достойно встретить ожидающие их трудности, в том числе и испытание на прочность самогоном местной выделки. Идея состояла в том, что если вы выдерживаете испытание пилигримовским самогоном, значит спокойно перенесете любые условия жизни, на какую бы планету ни забросила вас судьба.

Билл вылупился из кокона Времени именно в Хаосе и увидел, как висит в воздухе прямо над тротуаром. Это был надежный, крепкий тротуар, выложенный бетонными плитами, и Билл материализовался в двух метрах над ним. Ударился он крепко, но все же, будучи опытным солдатом, погасил энергию удара, исполнив кувырок через плечо. Встал и отряхнулся. Крепко выругавшись про себя, огляделся вокруг. Так себе местечко.

Небо было зеленое.

И в этом зеленом небе светили два — нет, три солнца.

Среди прохожих он заметил нескольких негуманоидов. На него никто не обратил внимания, как будто здесь солдаты падали с неба каждый день.

На крышах конических зданий росли гигантские цветы. В воздухе висел резкий запах уксуса и мускуса. Вдалеке, как бы опираясь на столб пламени, приземлялся космический корабль.

— Хм-м, — вслух задумался Билл. — Интересно, в какой момент прошлого Земли я попал на сей раз? — Он осмотрелся. — Видно по всему — это фантастическая эпоха!

По тротуару ковылял старичок. Билл его окликнул:

— Алло, папаша, не подскажешь, какой сейчас на Земле год?

— Да ты никак пьян, сынок?

— Нет, а хотелось бы. А тебе что, ответить трудно?

— Нет, конечно. Никакая это не Земля, сынок. — Старикан сплюнул табачную жвачку. Он метил в мостовую, но, несмотря на приличные размеры цели, все же промахнулся и попал прямо Биллу на ботинок. — Это же Хаос!

— Ну и дела, — пробормотал Билл, рассматривая заплеванный ботинок.

— Да, сынок, тебе всяко на Землю никак не попасть. Это ведь планета Пилигрим. Год нашего гнусного императора, двести тридцать четыре тысячи сто пятьдесят второй по звездному календарю!

Билл растерянно заморгал:

— Надо же, на целый год раньше, чем я родился. Но ведь Фигеринадон-два находится совсем в другой части Галактики.

— Парень, тебе часом мозги не отшибло? Ты что, контуженый?

Билл поскреб затылок. Пронзив пространство и время, он опять попал совсем в другое время и место. Но почему? Бред какой-то! А чего, собственно, ждать от такой жизни? Слава богу, хоть объективная реальность никуда не делась!

— Да, что-то вроде этого, — ответил Билл. — Еще один вопрос — теперь уже совсем простой. Есть тут рядом какой-нибудь бар?

— Да. Конечно. Прямо за углом, на улице Полного Нигилизма, есть отличное заведение, салун «У Салли». Скажешь им, что тебя старина Билли прислал!

— Спасибо тебе, старина Вилли! — Билл помахал чудаковатому старичку и поскакал к салуну.

— Какой, к черту, я тебе старина Вилли! — огрызнулся старичок и потопал прочь.

Но Билл уже ничего не слышал. В глазах у него хороводили пивные бутылочки.

Свернув за угол, на улицу Полного Нигилизма, Билл сразу заметил яркую неоновую вывеску — «У Салли». Было совершенно необходимо принять пару стаканчиков, прежде чем начинать борьбу с хиппи, нацистской угрозой и заниматься прочими хлопотными делами. К тому же надо было обдумать, как вернуться на планету Баров.

Салун оказался как раз того пошиба, к которым Билл привык, — темный, пропитанный запахом пива и окурков. Он уселся за стойку, прямо напротив скучавшего бармена, руки которого напоминали альдебаранские окорока.

— Меня прислал к вам старина Вилли! — объявил Билл.

Бармен тут же заехал ему в лоб. Билл с трудом поднялся, занес руку для ответного удара...

И обнаружил прямо перед носом огромный фужерище, до краев наполненный янтарной жидкостью, которая была не чем иным, как виски. Рядом стояла приличных размеров кружка с пивом непристойного цвета.

— Что такое? — Билл едва расслышал свой голос из-за звона в голове.

— Практическая шутка, дружище. У нас на Пилигриме все новички получают такое крещение. Это пограничная планета, приятель. Может, мы с виду немного грубоваты, но люди мы гостеприимные. Пей, первая порция за счет заведения.

Билла не надо было просить дважды. Виски было плохое, но крепкое, пиво слабое, зато холодное. Граница есть граница. Попивая пивко, Билл увидел в зеркальной стенке бара, что в зал вошел Эллиот Метадрин. Эллиот усмехнулся и уселся рядом с ошалевшим Биллом.

— Бармен, я буду пить то же, что и мой приятель. И помогите ему закрыть рот, а то туда мухи налетят!

— Угуум! — гуукнул Билл и с треском захлопнул пасть. — Но ведь ты же мертв! Тебя в метро застрелили насмерть!

— Ага. Билл, я вижу, что ты нисколько не поумнел. Ты что, забыл Портал Времени, сэра Дудли? Он перенес меня обратно на фабрику, где делали мое первое тело, и мне выдали другое. Кстати, Дудли ждет нас на улице, так что допивай, двигать пора.

— Куда?

— Рад, что тебя это интересует. — Эллиот вынул из кармана темные очки и нацепил на нос. — Нравятся? Там, куда мы отправляемся, они мне пригодятся, — объяснил Эллиот-Успр.

— Не хочешь ли ты сказать, — перебил его Билл, — что мы направляемся на солнечную планету?

— Нет, — ответил Эллиот-чинджер. — Как известно, на Земле очень низок средний показатель ай-кью. Туда мы и отправляемся. На Землю, в Голливуд, Калифорния. Двадцатый век! Нам надо повидать кинопродюсера по имени Слаймбол Сид, который имеет собственную кинокомпанию.

Они допили напитки, помахали на прощание бармену — тот недовольно что-то пробурчал в ответ — и вышли на улицу.

— Как приятно видеть вас опять вместе, парни, — приветствовал их сэр Дудли. — Думаю, что на этот раз мы правильно рассчитали координаты. Ну что, поехали?

На сей раз сэр Дудли сработал точно.

Ноги наших путешественников глухо шмякнулись о толстый ковер прямо перед стеклянной дверью с надписью: «ЭСС-ЭСС продакшнз».

Эллиот потянул за ручку, и они вошли.

— Вы записаны на прием? — зевнула секретарша, затачивая пилкой ноготь.

— Мне это ни к чему. Я Эллиот Метадрин.

— Позвоните, запишитесь и приходите. А сейчас — проваливайте.

— Я тот самый Эллиот Метадрин, который прислал вашему шефу чек на пятьсот тысяч долларов.

Опрокинув стол, секретарша кинулась целовать ему руки.

— Проходите, он ждет вас! Это будет замечательный фильм! Пожалуйста, присаживайтесь. Я сейчас все устрою, и мистер Сид вас примет.

Секретарша поскакала прочь на высоких каблуках, обольстительно виляя задом. Билл пожирал ее глазами, пока она не скрылась из виду.

— Какое отношение к нацистам имеет кино? — поинтересовался Билл. — Да и к нашему заданию?

— Когда ты потерялся, я все понял, — поведал Эллиот-Успр. — Мы же располагаем всем Временем! То есть у нас есть Портал Времени! Поэтому мы можем разобраться с нацистами в любой для нас момент! Я отправился в прошлое и так одурачил писателей из блумсберрийской компании, что они и думать забыли о порнухе!

— Как тебе это удалось?

— Тебе это будет особенно трудно объяснить, поскольку я сомневаюсь, что ты хоть что-нибудь слышал о Блумсберри.

Труднее всего было прочесть все то, что они написали до того, как Время заставило их писать порнуху. Я сыграл на их пристрастии к подсознательному. Подкинул им кое-какие материалы по деконструктивизму. Тут-то они и забегали.

— А ты не знаешь, им никакой бог не помогал?

— Ты что-то разнюхал, чего даже я не знаю? Погоди, я что-то слышал о Божественной сети. Один старый божок, Зороастр, пытался сунуть нос не в свое дело, но мы его быстро осадили. Можешь о нем не беспокоиться.

— Ну что же, я рад, что с нацистами наконец покончено, а при чем тут кино? — развалясь на диване, томно поинтересовался Билл.

— Это просто. — Замаскированный под Эллиота ящер расхаживал по ковру. — Тебе известно, Билл, как долго я пытаюсь остановить войну людей против чинджеров?

— Ну, предположим. Но мы не виноваты. Вы же жестокие и кровожадные монстры!

— Удивляюсь я тебе, Билл! — фыркнул Эллиот-Успр. От обиды у него даже слезы на глаза навернулись. — Мы столько вместе пережили. Я столько тебе рассказал о мире и дружбе. Стыдно.

— Извини, я забылся. Видимо, во мне заговорило мое солдатское прошлое. Не следовало так говорить. Ты ведь жизнь мне спас тогда, в метро.

Эллиот кивнул:

— Так-то лучше. Я очень тебя ценю, Билл. Кстати, ты идеально подходишь для выполнения моего плана!

— Твоего плана? Ах да, кино.

— Ты только представь себе, Билл! С нашей техникой и сэром Дудли в придачу я смогу снять великий фильм! Я хочу назвать его «Битва чинджеров с людьми» — и ты, Билл, будешь исполнителем главной роли. Нет, я, пожалуй, назову фильм в твою честь: «Билл — герой Галактики». Наконец-то вы, люди, увидите, что на самом деле вы кровожадные и безрассудные убийцы. Здесь, на Земле, этот фильм принесет миллионы. Причем не просто принесет миллионы — он почти ничего не будет стоить. Никаких эффектов; война, кровь, смерть — все будет настоящее. У меня есть КД, на котором записаны километры кадров, снятых во время настоящих космических войн. Это будет что-то вроде документального кино. Ты станешь кинозвездой. Тебе никогда больше не придется служить. Ты заработаешь столько денег, что сможешь купить любую планету.

— Даже планету Баров? — недоверчиво спросил Билл.

— Если только захочешь, — успокоил его Эллиот, — ты ее получишь. Ну как, нравится тебе мой план?

— Звучит просто замечательно, — произнес пухлый человечек с толстой сигарой, появившийся в дверях. — Входите, входите — здесь вас ждут и слава, и богатство. Меня зовут Сид.

Глава 18

Длинный лимузин проскользнул в главные ворота «Сидсли продакшнз» и остановился у павильона номер три.

— Приехали, — сказал Сид, махнув сигарой в сторону павильона. — Только вчера закончили очень интеллектуальный — но вместе с тем эмоциональный — фильм под скромным названием «Зеленое скользкое существо из марсианского колодца». Декорации на месте, ваш актер здесь, чек в банке — можно включать камеры.

Он провел гостей через большие двери в огромный черный зал. Громко щелкнул рубильник, прожектора обрушили потоки света, и Сид гордо повел рукой.

— Красотища, правда? Эти декорации влетели в копеечку, но Сид дешевкой не занимается!

— Особенно за мой счет! — ехидно заметил Эллиот-Успр.

— Что вы такое говорите! За качество приходится платить! А это — высший класс.

— А по-моему, дерьмово, — буркнул Билл.

— Ваш парень не просто красив — у него отличное чувство юмора, он любит и умеет шутить!

Сид грозно повел очами в сторону Билла и неприятно ощерился, отчего стал очень похож на акулу. Каковой он, собственно, и был в море кинобизнеса.

Декорации представляли собой убогое воплощение дешевой идеи о том, каким должен быть научно-фантастический фильм. Которых снято легион. Здесь были светящиеся колодцы, генераторы Ван дер Граафа, невероятные механизмы, колоссальные, размером с железнодорожную стрелку, рубильники на электрощитах. И прочие шедевры, которые мы лучше оставим за кадром.

— Первым делом — кинопроба, — распорядился Сид. — Бил, встаньте туда...

— Билл произносится с двумя «л».

— Я дико извиняюсь! Какой чувствительный актер, мне нравится. Легко сыграет и страсть, и жалость. Вы меня покоряете, Билл-л-л-л! Начинается ваша карьера — очень скоро ваша звезда вспыхнет на кинонебосклоне и сразу затмит все остальные звезды, созвездия и астероиды тоже.

— В астрономии вы тоже волочете так себе, — сурово осадил его Билл. — Но я могу вам кое-что рассказать о звездах, ха-ха, и о войне и мире.

Увлекшись, он гордо и мужественно расхаживал по сцене, выпятив грудь и сосредоточив все внимание на будущей блистательной карьере, совершенно при этом не замечая окружающих.

— Камера! Звук! Добавьте прожекторов, я хочу видеть блеск у него в глазах, — кипятился Сид. — Вот так. Правая готова, левая готова — поехали!

Было утомительно и скучно, только Билл и Успр наслаждались происходящим: один — в предвкушении своей славы, другой — в мечтах о грядущем спасении своей расы. Сэр Дудли скрежетал от скуки зубами и время от времени задремывал. Сид плохо осознавал происходящее — у него в глазах скакали зеленые долларовые зайчики. Подсобники, электрики и прочий вспомогательный персонал сначала даже слегка заинтересовались происходящим — такой плохой игры им еще видеть не приходилось. А это говорит о многом. Но и эти вскоре уснули, осыпаемые беззвучными проклятиями оператора, которому приходилось держаться из последних сил — хоть спички вставляй в глаза.

В ход пошли худшие актерские штампы, самые замшелые идеи из мира фантастики. При этом тщательно гасились малейшие искры воображения.

— Получай — получай — грязный инопланетянин! — вопил Билл, брызгая слюной.

— Сид, ты мне нужен!

— Стоп! — заорал взмыленный Сид. — Кто там? Что такое? Там же горит красный свет! Мы тут шедевр снимаем, а вы тут шляетесь!

Он сделал ладошку козырьком и увидел две приближающиеся фигуры.

— А, вот кто это! Это же мой шофер Блуто. Ты что, не соображаешь, куда прешь? Нет, ты у меня будешь в другой раз соображать. Тебя это тоже касается, Шелдон Фастбак, бухгалтер мой дорогой!

— Я потому сюда и приперся, что соображаю еще, что к чему, — зловеще прокаркал Шелдон. — Уж я-то знаю, во что нам обойдется пленка, камеры и профсоюз операторов...

— Попробуй только гавкни что-нибудь про профсоюз! — сразу заорал оператор.

— Извините, я и не думал, — заныл Шелдон. — Я очень люблю профсоюзы — мой сын сам руководит профсоюзом грузчиков, однако, Сид, я должен сообщить тебе пренеприятную новость.

— Моя мамочка! — испуганно взвизгнул Сид.

— Она отлично себя чувствует! Как и твои сестренка с папашей — в тюрьме. Есть новости поважнее, чем здоровье твоей родни. Например, из банка.

Мгновенно наступила мертвая тишина. Воздух холодно зазвенел. Сид, задохнувшись, отшатнулся.

— Что, что — банк? — хрипло выдохнул он.

— Банк объявил...

— Да не тяни ты!

— Банк объявил, что тот чек...

— Не мучь ты меня, это тот маленький, что ли, чек...

— Тот большой чек. Тот самый, что этот придурок тебе всучил. Так вот — он фиктивный!

— Липовый! — взвизгнул Сид.

Голос Сида стал неприятно-холодным, как сама смерть. Он повернулся и грозно выставил палец.

— Блуто — взять! Вон этих мерзавцев — вон!

Огромный тяжелый Блуто был подобен разящему удару грома. «Вон» еще металось эхом под потолком, а он уже схватил Эллиота-Успра и выбросил через черный ход.

— Послушайте! — спросонья не врубился сэр Дудли. — Что вы себе позволяете?!

458

— Блуто уже себе позволил, дружище, так что лучше помалкивай, — ухмыльнулся Блуто, принимаясь за Билла.

Билл отчаянно забился в железных лапах. Пока Блуто замахивался им, сэр Дудли выступил вперед — и тут Блуто бросил Билла.

На пути стоял сэр Дудли. Он попытался увернуться, но оказалось слишком поздно.

Билл влетел в Портал Времени и провалился в бездонный колодец.

Глава 19

Как только Билл очнулся, он сразу осознал две вещи.

Первое: у него совершенно не болела голова.

Второе: он был совершенно трезв.

Оба эти факта были достаточно необычны. Он чувствовал себя отдохнувшим и в отличной форме. Самочувствие было просто великолепное, как в детстве, на Фигеринадоне-II, после долгого воскресного сна. Так бы и лежал себе, наслаждаясь давно забытыми ощущениями, если бы не внезапное осознание факта: совершенно непонятно, где это, черт побери, он лежит!

Билл открыл глаза.

Над ним навис клепаный металлический потолок.

Негромко звучал сигнал, и, повернув голову, он увидел какой-то прибор со множеством индикаторов.

Послышался негромкий звук приближающихся шагов.

— Отлично! Ты уже проснулся, — произнес чистый ясный голос. — Ну, как мы себя чувствуем?

— Нормально, — уклончиво ответил Билл.

Он поднял глаза и увидел человека невыразительной внешности в докторском халате, коротко стриженного, с худым участливым лицом. Человек держал планшетку, в которую время от времени заглядывал.

— Хорошо, приятель, — как там тебя? Ты был очень плох, когда сюда попал. Солдатский синдром, как мы это называем. Мы, простые смертные, им не страдаем.

Пришлось почистить тебе организм. Сейчас у тебя нет физической зависимости от алкоголя. Твоя печень не в лучшей форме, но другой у нас сейчас нет, придется тебе побегать со старой. Пить тебе, конечно, нельзя. Но это не страшно: там, куда тебя направляют, выпивки все равно не достать.

— А куда это меня посылают? — усевшись на кровати, требовательно вопросил Билл. Вокруг витал густой больничный запах.

— Обычно из нашего госпиталя всех солдат отправляют на Смерть — шестьдесят девять. А ты, судя по всему, солдат. Это мы уже выяснили. У кого еще могут быть две правые руки, металлическая нога и имплантированные клыки? Ты наш, парень, до мозга костей наш. Одно не ясно — кто ты такой?

— Рядовой Билл! Вот кто я! Я работаю по заданию Галактического бюро расследований. Какой сейчас год?

Билл не привык четко мыслить и ясно говорить, но сейчас это оказалось к месту.

— Год девятьсот сорок три тысячи пятьсот двадцать четвертый по галактическому календарю, — ответил доктор.

— Это на два года раньше!

Доктор бросил на Билла недоуменный взгляд.

— На два года раньше? Не понимаю, о чем ты говоришь.

— На два года раньше того самого момента, когда я отправился в прошлое. Говорю же вам, я секретный агент ГБР.

— Повторяю свой вопрос. Как тебя зовут?

— Билл. Рядовой Билл.

— Так. Проверка сетчатки и пальцевых отпечатков дала такой же результат. Однако мы сделали полную проверку. Рядовой Билл сейчас оправляется после операции на ноге. Пока ты спал, мы разыскали его по сверхсветовой пространственной телесети.

Доктор щелкнул пальцами. Два санитара втащили телеприемник. Доктор включил его.

На экране появилось изображение бара. За стойкой со стаканом в руке сидел человек, которого Билл сразу узнал, — это был он сам.

— Извините, — обратился доктор к телеэкрану, — извините, рядовой.

Человек за стойкой заморгал, зевнул и мутным взором уставился прямо на них.

— Чшштакое? — неуверенно спросил он.

— Как вас зовут, рядовой?

— Билл. Рядовой Билл. Но с двумя «л», прошу запомнить, мля...

— Я доктор, мля!.. То есть доктор Магнус Фрауд! Межгалактическая медицинская служба. Заткнитесь и слушайте. Мы хотим кое-что выяснить, рядовой Билл. Вот этот человек утверждает, что он тоже рядовой Билл. Мы надеемся, что вы сможете нам помочь.

— Что? — переспросил человек, с трудом вникая в ситуацию. — Я вот он, здесь!

— Вы знаете этого парня?

Человек за стойкой затряс головой, пытаясь сфокусировать взгляд, несколько раз мигнул и дотянулся наконец до бокала с пивом.

— Никогда его раньше не видел. Ну и рожа!

И он осушил бокал.

Билл обомлел.

— Эй, ты, алкаш поганый, послушай. Это же я. Ты что, себя не узнаешь?

— Откуда? — отвечала молодая версия Билла. — Оно, конечно, ты немного похож на меня. Но я-то здесь, а ты там. Пока.

— Рядовой Билл, а вы никогда не подвергались клонированию? — спросил доктор в телеэкран.

— Нет, насколько мне известно.

— Понятно. Мы нашли этого человека, когда он валялся без памяти — похоже, он сильно ударился головой, — но мы не знаем, откуда он взялся и кто он такой. Вы уверены, что не знаете его?

— Точно, не знаю. Если будете разбирать его на части, имейте в виду, мне до зарезу нужна ступня.

— У меня та же самая ступня не в порядке! — заорал Билл-первый. — Посмотри, идиот! Ее отстрелили на Венерии! Помнишь?

— Ага. Венерия! Это что-то! Я тоже потерял ступню на Венерии.

— Еще бы, ведь ты — это я! Только на два года моложе. То есть я — это ты, но на два года старше. Я переместился во Времени!

— Да? Дай мне еще бокал.

Связь внезапно прервалась. Билл поднял палец, будто собираясь сказать что-то, и кувыркнулся со стула, мгновенно превратившись в бессознательную тушу.

— Ну хватит. Этого больше чем достаточно, — вмешался доктор. — Он не узнал тебя. Ты наверняка самозванец. Хотя и похож на человека.

Он подошел, собираясь выключить телеприемник.

— Нет, погодите. Билл! — закричал Билл. — Очнись, Билл. Ты моя последняя надежда. Я не хочу лететь на Смерть — шестьдесят девять!

Ответом ему был могучий храп.

— Вот и все, — промолвил доктор и выключил приемник. — Не будем терять время. Вы отправляетесь на Смерть — шестьдесят девять.

Доктор кивнул санитарам, и те проворно накинули путы на неустановленного солдата.

— Покрепче вяжите его, ребята. Этот кусок мяса еще послужит императору — а может, даже падет смертью храбрых!

Билл отчаянно забился, но — увы. Санитары потащили его прочь.

— Кстати, рядовой лже-Билл, — погрозил пальцем доктор, — не забудьте: ни капли спиртного. Это вредно для вашего здоровья.

Парни из военной полиции, повизгивая от радости, схватили его и, осыпая ударами, заволокли на корабль смертников и приковали в самой паскудной и темной дыре. И только тогда Билл вспомнил про браслет, который ему дали Успр и сэр Дудли.

Он со стоном повернулся на куче гнилой соломы, на которую его бросили полицейские, и глянул на руку. Все верно, браслет на месте. Отлично. Но где же его друзья по пространству/времени, которые обещали разыскать его во что бы то ни стало?

И тут он вспомнил.

Всдь Успр предупреждал его, что этот прибор не будет работать, если его экранировать металлом — а он все это время провел в помещениях из металла.

Друзья не могли вытащить его отсюда, потому что не знали, где он!

Испустив вздох отчаяния, Билл откинулся на солому. Это же надо, после стольких испытаний оказаться на корабле смертников, который летит не куда-нибудь, а на Смерть-69. А это хуже, чем Венерия, с которой ему все же удалось выбраться, отстрелив себе ступню. Но с Чертовой планеты так просто не смоешься. Там хоть обе ступни себе отстреливай — заставят сражаться на коленях.

Билл со стоном зарылся во влажную вонючую солому.

Боже, что за жизнь!

И все эти несчастья — на трезвую голову!

Дни ползли медленно, как подагрики.

Билл сидел на старой, привычной диете: в дистиллированной воде были растворены восемнадцать аминокислот, шестнадцать витаминов, одиннадцать минеральных солей, эфиры жирных кислот и глюкоза.

Жутко отвратительная смесь, но она все-таки поддерживала жизнь.

Не имея под рукой ни комиксов, ни выпивки, он очень быстро затосковал. Единственное развлечение, которое он мог себе позволить, — воспоминания. Но за долгие годы беспробудного пьянства объем его памяти сократился до сорока пяти минут чистого времени.

На сто втором витке воспоминаний Билл так затосковал, что выбросил из головы все к чертовой бабушке.

Чтобы хоть с кем-нибудь поговорить, он дернул себя за мочку уха и включил К-капсулу. Пусть даже это будет искусственный интеллект. И сразу вместо приветствия получил порцию заунывной кантри-музыки.

— Здорово, приятель. А я уже начал было беспокоиться. Что-то долго ты ко мне не обращался. Надо бы почаще.

Билл не стал объяснять, что он просто забыл про капсулу, этот шедевр биоэлектроники, вшитый в мочку его уха. Забыл Билл и про то, что у шедевра огромная фонотека этнической музыки, которую тот обожал проигрывать. Да к тому же невероятный запас знаний во всех областях. Можно было использовать прибор и в режиме карманного калькулятора. Забыл он и о том, что искусственный интеллект имел привычку быть страшно надоедливым. Прибор был оснащен сложной системой сенсоров, связанных с нервной системой Билла, и гнусавым имитатором голоса. Билл ругнул про себя программиста, спроектировавшего и собравшего прибор, и его пристрастие к этнической музыке давно исчезнувшей Земли. Он, видимо, переписал фонотеку на одном из древних кораблей и ввел в память К-капсулы, которую потом вшили Биллу в ухо. При этом он так неряшливо написал программу, что фрагменты музыки засорили все сервисные файлы.

— А скажи-ка, приятель, где это мы? — гнусаво пропел ИИ[1]. — Что происходит? Как продвигается операция? Разобрался ли ты с проблемами Времени? Очень на тебя надеюсь. Хотелось бы вернуться в Центр.

Билл уже хотел было отключить прибор, но тут вспомнил, какая жуткая скука его ожидает. Может, ему удастся хотя бы привыкнуть к этой противной музыке, что постоянно звучит на заднем плане.

Правда, с таким же успехом можно попробовать привыкнуть к ударам копыт робомула по голове. С другой стороны, может статься, что в результате он так полюбит тишину, что сможет безболезненно отключить проклятый прибор.

— Я сижу прикованный на корабле, который направляется на Чертову планету — Смерть — шестьдесят девять, — сокрушенно поведал Билл. — К тому же меня отбросило назад в прошлое. Должно пройти еще целых два года, прежде чем я встречусь с Дж. Эдгаром Инсуфледором и тебя зашьют мне в мочку уха. Всего два года и тысячи световых лет.

Ответ задерживался. Видимо, новости повергли К-капсулу в электронный шок.

— Какой все же ты осел, — наконец отреагировал прибор. — Вечно попадаешь, куда не следует.

— Что верно, то верно.

— Рядовой Билл. Я чувствую, что с вами не все в порядке.

— Еще бы. Тотальная депрессия плюс полное отчаяние.

— Нет. Я даже не знаю, как это получше сказать — но ты, похоже, совершенно трезв.

— ИИ, ты идиот — я же не пил последнее время. Ничего не пил, кроме сопливого киселька, который здесь почему-то называют едой.

— Да нет, дорогой мой, дело не только в этом. Похоже, что ты... в общем, если верить показаниям моих нейродатчиков, у тебя значительно повысился ай-кью.

---

[1] *ИИ (англ.* AI — artificial intelligence) — искусственный интеллект.

— Повысилось — что?

— Коэффициент умственного развития, сынок! Не ахти, конечно, какое достижение, но... — Тут послышались задорные звуки тарантеллы, и ИИ сразу заговорил по-другому. — Я толкую о том, что у тебя появились крутые способности к математике, лингвистике, философии! А ну-ка глянем — мама миа! — да твой ай-кью подскочил с девяноста до ста семидесяти! — Захваченный своими открытиями, ИИ брызнул чистыми звуками «Сельского сада», которые плавно перешли в какой-то марш. — Похоже, что усердное пьянство подавляло твой интеллект. Если верить моим данным, ты был фермером, лихо управлялся с робомулом и мечтал стать техником-осеменителем. Как бы то ни было, но сейчас твой интеллект развивается с потрясающей скоростью. Возможно, ты получил стимулирующий радиационный удар во время путешествий во Времени.

Билл без утайки поведал всю грустную историю своего падения со сверкающих высот планеты Баров в недра гнусного сего корабля.

— Должен сказать, довольно печальная история.

— Как ты думаешь, что мне делать дальше? — спросил Билл.

— Ты пробовал разорвать цепь?

— Теперь я понимаю, почему твой интеллект называют искусственным. Пошевели мозгами, олух электронный. Даже если я порву цепь — куда мне бежать? Мы ведь в глубоком космосе и летим на Чертову планету.

— Смерть — шестьдесят девять. Знаю. Скверно. Однако не надо отчаиваться. У тебя все же есть шанс.

— Совершенно микроскопический. Я уже побывал на Венерии. А это — Смерть — шестьдесят девять. Солдат может протянуть там неделю максимум. Как ты думаешь, зачем они сажают всех на цепь? Потому что солдаты обязательно взбунтуются. Они-то понимают, куда их везут.

Послышались жалобные стоны, как будто обреченные солдаты подслушали разговор и вспомнили о своей жуткой судьбе.

— Ужасно. По крайней мере, путешествие займет немало времени.

— Возможно. — Билл провел рукой по отросшим волосам, пощупал щетину. — Я здесь уже довольно долго.

— Мы должны постараться, чтобы ты сохранил ясную голову, пока все вокруг будут сходить с ума.

— Может, для начала ты вырубишь эту идиотскую музыку?

— С удовольствием. Если ты не очень занят, может, займемся твоим образованием?

— Образованием?

— Да. Понимаешь, в моей памяти содержатся в полном объеме все энциклопедии нашей Галактики, сведения обо всех технических достижениях — короче, все, что нужно для полноценного образования. И к тому же, осмелюсь заметить, я очень неплохой учитель.

— Знаешь, я бы лучше пивка выпил.

— Знаешь, а я лучше кантри послушаю. Удачи тебе.

Раздался легкий щелчок, и голос пропал.

Тишина.

— Сам дурак, — вспылил Билл и гордо сложил на груди руки. Но, проскучав несколько минут в кромешной тьме, снова дернул себя за ухо. — Ты где, старина? Я задумался, извини. Давай поболтаем. Ты меня учи, а я буду учиться. Ну, что скажешь?

Ничего.

Билл дернул сильнее. На сей раз ИИ ответил оглушительным взрывом джаза.

— Ладно. Договорились. Будем принимать по чайной ложке, начиная с буквы «А», или грохнем все залпом?

— Залпом оно, конечно, лучше, — ответил Билл. От столь сочной фигуры речи его рот сразу наполнился слюной.

Так, с помощью ИИ, Билл просеял память компьютера и усвоил все знания, которые выработало до него человечество.

Он изучил историю. Он познал суть всех великих религий. Превзошел все науки. И вскоре, подобно Сократу, вел возвышенные философские диалоги с ИИ, а когда с философией было покончено, он ударился в споры о преимуществах этических положений Канта по сравнению с эпистемологией Кьеркегора.

Билл изучил биологию, элементарную и высшую математику. Прошел всю физику от ньютоновской механики до квантовой теории. Он даже понял принцип действия сверхсветовых двигателей, что было настоящим достижением, поскольку сами создатели не имели об этом никакого понятия. Билл изучил ксенобиологию. И наконец, стал прозревать великолепие совершенства Вселенной. Теперь он понимал ценности расы Успра и ясно увидел, какая страшная беда обрушилась на чинджеров в образе человечества.

Неделю за неделей учился Билл, впитывая знания, подобно тому, как губка впитывает воду.

Когда корабль наконец приземлился, ИИ, проработав кучу вариантов, выдал такой простой план спасения, что он сработал.

В отсеке лежали целые горы гнилой соломы, в нее-то Билл и зарылся. Охранники, занимавшиеся выгрузкой, не заметили его и прошли мимо.

Так для Билла началась новая жизнь. Омерзительная обстановка нисколько его не смущала. Билл обнаружил в своей душе огромную любовь к знаниям. И восторг перед мудростью. И перед всеми вещами, которые открыл ему ИИ. Вселенная вдруг предстала перед ним во всем своем величественном великолепии, полная сладостных истин и чарующих тайн.

Разум его был восхищен сокровенными тайнами бытия, и при помощи К-капсулы Билл принялся собирать воедино части великой тайны, разгадать которую оказалось не по силам человечеству, а может, и никому из разумных существ Вселенной.

Смысл жизни!

Опираясь на совершенный разум и окрепший дух, Билл открыл для себя простую истину, которая вечно ускользала от филологов, философов и великих теологов.

Жизнь имела смысл, это точно.

Но выразить его оказалось очень трудно, точнее, его невозможно было облечь в простые слова галактического языка.

Нет, смысл жизни для своего выражения требовал нового языка, математического. Поскольку необходимость есть мать всех изобретений — неизвестно, правда, кто отец, — Билл изобрел такой язык. Он служил одной лишь цели: выявить и высветить все крупицы смысла, которые составляли одно великое целое. Смысл жизни.

Прошли долгие недели, месяцы и даже годы — два года, если быть точным, — прежде чем Билл смог переварить полученные знания и выразить их в краткой математической формуле. Он выцарапал ее ногтем на переборке, постоянно перечитывал и восхищался ею. Вот оно. Придет время, и он откроет сию истину всей Галактике.

В переводе на галактический язык это выглядело приблизительно так:

«Жизнь = бардак».

Хотя жизнь не есть бардак. Короче. Глубже.

Прекраснее.

Билл не знал, где находился, когда записал свое уравнение. За время его заключения на корабле тот приземлялся много раз, и каждый раз, спрятавшись в солому, Билл оставался незамеченным. Он совершенно потерял счет дням, потому что дней не было — а была только вечная полутьма, нарушаемая стонами солдат да звяканьем цепей.

Билл не мог налюбоваться на свое уравнение. Мозг его пылал, нет, совершенно сиял! В его душе пылал огонь истины, и ясный свет ее обещал разрешение всех загадок Вселенной.

Смысл жизни мог разрешить все несчастья во Вселенной! Мог уничтожить и боль, и страдания. Если бы только удалось выбраться из проклятого корабля и связаться с правительством чинджеров, с императором, то между чинджерами и человечеством воцарился бы вечный мир!

И не стало бы солдат!

И не было бы войны!

И исчезли бы страх и ненависть, кровь и смерть! И не надо было бы напиваться до бесчувствия. И Вселенная стала бы царством мира, музыки, искусства и литературы! Царство дружбы и вселенской доброты.

— Жизнь прекрасна! — объявил он ИИ. — Но она стала бы еще краше, если бы мне удалось хоть раз прилично поесть и сбежать с этого корабля.

— Ты прав. Но как это сделать?

Билл не знал. А потому направил свой раскрывшийся, просветленный разум на решение других задач. Поскольку для остальной Галактики постижение элементарных основ его уравнения потребовало бы значительного времени, Билл принялся разрабатывать проблему выражения смысла жизни на понятном для людей языке. Это была нелегкая задача, и он не раз заходил в тупик, прежде чем впереди забрезжил слабый свет удачи. К тому же Билл понимал, что если ему не удастся донести смысл жизни до остального человечества, то жизнь людей не станет лучше.

И вот однажды, когда он прорабатывал особо трудную экзегезу, мимо пробежал человек, споткнулся о цепь, которой он был прикован к переборке, и порвал ее. Биллу показалось, что он сошел с ума.

Глава 20

Билл встал.

— С дороги, мать твою! — рявкнул его случайный спаситель. — Я хочу сойти!

Билл попытался ответить, но в последние два года ему так мало доводилось разговаривать, что он едва смог промямлить нечто несуразное:

— Медленно поворачиваюсь. Шаг за шагом... сантиметр за сантиметром...

— Уйди с дороги! Мне нужно спуститься!

Билл поднял ногу, на которой болтался обрывок цепи. Да, это правда!

— Я свободен! Не могу поверить! Ты меня освободил! Я долгие годы, всеми забытый, просидел на этом корабле! А ты меня освободил! Как мне тебя благодарить?!

— Уйди с дороги! Мне нужно спуститься!

Заверещал селектор:

— Две минуты до закрытия люка. Следующая остановка — Чертова планета!

— О нет! Опять на Смерть — шестьдесят девять! Это верная гибель! — Билл рухнул на колени перед незнакомцем и зарыдал.

— Уйди с дороги!

— Молю вас, сэр! Я открою вам тайну Вселенной! Я знаю смысл жизни!

— Послушай, придурок, даже если ты можешь открыть мне капитанский бар — мне все равно. Это корыто скоро взлетит, и я не собираюсь на нем оставаться!

— Я не лгу!

— Можешь ты подвинуться, приятель? Мне нужно попасть на трап.

Селектор снова заверещал:

— Одна минута до закрытия люка. Следующая остановка — Чертова планета!

Солдат запаниковал.

— Я не лгу!

— Тридцать секунд до закрытия люка, — произнес голос в селекторе. — Последний шанс купить страховку. Десять миллионов кредиток за голову. Двадцать девять секунд...

Это уже когда-то было, пронеслось в голове у Билла. Да еще и этот парень!

— Я же сказал тебе — прочь с дороги!

Билл ощутил резкий и сильный удар. Он кувыркнулся назад, еще раз назад — а потом пол куда-то исчез. Он попытался ухватиться за поручень трапа — но тот треснул, и Билл полетел вниз.

Он сильно ударился об пол, но теперь уже точно знал, что делать дальше. Не теряя времени, не обращая внимания на боль, пронзившую все тело, он вскочил и помчался к выходу.

И вскоре увидел овал люка. Да, это был люк, и сквозь него потоком лились дневной свет и воздух. Дымный, вонючий — но все равно свежий воздух. Внезапно ослепнув, Билл неуверенно спустился по рампе.

«Свободен, — подумал он. — Свободен!»

Свободен — но где он находится?

— Эй, солдат. Куда собрался? — окликнул его охранник.

— Где я?

— Да ты что, рехнулся? Ты на космодроме «Счастливый старт» на базе «Печальный эфир». Пытаешься бежать с корабля? Кто ты такой?

И тут Билл вспомнил все, решительно все. Благодаря своему окрепшему разуму он понял, что происходит.

Он попал в прошлое.

И столкнулся с самим собой.

Он внезапно вспомнил, что нужно ответить.

— Я лейтенант Брендокс! Вот кто я!

— Отлично. Значит, тот парень все-таки тебя нашел? А где он сам, черт возьми?!

— Уже идет. Сейчас явится.

Охранник глянул на часы.

— Ему лучше бы поторопиться. Старт уже скоро.

— Не волнуйся, — успокоил его Билл. — Он успеет. Только...

И тут, когда до старта оставалось всего три секунды, он увидел самого себя, скатывающегося вниз по рампе. Его двойник остановился у самого подножия рампы.

— Алло, приятель, это и есть твой Брендокс?

Билл глянул в глаза себе прошлому таким умоляющим взглядом, какой только смогли изобразить его покрасневшие глаза. Он встретил свой собственный взгляд, и тут будто что-то щелкнуло.

— Да, это он. Я забираю его.

— Ладно, садитесь в свой гравикар и проваливайте, а то когда эти штуки взлетают, они сжигают вокруг все живое.

И часовой рванул прочь от корабля что было сил.

Билл огляделся вокруг. Да, вот и гравикар, он вспомнил его. Билл быстро залез на заднее сиденье.

Билл-младший сердито забрался на водительское место и врубил двигатель.

— Не понимаю, зачем я это сделал. Ничего не понимаю, — пробормотал он, когда гравикар рванулся вперед.

— Ты не пожалеешь, Билл. Я тебе обещаю, — ответил Билл.

Билл услышал, как сзади взревел «Вельзебуб». И почувствовал, как что-то сжало его руку.

Браслет... он заработал. Экранированный металлической обшивкой корабля, он не мог работать. Но здесь, снаружи, браслет ожил и послал сигнал в пространство и время...

Сигнал для сэра Дудли и Эллиота-Успра.

Билл даже не успел до конца осознать свою мысль, как они материализовались и зависли в воздухе. Эллиот поманил его.

Билл не стал дожидаться особого приглашения. Тряхнув длинными волосами, он прыгнул из несущегося на полной скорости гравикара прямо внутрь Портала Времени. Эллиот-Успр и нео-Билл исчезли, устремившись в будущее.

На Адскую планету.

— Где мы? — спросил Билл и закашлялся, вдохнув дымный, загрязненный воздух.

Среди мрачных туч сверкали молнии, вонючий теплый дождь лился на полуразрушенный город. В сумраке, сотрясаемом раскатами грома, двигались неясные фигуры.

— Он еще спрашивает! — фыркнул сэр Дудли. — Пока он занимался своими делами — и, судя по твоему виду, то были интересные дела, — мы с Эллиотом решили, что пора кончать со всем этим. Даже если вся блумсберрийская компания снова займется своей скучной писаниной, это не устранит полностью угрозу возникновения нацизма. Потому что существует Адская планета. В результате сложнейших расчетов мне удалось выяснить этот незаметный, злокачественный завиток Времени. Этакая рекурсивная петля, которая и явилась причиной всех неприятностей во Времени. Мы здесь, чтобы уничтожить ее навсегда.

— Звучит очень убедительно, — заметил Билл. — Исследуй, объясняй, размышляй, уничтожай.

— Ага, Билл. Что-то ты странно заговорил, — удивился Эллиот-Успр. — Что с тобой произошло?

— Буду счастлив объясниться, как только мы закончим настоящую операцию.

— Ага-ого, — пробормотал Эллиот-Успр, удивленно покачав головой, и повернулся к сэру Дудли. — Что вам известно об этой планете?

— Очень немногое. Это обреченная и отчаявшаяся планета. Здесь навалом нацистских лозунгов и сильно влияние хиппизма. Должен добавить, что самый воздух здесь пропах порнухой. Да, это и есть родина порнографии и ее почитателей — и мы наконец сюда попали! Должен сказать, Билл, — именно должен, — ты сыграл в этом не последнюю роль!

В разбитом окне полуразвалившегося здания Билл заметил свое лицо. И невольно раскрыл от удивления рот. Он был как две капли воды похож на того парня, который пытался его убить на борту круизного лайнера по дороге на планету Баров!

Длинные нечесаные волосы свисали до плеч. У него отросли усы и борода. Одежда его была грязна и вся оборвана.

— Отвратительная внешность — но вместе с тем идеальная маскировка для предстоящей операции, — заметил он.

Эллиот-Успр брезгливо сморщил нос:

— Да уж. И все же неплохо бы тебе ванну принять, а, солдат? Я всегда говорил, что люди так ненавидят чинджеров именно за то, что мы не потеем. Да здравствуют чинджеры! Но ты сегодня особенно очарователен, Билл!

— Полностью согласен, — добавил сэр Дудли.

— Прошу меня извинить, джентльмены. Весьма сожалею, но я провалялся на корабле два года и надеюсь, что вы меня поймете.

Эллиот-Успр сокрушенно покачал головой. А может быть, такое покачивание головой у чинджеров означает ироническую усмешку?

— Да, Билл. Это, наверное, было ужасно. Искренне рад, что наконец ты выбрался. Мы буквально прочесывали Время, пытаясь тебя отыскать. Что же ты делал, пока мы тебя не нашли?

— Возможно, ты заметил, что я трезв, — ответил Билл. — Я трезв и нисколько не хочу выпить. К тому же при помощи К-капсулы, которую мне любезно вшил Дж. Эдгар Инсуфледор, я сильно повысил уровень своего образования!

— Нет! — воскликнул сэр Дудли.

— Да! И мне даже удалось постичь смысл жизни!

— Ты наступил мне на хвост! — вскричал чинджер.

— Конечно, для этого пришлось изобрести новый математический язык. Для того чтобы постичь смысл жизни, вам сначала придется понять смысл уравнений, — пояснил Билл.

— Ага, но почему бы тебе сначала не принять ванну, прежде чем приступать к лекциям?

— Да, а уж потом мы разберемся и с хиппи, и с нацистами!

— Хотелось бы. Это поможет решить все проблемы Вселенной.

Тройка дружно ринулась на поиски гостиницы. Нацисты и хиппи могут немного подождать — сейчас Биллу до зарезу нужна горячая ванна!

Пока они шли по улицам, Билл заметил, что все местные жители — и мужчины и женщины — внешне очень похожи на него. Отличались они только одной деталью костюма — на голове у каждого сидела забавная шапочка.

— Ну конечно! — смекнул он. — Конечно! Это же эмблема любителей порнухи! Похоже, они перебрались на эту планету, чтобы скрыться от преследований.

— Ага, Билл, мы тоже сразу это поняли!

— Ах! — воскликнул Билл, озираясь по сторонам. — Ах! Ах!

После долгого сидения в омерзительной дыре было чрезвычайно приятно ощущать вокруг себя новый мир. Ах, как это было прекрасно!

— Этот город, похоже, представляет собой своеобразный культурный центр. Все местное население поголовно занимается в этом центре порнухой, и, по всему видно, далеко не первый год.

— Давай наконец пойдем в гостиницу, и ты примешь ванну! — возмутился Эллиот-Успр. — А осмотр достопримечательностей оставим на потом!

Они шли мимо бесконечных длинных магазинчиков, забитых книгами, дешевой бижутерией, порножурналами и прочей экзотической чепухой. Вокруг толпились длинноволосые хиппи в диких нарядах: тут были и полуобнаженные девушки, одетые рабынями, и матроны-садомазохистки с плетками и прочими интересными приспособлениями. Приятели проходили мимо каких-то балаганов, где хиппи, раскрыв рот, слушали байки порногероев о том, как отлично можно бочком, ничком, тычком, паровозиком, рачком и как-то уж совсем умопомрачительно. Они проходили мимо огромных залов, набитых произведениями искусства и картинами, будто взятыми из Билловой коллекции голопорнографических комиксов.

Прежний Билл наверняка был бы сражен, но нынешний, сверхобразованный Билл, знания которого были достойны десяти докторских дипломов Оксфорда, трех — Гарварда и отеческого поцелуя в лоб президента Беркли, пришел в ужас.

— Боже мой! Какой кошмарный вкус! Могу себе представить, какая у них литература!

Ведь Билл, отдыхая от ученых занятий, прочел всю классику — от «Беовульфа» и Шекспира до книги «Тайная миссия НЛО». Поэтому он хорошо представлял себе разницу между серьезной литературой и популярной литературой для народа. Билл и сам лелеял мечту, после внедрения смысла жизни в умы населения Галактики, сесть за написание мемуаров — если только удастся вспомнить все, что с ним произошло.

— Идем же, Билл, — подгонял его Эллиот-Успр. — Конечно, это грязные книжки, но в данный момент ты еще грязнее!

Наше трио наконец отыскало комнату с ванной, в которую немедленно засунули Билла. Воду в ванне пришлось менять пять раз. Бороду и волосы решили оставить — с такой маскировкой легче искать источник порноинфекции.

Сэр Дудли тоже переменил внешность в целях маскировки: теперь он выглядел не как обычный Портал Времени, а выступал в роскошном наряде мастера пыток с набором плетей и горшочком расплавленного свинца. Эллиот-Успр вырядился полуголой вавилонской блудницей.

— Что ж, джентльмены, в путь? — спросил Билл.

Он страшно гордился недавно приобретенным интеллектом. Его жизнь наконец приобрела смысл. Он собирался не просто спасти Вселенную, но и придать смысл самому ее существованию, тот самый смысл, который так обогатил его душу!

Глава 21

— Алло! Парни! Чем могу быть полезен? — окликнул их охранник.

Огромный мускулистый тип был одет в голубой мундир с голубыми эполетами, на голове порношапочка в горошек, из кобуры торчала рукоять пистолета. Ширинка на штанах, конечно же, расстегнута.

— Добрый день, — вежливо поклонился Билл. — Мы поклонники порно и направляемся на встречу с издателями «Суперпорно». На котором они этаже?

— Похоже, вам надо в «Галапорно-публикейшнз» — это девятый и десятый этажи. Док обретается там. Он и возглавляет весь проект. Писатели и редакторы занимают седьмой и восьмой этажи. Пассажирские лифты сегодня на ремонте, вам придется воспользоваться грузовым лифтом.

— Благодарю вас, сэр! — произнес Билл, не на шутку перепуганный богатством своего словарного запаса и благородной изысканностью собственных манер. — Вы очень любезны!

— Пройдите через холл, — показал охранник. — Лифт там, где свалены ящики с быстрорастворимыми писательскими мозгами.

Билл с приятелями направились к грузовому лифту. И точно, рядом были кучей навалены ящики с надписями: «Осторожно — быстрорастворимые мозги писателей. Залить горячей водой и размешать».

— Очень интересно, — заметил Билл. — А я-то всегда поражался, откуда они выкапывают свои дикие идеи?

Ждать лифта пришлось довольно долго. Наконец друзья вошли в кабину и поднялись на девятый этаж. Когда они вышли из лифта, Биллу в уши ударил треск компьютерных клавиш. Он заглянул в первую попавшуюся дверь, и глазам его предстало жуткое зрелище.

Огромный зал был уставлен рядами компьютеров. И к этим компьютерам были прикованы мужчины и женщины, которые, согнувшись над клавишами, усердно выколачивали светящиеся строки. Прозрачные трубки с отвратительной черной плазмой внутри тянулись к венам жертв: кофе вводился прямо в кровь. Спины людей покрывали рубцы; кровавые лохмотья изорванных руб уже не прикрывали их. Между рядами расхаживали мускулистые охранники с хлыстами, готовые в любой момент огреть того, кто слишком долго думает над строкой. На краю каждого стола лежали жалкие кучки монет — скудное вознаграждение за рабский литературный труд.

— Ага, — заметил Эллиот-Успр. — Толкуй после этого о писательском труде!

— «Редакторский отдел», — прочел Билл на табличке. — Нам сюда. Полагаю, что доктор Крафт-Ниблинг сидит здесь. Значит, вы считаете, что именно он заправляет порнобизнесом на этом отвратительном отрезке Времени? Однако я не вижу здесь никаких признаков национал-социализма. Это чистой воды капитализм!

— Понимаю, понимаю, — ответил сэр Дудли. — Меня и самого это сбивает с толку! Но мы должны остановить этого человека. Положить конец всем его злодеяниям. Он просто бесчеловечно обращается с писателями. Даже если это клоны — все равно нельзя их так мучить!

— Правильно! — поддержал его Эллиот-Успр. — Вот мы уважаем и обожаем наших писателей. Они купаются в почете и любви и получают все самое лучшее.

— Ты прав. Похоже, мне придется заняться еще одной проблемой — правами писателей. Это очень кстати, потому что я сам собираюсь стать писателем!

— В самом деле? — удивился сэр Дудли. — Собираешься написать руководство для алкашей? Ты же в этом деле ветеран, опыта тебе не занимать.

— Я отринул алкоголь и теперь пью только из чистого источника истины! — высокопарно заявил Билл.

Тут они подошли к офису Крафта-Нибблинга. Не потрудившись даже постучать, ввалились прямо в приемную.

— Кто вы такие? — вскинулась секретарша.

— Нам нужно срочно видеть Крафта-Нибблинга, — рявкнул Эллиот-Успр, вытащив бластер. — Пошевеливайся!

Секретарша нажала кнопку селектора.

— Доктор Крафт-Нибблинг, — застрекотала она, — у нас в приемной какие-то обезумевшие читатели!

Доктор Шелли Д. Крафт-Нибблинг-младший был решительно бледен. Он, откинувшись, лежал в кресле.

— Послушайте, ребята. Билл, Эллиот-Успр, сэр Дудли. Должен признаться — да, я несколько жесток. Я, конечно, мог послать хиппи назад в прошлое, чтобы изменить историю литературы. Но нацисты? Никогда! Я сам не понимаю, как такое могло произойти?! Не могу представить себе — если, конечно, то, что вы рассказали, правда!

Билл бросил на Крафта-Нибблинга подозрительный взгляд.

— Конечно правда. Вы что же, не верите нам? Может быть, вы хотите доказательств?

Правду сказать, Билл не доверял этому типу. Может, из-за гладко зачесанных назад волос. А может быть, из-за бегающего, уклончивого взгляда. А может, из-за башмаков из змеиной кожи. А больше из-за того, что своим острым носом и строгим видом этот типус напоминал Биллу того самого вербовщика, который заставил его подписать армейский контракт на Фигеринадоне-II.

Но поскольку Билл когда-то был страстным почитателем порнокомиксов, он не мог поверить, что доктор совсем уж плохой человек.

— Послушайте, — сказал Крафт-Нибблинг. — Вы мне нравитесь, парни! Я люблю таких людей!

— Тогда почему же ваш хиппи пытался убить меня и Билла? — поинтересовался Эллиот-Успр.

— Наверное, тот парень был излишне фанатичен, — согласился доктор. — Но я не приказывал ему убивать! Я желаю только мира, процветания, всеобщего счастья и стабильного оборота в торговле — пусть даже и с минимальной прибылью! — Он картинно оглянулся вокруг. — Вот чего я не вижу, джентльмены, так это никаких признаков так называемых нацистов!

И в этот момент заверещал селектор.

— Извините, доктор Крафт-Нибблинг, — послышался голос секретарши. — Вас хочет видеть мистер Шикльгрубер.

— Очень знакомое имя! — заметил сэр Дудли.

— Эдна, скажите ему, что сейчас у меня очень важная встреча и...

Голос секретарши зазвенел на грани истерики.

— Мне кажется, что это его не...

Дверь распахнулась.

В кабинет ворвался человек в сером мундире, весь перетянутый черными ремнями, с маленькими черными усиками. Он размахивал огромным люгером.

— Всем руки вверх! А то састрелю! — крикнул нацист.

— Вспомнил! — обрадовался сэр Дудли. — Шикльгрубер — это же настоящая фамилия Гитлера!

Эпилог

— Отличный выстрел, Успр, — похвалил Билл. — Одна вспышка бластера — и Гитлера нет. Здорово, что ты наконец сбросил маскировку. Так приятно снова видеть нашего славного четырехпалого зеленыша!

— Как только он исчез — сразу пропали все нарушения Времени, — сказал сэр Дудли. — Я проверил все вплоть до того момента, когда они выдернули его из бункера. Он тогда даже понять ничего не успел.

— А мне больше всего понравилось, как враз пропали хиппи со своей Адской планетой, когда разрушилась петля Времени, — вмешался чинджер Успр. — Ага, мы должны поблагодарить вас, сэр Дудли, за проявленную сообразительность и умелые действия в качестве Портала Времени.

— Ты слишком добр, мой мальчик. Я просто исполнил свой долг!

— Исполнил, да совсем не просто. И не зря же ты затащил нас на планету Баров!

— Самое то место, чтобы отпраздновать победу!

Только уже не для Билла. Он сидел, скорбно уставившись на стакан лимонада.

— Жизнь отнюдь не бардак, — бормотал он. — Жизнь совсем не бардак.

478

«Ну вот, задание наконец выполнено, — размышлял он. — Я сижу в баре у Дядюшки Нэнси, на мне прелестный летний ансамбль, во Вселенной больше не существует угрозы нацизма, я знаю, в чем смысл жизни. Так почему же меня так мучит ощущение полной бессмысленности бытия?»

Эта мысль не давала Биллу покоя.

— Я так счастлив, что опять занимаюсь своим делом, ребята! — радовался Дядюшка Нэнси, выставляя всем напитки.

По случаю победы Дядюшка Нэнси нарядился в прелестное голубое платье с блестками. Его шею украшало пушистое боа.

— Я рад, что бар в порядке и напитки на месте. Эй, Билл! Ты совсем не пьешь свой лимонад. Может, налить тебе чего-нибудь человеческого — за счет заведения? Как насчет кружечки дивного пенного хальционского пивка? Оно очень крепкое!

Слюнные железы Билла судорожно сжались, но он мужественно тряхнул головой.

— Нет, спасибо, друг мой. Я решительно не пью. — Он похлопал себя по окрепшей печени. — К тому же приходится заботиться не только о физическом здоровье — моему мозгу грозит серьезная опасность. Весь мой интеллект исчезнет без следа, как только серое вещество подвергнется действию этилового спирта.

— Как угодно. Однако славно вы всыпали нацистам! Будете пить бесплатно весь вечер!

Успр с энтузиазмом дул пиво из кружки, не меньше его ростом.

— Ага, спасибо. Осталось только остановить войну между чинджерами и людьми, и все будет в полном порядке!

— Ну уж нет! — отрезал сэр Дудли. — Я больше никого не буду перемещать во Времени! Хватит с нас изменений. Опять же нацисты могут прорваться обратно, если мы будем все время скакать туда-сюда. Кто его знает. Может быть, в Галактике не один такой Гитлер, и где-нибудь болтается еще один подонок! — Портал Времени даже вздрогнул.

— Да ладно, — успокоил его Успр. — Ага, и все-таки мы молодцы. Так приятно с вами выпить, парни. Хорошее это дело — временное перемирие.

Они вспоминали былые приключения, шутили и смеялись, а Билл задумчиво попивал лимонад. Проблема состояла в следующем: если жизнь не есть бардак, а ты ничего, кроме бардака, в жизни не видел, то что же получается? Формула, которую он вывел, была прекрасна, а быть интеллектуалом — просто здорово. Но к чему все это?

И в самом деле, чем больше он размышлял над этой проблемой с позиции чистого разума, тем более отвратительной и пугающей казалась ему Вселенная!

Кроме того — непомерный интеллект превратил его в невротика. Когда ты глуп, то мучиться приходится гораздо меньше. Раньше Билл беспокоился только о том, чтобы выжить, да еще о том, где выпить кружку пива.

Это была по-настоящему простая и яркая жизнь.

Вдруг Билл заметил у себя под носом здоровенную кружку пива. Запах хмеля и солода ударил ему в голову. Он поднял взгляд и увидел улыбающееся лицо Дядюшки Нэнси.

— Что это? — спросил Билл.

— А ты дерни, Билл. Одна кружка тебе не повредит. Расслабься, не порть людям вечер.

— Нет, — отказался Билл. — Хватит с меня и лимонада. Вот что мне действительно необходимо, так это интересный разговор. Дядюшка Нэнси, давай поболтаем о литературе. Или о философии. Я думаю, что...

Его прервал шум у входа. Билл и его друзья как один обернулись и увидели группу солдат, без платьев, входящих в бар. Впереди шествовал не кто иной, как Дж. Эдгар Инсуфледор, одетый в форменный плащ.

— Билл, — зарычал шеф ГБР грубым низким голосом. — Билл! Твой рапорт никуда не годится! Удачная операция? Что это значит? И где Эллиот Метадрин?!

— Ха! Ха! Ах ты, старый дурак! — приплясывал захмелевший Эллиот-Успр. — Я, чинджер Успр, и был Эллиотом Метадрином!

Успр показал шефу нос.

Завсегдатаи бара разразились аплодисментами.

— Что такое?! — рявкнул приземистый краснолицый шеф. — А это что за подозрительный субъект? — Он уперся взглядом в сэра Дудли.

— Ваши замечания кажутся мне совершенно неуместными, сэр. Я полагаю, что вам лучше убраться отсюда, иначе...

— Иначе! Ты мне угрожаешь? А может, ты тоже переодетый чинджер? — Он в ужасе отскочил назад, озираясь по сторонам. — Бог мой! Книги! Вы только посмотрите на эти книги... да вы здесь все колпартийцы. Солдаты — взять их, а книги сжечь! Немедленно. Билл, а ну-ка снимай свое дурацкое платье и дружкам помоги. Будешь хорошо себя вести — получишь только месяц губы.

Билл вздохнул. Посмотрел на своих друзей. Посмотрел на солдат с Инсуфледором во главе. Потом вытащил из набедренной кобуры вычищенный бластер, перевел регулятор на максимум и поднял оружие.

— Не делай этого, — вмешался сэр Дудли. — Инсуфледора можно пустить в расход, но ты себе никогда не простишь, если погибнут простые солдаты. У меня есть идея.

Сэр Дудли стал на глазах пухнуть, пока Портал Времени во всем своем великолепии не вырос до потолка. Перепуганные солдаты принялись палить по нему, но Портал лишь хохотал в ответ, вбирая в себя энергию выстрелов, и становился все больше и больше.

А потом — взорвался!

По глазам ударил световой взрыв, а когда зрение вернулось, все увидели, что Портал Времени исчез. Вместе с Инсуфледором и солдатами.

Билл вздохнул:

— Добрый был Портал, что там говорить. Выпьем за его здоровье.

Подсознание уже приняло за него решение. Он быстро протянул руку, схватил кружку пива и в три глотка осушил ее.

Алкоголь — после двух лет полного воздержания — крепко ударил ему в голову.

— Новое следствие из теоремы о смысле жизни, — уже неверным голосом объявил он. — Жизнь, может быть, и не есть бардак, но очень на него похожа! — Он решительно двинул вперед кружку. — Давай еще по одной, Нэнси.

— Правильно, Билл, — одобрил Дядюшка Нэнси. — Поднажми!

— Эй, придурок! — завопил ИИ, хотя никто его не включал. — Что случилось с шефом?

Билл вздохнул:

— Сейчас мы поговорим о твоем будущем. Сэр Дудли, где вы там — вы меня слышите? Не могли бы вы прихватить с собой и этот прибор?

В воздухе материализовалась карточка и упала на стойку.

«За него не волнуйся, Билл. Отдыхай», — было написано на ней.

Что-то звонко щелкнуло в ухе у Билла, и прибор исчез.

— Ага, Билл, вот и остались мы вдвоем. Давай выпьем по последней, да я тоже пойду. Черт бы побрал эту войну.

Успр опрокинул свой стакан.

Билл с удовольствием осушил вторую кружку пива, и сладкий голос пьяного забытья затянул у него над ухом свою колыбельную.

Он заказал порцию крепкого пива и взгромоздил ступню на стойку бара.

— Знаешь что, Нэнси... — сказал Билл.

— Что, Билл? — поинтересовался Нэнси, благословляя его алкогольное будущее.

— В конце концов, совсем неплохая у меня нога. Знаешь, я даже думаю, что всякий вояка должен гордиться такой ногой.

— А по-моему, так и вовсе отличная нога, Билл, — ответил Дядюшка Нэнси.

— Точно. — Билл хлебнул свежего пивка, а потом не спеша влил в себя еще две имперские пинты. — Между прочим, парни, — опомнился он. — Я ведь собирался поведать вам, в чем состоит смысл жизни, — клянусь жизнью, я совсем забыл, что хотел сказать!

— Все просто, старина. Ты говорил, что жизнь вовсе не бардак.

— Да, ты говорил так, Билл, — уже из дверей крикнул Успр. — И это мудро! Счастливо оставаться!

— Ты настоящий чинджер, и я должен исполнить свой долг, — пробормотал Билл, нащупывая бластер. Но в дверях уже никого не было. Он вздохнул и сказал слова, которые следовало бы начертать на его могиле, если, конечно, он до нее доберется: — Бармен, налей-ка мне еще одну.

Билл, герой Галактики: последнее злополучное приключение

(В соавторстве с Дэвидом Хэррисом)

Глава 1

Стопы, стопы — всевозможные, всех и всяческих размеров и форм. Целый шкафчик стоп. Там были такие, что выглядели как крылышки из нержавеющей стали, и такие, которые, по всей видимости, принадлежали раньше различным животным вроде бобродеров и рыгоклювов, не говоря уж о стопах — армейских башмаках и стопах-кроссовках. Одна стопа, заказанная Биллом из сентиментальных соображений, сильно смахивала на заржавленное копыто робомула. Кроме того, в шкафчике имелись стопы в виде гоночных автомобилей и космических кораблей, а также скопированные со стоп героев голографических мультяшек, которые особенно нравились Биллу. Словом, содержимое шкафчика представляло собой настоящий клад; там можно было обнаружить все, что угодно, за исключением разве что человеческих ног. Все эти стопы были, разумеется, искусственными.

Билл давно уже мучился со своей ногой — с тех самых пор, как вынужден был отстрелить ее, чтобы спастись с Венерии, планеты смерти. Запасных человеческих ног на армейских складах было в обрез. За короткое время после ранения Билл успел сменить несколько разновидностей — слоновью, козлиную, ногу-капризулю, всего не перечесть, — потом обзавелся шкафчиком, чтобы было куда складывать новые, однако человеческой ему никак не приращивали, и мало-помалу он пришел к неутешительному выводу, что о той нечего и мечтать, а потому вживил в обрубок ноги муфту для протезов.

Щелк! Билл свирепо поглядел на черную лакированную стопу, на которой отливали красным и золотым китайские пагоды. Нет, эта не годится. Если он хочет сегодня вечерком хотя бы приблизиться к какой-нибудь женщине, надо подобрать ножку пошикарнее. Щелк! Билл с головой погрузился в шкафчик в поисках более сексуальной стопы. Может, подойдет розовая плюшевая с кривыми ярко-красными пластиковыми ногтями? Нет, она недостаточно мужественная. Щелк! А, вот то, что нужно! Щелк! Билл отступил на шаг, чтобы полюбоваться находкой в маленьком армейском зеркальце возле ножек койки.

Да, эта стопа внушала уважение, она словно говорила: «Посмотрите, какой чистоплотный у меня владелец!» — пускай даже некоторые из частей тела присутствовали у Билла вовсе не с самого рождения, — большая, волосатая, дикая, точь-в-точь такая, каким воображал себя Билл; к тому же весьма обезьяноподобная, как и сам Билл. В общем, праматерь всех стоп на свете.

Билл еще днем — сейчас уже близился вечер — сумел, посредством подкупа и грубой физической силы, выклянчить у штабного писаря увольнительную. Впрочем, городок, в который он намеревался отправиться, отличался от лагеря, то бишь военной базы под названием Бубонная Чума, только тем, что располагался по другую сторону забора. Однако, по слухам, там обитали женщины — не те, которые носили мышиную форму имперской армии, а настоящие — что сидели в барах, где подавали спиртное без всяких ограничений; женщины, с которыми можно будет заговорить, прикоснуться к их коже и... Билл начал тяжело дышать и вынужден был приструнить разыгравшееся воображение.

Вдалеке послышался шум. Наученный годами службы, Билл весь обратился в слух и различил возглас: «Офицер!» Чутье бывалого солдата подсказало ему, что пора сматывать удочки. Он кинулся в заднюю дверь, но опоздал.

Дверь преградила кирпичная стена.

Вернее, не то чтобы настоящая стена — Билл не помнил никакой стены сразу за дверью; вдобавок даже в лагере Бубонная Чума стены не носят мундиров. Билл вскинул голову и обомлел: перед ним возвышался сержант Брикуолл[1].

Билл замер, затем оскалил свои драгоценные клыки и глухо зарычал.

Сержант ощерил собственные имплантированные резцы и грозно рыкнул в ответ — ни дать ни взять кролик со склонностью к вампиризму.

---

[1] *Brickwall* — кирпичная стена *(англ.)*.

Билл яростно взревел и брызнул слюной в лицо сержанту.

Тот не остался в долгу и вернул слюну Билла хозяину, присовокупив набежавший процент.

Билл снова зарычал и стукнул себя кулаком в грудь. Брикуолл проделал то же самое и вновь ощерился.

Судя по всему, подумалось Биллу, одной хитростью тут не возьмешь.

— Пошел в задницу! — рявкнул он.

Брикуолл расхохотался самым оскорбительным образом.

— Твоя мамаша носит армейские башмаки! — презрительно процедил Билл.

— Естественно! — моргнув, возмущенно отозвался Брикуолл с пеной у рта. — Что же ей, в туфельках шастать, коли она служит в армии?

— Чего оскалился? — взвизгнул Билл в отчаянии. — Думаешь, очень страшно? Тоже мне кролик выискался!

Брикуолл замысловато выругался. Похоже, уклончивость тоже оказалась бесплодной.

— Куда намылился, Билл?

— Будь другом, приятель! — В приступе отчаяния Билл рухнул на пол и обхватил руками колени сержанта. — Не заставляй возвращаться! По казармам ходит офицер! Я чувствую, произойдет что-то ужасное!

— Извини, Билл, — сержанта, похоже, нисколько не тронула мольба товарища, — ты ведь знаешь правило, своя задница дороже всех остальных. Коли я отпущу хоть кого-нибудь, то пострадаю сам, а на хрена мне это надо? Не забывай об уставе десанта!

Билл не мог забыть об уставе, даже если бы сильно захотел, поскольку тот вколачивался под гипнозом в мозги всем подряд, от зеленого новобранца до бывалого сержанта.

«Трахай приятеля, пока он не трахнул тебя».

— Приятно было познакомиться, Билл. Не возражаешь, если я позаимствую твои клыки, когда тебя укокошат?

Биллу было настолько плохо, что он никак не отреагировал на рутинную просьбу Брикуолла. Герой Галактики прикинул на глазок расстояние, попытался прошмыгнуть мимо сержанта, получил здоровенную зуботычину, отлетел назад, поднялся и угрюмо поплелся обратно в казарму. Та представляла собой до отвращения унылое помещение: ее стены были раскрашены согласно указаниям невестки императора, которая всемерно заботилась о том, чтобы поддерживать моральный дух десантников на постоянно низком уровне, а потому подобрала такие цвета, что у любого, кто входил в казарму, тут же начиналась отрыжка. Теперь Билла не могла развеселить даже коллекция стоп.

И без того мрачное настроение Билла усугубилось тем, что посреди казармы стоял костлявый коротышка в офицерской форме, которого окружали шестеро высоких, весьма аппетитных на вид телохранительниц. То был не кто иной, как капитан Кадаффи, герой личных императорских коммандос. Он пережил дюжину битв, десятки рейдов на вражескую территорию и сотни покушений, которые устраивались его собственными подчиненными. Кадаффи был известен тем — и за это им восхищались другие офицеры, но, естественно, не солдаты, — что обычно продолжал сражение до победного конца, то бишь до тех пор, пока не погибнет последний солдат.

Что касается рядовых десантников, они, разумеется, не разделяли мнение офицеров, но их никто не спрашивал. Поэтому им не оставалось ничего другого, как покушаться на жизнь капитана. Была даже одна попытка — естественно, неудачная — прикончить его, когда он читал лекцию; девизом этой попытки было: «Если сдохнет в классе гад — уцелеет в схватке зад».

Телохранительницы выстроились полукругом, взяли на изготовку пистолеты и бластеры. Кадаффи принял позу, которая лишь немногим уступала в мужественности позам девиц, и пискнул с офицерским апломбом:

— Мне нужны добровольцы!

Билл и прочие десантники беспокойно зашевелились. Кто-то было попятился; телохранительницы капитана тут же надавили на спусковые крючки бластеров и сделали несколько предупредительных выстрелов в потолок.

— Мне требуется двадцать героев! Или у вас в жилах не кровь, а вода? — Десантники призадумались, однако Кадаффи не дал им времени собраться с мыслями. — Правильно! Я знал, что добровольцами будут все!

Капитан повернулся и шмыгнул за спины телохранительниц, самая крупная из которых, рыжеволосая красотка с устрашающе пышными формами, шагнула вперед и навела на солдат свое оружие.

— Похватали манатки и быстро за мной! — Чтобы доказать серьезность своих намерений, она игриво выпустила три или четыре пули в пол, прямо под ноги Биллу.

— Эй, — запротестовал тот, — это одна из моих лучших ног!

— Там, куда вы направляетесь, она тебе не понадобится. И вообще, завтра к вечеру ты обретешь вечный покой. Жаль, красавчик, ножка у тебя и впрямь соблазнительная.

— Меня зовут не красавчик, а Билл, с двумя «л», как офицера, — напыжившись, произнес Билл, но рыжеволосая уже утратила к нему всякий интерес.

Тогда Билл мрачно поплелся к своему шкафчику, разгреб содержимое, не испытав при этом ровным счетом никаких чувств, и извлек со дна стопу, которую ненавидел всей душой, — в виде армейского башмака с высоким голенищем.

То был шедевр, величайшее творение искусника-проектировщика. Стопа являлась лучшей из усовершенствованных моделей, а потому ее изрядно вооружили и снабдили множеством специальных приспособлений и тайных отделений. На мыске, напротив большого пальца, прятался нож, лезвие которого было смазано ядом; вдобавок в башмаке имелись: минилазер, годившийся как для сварки, так и для боевых действий, иглопистолет, патронташ, набор инструментов, отделение для презервативов, бутылочка горячего соуса, моток сверхпрочной веревки, компас, ракетница, портативная аптечка, пила, штопор, увеличительное стекло и куча других вещей, причем, чтобы вспомнить о некоторых из них, Биллу надо было прочесть инструкцию. Поскольку в той слов было больше, чем картинок, а размерами она лишь слегка уступала самой стопе, Билл так и не удосужился проштудировать ее до конца. Впрочем, в том пока не возникало необходимости. Единственным, чем он как-то попытался воспользоваться, была бутылочка с горячим соусом. К несчастью, соус пролился на упаковку рациона мгновенного приготовления, проев в той громадную дыру, отчего упаковка приобрела довольно живописный вид; однако качество рациона нисколько не улучшилось — тот как был, так и остался несъедобным.

Что же до размеров, стопа была поистине огромной; хорошо еще, что внутри она являлась полой, а то таскать за собой повсюду этакую тяжесть было бы просто невозможно.

Билл пристегнул стопу и затравленно огляделся по сторонам, высматривая, что бы прихватить в битву, а возможно, и дальше, в загробный мир. К сожалению, брать было нечего: все предметы, которые напоминали солдатам о доме, даже, как в случае с Биллом, голоснимок робомула с Фигеринадона-II, считались безвозвратно утерянными. Смахнув слезу левой правой рукой — то была память о старинном друге, миссионере религии вуду, предохранительном шестого класса преподобном Тэмбо, тогда как другая рука принадлежала Биллу с рождения, — герой Галактики нахлобучил на свою имперскую голову имперскую же каску и приготовился встретить предначертанную имперскими амбициями судьбу.

Едва добровольцы вышли из казармы, их окружили десантники в полном вооружении. Походило на то, что капитан Кадаффи принял все меры предосторожности, чтобы волонтеры не сбежали по дороге. Конвой препроводил добровольцев в арсенал, где находились бронированные скафандры. Выбора не было — пришлось забираться внутрь.

Скафандры имели со стопой Билла много общего. Их изготовила та же компания — «Оборонное предприятие второго кузена императора, Инк.», — уделив столько же внимания мельчайшим деталям. В частности, скафандры были оборудованы великим множеством различных устройств, которые иногда срабатывали, но чаще всего решительно отказывались выполнять то, для чего предназначались. Кроме того, снаружи скафандры, как и стопа, были облицованы выщербленным псевдохромом.

К тому же все они оказались примерно одинакового размера, и Билл вскоре обнаружил, что его нога не пролезает ни в один из скафандров. Он притворился, будто изнемогает от усердия, кинул вороватый взгляд на Кадаффи и телохранительниц капитана и принялся издавать диковинные звуки.

— Унк! — ункнул Билл. — Крск! — крскнул он секунду спустя.

Ему казалось, что представление получается весьма правдоподобным и необычайно убедительным. Он подпрыгивал, вертелся из стороны в сторону, выделывал немыслимые пируэты — словом, всячески подражал человеку, который ныряет с вышки в бассейн с рыбами. Своими стараниями он заработал у остальных добровольцев девять очков по пятнадцатибалльной шкале. Однако на капитана Кадаффи его ужимки не произвели ни малейшего впечатления. Он послал к Биллу все ту же рыжеволосую красотку.

— Чего ты тут выламываешься, придурок? — выдохнула та.

— Нога не пролезает, — пожаловался Билл. Телохранительница придвинулась поближе, чтобы рассмотреть, в чем дело, и Билл уловил пьянящий аромат. Неужели оружейное масло? Пульс Билла немедленно участился, чресла вдруг завибрировали. — Сдается мне, я остаюсь. Ведь нельзя же лететь без скафандра.

— Нет. Я сейчас отстрелю твою вшивую ногу.

— Не надо! Это же боевая нога! — воскликнул насмерть перепуганный Билл. — Куда мне без нее? — Он призадумался, а затем льстиво добавил: — С другой стороны, если ты отпустишь меня в казарму, я, глядишь, за пару часиков отыщу замену. А потом, — заключил Билл, вновь вдыхая сладостный аромат, — мы с тобой забрались бы в укромный уголок и сравнили бы, какие у кого ножки.

— Извини, приятель, — рыжеволосая покачала головой. — Не то чтобы я была против, но ты теперь коммандос. Знаешь их девиз? «Избранные. Гордые. Мертвые». Так что связываться с коммандос нет никакого смысла.

Она вновь осмотрела скафандр.

— Вот в чем загвоздка. — Лазерный резак отсек башмак скафандра. — Ну, все в порядке. Твоя стопа — неплохая замена, пригодится в бою; и потом, тебя все равно скоро убьют. И все будут довольны, верно?

Билл отстегнул стопу, влез в скафандр, снова прикрепил стопу, а телохранительница Кадаффи примотала ее к скафандру липкой лентой и похлопала Билла по спине:

— Поздравляю, приятель! Ты падешь смертью храбрых, сражаясь за императора. Меня так и тянет за тобой, но я должна прикрывать капитана. Лучше вкусно пожрать, чем концы отдать, а?

Билл пожал плечами — мол, понимаю — и принялся проверять свое оружие. Так, лазерная пушка с полным зарядом, заряженный гранатомет, автоматы с доверху набитыми магазинами; броня вся в царапинах, но ничего, сгодится. Билл нацелил один из автоматов в сторону левого желудочка Кадаффи и пару раз, на всякий случай, нажал на курок.

Клик! Клик! Выстрелов не последовало.

— Отлично! — воскликнул капитан и приблизился к Биллу, окруженному шестью амазонками и дрожавшему всем телом, предчувствуя неожиданную и мучительную смерть.

— Что случилось? — пролепетал Билл.

— Вот что! — провозгласил Кадаффи и вынул из кармана некое крохотное устройство, которое напоминало своим внешним видом пульт дистанционного управления головизора. — Все дело в моем пульте! Я вовсе не такой осел, чтобы подставляться под пули! Пока я того не пожелаю, никто из вас не сумеет подстрелить даже мухи! Что касается тебя, мой мальчик, — капитан криво усмехнулся, — ты проявил инициативу, а потому возглавишь атаку!

— Блин! — пробормотал Билл, переполняясь ужасом по мере того, как мало-помалу осознавал, какой удостоился чести, и снова надавил на бесполезный курок.

Глава 2

Внутри транспорта было темно. Постоянная вибрация двигателей заставляла желудки десантников звучно трястись на уровне чуть выше жестокой изжоги и чуть ниже позыва к рвоте, что, по крайней мере, несколько отвлекало солдат от мыслей о предстоящей смертельной атаке. Откуда-то сзади донесся слабый стон.

Билл сидел впереди, среди тех, кто не опускался до стонов. Когда они взошли на борт, оказалось, что дверь в отсек первого класса притворена не совсем плотно; прежде чем ее захлопнули, Билл успел увидеть нечто вроде солдатского рая и теперь мечтал о возвращении чудесного видения. То, что он заметил, вводило в искушение, намекало на радости, доступные разве что офицерам: кушетки, обтянутые чехлами пурпурного и красно-коричневого бархата, телохранительницы, которые побросали свое оружие и принялись расстегивать пуговицы на мундирах... Послышались звуки музыки, бульканье жидкости и звяканье льда в стаканах — а затем дверь захлопнулась. На лед Биллу было наплевать — он давно убедился, что тот, когда тает, разбавляет спиртное, — но вот все остальное мнилось ему разновидностью райских кущ. Он полагал, что, раз все равно скоро отправится в Валгаллу, было бы только справедливо попробовать загодя, что это такое.

Передняя переборка, с яркой вспышкой и рвущим барабанные перепонки треском, внезапно ожила и превратилась в шикарный экран черно-белого изображения, на котором возник рассеянный на множество кусочков образ капитана Кадаффи. Мало-помалу фокусировка улучшилась, и стало видно, что капитан, близоруко щурясь, читает по бумажке.

— «Десантники! Мы с вами летим к месту битвы во славу нашего императора! Я хочу, чтобы вы знали: сердца всех свободных людей в этот восхитительный миг с вами!» — читал он, гнусаво завывая. — «Мы ведем войну с бессовестными...» — Тут капитан запнулся, а другой голос прибавил: «Чинджерами». — «Войну, — снова заговорил Кадаффи, — от исхода которой зависит будущее цивилизации. Император распорядился передать вам, что ваша гибель не окажется напрасной. Ваши имена занесут в имперскую книгу павших смертью храбрых. Если кому-либо из вас удастся по ошибке уцелеть, его наградят медалью и увольнительной на двенадцать часов». — Капитан с отвращением поглядел на листок бумаги, который держал в руке, и отшвырнул тот в сторону. — Дальше обычный треп насчет отваги, патриотизма и всего такого прочего. Ха-ха-ха! А теперь к делу.

Черно-белое изображение на экране сменилось цветным. Некоторые солдаты заинтересовались настолько, что даже подняли головы. С экрана им посылала воздушные поцелуи одна из телохранительниц Кадаффи, которая, с распущенными волосами и в расстегнутой блузке, подалась вперед, словно желала перенестись в трюм; те, кто смотрел на экран, могли вдосталь налюбоваться ее формами. Кадаффи скосил глаза на девицу, однако вспомнил, где находится, и продолжил речь:

— Мы — разумеется, речь идет о вас — достигнем зоны выброски через пару минут. Внизу происходит грандиозное сражение. Вам незачем знать, где оно происходит и из-за чего. Я лишь могу сказать, что мы высадимся в тылу чинджеров и проведем самоубийственную атаку. Ваша задача — отвлечь противника на себя. Едва приземлитесь, начинайте стрелять по всему, что хотя бы шевельнется. Постарайтесь только не перестрелять друг друга. Впрочем, не то чтобы это что-нибудь значило. Что касается тебя, десантник Билл, ты пойдешь первым. Всем прочим следовать в доблестную схватку за Биллом. Ну-ка, Билл, покажись!

Билл нехотя поднял руку.

— Спасибо, Билл. Не забывайте, что я буду сопровождать вас посредством своего дистанционного управления. Кому-то ведь надо остаться в живых, чтобы поведать о вашей славной гибели. — Блондинка на экране провела рукой по волосам капитана. — Пока, мои верные десантники! — Кадаффи, мгновенно забыв о подчиненных, зевнул и отвернулся.

Изображение исчезло, затем вдруг ярко вспыхнуло вновь. За минувшую секунду оно почти не изменилось, разве что у блондинки прибавилось расстегнутых пуговиц. Кадаффи почесал в затылке, с явным нежеланием отвел взгляд и произнес:

— Забыл сказать. Готовьтесь к выброске, ребята. Она начнется почти без предупреждения.

Экран погас, на сей раз — окончательно; стенка приобрела прежний тошнотворно-желтый цвет.

Десантники засуетились, стали надевать гермошлемы, натягивать перчатки, опускать щитки, проверять оружие, писать завещания и освобождать желудки.

Тем временем транспорт, похоже, вошел в атмосферу неведомой планеты: снаружи доносился шум битвы. Судя по количеству и громкости взрывов, совсем рядом творилось нечто весьма и весьма неприятное. Что-то взлетало на воздух, причем этого «чего-то» было очень много; некоторые взрывы гремели буквально в двух шагах.

Транспорт рыскнул в сторону, лег на прежний курс, затем шарахнулся в противоположном направлении; по всей видимости, пилот пытался увернуться от заградительного огня. К сожалению, его попытка слегка запоздала. Пол под ногами солдат вдруг исчез, и десантники провалились в пустоту.

Билл сперва решил, что в транспорт угодил снаряд, и обрадовался такому стечению обстоятельств, поскольку попадание могло привести к гибели капитана Кадаффи.

В следующее мгновение он оказался в воздухе.

Билл завопил, однако быстро убедился, что толку от воплей никакого. В самом деле, он кричал и «Блин!», и «Я не хочу умирать!», и «Помогите!», и даже «Мамочка!» — но продолжал тем не менее падать. Билл попробовал включить антигравитатор, но обнаружил, что тот не работает. Подобно всем остальным приборам и устройствам, антигравитатор подчинялся командам с пульта дистанционного управления, зажатого в потной ладони капитана Кадаффи — да, в потной или в холодной, если капитан, паче чаяния, мертв. Тогда прости-прощай.

Билл рискнул наконец поглядеть вниз.

Зрелище, которое открылось ему, внушало известное успокоение. Да, он мчался вниз, но земли видно не было. Под Биллом, куда ни глянь, расстилались облака. Он слышал, как завывает ветер, слышал, но не чувствовал, ибо, будучи заключен в скафандр, был почти не в состоянии что-либо чувствовать. Он видел сквозь щиток, вдыхая запах пота — или крови? — парня, который последним напяливал на себя этот скафандр, однако тем его ощущения и ограничивались.

Билл огляделся и заметил других добровольцев. Переговорные устройства скафандров контролировались все тем же пультом, поэтому десантники могли всего-навсего помахать друг другу на лету, чем они, собственно, некоторое время и занимались.

А затем отряд вырвался из облаков.

Их сразу же обнаружили и открыли огонь. Вокруг свистели пули, мимо проносились снаряды, сверкали лазерные лучи, однако отряд падал так быстро, что у врагов не было возможности как следует взять их на прицел.

Десантники же, которые прекрасно все видели, могли наблюдать на земле множество крошечных фигурок, и их с каждой секундой становилось все больше. Эти фигурки продолжали палить по коммандос, а тем оставалось только беспомощно взирать на происходящее, ибо славный капитан Кадаффи был, очевидно, занят и забыл за делами нажать кнопочку на пульте. Стрелять в ответ они не могли. Словом, десант продолжал снижаться и делал это, приобретая все больший навык, весьма неплохо.

Биллу казалось, они уже достигли в искусстве падения если не совершенства, то достаточно высокой степени мастерства. Даже он, на что уж порой туповатый ученик, овладел техникой снижения буквально в первые секунды свободного полета. Разумеется, вполне возможно, задача в том и состоит, чтобы свалиться на головы врагам. Десантник в боевом скафандре весит о-го-го и может, если попадет точно, уничтожить небольшое здание. Однако при таком столкновении скафандр неминуемо испортится, а они нынче дороги — куда дороже солдат. Выходит, капитан попросту запамятовал включить антигравитаторы. Что ж, это уже лучше. Правда, ненамного.

Билл постарался расслабиться и притворился, будто наслаждается спуском, чтобы приготовиться к дальнейшим событиям. К его изумлению, это оказался рывок вверх, причем с такой силой, что нижняя половина скафандра с размаху врезалась ему в промежность.

Когда Билл очухался и собрался с мыслями, он сообразил, что медленно дрейфует прямо в лапы к противнику. Враги поджидали его с распростертыми объятиями. Им настолько не терпелось свести знакомство, что они в знак приветствия осыпали Билла всякой всячиной. Судя по грохоту, привет был продиктован исключительно теплыми чувствами. Вдобавок разрывы потихоньку приближались.

Билл посмотрел вниз, на вражескую армию, рвущуюся прикончить его, а затем вверх, на транспорт, где находился один-единственный человек, который тоже задался целью убить беднягу — героя Галактики.

Прикинув свои шансы, Билл принял решение. Кадаффи он боялся сильнее, чем целой армии противника.

Он ощупал шлем, наткнулся на большую антенну. Должно быть, это и есть дистанционное управление, а средняя предназначена для связи с другими десантниками — интересно, заработает она когда-нибудь или нет? — тогда как третья служит радиолокационным маячком. Билл ухватился за третью антенну и дернул; конструкторы, по-видимому, предполагали, что с их детищем может произойти нечто подобное: антенна даже не погнулась. Билл стиснул ее обеими руками. Безрезультатно. Может, пустить в дело бластер? А если промахнется? Он рискует остаться без антигравитатора или, и того чище, без головы!

Внезапно Билл вспомнил про свою армейскую стопу. Он сложился в три погибели, дотянулся до стопы, оторвал липкую ленту и нажал кнопку, которая открывала отделение с набором инструментов. Те пребывали в сложенном состоянии по бокам крохотной штуковины, которая вполне умещалась в ладони. Два ножа различных размеров, пилка для ногтей, ножницы, шило, плоская и крестовая отвертки, консервный ножик и... Черт возьми, куда он девался? Наконец Билл нашел то, что искал, — портативный складной резак. Секунду спустя антенна оказалась в свободном полете.

Теперь эта гнусная образина, капитан Кадаффи, не сможет узнать, где Билл!

Он принялся палить из автоматов, не глядя, куда стреляет, и уповая на то, что отдача отбросит его в противоположном направлении. Поначалу его ожидания оправдались, но он не принял в расчет ветер, который дул в сторону поля боя. Билла окутал дым, он остался в гордом одиночестве. Он догадывался, что совсем скоро спустится на землю и будет вынужден вступить в сражение, причем враг будет стрелять уже не наугад, а прицельно, чего ему на деле совершенно не хотелось.

Билл полностью опустошил магазины автоматов, что привело к частичной потере веса. Спуск замедлился, но не прекратился. Тогда Билл пошвырял вниз все свои гранаты, надеясь, что под них никто не подвернется. Ему вовсе не улыбалось рассердить кого-нибудь из аборигенов, тем более вооруженного бластером. Спуск неумолимо продолжался.

Билл выкинул перчатки со встроенными бластерами, потом заплечный ранец с обезвоженным питьевым рационом в таблетках, потом смену белья, изготовленного из переработанной туалетной бумаги, — его можно было использовать по прямому назначению, потом псевдопищевые пилюли и последнее снаряжение. Однако падение продолжалось.

Бронированный башмак скафандра, если он в кого-то попал, наверняка изувечил бедолагу, а бронированные штаны, обрушившись на землю, проделали в ней солидную вмятину. К этому моменту Билл опустился настолько низко, что отчетливо различал вражеских стрелков и сам оказался для тех как на ладони.

Между тем скорость падения заметно снизилась. Тогда Билл расстегнул ремень. Тот полетел вниз, увлекая за собой бронированные подштанники, которые вскоре с грохотом рухнули наземь.

Билл воспарил над землей. Ветер гнал его прямиком на врага. Однако Билл надеялся, что в своем теперешнем виде, в одном белье, что гордо развевалось на ветру, и с заложенными за голову руками, он в относительной безопасности. Похоже, его надежды оправдывались. По нему больше никто не стрелял — даже прочие десантники.

Те располагались внизу, под Биллом, значительно опередив своего боевого командира, и выстраивались в атакующий порядок. Наблюдать за ними со стороны было весьма любопытно. Десантники построились клином — место впереди, там, где должен был находиться Билл, пустовало — и ринулись на врага.

Разумеется, ринулись они вниз, и Билл двинулся следом за ними. Очевидно, капитан Кадаффи вознамерился покончить с ним раз и навсегда, если не так, то уж этак.

Что бы еще кинуть, чтобы уменьшить вес? Башмак улетел вместе с подштанниками, а расставаться с армейской стопой Биллу как-то не хотелось. Он понятия не имел, где искать замену и можно ли найти ее вообще, а поскольку провел без стопы на ноге достаточно продолжительное время, несколько лет, то вовсе не горел желанием вновь очутиться в положении инвалида.

Впрочем, поразмыслив, Билл все-таки отстегнул стопу, включил встроенный лазер и неторопливо, кусок за куском, срезал с себя остатки скафандра, пощадив лишь антигравитатор и гермошлем, затем зажал в зубах лямки антигравитатора и одним движением плеч стряхнул пришедшее в негодность обмундирование.

Ну вот, другое дело! Билл пропустил лямки сквозь трусы, завязал узлами. В очередной раз расслабился и поглядел вниз. Что там у нас происходит? Так, ничего особенного, все развивается по плану, самоубийственному плану капитана Кадаффи. Десантников методично стирали в порошок. На какой-то миг Биллу стало жаль своих товарищей, однако жалость была мимолетной; в следующее мгновение ему захотелось проглотить обезвоженную пивную пилюлю — из тех, которые он недавно выкинул.

Билл побывал во многих переделках, но до сих пор ему не представлялось возможности проследить развитие событий. Когда вокруг кипит схватка, перспектива становится еще более туманной, нежели генеральская, которая смутна сама по себе. Тебя сбивают с толку шум, гам и противники, которые так и норовят прикончить тебя. Иными словами, в битве не до наблюдений. С точки зрения самосохранения чем меньше видишь, чем меньше разеваешь рот, тем лучше. Если ты видишь врага, значит и враг видит тебя. Вот почему предпочтительнее отыскать укромное местечко, схорониться в нем и уже оттуда взирать на то, как основная масса десантников учится повиноваться приказам. Как ни странно, при подготовке к выброске основное внимание уделяется умению чистить гальюны, а целиться и стрелять учат, если остается свободное время. Билл умел пользоваться бластером, однако он освоил это искусство по официальному имперскому армейскому комиксу с инструкцией по применению оружия. Кроме того, он вдоволь напрактиковался на Венерии и на прочих напичканных смертельными опасностями планетах.

Тем не менее, несмотря на богатый опыт стрельбы по офицерам и другим врагам, он никогда не получал от схватки подлинного удовольствия, не испытывал удовлетворения от осознания того, что выполнил порученное дело на «отлично». Разумеется, в комиксах рассказывалось о том, как доблестные десантники сметают чинджеров с лица той или иной планеты, но Билл подметил одну странность: почему-то планеты постоянно упоминались все те же. С земли, которую Билл в бою почти не покидал и к которой постоянно приближался, это не имело ни малейшего смысла.

Но с воздуха все выглядело иначе. Медленно плывя в поднебесье с весело трепещущим на ветру бельем, махая рукой войскам враждующих сторон и гадая, где тут ближайший бар, Билл словно глядел на крупномасштабную карту. Чинджеры располагались зеленым прямоугольником, точь-в-точь как в комиксах, а войска империи надвигались на них громадными изогнутыми красными стрелами. Конечно, то был не лучший способ выигрывать сражение, зато на фотоснимках, которые поставляла в Генштаб воздушная разведка и которые генералы передавали затем императору, подобный порядок производил весьма внушительное впечатление.

Вот две красные стрелы рванулись вперед, откатились, снова двинулись на приступ и вновь вынуждены были отступить; они не добились ровным счетом никакого успеха, разве что уменьшились в численности, ибо каждая атака завершалась уничтожением кончика как той, так и другой стрелы.

Пока они штурмовали переднюю линию чинджеров, крошечная белая стрелка пыталась пробиться с обратной стороны зеленого прямоугольника, отвлекая на себя значительное количество солдат противника. Билл не мог сказать, жив ли кто из добровольцев. Перемещения белой стрелки контролировались дистанционным управлением — пульт обеспечивал сохранение боевого порядка, когда уничтожить скафандры было проще всего, — капитана Кадаффи, который, вполне возможно, даже не следил за тем, что происходит на поле боя. Скорее всего, капитану было достаточно того, что стрелка не рассыпалась, нацелена в нужном направлении и продолжает терзать оборону чинджеров. Главное — чтобы шла пальба, а остальное неважно.

Ой-ой! Должно быть, Билл недооценил Кадаффи. Непреодолимая сила вдруг повлекла его вверх, а следом, с поверхности планеты, взмыли в воздух бронированные скафандры, начиненные смертоносным оружием и, может быть, телами живых людей. Билл возблагодарил судьбу за то, что трусы на нем — из сверхпрочного материала; в противном случае они бы просто порвались при рывке, и тогда он, вместо того чтобы подниматься вверх, полетел бы вниз. А так, поскольку он практически ничего не весил, то устремился к транспорту подобно пуле из ружья.

Белая стрелка между тем развернулась острием к люку, у которого ее ожидали телохранительницы Кадаффи, чтобы принять скафандры, каковые наверняка еще пригодятся для следующего десанта. Она, эта стрелка, едва ли не величаво парила над землей, уносясь прочь от поля, на котором по-прежнему бушевала битва.

Билла обдувал пронзительный, порывистый ветер. Герой Галактики крепко вцепился в лямки антигравитатора, на которых раскачивался туда-сюда, вперед-назад и из стороны в сторону. Подъем не вызывал у него приятных ощущений, хотя по сравнению с аттракционами в парке Друзей десантника, за катание на которых он выложил кругленькую сумму, это было нечто. К тому же аттракционы, при всей их лихости, отнюдь не угрожали мучительной смертью, которой сейчас, похоже, было не избежать.

Правильно говорят, что беда не приходит одна. К ветру Билл худо-бедно привык, но тут на него свалилась новая напасть: он начал замерзать. Когда он вознесся над облаками, выяснилось, что его кожа покрылась тонким слоем льда. Особенно шикарно смотрелись льдинки на армейской стопе: на той образовался чистый узор. Чем выше поднимался Билл, тем сильнее замерзал и тем труднее становилось дышать. Задумавшись над тем, от чего скорее умрет, он слегка отвлекся, однако быстро пришел к выводу, что разницы, собственно, никакой — все равно погибать.

Зубы Билла громко застучали, он задрожал всем телом, на котором выступил холодный пот, и капли его мгновенно превращались в ледышки, отрывались по причине дрожи и падали к облакам. Через какое-то время Билл обнаружил, что за ним тянется этакий ледяной, переливающийся в солнечных лучах хвост. Зрелище было поистине прекрасным, вот только обстоятельства, к сожалению, не позволяли насладиться им сполна. Какое тут наслаждение, когда того и гляди замерзнешь до смерти!

Билл, чтобы хоть как-то согреться, свернулся в клубок. Если бы не дрожь, которая сотрясала тело, он бы, пожалуй, отстегнул стопу и прошелся по рукам и ногам лазером — до такой степени заледенели конечности.

На сей раз воплей не было. Даже окажись он сейчас на том небе, где запрещено стонать, Билл наплевал бы на запрет, ибо единственное, что ему оставалось, это стоны, и он преисполнился решимости выдать на полную катушку. Умение стонать воспринималось десантниками как форма искусства, поэтому они постоянно тренировались, дабы не осрамиться, если, не ровен час, представится возможность проявить себя. Вообще-то стоны состоят в близком родстве с воплями, а посему многое из того, что Билл выстанывал на пути вверх, сильно напоминало то, что он выкрикивал по дороге вниз, причем возгласы шли в том же порядке. Вначале он несколько раз повторил: «Блин!», затем переключился на: «Я не хочу умирать!», выдавил: «Помогите!» — и закончил древним как мир «Мамочка!».

Стоны принесли ему столько же пользы, сколько вопли, то есть ни малейшей. Однако Билл все же испытал некоторое облегчение, ибо сумел вспомнить надлежащий порядок. Смерть от ледяной стужи и удушья во время полета в стратосферу в одних трусах не входила ни в учебный процесс в лагере, ни в компетенцию предохранительного — такова была воинская специальность Билла, вдобавок никто о ней не упоминал вообще; следовательно, он должен был полагаться лишь на свой обострившийся за срок службы инстинкт, и тот, судя по всему, его не подвел.

Правда, Билл никак не мог сообразить, что идет за стонами, поэтому он двинулся по второму кругу, а потом приготовился потерять сознание, что обычно получалось у него без каких бы то ни было затруднений.

Он уже различал звезды. Те не мигали, поскольку воздух на такой высоте был чрезвычайно разреженным. Билл пребывал в несокрушимой уверенности, что умирает. Обе его ноги, искусственная и настоящая, воспринимались теперь совершенно одинаково, свист ветра в ушах мало-помалу становился все тише. Нос онемел, рук он давно уже не чувствовал. Вдобавок у него начались галлюцинации.

Он не сомневался, что у него начались галлюцинации, поскольку увидел вдруг над собой громадную и зловещую черную тень; а ведь на рубеже космоса никаких темных теней просто не может быть!

Тень приближалась, у нее появились глаза. Она их тут же открыла и уставилась на Билла в упор. Чудовище разинуло огромную, светящуюся красным пасть, выбросило вперед множество щупалец, подхватило человека и повлекло в свое гнусное брюхо.

Билл собирался задергаться и завопить, но ему не хватило воздуха. Он нажал на кнопку, которая приводила в действие нож с ядовитым лезвием. К несчастью, вместо ножа из стопы высунулась пила; делать было нечего, и Билл атаковал тем оружием, которое оказалось под рукой.

Послышался громкий скрежет, где-то в отдалении Биллу почудился вопль, ярко вспыхнул свет, а потом мир погрузился во мрак.

Глава 3

Плоская, серая и холодная — такой представилась Биллу Вселенная, когда он пришел в себя; ну, если не вся Вселенная, то, по крайней мере, та ее часть, которая была доступна взору.

Он что, попал на небеса? Билл имел весьма расплывчатое понятие о том, на что похож рай, поскольку давно позабыл то, чему его учили в детстве; тем не менее ему почему-то казалось, что здесь что-то не так.

С другой стороны, он неоднократно просыпался в таких местах, в которых совершенно не помнил, как очутился. Если уж на то пошло, окружавшая обстановка гораздо сильнее смахивала на нечто привычно омерзительное, чем на небеса.

Билл присмотрелся повнимательнее. Плоско, до отвращения плоско и до тошноты скучно. Материал, из которого была изготовлена плоская поверхность, украшали разводы под «елочку», которые, как ни странно, мнились смутно знакомыми.

Интересно, подумалось Биллу, где он мог видеть их раньше? В книжке по астрономии? Нет, в такие книжки он в жизни не заглядывал. В старом номере «Импириел джиогрэфик»? Нет, там он рассматривал разве что рекламные картинки с голыми женщинами. В инструкции?

Ну-ка, ну-ка... Нет, не в инструкции, но этот узор наверняка каким-то образом связан с воинской службой.

Точно! Нескользящая металлическая палуба, из того же металла, что и пол в казарме! Настроение Билла моментально улучшилось. Может статься, ему все приснилось — может, он никогда не записывался в добровольцы, никуда не улетал, может, всего лишь шарахнулся обо что-нибудь башкой во время своей суточной увольнительной или напился вдрызг по возвращении? Во всяком случае, Билл воспрянул духом.

Неожиданно ему вспомнился гигантский черный монстр со множеством щупалец, и волосы у него на загривке встали дыбом. Паук? Да какие могут быть пауки в космосе? Пропись, приятель! Разве бывают на свете пауки таких размеров? Билл помотал головой. Даже на Венерии, где пауков полным-полно, этаких чудищ не водится. Значит, и впрямь приснилось.

Сказать по правде, Биллу было слегка не по себе. Засыпая в подпитии, он чаще всего видел во сне исполинских змей, кроличьи норы, слонов, что пытались вытащить из пещеры запас арахиса, себя в компании женщин, с которыми он вытворял то, чего никогда не имел возможности воспроизвести наяву; порой ему грезились пиалы пива, ведра водки, шайки шампанского, волны виски и прочие алкогольные напитки, которые состоят в аллитерации со своими емкостями и без которых жизнь солдата лишена всякого смысла. Но что касается пауков...

Любопытно, к чему этот сон? И сон ли то вообще?

Билл поднял голову и огляделся. Помещение, в котором он находился, имело мало общего с казармой в лагере Бубонная Чума. Оно походило больше на крюйт-камеру, склад или трюм десантного корабля.

Десантный корабль? Билл уронил голову обратно на металлическую поверхность. Неужели он сызнова очутился в лапах героического капитана Кадаффи? Уж лучше гигантский паук...

Билл уставился на чистую, свежевыкрашенную переборку. Его захлестнуло отчаяние, однако он вскоре сообразил, что упустил кое-что из виду. Мысль о том, что он уцелел в битве и стал героем коммандос, на короткий промежуток времени притупила его наблюдательность. В помещении было слишком уж чисто.

Экипаж транспорта ни за что не станет поддерживать на корабле такую чистоту. Да что там говорить, транспорты и со стапелей-то сходят настоящими свинарниками.

Что же, черт возьми, произошло?

До Билла наконец дошло, что единственный способ выяснить, куда он попал, — встать и пойти на разведку.

Билл поднялся. На полу поблизости валялись гермошлем и антигравитатор. На нем были только рубашка и форменные трусы. Выходит, все, что случилось, было наяву? Интересно, однако.

Он находился в крохотном помещении, которое могло располагаться где угодно, при условии, что речь шла о военной базе. Помещение с первого взгляда наводило на воспоминания о казарме. Стены, из того же материала, что и пол, были выкрашены в тот же цвет. Билл вспомнил, чем отличаются цвета: если каюта предназначена для солдат, ее красят в тошнотворный желто-зеленый, а если для офицеров — то в красный с золотистым отливом. Получается, что он — в грузовом отсеке звездолета. Что ж, продолжим.

Но дверь, которая вела наружу, оказалась запертой. Билл замолотил по ней кулаками; какое-то время спустя из-за двери послышался голос:

— Чего расстучался? Лучше подтяни штаны!

— У меня нет штанов, — отозвался Билл.

— Тогда не гони лошадей!

— И лошадей тоже нет, — пожаловался Билл. — Был робомул, но давным-давно, на далекой планете, где я жил счастливой жизнью техника-удобрителя. — Счастливые воспоминания вынудили Билла пустить ностальгическую слезу.

— Заткнись и жди генерала, — посоветовал голос.

— Генерал? Ты ведь не сказал «генерал»? — с надеждой в голосе справился Билл.

— Хорошо, не говорил, — согласился голос. — Но он все равно идет. Встречай.

Тяжелая металлическая дверь широко распахнулась, угодив Биллу точно в висок. Он пошатнулся, покачнулся и упал на четвереньки.

— Ну и что мы тут имеем?

Билл поднял голову. Владелец нового голоса походил размерами и фигурой на вместительный холодильник. На его груди медалей и орденов было больше, чем на многих холодильниках, за исключением разве что того, который принадлежал императору и числился в должности министра. Над левым нагрудным карманом камуфляжного мундира было вышито золотой нитью: «Мудрозад».

— Зачем же так, солдат? — мягко укорил генерал. — Вполне хватило бы обычного приветствия.

Двое полицейских рывком поставили Билла на ноги, и он в своей наилучшей манере отдал честь, сразу обеими правыми руками. Как правило, это производило на офицеров впечатление, однако генерал Мудрозад, судя по всему, не обратил на поведение Билла ни малейшего внимания.

— Поболтаем? — предложил он. — Отведите-ка солдата в помещение для допросов.

Полицейские подхватили Билла под локти, выволокли в коридор, протащили за собой в указанное помещение — Билл отделался всего лишь несколькими синяками от полученных по дороге ударов об углы — и крепко-накрепко привязали к стулу. Техник подсоединил к черепу и гениталиям героя Галактики провода, другой, использовав для этой надобности мачете, взял у него образец клеточной ткани.

Генерал уселся в углу и пробормотал что-то себе под нос. Билл повернулся было в ту сторону, однако его немедля наградили разрядом электричества. Он быстро усвоил, что чем меньше вертишься, тем безопаснее и что лучше всего смотреть прямо перед собой.

— Итак, солдат, — сердечно, елейным тоном произнес генерал Мудрозад, — как долго ты шпионил за нами на благо чинджеров?

— Совсем мало, сэр, — отозвался Билл и подскочил: техники вновь пустили по проводам ток. — Я хотел сказать, что вовсе ни на кого не шпионил. Смерть проклятым чинджерам! Посмотрите мое личное дело — единственного живого чинджера я встретил в учебном лагере. — Он подскочил снова. — Я ненавижу чинджеров! — На сей раз обошлось без разряда, и Билл слегка осмелел: — Может, кто-нибудь скажет мне, где я нахожусь?

— А разве ты не знаешь, солдат? Разве тебя не забросили к нам чинджеры, чтобы ты втерся в доверие и расстроил потом все наши планы?

— Да вы посмотрите на мой шлем! Он же имперский, стандартный! — крикнул Билл, со страхом ожидая следующего разряда. — Посмотрите на мое белье!

— Солдат, ты отвратителен!

— Послушайте, я правда был верен присяге!

— Значит, признаешь, что был неверен? — Генерал хмыкнул.

— Йек! — Билл судорожно дернулся от разряда. — Нет, нет! Я люблю императора! Я люблю императрицу! Я люблю всех сестер императора, всех его кузенов и тетушек! Всех сестер, кузенов и тетушек!

— Прибавьте напряжение, — проронил генерал, повернувшись к техникам. — Он лжет, надеется обмануть стреляного воробья. — Неожиданно Мудрозад подался вперед и навис над Биллом. — Учти, ложью ты добьешься только того, что утратишь мое расположение. Господь рано или поздно выведет тебя на чистую воду!

— Вы про Ахура Мазду?[1] — спросил Билл.

— С нами Господь! — проревел холодильник в мундире. — Поэтому мы должны помогать ему нашими электродами! Кроме того, лучше пострадать здесь и выложить правду, чем потом терзаться вечными муками, верно, солдат?

— Так точно, сэр! Вы хотите знать правду? — Билл улыбнулся широко и притворно весело. — Скажите, какая правда вам нужна, я ее быстренько выдам, и все останутся довольны. Идет? Ой-ой-ой-ой! — завопил он, когда его поджарил разряд электричества.

— Ты ошибся, солдат. Ты не понимаешь, — Мудрозад печально покачал головой, его челюсти заходили ходуном. — Ты должен облегчить свою душу, открыть правду сам, без под-

---

[1] *Ахура Мазда* — в иранской мифологии верховное божество. Другой вариант имени — Ормузд.

жаривания и принуждения. Прибавьте еще напряжения и задайте ему как следует, если он не перестанет лгать. Отвечай, солдат!

Билл затравленно огляделся в поисках помощи. У стены стояли двое скучающих техников, которые почесывали себе промежность и явно забавлялись, наблюдая за происходящим. Один из них следил за пультом управления электрическим стулом, второй изредка посматривал на компьютер, на экране которого вот-вот должны были появиться результаты анализа взятого у Билла образца. Попутно техники вполголоса переговаривались между собой насчет планов на вечер: те представлялись достаточно прозаичными, поскольку люди находились на крохотном кораблике, затерявшемся в космическом пространстве. Словом, помощи ждать было неоткуда. Ситуация требовала нестандартного мышления, творческого подхода, буйного воображения. К несчастью для Билла, он был полностью лишен хотя бы намека на какое-либо из этих качеств.

— Йек[1] — Билл снова дернулся и сообразил, что времени у него в обрез.

Он постарался припомнить что-нибудь из недавно прочитанного. Билл знал, что генералы обожают запутанные истории, а потому, недолго думая, сочинил в голове сюжет с тремя братьями по фамилии Карамазовы, пустынной планетой, на которой обитают гигантские черви, японским принцем по имени Гэндзи, роботом-детективом, что выглядел как человек. И громадным белым китом. Он подзабыл, откуда взялся кит, но все остальные были из свежих выпусков «Комикса о шести неустрашимых героях»[1].

Однако генералу Мудрозаду было, по всей видимости, не суждено услышать его захватывающее повествование. Едва Билл произнес: «Зовите меня Билл», как компьютер издал звонок и выдал испещренный текстом листок бумаги.

— Ага! — воскликнул генерал, который принялся читать, не дожидаясь, пока листок вылезет целиком. — Так тебя зовут Билл?

---

[1] Имеются в виду роман Ф. М. Достоевского «Братья Карамазовы», роман Ф. Херберта «Дюна», средневековый японский роман «Гэндзи моногатари», сериал А. Азимова о роботе Дэниеле Оливо и роман Г. Мелвилла «Моби Дик».

— Ну да. Разве я не признался?

— Отрицать бессмысленно! Мы расшифровали твою ДНК! Теперь я знаю, кто ты такой, Билл! У меня на руках твое личное дело. Ну и дрянь же ты, оказывается! Девятьсот семьдесят четыре наряда за распивание спиртных напитков на посту! Шестьдесят три благодарности, включая назначение в боевых условиях командиром подразделения, шестьдесят два наказания! Тебе не стыдно, Билл? Ты позоришь мундир императорских десантников!

— Так точно, сэр! Я недостоин этой чести, — прорыдал Билл. — Выгоните меня со службы!

— Нет, солдат, так легко ты не отделаешься. Посмотрим, посмотрим. Твоя специальность *предохранительный*. Последнее задание... Что ж, я рад, что первое впечатление было не совсем верным. Ты вызвался пойти добровольцем в отряд коммандос!

— Я горжусь тем, что поступил так во славу моего императора и моего генерала, мой генерал, — раболепно ответил Билл. — Ой, мама!

— Убрать напряжение! — рявкнул Мудрозад. — Похоже, ты единственный, кому удалось уцелеть. Один уцелевший — поистине грандиозный успех! Я поражен: такое случается крайне редко. Ты первый солдат за четыре года, которому посчастливилось уцелеть в ходе операции, проходившей под началом капитана Кадаффи. Отсюда следует, что ты обладаешь инициативой. Или что тебе повезло. Или что ты — шпион чинджеров. — Он стал читать дальше. Внезапно глаза генерала засверкали. — Да славится Господь во веки веков! Господь с нами. Его пути неисповедимы. Он творит чудеса! Да, Он с нами, ибо все чинджеры — грязные безбожники. Билл, ты — ответ на мои молитвы!

— Какие молитвы? — озадаченно переспросил Билл, заранее скорчившись на случай очередного разряда. — Какой ответ?

— Развяжите его! — приказал генерал. — Герой Галактики.

— Так точно, сэр, — отозвался Билл, которому помогли встать. — Билл — герой Галактики. В деле все записано.

— Я верю тебе, мой мальчик, — произнес Мудрозад. — Его отметил сам император! Подумать только, не имея надлежащей подготовки, ты в кровопролитном сражении с чинджерами спас линкор «Божественный кормчий», флагман имперско-

508

го флота! Поражение казалось неминуемым, судьба цивилизации, которая нам известна, висела на волоске, и тут-то он, то есть ты, Билл, прикончил последнего из гнусных чинджеров! И без подготовки! Без сомнения, тебя наставлял Господь!

— Может быть, — пробормотал Билл, смущенный тем, что на него вдруг перестали кричать и начали хвалить, и шаркнул по полу армейской стопой. — Мне просто повезло.

— Просто везения не существует! — провозгласил генерал. — Здесь не обошлось без божественного и таинственного вмешательства Провидения! Билл, да тебе, должно быть, покровительствует сам Господь! Нет, ты попал к нам на борт вовсе не случайно! Эй, выдать ему штаны!

Полчаса спустя Билл, облаченный в новый мундир, потягивал воду, пытался вообразить, что пьет водку, прислушивался к монологу генерала Мудрозада и старался притвориться, что слова того имеют хоть какой-то смысл.

— Вопросы, десантник Билл?

— Вопросы? — непривычный к размышлениям Билл нахмурил брови. — Если только один, сэр. Ваш корабль показался мне большим пауком. Я никогда не видел ничего подобного. Может, мне приснилось?

— Нет, Билл. — Генерал благожелательно усмехнулся. — Я специально распорядился придать разведывательному звездолету обличье космического паука, чтобы врагу было сложнее обнаружить нас.

— А разве бывают космические пауки? — удивился Билл.

— Не бывают, — согласился Мудрозад. — Значит, нет и приборов, которые могли бы засечь мой корабль. Выходит, мы в полной безопасности. Помни: на бога надейся, но и сам не плошай. А теперь, когда я могу взяться за выполнение возложенной на меня миссии, тем более необходимо, чтобы звездолет не заметили. С тобой, стрелком Господа, нам нечего опасаться. Ты, Билл, сосуд Божественной благодати, защитишь нас от происков зловредных чинджеров!

Биллу весьма польстило, что его именуют сосудом Божественной благодати, однако он терялся в догадках, о каком, собственно, божестве вещает велеречивый генерал Мудрозад. Возможно, тот разумел Ахура Мазду — бога, верить в которого Билла заставляли с детства; а может, имелся в виду официальный бог имперской религии, то бишь император. В общем, сказать наверняка было затруднительно, поскольку в империи, которая простиралась в космосе на миллионы парсеков, существовало громадное количество всяческих религий и культов.

Помимо реформированного зороастризма, бытовали культы солнце- и лунопоклонников, не говоря уж о возрожденных и акустических митраистах, буддистах, сектах веточников и листочников, почитателей тау Кита, Альдебарана и звезды под номером НГК-4681, даоистах, джонсистах, конфузионистах, колдунах, индуистах, элвистах, леннонистах и марксистах — тех было пруд пруди, по секте на каждого брата, за исключением Зеппо и Карла, которые делили одну секту на двоих; кроме того, на больших звездолетах, как правило, насчитывалось еще с десяток часовен, в которых молились иным, зачастую не поддающимся определению богам.

Так что уяснить, о каком боге толкует генерал, не представлялось возможным. В конце концов Билл решил, что ему без разницы; впрочем, все же любопытно было бы узнать, чьей печатью он отмечен, чтобы возносить молитвы по нужному адресу. Хотя вполне вероятно, что генерал настолько бестолков, что и ведать не ведает, о чем талдычит вот уже битый час.

Биллу страсть как не хотелось приставать к Мудрозаду с расспросами, но другого выхода он не видел, а потому, проглотив следующую порцию воды — йек! — справился:

— Все это, конечно, замечательно, сэр. Но что-то я не разберу, к чему вы клоните.

— Билл, — заявил генерал, поднялся и принялся расхаживать по каюте, — мне нравится выражение твоего лица, однако обращаться к старшим по званию тебя явно не учили. Должно быть, раньше, злоупотребив алкоголем, ты выкидывал разные шуточки, которые пристали безусым юнцам, а никак не солдатам. Но учти, здесь у тебя такое не пройдет! — Билл неохотно кивнул, но генерал не обратил на то никакого внимания; он продолжал витийствовать, черпая вдохновение из глубины души: — Я доверяю тебе, ибо так повелел Господь. Мы с ним в хороших отношениях, можно сказать, дружеских. Но это к делу не относится. Знай, нам поручено выполнить весьма ответственную миссию. Тебе и мне — в основном мне, с помощью Божьей и твоей — предстоит нанести удар, который поразит врага и обеспечит торжество правды, справедливости и имперского образа жизни! Нас облекли доверием, и мы познаем сладость победы!

— Сэр, — Билл слишком давно тянул солдатскую лямку, чтобы внимать генералу разинув рот, — та миссия, про которую вы толкуете... По нам, часом, не будут стрелять? Честно говоря, мне бы не хотелось...

— Ничего подобного, — отечески уверил Билла Мудрозад. — Мы нанесем аккуратный хирургический удар, сопротивления почти не будет. Безусловно, враг силен и коварен, но мы первым же налетом уничтожим его орудия, поэтому нам ничто не грозит. Беспокоиться нечего! Верь мне, все пройдет как задумано.

Глава 4

Чем дальше описывал генерал операцию, в которой Биллу суждено было без малейшего риска сделаться героем, тем Билл все сильнее убеждался в том, что тут что-то нечисто. Он пришел к выводу, что через слово поминающий бога Мудрозад — всего-навсего порядочный кусок дерьма. Тот простирал руки, сжомипутно закатывал глаза, а Билл потихоньку преисполнялся подозрений.

На первый взгляд все казалось до смешного простым и понятным точь-в-точь как все предыдущие операции, в которых довелось участвовать Биллу. Врагом оказалось правительство Вырвиглаза, крошечной планетки, что осмелилась восстать против императора. Генерал Мудрозад подчеркнул, что никто из правящей верхушки не держит зла на самих вырвиглазнийцев. Виновато было только правительство, вернее — небольшая группка его руководителей; их следовало примерно наказать, чтобы неповадно было другим. Разумеется, существовала достаточно большая вероятность того, что при нанесении удара по планете погибнет некоторое количество бунтовщиков, однако при современных методах ведения войны известного числа жертв — скажем, пяти или десяти — избежать, к сожалению, невозможно.

Будь Вырвиглаз заурядной планетой, каких в империи великое множество, с ней поступили бы так, как и положено поступать с мятежниками, то есть разнесли бы на мелкие кусочки. «Корпорация невежд», любимое детище императора, объединение величайших имперских умов, провела тщательное исследование способов устранения из политического организма империи губительного вируса мятежа. Выяснилось, что от блокады пользы мало: она отнимает уйму времени и совершенно не предоставляет возможностей для драматических пресс-конференций и брифингов на фоне разноцветных карт, а фотографии с места якобы боевых действий отказываются печатать даже комиксы новостей и даже на задней обложке, так что приходится обращаться за помощью в имперское ведомство свободы прессы. Что касается переговоров, они еще менее эффективны: обладают всеми недостатками блокады и вдобавок доказывают слабость позиции, ибо лишь слабаки пытаются договориться и только потом стреляют. Космофлот иногда вступал в переговоры, но то всегда происходило после сражения, если удавалось захватить пленников, что случалось крайне редко. Поэтому наиболее приемлемым казалось полное искоренение бунтовщиков, которое гарантировало к тому же фотографии из разряда тех, какие не стыдно поместить и на переднюю обложку. Недаром в офицерском уставе говорилось: «Если какая-либо планета восстанет, следует разнести ее вдребезги».

Однако с Вырвиглазом дело обстояло иначе, потому что там имелось то, чего не было ни на какой планете, — нейтронные копи.

Как известно всем и каждому, нейтроны чрезвычайно малы, настолько крохотны, что можно пройти мимо них на улице и не заметить. Кроме того, они не слишком общительны, а потому редко собираются компаниями больше сотни. Однако для того, чтобы создать нейтронную бомбу, требуется множество нейтронов.

Из всех видов вооружений, изобретенных человечеством на протяжении истории, любимым оружием генералов, адмиралов и фельдмаршалов является нейтронная бомба. Ее взрыв производит поистине неизгладимое впечатление — император радуется как ребенок, — уничтожает всех поголовно вражеских солдат (а порой и их собственных, но это ерунда) и сохраняет невредимой всю материальную часть.

Что может быть лучше?

Вот почему Вырвиглазу придавалось такое значение. Не будет нейтронных копий, не будет и нейтронных бомб. А если нанести по планете ракетный удар, копи потом наверняка будет очень трудно отыскать; возможно, они превратятся в пыль заодно со всем прочим. Хотя, если уж на то пошло, империя на некоторое время перестала — из-за восстания — получать нейтроны. Кто-то каким-то образом допустил ужасную ошибку. Император велел разобраться. Министерство нейтронного снабжения в полном составе подвергли военно-полевому суду и расстреляли за недостаток внимания, а на Вырвиглазе между тем состоялись свободные выборы.

Одного этого было достаточно, чтобы в эшелонах власти разразился кризис. Ведь свободные выборы были запрещены столетия назад, согласно эдикту о сохранении свободы и демократии. Однако ситуация не замедлила усугубиться.

Вырвиглазнийцы не только устроили свободные выборы, они еще проголосовали за мир. Нейтроны предназначались исключительно для создания нейтронных бомб, то есть для того, чтобы убивать врагов.

А партия, которая победила на выборах, выступила под лозунгом: «Нет нейтронному экспорту!» Мол, хватит с них войны.

Вследствие чего у империи остался один-единственный выход.

Выверенная до последнего, молниеносная, смертельная атака, разящий удар, который покончил бы с отступниками и восстановил нарушенный порядок. Сочли даже, что мятежников, пожалуй, необходимо уничтожить, дабы подобная неприятность не повторилась в будущем. Империя задыхалась от отсутствия нейтронов, поскольку без них невозможно было продолжать войну с чинджерами и расширять фронт. Вот с какой стати отправился в космос генерал Мудрозад — офицер, который, чтобы достичь мира, не остановится, как утверждает молва, ни перед чем.

Вот почему генерал буквально вцепился в Билла.

— Да, Билл, тебя послал мне Господь в час нужды! Теперь, когда ты возьмешься за кормовое орудие, мы просто не можем не победить!

Билл отказался от попыток объяснить Мудрозаду, что не знает, как стрелять из кормового орудия. Чего ради? Нет, надо прежде всего позаботиться о собственной заднице и отыскать на корабле того, кто подпольно гонит самогон. Должен же найтись на этой посудине хоть один приличный человек! В конце концов, стрелковая башенка не такое уж плохое место, если припрятать там пару-тройку бутылочек. Какой дурак полезет туда, если ему, конечно, не прикажут?

Билл выполз на животе из каюты генерала. Тот, похоже, не заметил, поскольку пребывал в религиозно-милитаристическом экстазе.

Корабль Мудрозада, «Мир на небеси», принадлежал к классу разведывательных судов, а потому не имел тех удобств, какими отличаются боевые звездолеты. К примеру, апартаменты генерала занимали меньше целой палубы; в них даже не было личного гимнастического зала, так что генералу приходилось пользоваться тем, в котором занимались остальные офицеры, и ходить в общеофицерские сауну и массажный кабинет. Суденышко было столь крохотным, что на его борту находилась всего одна офицерская столовая, а нижние чины питались в машинном отделении, где для них заботливо расставили под трубами столики. Там было так жарко, что большинству кусок не лез в горло; впрочем, никто не жаловался, ибо пища все равно была несъедобной. Сообразив, что винным погребом наверняка заведует шеф-повар столовой для офицеров, Билл отправился на поиски кока: шеф вряд ли снизойдет к его мольбам, а вот кок, возможно, окажется посговорчивее.

Он проник в машинное отделение и окинул взглядом выщербленные металлические столики, которые выстроились под нависшими трубами, образовав прихотливый узор, нечто среднее между зигзагом и откровенным беспорядком — очевидно, с той целью, чтобы нижние чины не глазели по сторонам, а смотрели исключительно под ноги, во избежание царапин, ушибов и переломов. По счастью, в едальне было пусто; завтрак только что закончился, и экипаж в большинстве своем стоял в очереди к корабельному врачу. Поэтому Билл в тех местах, где нагромождение труб на полу представлялось сущим буреломом, шагал прямиком по столам.

— Закрыто, — буркнул кок. — Вали отсюда.

— И вам доброго утречка, — отозвался Билл. — У вас не найдется стаканчика чего-нибудь темного и горячего для нового члена экипажа?

Кок схватил чашку и окунул ее в раковину, в которой мыл посуду.

— На.

— Здорово! — солгал Билл, осторожно пригубив пойло, и судорожно сглотнул. — Не то что эрзац-кофе в лагере! — Он допил то, что оставалось в чашке, и ухмыльнулся. — Как насчет добавки, сэр?

Кок нахмурился, метнул на Билла испепеляющий взгляд, что-то проворчал, затем взял чашку, вновь окунул ее в раковину и на сей раз попробовал сам.

— Ты прав. Куда лучше обычного. И гораздо дешевле. Знаешь, я тут сэкономил порядочно деньжат. Глядишь, у меня получится приобрести мамаше деревянную ногу.

— Ага! — У Билла когда-то тоже была мамаша. Вероятно, говорить о ней в прошедшем времени было несколько рановато, но почта приходила так редко, что он порой сомневался, жива ли еще дорогая старушка. — Значит, ваша матушка потеряла ногу? Очень жаль. Могу порекомендовать одно заведение, где изготавливают шикарные протезы. — Он закинул на стойку свою армейскую стопу.

— Да нет, с ней пока все в порядке. Понимаешь, она коллекционирует искусственные конечности. — Кок пригляделся к ноге Билла. — А лапа у тебя и впрямь ничего. Может, уступишь по сходной цене?

— Рад бы, да не могу. Она у меня единственная. Хотите, подскажу адресок фирмы «Заказы почтой»...

— Заметано, приятель. Слушай, ты оказал мне услугу, а я даже не представился. Джулиус Чайлд, сержант-артельщик.

— Билл, предохранительный первого класса и по совместительству стрелок Господа.

— Стрелок Господа? Выходит, ты уже пообщался с генералом? Чем могу помочь, Билл?

— Вы, случайно, не знаете, — справился Билл, понизив голос и воровато озираясь, — где бы раздобыть спиртного?

— Хм-м-м... — Сержант Чайлд призадумался, потом посмотрел на буфетные шкафы, плиту и раковины с таким видом, будто мысленно производил инвентаризацию имущества. — На борту есть метиловый спирт, которым чистят стволы торпедных аппаратов, но от него ты загнешься в два счета. К тому же в него подмешивают селитру. — Он снова погрузился в размышления. — Кагор для причастия? Нет, им заведует капеллан, а он офицер, а офицеры вином не делятся; к тому же замок от бара внутри клетки, в которой ползают священные гремучие змеи. Пожалуй, тут ловить нечего. — Кок поглядел на Билла, ожидая подтверждения. Тот взвесил в уме все «за» и «против»: с одной стороны — вино, с другой — почти неминуемая смерть. Волей-неволей ему пришлось согласиться с коком.

Чайлд продолжал размышлять. Неожиданно Билла как осенило.

— Скажите, сэр, ведь у вас наверняка найдется то, что мне нужно? Обрезки овощей, немного сахарку, дрожжей, вода, тепло и, если поискать, перегонный куб? — Билл имел весьма смутное представление о химии, однако за годы службы поднабрался кое-каких полезных для выживания сведений.

Чайлд выглядел настолько потрясенным, что Билл, которого самого недавно трясло, даже огляделся по сторонам, высматривая оголенные провода. Не найдя ничего похожего, он перевел взгляд на Чайлда, который воскликнул:

— Что? Ты предлагаешь мне гнать самогон? Никогда! Чтобы я опустился до такого? Ни за какие деньги! Я не поступлюсь своими принципами! «Да не коснутся моих уст губы, что осквернены вином». Знаешь, откуда это? Можешь ко мне не подлизываться! — Чайлд бы и далее распространялся в том же духе, но вдруг в машинное отделение ввалился солдат в парадном камуфляжном фартуке; он держал в каждой руке по ведру картофельных очисток.

— Принес твое добро, сержант. Как обычно, в аппарат?

— Аппарат? — встрепенулся Билл. — Значит, у вас есть аппарат!

— Вовсе нет, — возразил кок, делая помощнику знак заткнуться, если он не хочет умереть ужасной смертью. — Ты ослышался. Брауноуз сказал «концентрат». Правда, Брауноуз? Сегодня на обед будет концентрат из замечательных картофельных очисток с офицерского стола. Наши ребята его обожают. Кстати, Билл, можешь при встрече передать это генералу.

— С какой стати мне ему что-то передавать? — удивился Билл.

Брауноуз поставил ведра на пол и многозначительно хмыкнул. Билл свирепо воззрился на него. Брауноуз ответил не менее свирепым взглядом.

Соблюдя ритуал, Билл повторил свой вопрос:

— Так с какой стати мне передавать что-то генералу?

— Он же послал тебя шпионить за нами! — процедил Чайлд.

— Никто меня не посылал, — отрезал Билл.

— Ну да, — фыркнул Брауноуз, — рассказывай! У нас здесь все за кем-нибудь да шпионят.

— Если ты не лазутчик чинджеров, — рассудительно заметил сержант, — то выслуживаешься перед генералом.

— Точно, — кивнул Брауноуз. — С другими шпионами на борту ты не общался, зато просидел целый час в каюте генерала. А если бы он решил, что ты лазутчик чинджеров, мы бы с тобой разговаривали. Вот и выходит, что ты — его шпион.

— Если бы я был лазутчиком чинджеров, — заявил Билл, всесторонне обдумав свое положение, — запомните, я говорю «если бы», вы бы мне тогда налили стаканчик, чтобы промочить горло?

— Что ж, — произнес Чайлд, — будь ты на деле их лазутчиком, я бы, пожалуй, выполнил твою просьбу. Вот только где взять то, что ты просишь? Генерал запретил нижним чинам употреблять спиртное. И потом, если ты работаешь на чинджеров, Брауноузу придется арестовать тебя, поскольку он у нас агент имперской службы контрразведки. Правильно?

— Не совсем, — отозвался Брауноуз. — Меня назначили следить за офицерами, а не за нижними чинами. Кроме того, я таскаю из кают-компании очистки для самогонного аппарата, который мы бы поставили с превеликим удовольствием, когда бы не запрет генерала. Однако мне никто не приказывал ловить чинджерских лазутчиков или, коли уж на то пошло, нижних чинов. А тебе, сержант?

— Чинджеры меня не касаются, — откликнулся Чайлд. — Я работаю на Общество по поддержанию традиционной морали. Они испокон веку наблюдают за едальнями, ограничивают природные гедонистические наклонности солдат и заботятся, чтобы те не переедали.

С другой стороны, я получаю стипендию Пустынного Мусонного фонда за то, что не подаю к столу вырвиглазнийских деликатесов, которые могли бы подорвать боевой дух наших воинов. Но ты, Билл, так или иначе остаешься ни при чем. Ведь ты признался, что не являешься лазутчиком чинджеров.

— Увы, — вздохнул Билл. — Но послушайте, какой шпион не станет с ходу отрицать, что он на кого-то там шпионит?

— Разумно, — пробормотал Брауноуз.

— Не обязательно, — буркнул Чайлд.

Биллу хотелось продолжать спор, но он никак не мог придумать еще хотя бы одного синонима для «сказал». Поэтому он промолчал, постоял немного и отправился в стрелковую башенку поглядеть, не забыл ли предыдущий стрелок бутылочку с чем-нибудь этаким под сиденьем.

Судя по всему, молва распространялась по «Миру на небеси» необыкновенно быстро. Никто из попавшихся Биллу по дороге членов экипажа не пожелал заговорить с ним, никто не проронил ни слова, даже не объяснил, где находится искомая башенка. Не помог и горячий соус из армейской стопы, который Билл с отчаяния стал предлагать всем подряд.

Впрочем, подобное отношение имело свои преимущества: по крайней мере, Билл ни на что не отвлекался, а потому, после двухчасовых блужданий по кораблю, благополучно втиснулся в кокпит и занял свой боевой пост.

Ему уже доводилось видеть нечто подобное — правда, всего лишь однажды, да и то давным-давно, как раз в ту пору, когда он ни с того ни с сего сделался героем Галактики. Ну вот, за что боролся, на то и напоролся. Как говорится, назвался груздем — полезай в кузов. Воспоминания о службе на борту «Божественного кормчего» были крайне расплывчатыми: Билла тогда ранило и он едва не потерял сознание. Кажется, в той башенке был джойстик с красной кнопкой и экран с алым и зеленым индикаторами; всякие инструкции начисто отсутствовали.

Здешняя обстановка мнилась неслыханно роскошной. Стены кокпита были оклеены красочными картинками, что изображали чинджеров, взорванные танки и мосты. Поверх картинок тянулась надпись: «Нинтари электроникс» представляет: игра «Кормовой стрелок». Кресло вращалось во всех направлениях, откидывалось назад и подавалось вперед. Вместо джойстика имелся штурвал, как в автомобиле на воздушной подушке, с двумя кнопками — красной и черной. Над черной было написано: «Стрельба», под красной — «Бомбежка».

Когда Билл уселся в кресло и пристегнулся ремнями, экран вспыхнул, на нем возникло смоделированное компьютером лицо императора, глаза весело глядели каждый в свою сторону. Минуту спустя изображение сменилось: на экране появился в своем камуфляжном муму[1] генерал Мудрозад, который рявкнул:

— Как тебя зовут, солдат?

— Билл, — ответил Билл.

Внизу экрана пропечаталось: «Десантник Бил».

— Нет, — сказал Билл, — с двумя «л».

Его поправка осталась без внимания.

— Ты наш новый стрелок, Билл, — проговорил компьютерный генерал. — Хочешь поучиться?

— Конечно! — воскликнул Билл.

— Нажатие красной кнопки означает боевую стрельбу, нажатие черной — тренировочную, — сообщил компьютерный Мудрозад.

Билл надавил на черную кнопку.

— Опусти монету! — велел генерал, рядом с физиономией которого материализовался секундомер. Начался десятисекундный отсчет. Привыкший к таким штучкам Билл сунул руку в монетодозатор на своей армейской стопе и достал монетку в четверть кредита. Как он и ожидал, монетный паз располагался сразу под экраном. Билл бросил монетку и обнаружил, что уложился в шесть секунд.

На экране появился перечень целей с рисунками и суммой очков за каждую цель. Один вражеский солдат расценивался в одно очко, тогда как черноволосый коротышка с густыми усами и пренеприятной рожей — в целый миллион. Коротышка оказался вражеским лидером. Кроме того, компьютер сообщил, что при наборе 500 000 очков игроку предоставляется дополнительное время.

Внезапно Биллу почудилось, будто он слышит хор, который поет «Гимн десантников». Звук словно шел откуда-то издалека, что было весьма странно, поскольку протяженность кокпита в поперечнике составляла не более шести футов. Билл помотал головой, и гимн стих.

Между тем на экране появился генерал Мудрозад. Теперь его смоделировали в полный рост: он стоял перед диаграммой и держал в руках указку.

---

[1] *Муму* — домашнее женское платье в гавайском стиле.

— Черная кнопка уничтожает всякую мелочь, — генерал указал по очереди на фигурку солдата, палатку и танк. Все они друг за дружкой взорвались. — Красная кнопка применяется для охоты на крупную дичь. — Мудрозад ткнул указкой в мост, затем в здание и в линкор, которые мгновенно превратились в ничто. — За одним исключением. — Глазам Билла предстал вражеский лидер. — Для него нужна красная кнопка, иначе ты не получишь очков. Нажми черную, когда будешь готов.

К счастью для Билла, в башенке имелся разменный аппарат. Таким образом, когда у него кончатся четвертаки, ему не придется бежать и искать, где бы разменять крупные монеты, а сумму потом вычтут из жалованья. Что ж, раз выпить не дают, а разговаривать не хотят, он проведет остаток пути до Вырвиглаза на своем посту и попытается пробиться в «Зал славы», несомненно увлекательной игры!

Глава 5

Можно сказать, что более приятной обязанности Биллу еще не выпадало. Никто его не трогал, делать было нечего, так что он дни напролет играл с компьютером, тем более что чувствовал себя в полной безопасности. С другой стороны, он был как стеклышко; к тому же на борту «Мира на небеси» до сих пор не обнаружилось ни единой особы противоположного пола. Даже роль корабельной кошки исполнял зловещего вида одноглазый кот, уши которого сильно пострадали в жестоких схватках с космическими крысами, что шныряли в трюме. Впрочем, как уже было сказано, отсутствие развлечений скрашивалось для Билла тем фактом, что, пока он сидел себе в башенке, никто не пытался его убить.

Генерал Мудрозад несколько раз заглядывал в кокпит с экрана компьютера, и тогда Биллу приходилось выслушивать витиеватые рассуждения и не менее пышнословные молитвы, однако он терпеливо переносил испытания — тем более что вскоре сообразил, что тирадам генерала можно внимать и во сне. Мудрозад упорно твердил, что в предстоящей битве опасаться совершенно нечего, и в конце концов Билл поверил своему командиру. Вдобавок тот не уставал повторять, что расстреливать надо будет вовсе не людей, а лишь здания и пусковые ракетные установки.

Билл отчасти сожалел о том, что не может получить миллион очков за вражеского лидера, ибо в режиме боевой стрельбы такое количество очков означало — ни больше ни меньше — двенадцатичасовую увольнительную. Правда, чем глубже он погружался в таинства игры, тем сильнее убеждался, что всяких там лидеров обычно окружают мерзкие типы с автоматами, огнеметами и прочим оружием, которые почему-то обижаются, когда ты стараешься прикончить их босса. По этой причине Билл избегал приближаться к вражескому лидеру, ибо за годы службы научился остерегаться обиженных типов, если те вооружены до зубов.

Потому-то, когда на экране взамен компьютерного возник всамделишный генерал Мудрозад, который объявил, что корабль вышел на орбиту вокруг планеты Вырвиглаз и вращается по ней вот уже две недели, давая аборигенам возможность осознать ошибочность их поведения, Билл далеко не сразу принялся молить о пощаде, даже не вспомнил ни одной из своих детских молитв. Он был гораздо сильнее озабочен тем, хватит ли у него четвертаков, чтобы закончить игру.

Билл сунул очередную монетку в паз под экраном. Кресло откинулось назад и завибрировало, а Билл крепко заснул. Ему снился родной дом — матушка, робомул, большое здание с белыми колоннами по фасаду, веселые лилипуты, что пели и играли во дворе, вдоль которого тянулась дорога, вымощенная желтым кирпичом, каковая вела в бюро вербовки новобранцев. Крошечным уголком сознания он понимал, что его настоящий дом выглядит совсем иначе, однако утешался тем, что не появлялся там много-много лет, а за такой срок все могло перемениться. Потом Биллу приснилась школьная учительница, мисс Флогистон, которая помогла ему поступить на курсы техников-удобрителей, те самые, на каких будущему герою Галактики так и не дали доучиться. Мисс Флогистон сказала: «Билл, приготовься использовать любую благоприятную возможность. Для этого нужно тщательно продумывать свои планы. Ты ведь знаешь, ничего не происходит просто по воле случая». Но почему на мисс Флогистон мундир? И почему она кричит на Билла?

— Билл! Билл! Аллилуйя, сынок! Пора вставать!

Мало-помалу до Билла дошло, что на него кричит не мисс Флогистон, а генерал Мудрозад. Билл открыл глаза и инстинктивно отдал честь обеими правыми руками.

— Так точно, сэр! Слушаюсь, сэр! Здравия желаю, сэр!

— Возблагодари Господа, сынок! Нет-нет, это не приказ! Однако проснись, Билл, настает час славной битвы с проклятыми язычниками, которые угрожают самому существованию нашей цивилизации, пытаются уничтожить моральные и религиозные принципы, на коих зиждется империя и все мироздание. Они — средоточие зла, которым запятнали себя еще в те дни, когда существовала легендарная Земля...

Веки Билла непроизвольно сомкнулись вновь.

— ...поквитаться с врагом у нас в тылу, чтобы развязать руки императору в войне с чинджерами...

Дыхание Билла сделалось ровным и глубоким.

— ...небеса даруют победу нашим доблестным войскам...

В следующий миг Билл осознал, что генерал сорвался на истошный вопль:

— Да проснись ты, образина! Как я не раз говорил тебе, Билл, лишь ведомые Господом, который станет направлять твою руку, мы сможем спасти Галактику от заразы атеистического тоталитаризма.

— Так точно, сэр, — отозвался Билл наобум. Интересно, подумалось ему, отличается ли атеистический тоталитаризм от пребывания в десантных войсках? Но, разумеется, чинджеры и вырвиглазнийцы не верят в императора, длань которого Билл однажды имел счастье облобызать — когда получал медаль и звание героя Галактики. Столь грандиозное событие не могло не оставить следа в памяти простого крестьянского сына, а потому Билл трепетно хранил верность императору, хотя давно позабыл, если знал вообще, как того зовут.

— Итак, стрелок Билл, — произнес генерал Мудрозад, — ты готов?

— Так точно, сэр! Я тренировался несколько недель подряд.

— Замечательно! Помни, тебе запрещается убивать людей, ибо любая человеческая жизнь для нас священна, пускай она принадлежит проклятому безбожнику, который заслуживает мучительной смерти. Твоя задача — уничтожать здания, отмеченные на экране красной стрелкой. Вот, прими в знак моего к тебе доверия. Атака начнется через пять минут. Мы все — Господь, император и я — рассчитываем на тебя. Удачи, Билл! Да пребудет с тобой благодать Небес!

Генерал исчез с экрана прежде, чем Билл успел собраться с мыслями для ответа. С разменным аппаратом творилось нечто непонятное. Из него струей хлынули монеты, на дисплее замигала надпись: «Магазин пуст!» Пять кредитов, целая куча четвертаков! Билл смахнул набежавшую на глаза слезу. Как ему повезло с командиром!

Он собрал монеты и сложил их аккуратными стопками на полку над экраном компьютера, затем взял одну монетку, вложил ее в паз и надавил на красную кнопку.

Таблица наведения на цель существенно отличалась от той, на которой он тренировался, но это его не испугало — Билл привык к тому, что битва всякий раз преподносит тот или иной сюрприз.

Искусственная гравитация «Мира на небеси» удерживала во время спуска в атмосферу на своих местах все, кроме кресла, в котором сидел Билл, — оно дрыгалось, раскачивалось, вертелось кругом, так что Билла едва не вытошнило.

Вот! На экране возникла красная стрелка. Что ж, похоже, монеты и беспрерывная учебная пальба не пропали даром. Билл подождал, пока стрелка сойдется с перекрестьем прицела, а потом выпустил «разумную» ракету.

Они назывались «разумными», однако на деле были куда тупее самого Билла, хотя, казалось бы, дальше некуда. Навести такую ракету на цель было недостаточно. Биллу пришлось направлять ее по картинкам, которые передавала установленная на носу ракеты камера. У него невольно сложилось впечатление, что он катается на серфинге по волнам и вот-вот рухнет в воду; затем Билл решил, что это смахивает на выброску коммандос, разве что без обязательного самоубийственного финала.

Вокруг то и дело возникали облачка взрывов, но Билл не обращал на них ни малейшего внимания. Он целиком сосредоточился на ракете. Последняя картинка изображала вырвиглазнийцев, которые разбегались в разные стороны. Потом экран потемнел, а в следующий миг на нем пропечаталось: «Вражеское орудие — 50 очков». Билл не успел порадоваться своей удаче, как на экране замерцала новая стрелка.

Великая битва началась.

Глава 6

То была отнюдь не битва битв, не праматерь всех сражений, но уж по крайней мере ее троюродная сестра.

«Мир на небеси», звездолет-разведчик, флагман эскадры, был самым маленьким из множества кораблей. Его огневой мощи не хватило бы и на то, чтобы испарить досуха один-единственный океан, однако он возглавлял могучую флотилию, равной которой не собиралось с прошлого февраля. Миллионы доблестных десантников на борту тысяч грозных звездолетов ожидали своего часа, а экипажи выказывали чудеса героизма, бомбя мятежную планету из верхних слоев атмосферы. Идея же столь величественного предприятия принадлежала исполненному благородства офицеру, который если и повредился в уме, то совсем чуть-чуть, — генералу Уормву-ду Мудрозаду.

Император рек: «Ступай и приведи ко мне моих заблудших овец», а в мозгу прославленного генерала тотчас же зародился план, который он, сверкая глазами и воздевая руки к небу, немедля ринулся исполнять.

Вообще-то на деле все было немножко иначе. Некий адъютантик прошептал новость о восстании на планете Вырвиглаз на ушко императору, благоразумно выбрав то ухо, которое отличалось меньшей степенью глухоты; император буркнул что-то невразумительное; другой адъютант, что стоял на разумном расстоянии от монарших уст, во всеуслышание истолковал божественную волю правителя. План же генерала сводился к тому, чтобы «разбомбить этих мерзавцев к чертям собачьим», а вся организация заключалась в том, что он бросил штабным офицерам: «Марш на корабли и живо за мной!»

Однако робописцы на борту «Мира на небеси» запустили в обращение собственную версию произошедшего, а подданные императора, которые знали мало, а интересовались и того меньше, приняли все за чистую монету. Нашлись даже такие, кто, разинув рот и развесив уши, внимал пышным словесам армейской пропаганды.

Так и получилось, что могучая флотилия налетала волнами на оборонительные сооружения планеты Вырвиглаз, наносила удар за ударом, дабы уничтожить систему обороны, не убив при этом никого из гражданских и прикончив от силы двух с половиной солдат. Все шло настолько гладко, что невозможно было поверить.

Но люди верили. В частности, верил Билл, видевший, что творится на планете, собственными глазами, которые не сводил с видеоэкрана. Ведь, как известно, видеоэкраны не лгут. Билл наблюдал за ходом сражения через камеры, установленные на носах ракет, которые выпускал одну за другой и раз за разом, с поистине сверхчеловеческой точностью наводил на цель, ощущая себя спасителем цивилизации и предвкушая, как станет в скором времени дважды героем Галактики.

Первая волна звездолетов, возглавляемая флагманом, в хвосте которого засел Билл, обрушилась на средства космической обороны. Армада проникла глубоко в атмосферу планеты и принялась крушить все, что находилось в воздухе и на земле. Тысячи доблестных стрелков рисковали, подобно Биллу, испытать на собственной шкуре все прелести современной войны — тошноту, скуку, усталость, невыносимую жажду и все прочее, — однако мужественно оставались на своих постах, оберегая товарищей от залпов вырвиглазнийских бунтовщиков.

На экране Билла едва успевали гаснуть и зажигаться вновь красные стрелки; из реактивных труб космического паука, которым командовал генерал Мудрозад, градом сыпались ракеты. Уверенность Билла в себе и в своем оружии — необычайно сложном, с точки зрения десантника, — росла пропорционально точным попаданиям. Первая ракета уничтожила орудие противника. Билл еще какое-то время попрактиковался на мелких целях, а затем перешел к крошечным. Он загнал одну ракету прямиком в дуло пушки, а вторую пустил в облет и направил в ящик с боеприпасами. К его радости, перед тем как поразить цель, ракеты подавали звуковой сигнал, услышав который орудийные расчеты врага удирали во все лопатки.

Голова у Билла пошла кругом. Он буквально лучился от счастья, заставляя ракеты выделывать в воздухе «мертвые петли», «бочки» и иммельманы, потом открыл новую забаву — писать в небе разные слова. Вскоре он сообразил, что посредством камер на ракетах может разглядывать вражескую территорию, оставаясь притом в полной безопасности.

Разумеется, противник не сидел сложа руки. Вырвиглазнийцы не понимали, что имперские войска осыпают планету бомбами ради общего блага, а потому всячески норовили сбить реактивные снаряды, как только те оказывались в пределах видимости. Иногда они преуспевали в своих намерениях. Гибель каждой ракеты, которая была перехвачена, повергала Билла в уныние, поскольку он стремился набрать как можно больше очков и добиться от компьютера дополнительного времени, чтобы не добавлять к куче четвертаков, выделенных генералом, свои собственные. Порой аборигены палили куда-то в сторону, куда именно — Билл не видел; а порой — заметив это, он несказанно удивился — солдаты противника просто не имели возможности спастись бегством.

Естественно, носовые камеры взрывались вместе с ракетами, так что Билл ни разу не углядел самого момента взрыва, но постепенно до него дошло, что там, внизу, несмотря на все уверения Мудрозада, гибнут люди. Поскольку Билл и сам не единожды бывал на волосок от гибели, он искренне сочувствовал несчастным аборигенам.

Неожиданно в битве наступило временное затишье. Билл воспользовался представившимся случаем и пустил очередную ракету в разведывательный полет над поверхностью планеты. Когда нос снаряда задрался вверх, он впервые увидел флотилию целиком; та раскинулась в небесах подобно пациенту на хирургическом столе. В армаде насчитывались тысячи кораблей размерами от «Мира на небеси» до исполинских дредноутов, которые были столь громадными, что не могли даже войти в атмосферу. Малые корабли атаковали волнами, причем каждую возглавляло разведывательное судно, капитан которого обеспечивал порядок в эскадре посредством пульта дистанционного управления. Крупные же звездолеты, зависнув на орбите, выпускали эскадрильи бомбардировщиков, истребителей и летучих ракетных платформ.

Эти платформы парили на уровне облаков, время от времени разражаясь залпами. Бомбардировщики пикировали на цель, истребители прикрывали их сверху и с боков. На глазах у Билла группа имперских истребителей рванулась навстречу той, которая только-только поднялась с земли. Издалека все летательные аппараты выглядели одинаково, так что установить, кто побеждает, было затруднительно. Но тут взорвался бомбардировщик, и Билл нажатием кнопки отправил свою ракету вниз. На экране вспыхнула надпись: «Аэродром — 100 очков»; в следующее мгновение ракета взорвалась и изображение исчезло.

Так нечестно! Имперский флот старается изо всех сил, чтобы, не ровен час, не убить кого-нибудь из обитателей мятежной планеты, а мерзкие вырвиглазнийцы знай себе расправляются с товарищами Билла по оружию! Не то чтобы Билл был лично знаком с кем-либо из пилотов, нет, на службе он всячески избегал сомнительных связей. Но, возможно, после нескольких недель прослушивания гимна и внимания во сне к речам генерала Мудрозада в нем пробудились наконец патриотические чувства. Может быть, причиной тому были гипноспирали, встроенные в спинку кресла. Как бы то ни было, Билл разъярился и взялся за дело всерьез.

Теперь он отчетливо осознал свою задачу: превращать в пыль все, что грозит смертью его товарищам, приятелям, соратникам и, может статься, ему самому.

Билл уничтожил пусковую установку, затем стер с лица земли зенитное орудие, взорвал склад боеприпасов, устроил воронку на месте аэродрома, потом посшибал еще пару-тройку зениток и ликвидировал добрый десяток пусковых установок.

Вырвиглазнийское командование, похоже, оправилось от неожиданности и бросило в бой свои силы. Пора блаженства миновала. Билл трудился не покладая рук, переключаясь то на наземные цели, то на ракеты, которые мчались, судя по экрану, прямиком на него. Он орудовал лазерами; кресло раскачивалось, подпрыгивало, проседало, вертелось и кружилось, и Биллу оставалось только радоваться, что он на протяжении всего перелета к Вырвиглазу не ел ничего, кроме жидкой питательной кашицы, которой его добросовестно снабжал имевшийся в башенке распределитель, иначе видеоэкран давно бы уже стал похож на вдосталь вывалявшуюся в грязи свинью.

Затишья более не предвиделось. Билл настолько погрузился в отстрел вражеских истребителей и ракет, что ему совершенно некогда было задумываться над тем, откуда они берутся. Краткие передышки наступали только тогда, когда он отвлекался от схватки, чтобы взять с полки новую монетку, и были чрезвычайно непродолжительными. По счастью, он набрал достаточно очков для того, чтобы обеспечить бесперебойную стрельбу.

Круговорот событий захлестнул Билла с головой, он лишь мельком вспоминал слова генерала: мол, не волнуйся, сынок, опасаться нечего.

Экран компьютера перечеркивали во всех направлениях красные стрелки, зеленые ореолы вокруг кораблей армады добавляли сумятицы, однако при желании, если приглядеться повнимательнее, вполне можно было догадаться, что, собственно, происходит. Проще пареной репы — сущий ад!

Битва переместилась в воздух, земля на какой-то срок перестала интересовать кого бы то ни было, корабли как очумелые носились по-над планетой, схватка с каждой минутой становилась все яростнее.

Между небом и землей, между звездолетами, бомбардировщиками и истребителями обеих сторон сновали ракеты; небосвод расчерчивали лучи лазеров, уничтожавшие буквально все на своем пути. Порой лазерный залп с имперского корабля приходился в имперский же бомбардировщик, хотя был нацелен во вражеский истребитель. Если бы не система цветового кодирования (зеленые — свои, красные — враги), Билл ни за что не разобрался бы, по кому следует стрелять, а по кому нет. Он надеялся, что стрелки на других кораблях флотилии пользуются такой же компьютерной системой, а потому сумеют при случае отличить «Мир на небеси» от летательных аппаратов противника.

Небеса были буквально нашпигованы жужжащей смертью. Флагману приходилось уворачиваться лишь от тех залпов, которыми противник метил прямиком в него; впрочем, этого было вполне достаточно. Остальные же корабли прорывались сквозь сплошную пелену разрывов, причем положение усугубилось тем, что воздух кишел самолетами и бесчисленными обломками — последних было больше всего. Звездолеты защищались силовыми экранами, а вот что касается истребителей и бомбардировщиков, те непрестанно натыкались на осколки снарядов, ракет и взорванных самолетов, которые наносили им немалый урон — отсекали крылья и вонзались в фюзеляжи, полосовали стекла пилотских кабин.

Со временем стала бесполезной и система цветового кодирования. Корабли и самолеты рушились на землю один за другим, и понять, кто кого подбил: вырвиглазнийцы имперский летательный аппарат или наоборот — попросту не представлялось возможным.

В общем-то, это перестало иметь какое-либо значение, по крайней мере для Билла, который теперь палил без передышки по всему, что только попадалось на глаза, не обращая внимания даже на сумму очков — каковая, кстати сказать, оставалась до смешного низкой, ибо за уничтожение осколков и обломков очки не начислялись.

И вдруг, в самый разгар битвы, цели начали отдаляться.

Биллу потребовалось около пары минут, чтобы сообразить, что «Мир на небеси» выходит из боя и возвращается на планетарную орбиту. Компьютер принялся подсчитывать, полагаются ли герою Галактики премиальные очки, и тут в левом углу экрана возник генерал Мудрозад, который, желая, как видно, придать себе более воинственный вид, нацепил поверх мундира портупею.

Мудрозад стоял перед гологлобусом планеты Вырвиглаз, испещренным стрелками разных цветов и размеров; голос диктора произнес:

— ...наш с вами, солдаты и журналисты, обожаемый генерал, неустрашимый Уорми Мудрозад!

В ответ невидимая аудитория разразилась бурей аплодисментов.

— Спасибо, спасибо, — сказал генерал. — Как вам известно, несколько часов назад наши доблестные войска завязали сражение с вырвиглазнийскими безбожниками. Подчеркиваю: эта мера вполне оправданная и носит чисто предупредительный, если можно так выразиться, оборонительный характер. Разумеется, всякие подробности операции совершенно секретны и останутся таковыми до скончания времен. Однако я могу, не вдаваясь в детали, обрисовать ситуацию, которая сложилась к настоящему моменту. Все идет как по писаному.

Экран разделился на две части. Левую по-прежнему занимал Мудрозад, а справа появилась толпа репортеров, которые размахивали руками, подпрыгивали, словно школьники, стремясь обратить на себя взор генерала, будто забыли, что находятся на звездолете за миллионы миль от планеты Вырвиглаз. Солдат в форме подставил микрофон какой-то женщине и протянул ей листок бумаги.

— Генерал Мудрозад, — прочитала журналистка, — чему вы приписываете столь ошеломляющий успех в сегодняшней битве?

— В первую очередь, естественно, себе как творцу гениального стратегического плана и героическому полководцу. Ну и кое-что зависело от смелых мужчин и женщин, которые рисковали собственной жизнью ради осуществления моего бесконечно дерзновенного и полностью безопасного замысла. Однако прежде всего мы обязаны победой поддержке Господа, который решил покарать через нас мятежников-атеистов. Да, поистине все в руце Божьей! Аллилуйя!

Биллу подумалось, что успех, возможно, отчасти связан с тем, что лично он уничтожил изрядное количество вражеских огневых точек, но сообщить о том корреспондентам ему не удалось, поскольку трансляция не предусматривала постороннего вмешательства.

— Понесли ли наши славные войска какие-либо потери? — справился, изучив подсунутую бумажку, другой репортер.

Билл с интересом дожидался ответной реплики генерала, ибо натер на указательном пальце, которым нажимал на курок, небольшую мозоль и надеялся получить «Пурпурную почку» — традиционную медаль за волдыри, царапины, синяки и порезы; обычно ею награждали офицеров, но ведь бывает всякое...

— Я рад, что вы спросили меня об этом, — изрек Мудрозад. — Как вы знаете, в сражении принимают участие миллионы солдат, а при такой численности потери, сколь угодно малые, к сожалению, неизбежны. Разумеется, каждая потеря для нас — трагедия; я поручил своему штабу подготовить письма с соболезнованиями семьям тех воинов, ранения которых подпадают под категорию С-семь (повреждения срамных мест) и далее по восходящей. По счастью, мне докладывают, что сегодня таких писем отправлять, видимо, не придется.

Билл облегченно вздохнул. Как удачно все складывается! А ему-то казалось, что обязательно найдутся пострадавшие по категории А-2 (летальный исход, повторному использованию не подлежит; единственная более высокая категория, А-1, означала гибель от прямого попадания, что рассматривалось как самовольная отлучка из части, а того, кто погибал подобной смертью, судили военно-полевым судом)! Правда, все же странно: Билл собственными глазами наблюдал, как взрывались в атмосфере, на высоте в пять, а то и в десять миль, корабли, как выпадали из них люди. Неужели никто не пострадал? Наверное, так; ведь генерал знает, что говорит.

Солдат с микрофоном и бумажками в руке приблизился к третьему репортеру.

— Какое наказание понесут безбожные бунтовщики?

— Гораздо менее суровое, уверяю вас, чем они того заслуживают, — отозвался Мудрозад. — Конечно, у нас нет и не может быть точных сведений о потерях противника, однако могу сказать, что мы полностью уничтожили зенитную артиллерию вырвиглазнийцев и пусковые ракетные установки. По сообщениям разведки, пока отмечен лишь один смертельный случай. Некий старик находился в момент нашей атаки на базе, на которой служит его сын. Его настолько потрясла неожиданность нападения, что он скончался на руках у сына — сердце не выдержало. Хотя мы никоим образом не виноваты в кончине этого человека, я распорядился направить семье покойного письмо с соболезнованиями. Теперь, когда мы преодолели оборонительный заслон, наши усилия будут сосредоточены на разрушении заводов и фабрик, на которых мятежники изготавливали оружие массового уничтожения. Если бы вы только знали, что замышляли эти изверги! Кроме того, мы, разумеется, нанесем ряд ударов по предприятиям, которые снабжали фабрики сырьем, комплектующими, электричеством, а также по транспортным и инженерным коммуникациям. Оговорюсь заранее: гражданскому населению столь радикальные меры не причинят ни малейшего ущерба.

Билл на какой-то миг, будучи не в силах осознать, как можно бомбить все подряд, а попадать исключительно по военным целям, изумился тому, насколько, оказывается, точны системы наведения корабельных компьютеров. Но тут включились гипноспирали кресла, и всякие сомнения мгновенно улетучились.

Вдобавок машина наконец-то закончила подсчет очков. Сумма, особенно если прибавить к ней премиальные за то, что стрелок остался в живых, получалась весьма неплохой, но все же недостаточной для того, чтобы войти в первую десятку, не говоря уж о предоставлении двенадцатичасовой увольнительной. При иных обстоятельствах Билл, пожалуй, огорчился бы, но, так как женщин на звездолетах не было, а в столовой и кубрике все наверняка начнут от него отворачиваться, то мимолетное сожаление тут же сменилось чем-то вроде облегчения.

Разбираться с очками было куда интереснее, чем слушать рассуждения генерала. Билл принялся прикидывать, сколько бы заработал, если бы подстрелил всех, кто метил в него. Внезапно в проеме люка появилась голова Мудрозада.

Билл отсалютовал обеими руками и попытался вскочить, совсем забыв, что просидел в кресле, практически не вставая, добрых две недели. Ноги у него подкосились, и он рухнул обратно в кресло. Между тем на видеоэкране генерал Мудрозад отвечал на очередной вопрос.

Билл перевел взгляд с экрана на проем люка. Лицо генерала Мудрозада выражало нетерпение и отеческую озабоченность. Билл вновь посмотрел на экран, на котором тот же самый генерал объяснял репортерам, что фильм, снятый камерой на носу одной из ракет, по сути ничем не отличается от миллионов других.

— Чудо! — воскликнул Билл и постарался упасть на колени.

Глава 7

Генерал ослабил привязной ремень, похлопал Билла по щекам, дабы привести в чувство, и лишь затем изрек:

— Лишь Господу под силу творить чудеса, да славится Он во веки веков! Сынок, это всего-навсего запись. Мы сделали ее утром, еще до начала операции.

Билл вновь попытался простереться ниц, и вновь ему помешал все тот же ремень. Кое-как обретя дыхание, которое пресеклось после рывка, он пробормотал:

— Сэр, на вас снизошла благодать! Милостью Ахура Мазды вам позволено заглянуть в будущее! Это чудо из чудес!

— Хорошо, сынок, пускай будет чудо. — Генерал, по всей видимости, решил не вдаваться далее в теологические тонкости: мол, переубеждать этакого олуха себе дороже. — Я завернул к тебе, чтобы убедиться, что с тобой все в порядке, и проверить, готов ли ты к завтрашнему дню. Нас ожидают тяжкие испытания. Я рассчитываю на тебя.

Билл озадаченно уставился на Мудрозада, скосил глаза на экран и снова воззрился на генерала, а потом затряс головой.

— Но... но... Вы же только что сказали, что мы разбили противника в пух и прах!

Генерал на экране вновь пустился в объяснения по поводу того, как им с императором жаль, что события развиваются столь нежелательным образом, и присовокупил — они надеются, что жертв не будет.

Однако тот Мудрозад, который присутствовал в кокпите Билла собственной персоной, говорил совсем о другом:

— Ты поработал на славу, Билл. Готов поспорить, ты потратил не все мои четвертаки.

Билл с гордостью указал на две монеты на полке.

— Отлично. Обещаю, они у тебя не заржавеют. Ну а теперь ложись спать и постарайся выспаться. С утра все начнется по новой, и тебе потребуется свежая голова. По нам наверняка будут стрелять, но я уверен, что ты сумеешь защитить меня. Помни о великой чести, которую тебе оказали, не забывай о моих интересах, и все будет в порядке. Да, — прибавил генерал перед тем, как уйти, — ты награждаешься медалью. Обратись к машине, она выдаст твою награду.

На электронном дисплее разменного автомата замигали надписи: «Размен» и «Поощрение: 1 медаль». Билл нажал кнопку поощрения; тут же появилась иная строчка: «Опустить монету или залог». Выходит, у него на завтра останется всего один генеральский четвертак и волей-неволей придется скормить компьютеру свои монеты, добытые тяжким трудом в процессе тренировки? Впрочем, ни на что другое их все равно не употребить; к тому же, погибни он в завтрашнем бою, монеты вообще пропадут зазря. Тем не менее Билл несколько огорчился, ибо ему вовсе не хотелось платить императору. Удивляться чему бы то ни было он уже перестал, но вот огорчиться не преминул — так, по ходу дела.

Что касается наград, Билл мог похвастаться парой медалек, которые болтались где-то среди вещей, а также правом носить драгоценный «Пурпурный дротик с туманностью Угольного мешка» (право правом, однако саму медаль он давным-давно куда-то задевал). По зрелом размышлении он все же решил, что дополнительное украшение на мундире отнюдь не помешает, скорее придаст ему привлекательности в глазах солдатских поклонниц — легендарных существ, о которых он много читал, но ни разу не встречал, что называется, вживую. Если такая встреча когда-нибудь да состоится, то чем больше будет у него на груди медалей, тем лучше. Билл со вздохом сунул в паз автомата предпоследний четвертак.

Машина свирепо зарычала, а затем разразилась жалобными стонами, от которых у Билла сладко заныло сердце: он вспомнил годы службы в свою бытность инструктором по строевой подготовке. Стоны перешли в глухой рев, который зародился глубоко во внутренностях автомата и медленно приблизился к распределителю. Что-то звякнуло, и на поддон вывалилась медаль.

Билл жадно схватил ее и принялся внимательно разглядывать. С одной стороны металлического овала был выбит профиль императора, точь-в-точь такой же, как на монетах, разве что немного вытянутый по диагонали. На ребре просматривался имперский девиз: «In hoc signo vinces»[1], причем буквы располагались под тем же самым весьма необычным углом, что и профиль. На обратной стороне, если присмотреться, можно было различить наполовину стершиеся очертания хижины, в которой, по традиции, рождались все до единого императоры. Поверх изображения была вычеканена надпись: «Боевая медаль за участие в операции добрососедского принуждения», в конце которой, на месте точки, имелось крохотное сквозное отверстие.

Медаль при всем желании нельзя было причислить к разряду бесценных сокровищ. Она сильно смахивала на сувенирчик, который Билл смастерил как-то на карнавале из монетки в сто кредиток. Интересно, тот еще сохранился? Если да, его можно было бы носить вместе с медалькой; на пару они произведут куда более благоприятное впечатление. Вряд ли кому взбредет на ум ломать глаза, чтобы прочесть надпись на сувенире, которая гласила: «Я пережил ярмарку удобрений на Фигеринадоне-II».

Ну да ладно; по всей вероятности, он навсегда распрощался со своими пожитками, в том числе с рундуком, в котором хранил стопы. Чтобы возвратиться в лагерь, необходимо,

---

[1] Под этим знаменем победишь *(лат.)*.

во-первых, уцелеть в сражении, а во-вторых — не попасть под трибунал за то, что остался в живых, выполняя самоубийственную миссию; вдобавок он ведь нарушил приказ непосредственного начальника. Так что, к сожалению, безопаснее всего не рыпаться и посиживать себе в стрелковой башенке «Мира на небеси», по крайней мере — пока.

Было бы некоторым преувеличением сказать, что Билл проснулся отдохнувшим. Нет, он просто проснулся, что само по себе, в боевых условиях, являлось громадным достижением. Ноги у Билла слегка затекли, ибо он просидел в своем кресле, питаясь не пойми чем и общаясь исключительно с компьютером, благо остальные члены экипажа — генерал в счет не шел — его попросту игнорировали, несколько недель. Тем не менее проснуться после битвы было лучше, чем не проснуться вообще.

Сон героя Галактики прервался самым неожиданным образом. Прямо над ухом Билла зазвенел будильник, а затем раздался трубный глас:

— Подъем! Подъем! Подъем!

Билл судорожно дернулся, попытался вскочить, зашипел от боли, когда в тело вонзились кольца гипноспиралей кресла, и мигом стряхнул с себя остатки сна.

Видеоэкран переливался всеми цветами радуги. На нем, торопливо сменяя друг друга, вспыхивали надписи: «Опустить монету или залог! Немедленно опустить монету или залог! Это приказ! Опускай монету, осел! Шутки в сторону! Опускай монету или залог, иначе ты погиб!»

Билл схватил последний четвертак, сунул тот в паз машины, нажал кнопку вхождения в боевой режим и принялся высматривать цели.

На экране появилось изображение небосвода, который испещряли многочисленные черточки — судя по всему, звездолеты имперской флотилии, поскольку ни одну из черточек не окружал красный ореол. Внезапно изображение поползло вверх. Билл догадался, что «Мир на небеси» вошел в пике и вот-вот начнет атаку.

Земля озарилась оранжевыми вспышками. То были, должно быть, выхлопы ракет. Однако вырвиглазнийцы молодцы: сумели за ночь восстановить свои пусковые установки! Краем уха Билл услышал за спиной звяканье монет, — похоже, разменный автомат самостоятельно сообразил, что стрелку сейчас не до обычной процедуры.

Как и накануне, противник уделил лишь толику внимания бомбардировщикам и сосредоточил огонь на звездолетах. Билл взялся уничтожать ракеты, нацеленные в те корабли, которые охраняли флагман, однако вскоре у него прибавилось забот, ибо враги, по-видимому, твердо вознамерились лишить флотилию командира.

Звено вырвиглазнийских истребителей, которое вынырнуло откуда-то с тыла, предприняло попытку отсечь «Мир на небеси» от остальных звездолетов. С помощью стрелков других кораблей Билл разрезал нахалов лазерными лучами на мелкие кусочки.

Тут на экране замерцала строчка: «Склад боеприпасов — 1000 очков». Билл отчаянно нуждался в очках, поскольку решил во что бы то ни стало заработать двенадцатичасовую увольнительную. Поэтому он выпустил ракету прежде, чем перечитал, шевеля губами, сообщение на экране.

Противник открыл стрельбу из лазеров, норовя уничтожить реактивный снаряд в воздухе. Билл воспринял это как личное оскорбление. Он лихорадочно давил на кнопки и вертел рукоятки, направляя ракету сквозь полосу заградительного огня к красному пятнышку в углу экрана, которое обозначало дверь склада. В сравнении с отражением вражеских атак это было почти приятным развлечением.

Он заставил ракету обогнуть лазерный луч, уклонился от вражеского залпа, счастливо миновал скопище обломков, увернулся от очереди трассирующих пуль, разминулся с истребителем, повел снаряд в облет здания, вынудил перепрыгнуть через забор и пронзить купу деревьев, за которой на незначительном удалении и находилась искомая дверь.

На двери было что-то написано, однако всякие картинки отсутствовали, поэтому разобрать надпись оказалось не так-то легко. Однако Билл справился — как раз перед тем, как ракета угодила точно в намеченную цель.

Надпись гласила: «Бомбоубежище. Максимальная вместимость — 600 гражданских лиц».

Биллу показалось, что тут что-то не так.

Ведь генерал Мудрозад утверждал, что мирному населению ничто не угрожает. Ну да! Билл запомнил слова генерала потому, что те как-то не вязались с практикой имперского командования, которая заключалась в следующем: гражданских необходимо убивать, чем больше, тем лучше, иначе они потом возьмутся за оружие и устроят партизанскую войну.

В общем-то, идея пощадить мирное население представлялась вполне разумной, несмотря на всю свою нетипичность. Билл и сам принадлежал когда-то к гражданским лицам, и в ту пору, если только не подводит память, мысль о смерти его вовсе не прельщала. Теперь же он собственными руками отправил на тот свет шесть сотен ни в чем не повинных людей!

Но компьютер не может ошибаться! Ведь на видеоэкране было написано: «Склад боеприпасов»!

Так или иначе, Билл пребывал в затруднении, и выхода не предвиделось. А посему он решил переложить ответственность на командирские плечи.

Генерал ответил на вызов почти сразу: его изображение возникло, как и раньше, в левом верхнем углу экрана. Мудрозад сидел перед обзорной панелью и наблюдал за разрывами бомб, сопровождая каждый довольным смешком.

— Что тебе нужно, сынок?

— Сэр, мне кажется, я только что взорвал гражданское бомбоубежище!

— И что же?

— Разве вы не приказывали не трогать гражданских?

— Разумеется, приказывал. Однако на войне как на войне. Чем ты обеспокоен, Билл?

— Сэр, компьютер начислил мне за бомбоубежище тысячу очков, как будто то был склад боеприпасов!

— Значит, все в порядке. — Мудрозад хихикнул: панель показала ему очередной взрыв. — С чего ты взял, что попал именно в бомбоубежище?

— Так было написано на двери, — отозвался Билл после непродолжительного раздумья.

— Сынок, не верь вражеской пропаганде! — заявил генерал и рассмеялся добродушным смехом, которому научился в имперской Академии военных героев. — Ни за что и никогда! — Он прищурился и поглядел на свой экран. — Займись-ка лучше тем истребителем, который приближается к нам, если, конечно, не хочешь заночевать в раю.

Бесконечные часы тренировок не пропали даром. Билл аккуратно исполосовал истребитель, потом перещелкал как орехи устремившиеся к звездолету ракеты.

Битва продолжалась. Как выяснил Билл, можно привыкнуть даже к непрерывному притоку в кровь адреналина, особенно когда нет времени перевести дух. Едва расправившись с воздушными целями, он немедля переключался на наземные, которых насчитывалось гораздо больше, чем представлялось возможным уничтожить, а в следующий миг вновь отражал атаку с воздуха.

Сражение затягивалось; оно было каким угодно — напряженным, утомительным, кровопролитным, — но только не интересным.

Какой-никакой интерес возник лишь после обеда.

Билл приноровился подстреливать вражеские самолеты и ракеты поодиночке, методично выбирая очередную жертву среди множества надвигающихся целей. Постепенно у него сложилось нечто вроде распорядка действий. С двумя снарядами или летательными аппаратами он без труда разбирался сам. Три мишени на экране требовали известной сосредоточенности, с четырьмя приходилось попотеть, с пятью и выше — срочно просить помощи у стрелка с того корабля, который следовал в кильватере «Мира на небеси». Как раз после обеда на экране засветились красным целых одиннадцать черточек — пять истребителей и шесть ракет.

Билл выпустил ракету с тепловой системой наведения, а следом — «разумную», которая поразила истребитель, тогда как первая перехватила один из реактивных снарядов противника. Затем взялся за лазеры, посредством которых подорвал три вражеских истребителя заодно со своим, а стрелок соседнего корабля уничтожил еще два, прежде чем отвлекся на защиту собственной посудины.

Билл отправил в свободный полет две дополнительные ракеты, а потом вновь принялся орудовать лазерами. Какое-то время спустя все было кончено.

Общее количество уничтоженных целей равнялось десяти; то был личный рекорд Билла.

К несчастью, одиннадцатая цель, последняя из ракет, про которую Билл в запарке совершенно забыл, угодила прямиком в одно из немногих уязвимых мест генеральского звездолета.

Раздался оглушительный взрыв, и «Мир на небеси» свалился в пике. Затрезвонили сигналы тревоги. Билла вдавило в кресло, привязной ремень впился ему в живот, чуть было не перерезав героя Галактики пополам. Видеоэкран ослепительно засиял красным, на фоне которого замигали голубые буквы: «Приготовься умереть! Приготовься умереть! Мы падаем! Приготовься умереть!»

Вслед за тем на экране как бы открылось окошечко, в котором обрисовалось хорошо знакомое лицо.

— Я хотел бы поблагодарить экипаж за мужество и героизм, — произнес генерал Мудрозад. — Большое спасибо, что не подвели меня в трудный час. Мне очень жаль, но я не могу разделить с вами славу, которая сохранится в веках. Как вам известно, нас подбили, а я занимаю слишком ответственный пост, чтобы допустить свою гибель или сдачу в плен. Я покидаю корабль на спасательной шлюпке. Желаю вам всяческих успехов, в первую очередь — уцелеть при катастрофе. Если вас захватят в плен — а так и случится, если вы не погибнете, — пожалуйста, не забывайте, что должны умереть под пытками, но не проронить ни слова. Не то чтобы вы знали что-нибудь важное, однако главное — соблюсти принцип. Помните: если падете смертью храбрых, вас ожидает поощрение. В противном случае тех, кто спасется, отдадут под суд, а потом расстреляют как дезертиров. Удачи! Да пребудет с вами Господь!

Речь Мудрозада была поистине вдохновляющей, а его прощание с солдатами — неимоверно трогательным, тем более в сравнении с напутствием, которым снабдил своих десантников капитан Кадаффи.

Едва генерал умолк, заиграла музыка. Невидимый оркестр исполнял широко известный гимн «Все ближе и ближе к раю», а по низу экрана побежали строчки куплетов. Верхнюю же часть заняла восхитительная панорама звездного неба, которое отважно бороздила спасательная шлюпка, уносившая прочь генерала.

Билл в очередной раз приготовился к смерти.

Глава 8

Все, что ему оставалось, — крепко вцепиться в компьютерную панель.

Если бы падение не грозило неминуемой катастрофой, им можно было бы восторгаться: внезапные повороты, резкие рывки, болтанка — словом, истинное изобилие удовольствий. Пилот выбрал минутку и отключил сигналы тревоги, однако с гимнами не справился, а потому полет проходил под неумолчные аккорды торжественной и скорбной музыки.

Билл поначалу пытался подпевать, но быстро обнаружил, что не знает и половины слов. Что касается молитв, он помнил лишь одну: «Спасите! Я не хочу умирать!», а привычный набор воплей и стонов надоел ему до такой степени, что звуки буквально застревали в горле. К тому же это средство, к которому он неоднократно прибегал раньше и которое многажды выручало его из беды, теперь, судя по всему, не сулило ни малейших шансов на спасение.

Привязной ремень удерживал Билла в кресле, прижимал к спинке столь решительно, что герой Галактики мог только крутить головой да шевелить пальцами рук и ног. Тем не менее Билл до судорог в кистях стискивал подлокотники, будто возлагал на те все свои надежды.

Впрочем, уголком сознания он отдавал себе отчет в том, что выбор между жизнью и смертью зависит от мастерства пилота, а также от удачи, которой пожелал на прощание экипажу генерал Мудрозад. Пилот творил чудеса; удача тоже пока сопутствовала «Миру на небеси». По крайней мере, подбитый звездолет счастливо избежал участи очутиться под огнем прочих кораблей флотилии. Кроме того, по нему, как ни странно, не стреляли и вырвиглазнийцы: то ли судно слишком уж швыряло из стороны в сторону, чтобы можно было прицелиться наверняка; то ли опять-таки дело заключалось в необыкновенном везении; то ли, что скорее всего, враги решили не тратить лишних снарядов на корабль, который и без того вот-вот окажется в их распоряжении.

Отсюда вовсе не следовало, что вокруг не зудели бомбы, ракеты и пули; совсем наоборот — некоторые разрывались в устрашающей близости к звездолету. На видеоэкране — по тому все еще ползли душещипательные строчки да приближалась к краю точка, обозначавшая шлюпку генерала, — было видно, как настигают корабль смерть и разрушение. Билла отчасти утешало то, что обломки прочих подбитых звездолетов падают быстрее «Мира на небеси» и что у экипажей других кораблей шансы на выживание — ничтожнее не придумаешь; однако утешение было слабым.

В общем и целом «Мир на небеси», помимо того, что стремительно падал в направлении центра планеты, ухитрялся еще потихоньку перемещаться по горизонтали. Билл надеялся, что это позволит совершить относительно мягкую посадку, однако в глубине души понимал, что куда вероятнее ожидать лобового удара.

На видеоэкране, от края до края, простиралось море облаков. Внезапно облака уступили место деревьям и каким-то постройкам, которые увеличивались в размерах с угрожающей быстротой. К горлу Билла комом подкатила тошнота. Звездолет вырвался из крутого пике, две или три секунды мчался по-над самой землей...

Бабах!

Корабль задрожал всем корпусом.

Шварк!

Его подкинуло обратно в воздух.

Бум!

Он вновь соприкоснулся с землей и вновь подпрыгнул. Кокпит Билла раскололся надвое, видеоэкран и разменный автомат вылетели наружу.

Шмяк! При этом ударе сломался механизм управления креслом.

Бряк!

Билл обнаружил, что парит над звездолетом, волоча за собой остатки гипноспиралей и питательных трубок. Тело его пронзила боль настолько острая, что он даже не заметил, как обрушился с довольно приличной высоты в оказавшееся поблизости озеро.

Плюх! Ледяная вода словно заморозила нижнюю часть тела и мгновенно привела Билла в чувство. Он сообразил, что ему лучше плыть к берегу.

К счастью для Билла, хотя ноги у него за время пребывания на борту «Мира на небеси» почти атрофировались, зато руки были в полном порядке благодаря ежедневным тренировкам на различных рукоятках и кнопках компьютера. Армейская стопа упрямо тянула своего хозяина на дно, так что Биллу пришлось затратить немало усилий, чтобы добраться до мелководья; однако на берег он бы ни за что не выбрался, если бы не помощь двух доброжелательных незнакомцев, которые подхватили его под руки, донесли до суши и аккуратно поставили на траву.

— Готов? — спросил один.

— Вполне, — отозвался второй, и они разом отпустили Билла.

Тот немедленно повалился ничком, перевернулся на спину и уставился на спасителей. Они производили впечатление приличных людей — высокие, широкоплечие (пускай не такие высокие и широкоплечие, как Билл), очень вежливые (пускай не столь вежливые, как Билл), в опрятных, отутюженных мундирах (даже опрятнее и отглаженнее, чем у Билла).

Он озадаченно моргнул. Мундиры?

Ну да, самые настоящие.

Вырвиглазнийские!

Он попал в плен к жестоким, безбожным бунтовщикам!

Билл слегка обиделся на судьбу. Выходит, ей мало того, что он чуть не погиб при катастрофе «Мира на небеси»! Выходит, она решила обречь его на мучительные пытки, погубить если не так, то уж этак! Билл жалобно застонал.

— Прошу прощения, сэр, — проговорил один из мятежников. — Вам нехорошо?

— Может, вызвать медиков? — предложил другой.

— Медсестер? — встрепенулся Билл.

— Разумеется. Медсестер и, если понадобится, врачей. Так что, вызывать?

— Врачей не надо. Одних медсестер, и побольше!

— Как скажете, сэр. Кроме вас, на корабле никого не было? Или там остались ваши товарищи? Может, им тоже нужна помощь? — Вырвиглазнийцы развернули Билла лицом к обломкам звездолета, которые полыхали на дальнем берегу озера. Если не считать языков пламени, среди обломков не наблюдалось ни малейшего движения.

Билл призадумался. Он догадывался, что от экипажа, в полном составе, осталось лишь мокрое место. По большому счету ему было наплевать. Однако как вести себя с врагом, чтобы избежать пыток или хотя бы оттянуть их на подольше? Пожалуй, следует проявить готовность сотрудничать.

— Не знаю.

— Извините, не понял.

— Я сидел на корме и не покидал своего поста с той поры, как занял его. Вот почему я не могу ходить. Заглядывать ко мне никто не заглядывал. В общем, я не знаю, что сталось с экипажем.

— Ясно. — Вырвиглазниец повернулся к своему спутнику. — Снарки, вызови аварийную бригаду. Пусть посмотрят, что там к чему.

Снарки отступил на несколько шагов и заговорил в карманный передатчик.

— Скажите, сэр, — спросил первый бунтовщик Билла, — вы в состоянии дойти вон до той скамьи?

Вежливость, с какой к нему продолжали обращаться, внушала Биллу подозрения, лишала вдобавок присутствия духа, а ведь последнее было необходимо, чтобы с честью вынести пытки, которые наверняка начнутся сразу же, как только он окажется под какой-нибудь крышей. Билл вспомнил, как обошелся с ним генерал Мудрозад — свой, имперский офицер; ожидать, что враги поведут себя иначе, по меньшей мере бессмысленно. Ну да ладно, будь что будет.

— Если честно, приятель, я не в силах даже пошевелиться.

— И вызови транспорт, — прибавил мятежник, обращаясь к Снарки. Тот махнул рукой: мол, понял. — Сэр, я хочу устранить возможное недоразумение...

Билл весь напрягся. Ему еще не доводилось сталкиваться ни с чем подобным, однако он предполагал, что будет больно.

— Мы не солдаты. Наши мундиры — форма дружинников гражданской обороны. Вот почему мы так вежливы. Наша задача — оберегать людей во время атаки, а после помогать раненым. Вы ранены?

— Думаю, что нет, — ответил Билл. — Я просто не могу ходить.

— Может, у него поврежден позвоночник? — справился подошедший Снарки.

— Вряд ли, — откликнулся первый повстанец. — Он говорит, что не ранен, и потом, видишь сам — ни крови, ни сломанных костей.

— Со мной все в порядке, — уверил Билл. — Просидели бы с мое в этом треклятом кресле, поглядел бы я на вас. Мне нужны, — он полностью отдался порыву вдохновения, — постельный режим, физическая терапия, массаж два раза в день и пара кварт медицинского спирта ежедневно. — Билл потихоньку начал надеяться, что вырвиглазнийцы отложат пытки до тех пор, пока он не восстановит подорванное здоровье. К тому же, подумалось ему, за спрос не бьют.

— Эй, Бисмир!

— Да, Снарки?

— Ты заметил, какая на нем форма?

— Заметил. — Бисмир понизил голос: — Вся пропахла потом.

— Я не о том. Посмотри на пошив.

— Ты прав. Печально, печально. Никакого стиля! Хотя бы золотой кант на воротнике...

— Да нет! Взгляни вот сюда! — Снарки указал на эмблему на рукаве Билла.

— Какой ты глазастый, Снарки! — Бисмир упер руки в боки; взгляд его не сулил Биллу ничего хорошего. — Это противник.

Билл громко застонал. Вот оно! Пожалуй, пора молиться. Знать бы еще, кому и как!

— Совершенно верно, — сказал Снарки. — Враг.

— Что будем делать?

— Делать?

— Ну конечно! Он — враг. Возьмем его в плен или что?

— А, вон ты о чем. Надо подумать. Устав с собой?

Бисмир расстегнул накладной карман на правой брючине комбинезона и достал книжку размером с карманную Библию. Он перелистал страницы, потом погрузился в изучение алфавитного указателя.

— На «враг» ничего нет, на «солдат» тоже. Хм-м...

Посмотрите на «пытки», мысленно предложил Билл.

— Может, «плен»? — подал идею Снарки.

— Сомневаюсь, — отозвался Бисмир. — Мы ведь гражданская оборона, пленение не в нашей компетенции.

Тем не менее он продолжил штудировать устав. Там не оказалось ни «плена», ни «ВП»[1], ни таких слов, как «допрашивать», «пытать», «шпионаж», «противник», «недруг», «супостат», «неприятель», «амаликитянин»[2] — иных вариантов все трое, как ни старались, вспомнить не могли.

— Что ж, — проговорил Снарки, — похоже, нам не придется брать его в плен.

— И что?

---

[1] *ВП* — военнопленный.

[2] *Амаликитяне* — библейская народность, враждебная евреям (Исх. 17: 8—13; а также другие книги Ветхого Завета).

— Значит, мы всего лишь позаботимся о том, чтобы вы получили надлежащую медицинскую помощь. Вы ведь хотите встать на ноги?

— На ногу, — поправил Билл. Неожиданно у него мелькнула грустная мысль: «А если вторая водопроницаемая?!» Он попытался шевельнуть армейской стопой, но тут же убедился, что всякие попытки пока бесполезны.

Это движение зато вызвало интерес вырвиглазнийцев, которые склонились над Биллом и воззрились на его стопу.

— Хм-м, — произнес Бисмир.

— Да уж, — пробормотал Снарки.

— Любопытно, — заметил Бисмир.

— Весьма, — откликнулся Снарки.

— Это у вас оружие? — спросил Бисмир.

Билл не собирался рисковать. Не хватало еще, чтобы эти олухи отыскали в своем уставе правило, которым дозволялось бы забрать у него стопу!

— Ни в коем случае! Она совсем не опасна. Так, сувенир. Хотя передвигаться без нее, скажу честно, тяжеловато.

— До сих пор вы вообще не двигались, — проронил проницательный Снарки. — Ба, да тут полно всяких отделений! Интересно, что там внутри?

Он уже готов был извлечь нож с ядовитым лезвием, а Билл весь подобрался, решив во что бы то ни стало принять удар — то бишь лезвие — на себя, как позади завыла сирена «скорой помощи». Из подъехавшей машины выскочили двое санитаров, которые немедля достали носилки. К ним присоединилось двое других людей, в похожей форме, но с золотыми галунами.

И никаких медсестер! Сердце Билла упало. Он повернул голову и посмотрел в глаза Бисмиру.

— А медсестры?

— Увы, мой друг. Странно, мы запрашивали их особо. Верно, Снарки?

— Верно, Бисмир. Что поделаешь, война.

— Хорошо сказано, Снарки. Между прочим, солдат, ваши бомбардировки привели к громадным потерям среди населения, поэтому медсестры сейчас нарасхват. Но волноваться нечего. Врачи, которые приехали, — одни из лучших. Сейчас я вас познакомлю.

— Подожди, Бисмир. Узнай сперва, как его зовут.

— Превосходная идея, Снарки. Как ваше имя?

— Билл, — биллкнул Билл. — С двумя «л».

— Ага, — проговорил Бисмир, — понял. А звание?

Билл числился предохранительным первого класса, но уже давным-давно ничего не заряжал. Те времена остались далеко в прошлом. Вот почему он решил воспользоваться званием, которое ему присвоили на срок пребывания в учебном лагере.

— И. о. капрала! — заявил он гордо.

— Замечательное звание! — похвалил Снарки.

— Что ж, — произнес Бисмир. — Позвольте представить. Доктор Джон Уотсон — и. о. капрала Билл. И. о. капрала Билл — доктор Уотсон. Доктор Уолтер Хьюсон — и. о. капрала Билл. И. о. капрала Билл — доктор Хьюсон. Полагаю, вы знакомы со Снарки, доктор Хьюсон? Снарки — доктор Уотсон. Доктор Хьюсон — Снарки. Снарки — доктор Уотсон.

Бисмир собирался начать церемонию по второму кругу, однако ему помешал Билл:

— Слушайте, у вас «скорая помощь»? Так чего вы не везете меня к какой-нибудь медсестре?

Бойцы гражданской обороны задумчиво уставились на Билла, затем переглянулись и дружно пожали плечами.

— Отлично. — Бисмир, похоже, был главным из четверых. — Во-первых, требуется предварительный осмотр пострадавшего. Окончательный диагноз, разумеется, будет поставлен в клинике. Да, именно так и следует поступить. Правильно? — осведомился он у Билла.

Билл прикинул, что в его же интересах не рассказывать вырвиглазнийцам о том, что собственные товарищи по оружию, попади он к ним в руки, вряд ли стали бы цацкаться с каким-то там и. о. капрала; ни к чему наводить противника на мысли, до которых он наверняка рано или поздно доберется сам. Чем меньше напоминать о пытках, тем на дольше они будут откладываться.

— Так точно! — ответил Билл.

— Оба врача осмотрят вас прямо здесь, — сказал Бисмир после непродолжительных раздумий. — Первым Уотсон, вторым Хьюсон.

— Что?

— Первым Уотсон.

— Кого?

— Вторым Хьюсон.

— Не знаю, не знаю. — Снарки почесал затылок.

— Третья лунка, — изрек Билл.

— Простите, что? — переспросил Бисмир.

— Да пришло что-то в голову, — объяснил Билл. — Вы не знаете, что это значит?

Вырвиглазнийцы принялись совещаться.

— Возможно, травма головы, — объявил наконец доктор Уотсон. — Давайте посмотрим, что там с ногами.

Глава 9

Несмотря на всю серьезность положения, в каком невольно оказался, Билл не мог не ощутить прилива патриотической гордости.

Если вырвиглазнийцы ни на что большее не способны, им не выстоять против доблестной имперской армии!

Если этот госпиталь — типичный образчик их военной машины, им лучше сдаваться прямо сейчас!

Билл огляделся. В палате, помимо его собственной, находилась всего одна койка. Гражданскому пациенту, который на ней спал, разрешалось уходить и приходить когда вздумается. К примеру, в настоящий момент сосед Билла бродил по коридорам, хотя должен был — как Билл усвоил то на личном опыте — лежать на кровати, стонать от нестерпимой боли и надеяться, что хирурги отрезали именно аппендикс, а не что-либо другое — скажем, не какой-нибудь жизненно важный орган.

Стены палаты были белоснежными, а вовсе не тошнотворно-горчичными, какими им полагалось быть по уставу.

Сквозь оконное стекло, на котором, кстати, не было решетки, виднелось нечто большое и зеленое — почти совершенная голографическая проекция живого дерева.

Билл тщательно обыскал подушку, но так и не обнаружил громкоговорителя, через который подавались бы команды побудки и отбоя, а также транслировались разные объявления. Его привезли в госпиталь вечером, а на следующее утро пришел санитар, который разбудил Билла и принес ему завтрак — несколько блюд эрзац-пищи, подозрительно смахивавшей по вкусу на натуральную.

В довершение всего Биллу привелось увидеть живую медсестру! По правде сказать, на мечту десантника она не тянула, скорее напоминала наружностью незабвенного сержанта Брикуолла, однако была, во-первых, живым существом, а во-вторых, при всех своих недостатках — женщиной. Игривая оплеуха, которой она одарила Билла, когда тот ущипнул ее за зад, сулила романтические свидания и более интимное знакомство.

Все вышеперечисленное внушило Биллу здоровое солдатское презрение к шпакам, которые затеяли играть в войну, невзирая на то что заветнейшей мечтой героя Галактики — мечтой, что была сокровеннее даже, чем греза о человеческой правой ноге, — было снова, после неизмеримо долгого перерыва, стать гражданским лицом. Впрочем, то была не столько мечта, сколько чистой воды фантазия.

Как ни странно, вырвиглазнийцы не спешили подвергать его пыткам, не проводили допросов с пристрастием и не устраивали дознаний. Возможно, они рассчитывали одурачить Билла притворной мягкостью... Во всяком случае, никто не запрещал ему покидать госпиталь. Если бы захотел — точнее, если бы мог, — он имел полную возможность встать и пойти куда глаза глядят.

Нет, что-то тут определенно не так. В имперском военном госпитале его заковали бы в кандалы, а здесь лишь подсоединили к телу электроды, избавиться от которых при желании не составит ни малейшего труда.

Короче, мысленно подытожил Билл, надо признать, что могло быть и хуже. Пускай он невзначай очутился на планете, обитатели которой обречены потерпеть сокрушительное поражение от армады под командованием генерала Мудрозада, столь шикарно отдыхать ему не доводилось с тех самых пор, как завершилась его секретная миссия, связанная с хиппи из Преисподней.

Еще бы пивка!..

Билл только собрался вздремнуть — в третий раз после завтрака, — чтобы скорее прошло время до обеда, как в палату вошел мужчина в белом халате. Билл привычно вскинул руки к вискам, однако спохватился и опустил их. Мужчина оказался врачом, карточка на его груди гласила: «Л. А. Рецепт, доктор медицины», но все же он являлся прежде всего паршивым штатским.

Доктор Рецепт справился сперва со своей записной книжкой, а затем — с компьютерной распечаткой, что висела на спинке кровати Билла.

— Значит, Билл? — произнес он, не поднимая головы, и продолжил, не дожидаясь ответа: — Значит, не можем ходить? Так, так. Ты из военных, как я погляжу. Что ж, мы тебя быстренько поставим на ноги, будешь бегать, прыгать, стрелять и все такое прочее. Ну-ка, ну-ка... — Врач вынул из кармана портативный шейкер, включил и провел им вдоль ног Билла, а затем высыпал на электроды щепотку соли.

— Это для чего? — справился озадаченный Билл.

— Просто так, — отозвался доктор Рецепт. — Некоторым больным нравится: они воображают, что в этот момент с ними что-то происходит. Я позаимствовал сей трюк из старого головизионного сериала.

— Док, сдается мне, я пробуду у вас пару недель, а то и месячишко-другой?

— Я знаю, сынок, что тебе не терпится попасть обратно в свою часть. Можешь не сомневаться, завтра мы тебя выпишем. Где расположена твоя часть?

— Завтра? — Билл решил, что ослышался. Ну и дела! Да в приличном госпитале целая неделя ушла бы только на то, чтобы определить, что конкретно ему отрезать!

— Разумеется, — подтвердил врач, взгляд которого выразил легкое недоумение. — Тебе нужны упражнения. Электроды, которые прикреплены к твоим ногам, обеспечивают необходимую нагрузку. — Он сверился с показаниями на экране компьютера. — Сейчас ты шагаешь средним шагом, к ночи побежишь трусцой, а завтра к утру начнешь играть в футбол — и все не вставая с кровати! А к обеду завтрашнего дня сможешь ходить самостоятельно! Учти, сынок, наука и впрямь способна творить чудеса.

Билл посмотрел на свои ноги. Что-то непохоже, чтобы они куда-то шли. Впрочем, он научился не задавать лишних вопросов. Толку от них все равно никакого, так что чего попусту тратить нервы?

— Теперь насчет твоей части. Тебя, по всей вероятности, уже ищут. К сожалению, мы потеряли твою карточку. К какой части ты приписан?

Началось! Билл понял: отныне его примутся терзать без всякой пощады, мучить днем и ночью, прибавляя посредством электродов темп и заставляя ноги выполнять разнообразные атлетические упражнения, как если бы он играл в гольф, футбол, гандбол или даже занимался синхронным плаванием; да, над ним будут измываться, пока он не расскажет этому садисту, доктору Рецепту, все, что знает, и более того. Билл набрал полную грудь воздуха и гаркнул:

— Билл, и. о. капрала, порядковый номер 295675 6383204596 813201245 1231245263121452!

— Прошу прощения?

— Билл, и. о. капрала, порядковый номер 295675 6383204596 813201245 1231245263121452!

— Я и не подозревал, что бывают такие порядковые номера, — признался врач, почесав в затылке. — По-моему, столько людей не наберется на всей планете. Ладно, запишу, а там посмотрим. Может, нам удастся отыскать твою часть. Будь добр, повтори. — Рецепт вынул из кармана портативный диктофон, который как две капли воды походил на шейкер.

— Билл, и. о. капрала, порядковый номер 295675 6383204596 813201245 1231245263121452!

— Отлично. Проверим, известно ли что-нибудь о тебе компьютеру. Между прочим, на твоем месте я бы не стал утруждать врача, а сказал бы сам.

— Билл, и. о. капрала, порядковый номер 295675 6383204596 813201245 1231245263121452. Мне больше нечего сказать. Не положено по уставу.

— Что? Устав запрещает беседовать с врачом? Это что, новое правило?

— Не с врачом, а с врагами, — поправил Билл. — Устав запрещает выдавать что-либо, кроме своего имени, звания и порядкового номера.

— Врачи стали врагами? — не понял Рецепт. Билл покачал головой. — Выходит, я твой личный враг? — Билл утвердительно кивнул. Рецепт взглянул на распечатку. — Тут ничего не говорится о возможной травме головы. Сумасшествие? Нет, вряд ли. С чего ты взял, что я — твой враг? — Взор Рецепта затуманился; должно быть, врач уже видел свое имя на первых полосах газет.

— Не знаю, можно ли мне открыть правду, — пробормотал Билл, отчаянно пытаясь сообразить, как ему выкрутиться. Может, промолчать, и тогда его отправят в какую-нибудь вшивую часть, заставят воевать в армии, в которой он отродясь не служил? Или признаться в своей принадлежности к имперским десантникам и мужественно умереть под пытками или в лучшем случае очутиться в концлагере и проторчать там до конца войны? Хм-м... Возможности три: смерть верная, смерть вероятная и смерть маловероятная. Ах, была не была. — Я солдат имперской армии, но мне ничего не известно, так что пытать меня бесполезно!

— А, вот какой враг! — доктор Рецепт лукаво усмехнулся. — Теперь понятно. — Он подался вперед, и Билл стиснул зубы и приготовился к худшему. — Все остальные обзавидуются! Мы знали, что в госпитале находится вражеский солдат, но кто он такой, установить не могли, ибо гражданская оборона не позаботилась заполнить формуляр. За обнаружение твоего местонахождения полагается награда, и она будет моей!

— Награда? Медаль, что ли?

— Не совсем. Ее предложила ВСН, Всепланетная Служба Новостей. Они хотят взять у тебя интервью, а потом свести вас с нашим президентом, Миллардом Гротски. Ты ведь нынче знаменитость. — Врач чуть ли не бегом бросился из палаты. Глаза его алчно сверкали. Должно быть, он строил планы, как ему лучше потратить призовые деньги.

Значит, знаменитость? Билл никогда не был знаменитостью. В его представлении это означало изобилие выпивки и женщин, то есть того, что составляло суть многочисленных солдатских фантазий.

Он потянулся всем телом, а потом взял в руку пульт дистанционного управления головизором, что висел над кроватью.

По первой программе шел теологический диспут об истинной природе некоего состояния совершенства, которого

наконец-то достиг Бред, глава местной секты нео-дзен-буд-
дистов.

Клик!

Спортивный комментатор в армейской каске объяснял, что
сегодняшний бейсбольный матч отложен на неопределенное
время — пока с поля не увезут неразорвавшуюся бомбу.

Клик!

За спиной диктора мелькали кадры, запечатлевшие какое-
то разрушенное взрывом здание. По словам диктора, на самом деле то было бомбоубежище, в котором укрывались гражданские люди.

Клик!

В этой студии вели разговор о проблемах брака, причем
тон задавали женщины, матери чьих мужей были девствен-
ницами.

Клик!

Старый фильм о людях, которые незнамо как оказались
на неведомой планете и безуспешно пытаются выбраться
с нее. Билл переключился на следующую программу, как
только сообразил, что выбраться им в жизни не удастся.

Клик!

И тут на экране возникла донельзя знакомая фигура! Генерал Мудрозад выглядел куда мрачнее прежнего. Возможно,
эту пресс-конференцию записывали уже после гибели «Мира
на небеси». Генеральский облик претерпел значительные изменения, и дело было не в общей угрюмости. Мудрозад сменил свое пятнистое муму на парадный мундир десантника со
всеми причитающимися его званию регалиями, что придавало ему несколько более степенный вид. Если бы не пилотка...
Билл осознал вдруг, что как-то не замечал, до чего же крупная у генерала голова. Разумеется, на складах, если постараться, можно было отыскать головной убор самого немыс-
лимого размера, однако генерал, очевидно, счел подобные
поиски ниже своего достоинства; так или иначе, пилотка была ему явно мала. Она прикрывала только макушку, топор-
щилась на генеральской голове, будто кремовая розочка на
праздничном торте. Билл придерживался того мнения, что
любого, кто носит этакий головной убор, следует упрятать
в психушку.

К тому же Мудрозад кисло улыбался, а Билл постиг на собственном опыте одну нехитрую истину: когда Мудрозад улыбается, у него очередной приступ безумия.

— В том сообщении, о котором вы упомянули, все ложь, от начала до конца, — вещал генерал. — Мы провели инструктаж с каждым солдатом в отдельности и строго-настрого запретили причинять какой-либо вред штатским. Вы понимаете, о чем я? Наши солдаты слишком хорошо обучены, чтобы не повиноваться приказам. Поэтому если что-то там и взорвалось, то был склад боеприпасов; находись в нем гражданские, мы бы его не взорвали. Все очень просто. Всякий, кто утверждает обратное, является наймитом безбожных лидеров вырвиглазнийского правительства, тех самых атеистов, которые намеревались уничтожить имперский образ жизни. Мы не таим злобы на обитателей планеты; наша задача — приструнить их зарвавшегося президента Милларда Гротски. Кстати сказать, будь на планете иной президент, нам бы, возможно, и не потребовалось применять силу.

— Генерал, — произнес какой-то репортер (Билл сообразил, что на сей раз карточки с вопросами были розданы заранее), — вытекает ли отсюда, что вы побуждаете вырвиглазнийцев к восстанию против мерзкого Гротски?

— Ни в коем случае! Мы лишь надеемся, что они одумаются и препоручат себя милости и покровительству императора. Правительство Вырвиглаза ведет общество по опасному пути и нагло обманывает свой народ! — Генерал повернулся и взглянул прямо в камеру. — Наш император, равно как и мы, его преданные слуги, не допустит столь бессовестного надругательства над правами человека! Мы — ваши друзья; обстоятельства вынудили нас прибегнуть к силе, но не бойтесь, мы будем действовать со всей возможной осторожностью! — Мудрозад вновь повернулся к репортерам. — Мы рассчитываем, что принятые меры — к вашему сведению, чисто оборонительного характера — позволят обуздать безумца Гротски и освободить вырвиглазнийский народ от непосильного бремени военных расходов. Отвечая же на предыдущий вопрос, хочу подчеркнуть, что, невзирая на искреннее стремление избежать жертв среди мирного населения, мы могли невзначай подстрелить — по причине плохой погоды или усталости, по ошибке и так далее — какого-нибудь вырвиглазнийца из гражданских. Однако прошу учесть, что нашей вины в том нет. Вся вина ложится на Гротски!

Значит, Гротски злонамерен, мерзок и безумен? Значит, по милости Гротски он, герой Галактики, очутился на этой зачуханной планетке? Билл преисполнился справедливого негодования, но какое-то время спустя до него вдруг дошло, что ему пока гораздо лучше, чем где бы то ни было.

Пускай Гротски мерзавец и психопат; в конце концов, офицеры все одним миром мазаны. Может статься, Гротски ничуть не хуже, скажем, капитана Кадаффи. Ну на что он способен? Прикажете расстрелять Билла? И что с того? Билл понемногу начал привыкать к тому, что все, с кем сводила его судьба, выказывали при встрече удивительную кровожадность. А что, если Гротски окажется приятным исключением?

Глава 10

Двое парней весьма отвратительной наружности походили друг на друга как близнецы.

Они ворвались в палату без всякого предупреждения, захлопнув за собой дверь с таким грохотом, что в оконных рамах задребезжали стекла. Один остался стоять у дверей, поигрывая бластером, а второй приблизился к соседу Билла, смерил того свирепым взглядом и что-то прошептал на ухо. Сосед, дрожа с головы до ног, быстро натянул пижаму и поспешно покинул палату.

Тогда близнецы направились к Биллу; в каждом их движении таилась угроза.

Они ни капельки не напоминали тех гражданских, что ухаживали за ним на протяжении двух дней. Бластеры — если не мундиры — убедительно свидетельствовали о том, что близнецы находятся на военной службе.

Два дня отдыха, пусть даже без рекреационных процедур, если и притупили восприятие Билла, то совсем чуть-чуть. Он чувствовал, что не утратил ни единого боевого навыка; вспомнив слова доктора Рецепта, Билл решил, что сейчас подходящий момент, чтобы попробовать, сможет ли он и впрямь шевелить ногами.

Между тем близнецы остановились у койки Билла.

— Ну что, Сид? — справился один. — Тот?

— Он самый, Сэм.

Чтобы разобраться, кто что сказал, Биллу пришлось поднапрячься и приглядеться к губам говоривших: иначе различить близнецов не представлялось возможным. Оба одинакового роста и телосложения, они были пониже Билла, зато заметно превосходили его объемом мышц. Они носили одинаковые мундиры, на которых, что было крайне подозрительно, отсутствовала эмблема войск гражданской обороны. Те же коротко стриженные темные волосы, те же аккуратные усики, то же мрачное выражение целеустремленности на лице. По правде говоря, Сид и Сэм сильно смахивали на «вражеского лидера» из компьютерной игры «Кормовой стрелок».

Тем не менее их было всего лишь двое — двое вырвиглазнийцев с бластерами против имперского десантника, который, может быть, не в состоянии стоять на ногах. Что ж, подумал Билл, все по справедливости.

— Стю! Скотт! — крикнул Сид или Сэм. В палату немедля ввалились еще двое парней, которые выглядели точь в точь как первая парочка.

Один из них позвал:

— Стив! Сол!

В следующий миг громил стало шестеро.

Неужели клон? Биллу доводилось сталкиваться с клонами, и общение с ними не доставляло ему особого удовольствия. Он присмотрелся повнимательнее и заметил, что шестеро парней вокруг его койки самую малость, но все же отличаются один от другого. На первый взгляд они все были как на подбор, однако при ближайшем рассмотрении обнаруживались незначительные различия — в размере носа, скажем, или в кустистости бровей. Интересно, мелькнула у Билла мысль, может, их собрали из кусочков? Ведь вряд ли возможно, чтобы так много удивительно похожих между собой людей выросло в естественных условиях. Он хотел было спросить, но не успел.

— Слушай, и. о. капрала Билл. Ты идешь с нами. Никаких вопросов!

Определить, кому именно из шестерых принадлежали эти слова, представлялось несколько затруднительным; впрочем,

Билл и не стремился установить истину, ибо уже уяснил для себя главное — его наконец-то поведут в камеру пыток на допрос. С двумя охранниками он бы справился запросто, с четырьмя, если постараться, тоже, но вот с шестью... Уж лучше пытки!

Хотя...

Билл опустил ноги на пол, развернул правую ступню в направлении двоих вырвиглазнийцев, которые стояли рядом, и нажал кнопку, что выбрасывала нож с ядовитым лезвием.

Вместо ножа выскочил презерватив, который взмыл под потолок, а затем заметался по палате. Близнецы зачарованно наблюдали за его полетом.

Тем временем Билл включил лазер и повел им по периметру палаты. К сожалению, взамен лазерного луча появилась узкая металлическая полоска. Рулетка! Близнецы попятились, чтобы, не ровен час, не порезаться.

Билл вскочил и замахнулся обеими руками, рассчитывая ударить разом двоих.

Как не замедлило выясниться, упражнения восстановили мышечную силу ног, однако ежедневные тренировки не прошли даром, — усталые до изнеможения ноги подломились, и Билл рухнул на пол.

— Это тебе сейчас не понадобится, — заявил один из близнецов, подбирая презерватив и засовывая тот обратно в распределитель. Другой близнец скатал рулетку, третий вышел в коридор и вернулся с креслом-каталкой.

Четверым громилам потребовалось три попытки, чтобы оторвать Билла от пола и усадить в кресло — если не удобно, то, по крайней мере, надежно. Затем охранники выстроились в походном порядке: один впереди, один сзади и двое с каждой стороны.

Они выкатили героя Галактики в коридор. Там собралась небольшая толпа врачей, санитаров и пациентов; Билл разглядел своего соседа и даже трех или четырех медсестер. При появлении процессии все дружно захлопали в ладоши.

Билл испуганно съежился.

Охранники остановились и подбоченились; по всей видимости, они купались в лучах славы — еще бы, подумалось Биллу, им, верно, впервые в жизни привелось конвоировать пленного имперского солдата! Приблизительно минуту спустя кто-то из охранников наклонился к Биллу и произнес вполголоса:

— Не зазнавайся, приятель. Народ обожает, когда знаменитости оказывают ему уважение.

— Они приветствуют меня? — пролепетал Билл, не веря собственным глазам и ушам.

— Ну да. Помаши им ручкой, и поехали дальше.

Билл осторожно поднял руку.

Шум в коридоре усилился. Один из врачей от радости потерял сознание, и его уволокли прочь.

Билл послал толпе воздушный поцелуй. Шум сделался громче прежнего. Доктор Рецепт и аппетитная сестричка поднесли Биллу букет роз.

— Я хотел бы поблагодарить всех, кто заботился обо мне... — торжественно начал Билл.

— Никаких речей! — перебил охранник. — Мы и так уже опаздываем.

Билл помахал на прощание своим поклонникам, и громилы повезли его по коридору в направлении лифта.

— И что теперь? — справился Билл.

— Разве тебе не сообщили? — Охранник сокрушенно покачал головой.

— Тебя должны были проинструктировать от и до, — прибавил второй.

— Тебе предстоит давать интервью ВСН, — сказал третий или, может быть, первый.

— Но сначала, — заявил тот, который то ли уже принимал участие в разговоре, то ли нет, — тебя сфотографируют.

— Ты встретишься с нашим президентом.

— С кем? — переспросил Билл.

— С президентом, — ответили близнецы хором. — С самим Миллардом Гротски.

Билл испустил обреченный вздох. Сколь многое в его жизни зависит, оказывается, от этого чудовищного Милларда Гротски!

Миллард Гротски развязал войну, не будь которой Билл наверняка сражался бы с кем-нибудь другим — допустим, с теми же чинджерами. Однако чинджеров полагалось ненавидеть, а вот ненависть к людям, которые не являлись офицерами, была чем-то новым, и научиться ей совсем не просто.

Миллард Гротски превратил Билла в знаменитость, что пока не принесло ощутимых выгод, но в любой момент все могло повернуться иначе. Билл никогда не имел поклонниц, однако сейчас те, похоже, находились от него на расстоянии вытянутой руки. Разумеется, то была метафора. В буквальном смысле на расстоянии вытянутой руки от Билла располагались только охранники.

Из-за Милларда Гротски Билл познакомился с генералом Мудрозадом, который теперь, когда их разделяли десятки, если не сотни миль, казался куда разумнее большинства офицеров, попадавшихся Биллу на жизненном пути.

Тот же Миллард Гротски по-прежнему ценился в полмиллиона очков в компьютерной игре «Кормовой стрелок»; заработай Билл эти очки, он наверняка получил бы в скором времени желанную двенадцатичасовую увольнительную.

Кроме того, друг и наставник Билла — с увеличением расстояния дружеские чувства становятся сильнее, тем паче у таких тугодумов, как Билл, — генерал Мудрозад утверждал, что Миллард Гротски — источник вселенского зла, наизловреднейший из людей после того, который был даже хуже.

В общем, Билл пребывал в смятении и всю дорогу до президентского дворца терзался вопросом, который представлялся ему поистине неразрешимым: пристрелить ли, буде обнаружится возможность, мерзавца Гротски или пусть живет?

С другой стороны, Гротски прислал почетный караул, то есть ему не откажешь в известной любезности. Однако он не встретил Билла в дверях своего дворца, что было довольно некрасиво. Он предоставил герою Галактики удобное моторизованное кресло-качалку, которое пришлось Биллу весьма и весьма по душе; но охранники не позволили покататься вдоволь, причем сослались на приказ президента, то бишь последний проявил себя жестокосердным диктатором.

Билла продолжали одолевать сомнения, которые не развеялись и тогда, когда он очутился в президентской приемной, на четырнадцатом подземном этаже дворца.

Билл несколько раз лихо развернул кресло на каменном полу, чтобы хоть как-то скрасить затянувшееся ожидание:

служба безопасности проверяла пропуска охранников и группы фотографов. Наконец огнеупорные створки двери медленно разошлись и изнутри кабинета послышался голос:

— Билл, ты не против, если мы с тобой перекинемся парой словечек наедине?

Билл понял, что близится звездный час, что у него появляется шанс оправдать доверие генерала Мудрозада. Совершив подвиг, он будет уже не просто героем Галактики, каких пруд пруди, а величайшим из героев нынешнего и, быть может, прошлого годов!

Билл вкатился в кабинет вражеского лидера. Ему казалось, что убить Гротски будет проще простого. А гибель президента планеты Вырвиглаз положит конец войне, правильно?

Мускулистые руки Билла зачесались от нетерпения. Он развернулся лицом к главному вырвиглазнийскому бунтовщику, протянул руки к шее Гротски — и наткнулся на нечто твердое, круглое и холодное.

— Как насчет пива, Билл?

Билл задержался с ответом ровно на столько времени, сколько требовалось, чтобы заметить откупоренную бутылку, прильнуть к ней ссохшимися губами, опустошить до дна, поставить на стол, вновь протянуть руку ладонью наружу и спросить:

— А добавки можно?

Вторая бутылка худо-бедно утолила жажду, а разжившись третьей, Билл позволил себе слегка расслабиться и оглядеться по сторонам.

По имперским стандартам, кабинет президента был маленьким, если не сказать — крохотным; он уступал даже офицерской уборной. Вдобавок в нем начисто отсутствовали изысканные украшения имперских кабинетов или тех же уборных. Вместо классических произведений старых мастеров, таких как «Печальный клоун», «Маленькая девочка с большими круглыми глазами» или «Собаки, играющие в покер», на стенах красовались компьютерные и головизионные экраны, на полках между которыми стояли загадочные прямоугольные предметы, сделанные, похоже, из бумаги («Книги, — объяснили потом Биллу. — То же самое, что комиксы, только без картинок»).

Сильнее же всего Билла поразил человек, который сидел за столом. Сперва он решил, что видит перед собой очередного близнеца, потом моргнул и убедился, что первое впечатление было обманчивым.

Этот человек, хотя во многом походил на охранников, выглядел куда менее импозантно: и мускулы не те, да и манеры держаться...

— Вы — мерзавец Гротски?

— Полагаю, что да, — ответил человек.

— Вы начали войну, — продолжал Билл с дружеской усмешкой и вновь приложился к бутылке.

— В какой-то мере, — согласился безумец Гротски. — Идея вообще-то принадлежала не мне, однако в целом я, кажется, готов принять ответственность на себя.

— Генерал Мудрозад говорит, что во всем виноваты вы, — заявил Билл после непродолжительного раздумья.

— Генерал известен своей щедростью и благородством, — отозвался злонамеренный Гротски. — Может, еще пива?

— Конечно. — Билл снова погрузился в размышления. — Вы сказали, что идея начать войну принадлежала не вам?

— Совершенно верно. — Гротски подался вперед и доверительно прошептал: — У нас слишком мало опыта в подобных делах.

— Не переживайте, — утешил Билл, — для новичка вы сражаетесь что надо. Ведь вам удалось продержаться четыре дня против военной мощи империи и гения Уормвуда Мудрозада...

— Знаю, знаю, — перебил мерзавец Гротски. — Мы принимаем пресс-конференции генерала. Признаться, я не уверен, кто подстрелил больше ваших кораблей — мы или вы сами.

— Про другие не скажу, — откликнулся Билл, — а что касается «Мира на небеси», ну моего звездолета, его точно подбили ваши ребята.

— Правда? — Лицо безумца Гротски осветилось улыбкой. — Замечательно! Молодцы, честное слово, молодцы! Ты упомянул «Мир на небеси» — сдается мне, я где-то слыхал это название. По-моему, так назывался флагманский корабль?

— Ну да, — подтвердил Билл с гордостью в голосе. — Генерал уверял меня, что я — стрелок Господа, вот только не уточнил, какого именно.

— Генерал? — Злодей Гротски, похоже, задумался. — А его, случайно, не было вместе с тобой на корабле? Елки-палки, я мечтаю познакомиться с ним! Знаешь, я большой поклонник неустрашимого Уорми.

— Ну и дела! Ни за что бы не догадался! Вам не повезло — он был на корабле, когда тот подбили, но улетел на спасательной шлюпке. Чтобы офицер отважился на такое — это настоящий подвиг!

— Жаль, очень жаль. — Гротски, который в глазах Билла несколько утратил свою мерзопакостность, поставил на стол перед десантником полную бутылку пива взамен той, какую Билл опорожнил лишь мгновение назад.

— А почему бы вам не сдаться? — предложил герой Галактики, которого как осенило. — Тогда вы встретитесь с генералом Мудрозадом, война закончится, и я смогу вернуться в учебный лагерь к своему шкафчику. Знаете, я соскучился по своим ногам.

— Прошу прощения?

— Я соскучился по своим ногам, — проворчал Билл, закидывая на стол Гротски армейскую стопу. — Это единственная, которую я прихватил с собой, но дома их у меня целый ящик. Кстати, у вас нигде не завалялось приличной правой ноги? Может, в морге или где-нибудь еще? Я, конечно, люблю свои протезы, но до человеческой ноги им все же далеко.

Пальцы чуть менее зловредного Гротски забегали по клавиатуре компьютера. Билл занялся пивом. У него дело пошло лучше, чем у президента.

— Елки-палки! Сожалею, Билл, но погибших пока маловато, так что запасных частей раз-два и обчелся. Потерпишь денек-другой?

— Потерплю, — благодушно согласился Билл. — Вообще-то я уже привык. — Он никак не мог отделаться от некой надоедливой мысли, суть которой затуманивалась все сильнее с каждым новым глотком.

— Мы сделаем вот что, — произнес Гротски. — Я включу тебя в список очередников, поставлю в самое начало. Елки-палки, это ведь правая нога!

— Понял! — воскликнул Билл и уставился на своего приятеля Гротски, высматривая швы у корней волос. — Вы все время повторяете «елки-палки»!

— Разве?

— Так точно!

— Пожалуй, — признался Гротски, что-то прикинув в уме. — Очевидно, я подхватил это выражение у одного своего знакомого.

— Вы уверены?

— Елки-палки, разумеется!

— Я знавал кое-кого, кто часто повторял «елки-палки», — объяснил Билл, не сводя пристального взгляда с двуличного Гротски. — Мой закадычный дружок Усердный Прилежник вставлял «елки-палки» через слово. — Говорят, за глаза станет милой и коза. Билл наравне с другими десантниками ненавидел Усера лютой ненавистью, однако память о том, как здорово тот чистил башмаки, оказалась сильнее прочих, менее приятных воспоминаний, и сохранилась на долгие годы. — А потом выяснилось, что он был шпионом чинджеров! — Билл окинул зловредного Гротски свирепым взглядом.

— Какой из меня шпион? Во-первых, я не вышел ростом. Ты же помнишь — у чинджеров от головы до хвоста добрых семь футов; и потом, разве я похож на зеленую ящерицу? — Гротски встал и повернулся. Он не обманывал.

Президент вручил герою Галактики новую бутылку с пивом, заглянул в глаза и проговорил проникновенным голосом:

— Я не могу быть шпионом чинджеров. Я даже не знаю никого из них. Клянусь тебе, я — самый настоящий человек. Доверься мне.

Последняя фраза показалась Биллу ужасно знакомой, и он принялся вспоминать, где слышал ее раньше.

Глава 11

Во время фотографирования Билла поддерживали двое охранников. Ноги героя Галактики уже пришли в порядок, однако в связи с продолжительным воздержанием сопротивляемость организма Билла алкоголю резко упала, поэтому четырнадцатая бутылка пива не замедлила оказать свое разлагающее воздействие. Хорошо, что охранники не забыли прихватить каталку.

По дороге на студию ВСН Билл пребывал в полной отключке, а в ходе интервью если и пришел в себя, то лишь настолько, чтобы отвечать на вопросы более-менее впопад. По счастью, дама, которая интервьюировала героя Галактики, была экспертом в области политики и военной организации, а потому привыкла и не к такому. Откровенно говоря, Билл вещал в камеру гораздо лучше многих, пробовавших свои силы до него.

На вице-президента ВСН по патриотическому воспитанию населения интервью Билла произвело столь громадное впечатление, что он распорядился выпустить передачу в эфир в течение часа.

Так Билл стал «звездой».

Вырвиглазнийцы практически не имели боевого опыта. Поскольку Билл являлся на сегодняшний день первым и единственным военнопленным, сочли, что будет вполне логично узнать об условиях содержания пленников, так сказать, из первоисточника. Билл с радостью откликнулся на просьбу о помощи.

— Обычно ВП помещают в самых роскошных отелях. В номере должен быть бар — желательно набитый битком. Горничные... Да, много-много горничных. Каждому пленнику по горничной. Ну там, натуральная пища и все такое прочес... — Билл погрузился в грезы наяву.

— Елки-палки, — воскликнул Сэм или Сид. Теперь, когда Билл сделался знаменитостью и другом президента, ему полагалась личная охрана из двух человек. — Что-то мне сомнительно. Ты ничего не напутал?

— Можешь не сомневаться, — заявил Билл. — Побывал бы в плену с мое, не пришлось бы спрашивать. Ребята, в обращении с военнопленными прежде всего следует соблюдать Джиневскую конвенцию. Усекли?

Сэм переглянулся с Сидом, а может быть, наоборот.

— Не уверен, что мы такое потянем, — пробормотал один из охранников.

— Елки-палки, это нам не по карману, — поддержал его товарищ.

— И потом, — прибавил первый, — тебе предстоит объехать чуть ли не половину планеты, а роскошные отели есть далеко не везде. Кроме того, в большинстве давным-давно обосновались репортеры. Свободные номера если и остались, то их днем с огнем не сыщешь.

— Ладно, — произнес Билл. — Вы ведь не хотите, чтобы империя узнала, как на вашей планете обращаются с пленными? Если узнают, они вас в порошок сотрут.

Сид и Сэм снова переглянулись.

— Ты разумеешь, что до сих пор нас щадили?

— Можно сказать и так.

— Ой-ой! — воскликнули Сэм и Сид в унисон.

Согласно плану, первым пунктом программы было посещение супермаркета. В торговом зале установили трибуну, с которой выступил мэр: он произнес прочувствованную речь, а затем представил Билла. Билл поднял правую ногу и с помощью лазера, который имелся среди прочих приспособлений в армейской стопе, перерезал широкую красную ленточку. Толпа буквально обезумела от восторга.

Билл слегка удивился тому, что супермаркет оказался расположен под землей, однако вспомнил наставления матери, которая учила его быть вежливым и не совать нос в чужие дела, а потому деликатно промолчал.

Потом все отправились на городскую площадь, где Билл раздавал автографы и фотографировался с местными политиками, младенцами в мокрых пеленках и всеми желающими.

Происходящее не совсем отвечало его представлениям о жизни знаменитости — в частности, он недоумевал, куда же запропастились толпы полногрудых девиц, жаждущих согреть постель бедного солдатика, — однако в общем и целом все было на уровне. Кормили Билла регулярно, причем — почти натуральной пищей, а не какими-то там эрзац-продуктами. Спал он в настоящей кровати, хотя уже давно выписался из госпиталя; немедленная смерть ему не грозила. Когда Биллу хотелось перекинуться с кем-нибудь словечком, он всегда мог обратиться к своим друзьям Сэму и Сиду, которые ни разу не пытались его убить (что резко отличало их от всех прежних друзей-приятелей героя Галактики).

Люди обращались с ним весьма диковинным образом, называли «сэром», говорили «спасибо», когда он надписывал свои собственные, восемь на десять, глянцевые фотографии, благодарили даже в тех случаях, когда Билл перевирал имена; пуще того, они просили Билла о том или ином одолжении, а вовсе не приказывали, не кричали и не обзывались обидными словечками.

Билл испытывал некоторую неловкость, но любопытничать не любопытничал, поскольку опасался, что тогда сразу выяснится, что произошла какая-то ошибка; между тем быть пленным на планете Вырвиглаз нравилось ему все больше и больше.

Третий пункт программы предусматривал рекламу новейших моделей аэрокаров на автомобильной выставке. Именно там Билла осенила гениальная идея.

Фотомодели, которые рекламировали машины, все, разумеется, желали получить автограф. Их следовало обслужить в первую очередь, ибо им надо было возвращаться на рабочее место — то есть вновь вставать на площадки возле аэрокаров и указывать томными жестами на тот или иной элемент конструкции, привлекая внимание потенциальных покупателей.

Сэм — или Сид — пихнул Билла в кресло и пододвинул ему фотографию. Сид — или Сэм — протянул ручку.

— Как тебя зовут, красотка? — спросил Сид — или Сэм — у той девушки, что стояла к нему ближе всех. Они быстро убедились, что подпускать Билла к симпатичной женщине в общественном месте чрезвычайно опасно. В самом начале турне к Биллу обратилась с просьбой об автографе миловидная блондинка. Потребовалось целых пять минут, чтобы оторвать его от перепуганной девушки.

Такое поведение не слишком соответствовало образу, который уготовил для Билла президент Гротски. Поэтому Сид и Сэм вынуждены были ограничить связи подопечного с женщинами до простого надписывания фотоснимков.

— Китти, — ответила рыжеволосая красавица.

Сэм — или Сид — наклонился к уху Билла и шепотом повторил по буквам имя девушки, чтобы Билл не сделал ошибки.

На каждой фотографии имелась сделанная заранее, факсимильным способом, надпись: «Моему доброму другу... на память о днях войны», так что Биллу нужно было всего-навсего приписать два имени. Как пишется его собственное, он в конце концов усвоил. Впрочем, Билл перехитрил своих охранников, скрыв от них тот факт, что прекрасно знает большинство имен из четырех букв и значительное количество пятибуквенных. Поэтому он принялся писать, не дожидаясь, пока Сид — или Сэм — закончит фразу.

«Маленькое „т“, маленькое „и“», — бормотал охранник, а Билл, с улыбкой от уха до уха, уже протягивал манекенщице подписанную фотографию. Под автографом находилась пометка: «Номер 318»; поселившись в гостинице, Билл сразу же постарался выучить эти три цифры. Что касается самой гостиницы, он прикинул, что Китти и другие фотомодели без труда отыщут ее по толпам, которые наверняка будут околачиваться под окнами.

И оказался прав.

Вечером, после роскошного ужина в ресторане отеля, Сид, Сэм и Билл поднялись в номер, где расположились в креслах, сытно рыгая, ковыряясь в зубах и потягивая пиво.

— Уф! — проговорил Сид или Сэм.

— Уф! — откликнулся Сэм или Сид.

— Уф! — отозвался Билл.

Разговор продолжался и дальше в том же духе. Неожиданно в дверь постучали — вежливо и вместе с тем решительно.

Один из охранников направился к двери. Он преодолел приблизительно половину расстояния, когда Билл вдруг вспомнил, что к нему должны прийти. Вот только кто? Он отшвырнул в сторону бутылку, вскочил с дивана и кинулся в прихожую, сметя по дороге со своего пути Сэма или Сида.

Билл распахнул дверь со второй попытки, сообразив, что надо повернуть ручку. На пороге стояла ОНА!

Высокая стройная девушка, огненно-рыжие волосы ниспадают до осиной талии... Она была одета в то же вечернее платье с блестками, в каком работала на выставке. Билл судорожно сглотнул и подавил желание обхватить руками талию девушки, а затем медленно сомкнуть пальцы вокруг налитых, как спелые плоды, грудей. Ноги неземной красавицы начинались от пола, поднимались все выше и выше и плавно перетекали наконец в чрезвычайно аппетитную попку. Той, разумеется, видно не было, поскольку девушка стояла к нему лицом, но Билл моментально дополнил общую картину утренними впечатлениями, которые, надо признать, поразили его в самое сердце.

Он лихорадочно пытался припомнить имя манекенщицы, но то никак не шло на ум, что, в общем-то, не имело значения, ибо Билл пребывал в состоянии немого изумления. Девушка мнилась ему небесным видением; восприятие Билла обострялось тем, что он, если не считать медсестры в госпитале, не состоял в физическом контакте с женщиной по меньшей мере с прошлой книги сериала.

К счастью, фотомодель решила проявить инициативу.

— Китти, — представилась она. — Мы с вами виделись утром. — И протянула во всех отношениях совершенную, чувственно-томную ладонь.

— Билл, — ответил Билл. — С двумя «л».

— Я знаю. — Девушка заглянула ему в глаза, и он почувствовал, как внутри у него что-то словно начало таять. Это ощущение восполнялось другим: нечто твердело буквально на глазах. — Можно войти?

— Билл, — повторил Билл.

— Полагаю, вы сказали «да». — Китти мягким жестом отстранила Билла с дороги и прошла в номер. — У вас какие-то дела с этими джентльменами?

— Нет, нет, совершенно никаких! Они как раз собирались уходить. Правда, ребята? — Билл замахал руками, давая Сиду с Сэмом понять, что им следует исчезнуть, и как можно скорее.

— В наших инструкциях ничего такого не сказано, — возразил один из охранников. — Нам велено, во-первых, охранять тебя, а во-вторых, приглядывать, чтобы ты вел себя прилично и не оскорблял своими выходками чувства добропорядочных людей.

— Вы ведь не оскорбитесь? — справился Билл у Китти с надеждой в голосе и яростно замотал головой, как бы подсказывая девушке нужный ответ.

— Ни в коем случае, — произнесла она и нежно прикоснулась пальчиком к щеке героя Галактики. — Я пришла сюда по своей воле; вдобавок я достаточно давно достигла брачного возраста.

Билл шепотом прочел то, что помнил, из благодарственной молитвы Ахура Мазде.

— Елки-палки, — буркнул тот же охранник. — Тогда, пожалуй, все в порядке. Пошли, Сид. Хорошо, что тут две спальни.

«Понял! — воскликнул про себя Билл. — Сид — который слева, а Сэм — который справа!»

Китти приблизилась к дивану, опустилась на него и похлопала по подушке рядом с собой.

— Вам не будет удобнее здесь?

— По-моему, «удобно» — не слишком удачное слово, — пробормотал Билл, устремляясь от двери к дивану. Он вновь оказался пророком, ибо в спешке забыл про кофейный столик, в результате чего последние несколько метров вынужден был проковылять, как селезень, так что ни о каком удобстве не могло быть и речи. Едва Билл уселся на диван, Китти принялась отряхивать от пыли его одежду.

— Люблю знаменитостей, — промурлыкала она.

— Люблю быть знаменитостью, — со вздохом ответил Билл.

Китти положила одну руку на бедро Билла, второй обхватила его затылок, наклонилась и прильнула губами к губам героя Галактики.

Билл, признаться, имел в виду вовсе не поцелуи, когда писал на фотографии цифры своего номера, однако для начала это было совсем неплохо; к тому же Китти, как не замедлило выясниться, целовалась что надо. Словом, начало было многообещающим, и Билл изнемогал от желания узнать, что будет дальше.

Впрочем, стоило им только слиться в объятии, как в дверь постучали.

— Ты кого-нибудь ждешь? — спросила Китти. — Может, это горничная?

— Нет. — Билл притянул девушку к себе. — Наверное, ошиблись номером.

Стук повторился, на сей раз — громче. Билл попробовал вернуться к прерванному занятию, однако Китти заупрямилась.

— Ты уверен, что никого не ждешь?

— Никого, — заявил Билл решительным тоном.

Стучавший, похоже, не собирался отступать. Из соседней спальни выглянул то ли Сид, то ли Сэм — когда они были не вдвоем, разобраться, кто из них кто, по-прежнему представлялось затруднительным.

— Елки-палки, Билл... Может, открыть?

— А? Спасибо, сам открою. — Билл убрал руку с пуговицы на платье Китти, поднялся и твердой поступью направился к двери. Кто бы там ни был, сейчас он им покажет!

Билл распахнул дверь и увидел женщину, столь же прекрасную, как Китти, только с короткими темно-русыми волосами.

— Добрый вечер, Билл, — проговорила она. — Помните меня? Мисти.

— О да. — Билл вздохнул.

— Вы подарили мне утром фотокарточку с автографом. — Мисти лучезарно улыбнулась, чтобы напомнить Биллу. В том, собственно, не было необходимости, но все равно приятно.

— Подарил, — вздохнул Билл.

— Можно войти? — осведомилась Мисти.

— Кто там, Билл? — поинтересовалась Китти.

— А... э-э-э... хм-м... — Билл снова вздохнул.

— Это ты, Китти? — Мисти поцеловала Билла в щеку и проскользнула мимо него в номер. — О!.. Я вам не помешала?

— Да, — буркнул Билл, — то есть, конечно же, нет! — Голова у него шла кругом. Воспитание требовало вежливости, однако он никак не мог сообразить, как можно вежливо выпутаться из подобной ситуации, как задержать у себя и ту и другую девушку и как объяснить Китти и Мисти, что пригласил их обеих. Кроме того, Билл совершенно не понимал, на чем держится простенькое платьице Мисти, — разве что на магнитах или на статическом электричестве. В общем, он мгновенно утратил всякую способность к рациональному мышлению, равно как и к каким-либо действиям.

— Видишь ли, Мисти, — пояснила Китти, — мы, собственно, собирались устроить гетеросексуальную оргию.

В душе Билла зародилось некое неопределенное подозрение. Насчет оргии он был уверен, но вот второе словечко...

С этими оргиями вечно сплошные проблемы — по крайней мере, так оно было раньше.

— Как здорово! — воскликнула Мисти. — Можно я тоже поучаствую? — Она расстегнула невидимую застежку и одним движением сбросила с себя платьице.

Билл, который едва оправился от горестного изумления, оказался повергнут в счастливое, кое-как ухитрился повернуться к Китти и выдавить:

— Пожалуйста, угу, ну пожалуйста, угу...

Рыжеволосая красавица между тем совладала с последней пуговицей на своем платье, которое плавно соскользнуло к ее ногам. В отличие от Мисти, на Китти было нижнее белье — кружевное, все в оборочках, — которое придавало ей особое очарование.

Билл вновь припомнил благодарственную молитву и широким жестом захватил в каждую руку по девушке. Те немедля взялись за его одежду.

Китти снимала с Билла рубашку, а Мисти возилась с пряжкой ремня, когда в дверь постучали снова.

Билл застонал, застегнул рубашку и поплелся к двери, предоставив своим партнершам углублять знакомство друг с другом.

— У меня шикарный бюст! — Невысокая, зато во всех остальных отношениях поистине божественная женщина с длинными и прямыми темными волосами, распахнула блузку. Она ничуть не преувеличивала.

— У нас! — поправила ее похожая на амазонку блондинка, которая появилась из-за спины товарки и задрала футболку до самой шеи.

Билл пошатнулся, однако устоял на ногах, поздоровался и провел пополнение в номер.

— Сью! Дебби!

Билл оглядел девушек.

— Вы что, знакомы?

— Ну разумеется, — фыркнула Мисти. — Мир манекенщиц такой крохотный! Девчонки, идите сюда, чего вы там встали?!

В мгновение ока с Билла содрали остатки одежды, он очутился на диване и принялся рычать, кусать, хватать... ну и так далее. Он настолько увлекся, что даже не услышал очередного стука в дверь и открывать пришлось Сиду с Сэмом. К тому времени, когда охранники выяснили, что, собственно, нужно новоприбывшей, и пропустили ее в номер, к ней успели присоединиться еще две девушки.

— Билл, ты не мог бы отвлечься всего на одну минутку?

— Это что, так срочно. — Он присмотрелся, подумал и закончил: — Сэм?

— Да, Билл, срочнее некуда.

Сид подхватил Билла под левую правую руку, Сэм — под правую правую, и вдвоем они поволокли героя Галактики, попутно отцепляя от него женщин, в соседнюю спальню.

— Елки-палки, Билл, нам за тебя боязно, — начал Сид.

— Точно, — подтвердил Сэм. — Поверь, мы заботимся исключительно о твоем здоровье.

Охранники усадили Билла на кровать, а сами разместились на стульях, причем таким образом, что тот из них, который был Сидом, стал Сэмом, и наоборот.

— Мы понимаем, что не можем вмешиваться, — продолжал Сэм, — поскольку это запрещено той Джимерзкой конвенцией, о которой ты обмолвился на днях.

— Но нас беспокоит твое здоровье, — добавил Сид.

— Точно. На остальное нам наплевать с высокой колокольни.

— Мы опасаемся, что ты предаешься развлечениям с чрезмерным усердием.

— Пойми, Билл, у тебя может не выдержать сердце. Ты хотя бы посчитал, сколько там женщин?

— Все в порядке, ребята, — отозвался Билл. — Мне не привыкать. В конце концов, я все-таки герой Галактики!

Примечание. Нижеследующая сцена была переписана в соответствии с распоряжением Бюро политического контроля. Первоначально Билл, Сэм и Сид вели себя как грубые, эгоистичные животные. К примеру, Билл предложил своим охранникам троих девушек, не приняв в расчет желаний и упований самих манекенщиц. По всей видимости, мужчины не воспринимали представительниц слабого пола как личностей.

— Билл, — увещевал Сид, — где это слыхано, чтобы один мужчина удовлетворил за ночь семерых женщин?

— Нигде, — отозвался Сэм. — У тебя ничего не получится. Насколько мы понимаем, ты намерен свести близкое знакомство с каждой?

— А то! — буркнул Билл. — Знаете, ребята, большое вам спасибо! Вы уберегли меня от чудовищной ошибки, о которой я сожалел бы до последнего вздоха! Пожертвовать славой ради падших женщин, стать рабом животных страстей! — Он отер со щек скупые мужские слезы.

Глава 12

Когда он задумывался об этом — что случалось нечасто, ибо умственные способности Билла в известной мере притупились благодаря ежедневному потреблению алкоголя, благо турне продолжалось, а в каждой гостинице обязательно находился бар, — то всякий раз удивлялся, что не был на поверхности планеты с того самого дня, как искупался в озере, вылетев из расколовшегося корпуса звездолета.

Кроме того, Билл решительно отказывался понимать, что означало дружное «Ой!», каким отозвались несколько дней назад на его слова о возможном увеличении имперских атак Сэм и Сид.

Но сильнее всего Билла интересовало следующее: что происходило в номере ночью? Сумел ли он отвести душу или нет? Билл помнил только, что вошел в номер, а потом — черная пелена, из которой его вырвали поутру Сид и Сэм.

— Елки-палки, Билл, пора вставать. Денек предстоит еще тот.

— Остмякое, — пробормотал Билл.

— Извини, дружище, никто тебя в покое не оставит. Нам скоро выходить. Съездим еще в одно место, а там начнется круиз по военным базам и оборонным предприятиям. Представляешь, Билл, — королевы красоты, танцовщицы, восхищение собратьев по оружию...

— Нехчу!

— Что я слышу? — воскликнул Сид, отрывая голову от подушки. — Ты отказываешься от знакомства с королевами красоты?

В мозгу Билла, там, где помещался рассудок, шевельнулось нечто крохотное, почти атрофированное. Постепенно рассудок осознал, что знать не знает, что случилось этой ночью.

В обычных обстоятельствах проблемы бы не возникло. Будучи имперским десантником, Билл пристрастился к алкоголю в первую очередь из-за того, что тот помогал забыться — прежде всего забыть о том, что он имперский десантник. Однако обычные обстоятельства до сих пор не подразумевали возможное исполнение гормональных фантазий.

— Красоты?.. — пробурчал Билл.

Сэм вставил в рот Биллу соломинку. Билл сделал приличный глоток — и разразился истошным воплем:

— А-а-а-а-а-а!

— Елки-палки, Билл, — проговорил Сэм смущенно, — я думал, тебе нравится пить по утрам горячий кофе.

— Так не кипяток же! — проворчал Билл, высунул ошпаренный язык, чтобы тот слегка охладился на воздухе, и прибавил: — Что было ночью?.. Никак не могу вспомнить...

Сид и Сэм переглянулись.

— Ты хочешь сказать, что вообще ничего не помнишь?

Билл тупо покачал головой.

— Ты прекрасно провел время. — Сид посмотрел на Сэма и пожал плечами. — Занимался любовью с несколькими женщинами, то так, то этак, и не один раз.

Билл поразился услышанному, ибо во сне видел буквально то же самое. Он ничего не имел против того, чтобы сны становились явью, но сказал себе, что в следующий раз надо бы присутствовать лично. Это навсряка приятнее, чем слушать рассказы других.

Он принялся выпытывать у охранников подробности ночной оргии. Между тем Сид с Сэмом заставили Билла подняться, умыли, накормили и в конце концов усадили на заднее сиденье аэролимузина. Они честно отработали свои деньги: Билл пребывал в полной прострации, не говоря уж о том, что они вынуждены были сочинить более-менее правдоподобную историю.

Надо признать, что получилось у них совсем неплохо; Билл увлекся настолько, что требовал все новых и новых пересказов. Мало-помалу он пришел к убеждению, что вспомнил все сам, и у него сложилось впечатление, будто он пережил оргию наяву.

Билл, вполне естественно, перевозбудился и не обращал ни малейшего внимания на то, куда движется лимузин, а тот, к слову, направлялся наружу, на поверхность планеты.

Впрочем, находись Билл в ином состоянии, он бы все равно не заметил ничего сколько-нибудь важного, ибо стекла лимузина были тонированными и отливали чернотой.

Что касается охранников, Сэму, по-видимому, до чертиков надоело рассказывать одно и то же чуть ли не в сотый раз подряд. Он включил маленький головизор, надел наушники и стал слушать новости ВСН. Когда в салоне появился крохотный генерал Мудрозад, Билл встрепенулся:

— Что он говорит?

— То же, что и раньше. Доблестные войска вашей славной империи ведут упорные бои. Звездолеты бомбят исключительно военные цели, среди гражданских лиц потерь не отмечено, все имперские корабли в целости и сохранности. Включить звук?

— Не надо. Я наслушался достаточно. Погоди-ка! Он сказал, что больше имперских кораблей не подбивали? А про меня не упоминал?

— Разумеется, нет. Признай он твое существование, ему придется заодно признать, что мы подстрелили твой звездолет, а для него это равносильно поражению в войне. Поэтому все будут молчать.

— Выходит, меня списали за ненадобностью? — Билл широко улыбнулся. — Ну, если меня как бы не существует, значит я не могу быть солдатом. Похоже на увольнение в запас? — Поскольку из десантников в запас не увольняли никого и никогда, Билл имел весьма смутное представление о сути вышеназванной процедуры.

— Елки-палки, Билл, что-то мне сомнительно.

— Ребята, ну что вы заладили — «елки-палки» да «елки-палки»?! Мой знакомый, который обожал эту присказку, оказался шпионом чинджеров.

— Елки-палки, Билл, — рассмеялся Сид, — разве я похож на зеленую ящерицу ростом семь футов? Посуди сам, ну какой из меня чинджер? Мы, должно быть, подхватили «елки-палки» у президента Гротски. Он повторяет их через слово.

— Может быть, — пробормотал Билл, решив оставить свои подозрения при себе. — Эй, что еще за новости?

Вместо генерала Мудрозада появилось изображение како-го-то вырвиглазнийского аэродрома. Камера, с которой велась передача, располагалась на громадной высоте, однако с каждой секундой подлетала все ближе к аэродрому.

— Мы выбрали эту пленку по чистой случайности, — вещал генерал. — Ее не монтировали и не изменили в ней ни единого кадра. Как видите, камера установлена на носу одной из наших ракет класса «Миротворец Марк XXXVII». Она оборудована компьютером, который запрограммирован на моделирование реакций бывалого солдата, причем здесь применяются последние разработки в области технологий искусственной тупости. Красный крестик обозначает пусковой механизм ракетной установки противника. Если мы уничтожим только механизм, вражеские ракеты не взорвутся, а следовательно, не будет и жертв. Может погибнуть лишь стрелок, и то у него есть возможность спастись бегством.

У Билла сложилось впечатление, что он вновь, неведомо как, очутился на борту «Мира на небеси», перед панелью компьютера. Он ждал цифры «50», суммы очков за уничтожение ракетной установки, однако та все не загоралась. Интересно, а откуда взялись диковинные разноцветные проплешины вокруг летного поля?

— Красный крестик, — продолжал генерал Мудрозад, — остается точно посередине кадра, то есть любое отклонение от плана исключается, вероятность ошибки ничтожно мала. Мы специально замедляем скорость показа, чтобы вы могли убедиться собственными глазами: расчет вражеской ракетной установки знает о приближении «Миротворца Марка». У них вполне достаточно времени, чтобы покинуть свой пост.

Смена кадров значительно замедлилась. Камера — вернее, ракета — развернулась к двери, на которой корявым почерком было выведено: «Вырвиглазнийский штаб обороны — легитимная военная цель». Ниже надписи располагалась красно-белая мишень.

Внезапно дверь распахнулась, из нее выскочили трое мужчин; затем что-то ослепительно сверкнуло, и пленка закончилась.

— Подведем итоги. Этот случайно выбранный среди миллионов других фильм убедительно демонстрирует точность наших залпов, которые мы обрушиваем на безбожных бунтовщиков, а также свидетельствует о той заботе, какую мы проявляем по отношению к ни в чем не повинным обитателям планеты, коих угнетает жестокий тиран и кои являются верноподданными нашего обожаемого императора. Надеюсь, отныне будет положен конец всяким домыслам и сплетням относительно потерь, которые якобы несет мирное население Вырвиглаза. По сведениям разведки, единственные пострадавшие — те, кого оглушили разрывы бомб.

Сэм выключил головизор, и генерал исчез.

— Ты веришь ему? — справился Сэм у Билла.

— Он офицер, — ответил Билл.

— И что? — озадаченно спросил Сэм.

— Понимаешь, нам редко доводилось сталкиваться с офицерами, — пояснил Сид.

— У десантников есть такое присловье: офицер в лучшем случае врет, а в худшем намерен прикончить тебя.

— Ага, — проговорили Сэм с Сидом.

— Ребята, вы ничего толком не знаете о войне.

— Мы быстро учимся, — заявил Сэм.

— Не то чтобы по своей воле, — прибавил Сид. — Нам просто некуда деваться.

Неожиданно лимузин замедлил ход, а потом и вовсе остановился.

— Приехали. Билл, запомни: на сей раз никаких автографов.

— Никаких?

— Никаких.

— И моделей не будет?

— Нет, Билл.

— А танцовщиц?

— Танцовщицы будут, но не здесь. Тут тебе полагается возложить венок. И чего ты, спрашивается, ухмыляешься? Знаешь, что такое венок? Много-много цветов. Ну вот, когда выберешься из машины, здешний мэр вручит тебе венок, ты примешь его и пойдешь к памятнику, встанешь перед ним, склонишь голову и скажешь: «Слава павшим!» Потом осторожно положишь венок к подножию памятника и не спеша вернешься к машине. Все понял?

— Да вроде, — отозвался Билл после минутного раздумья. — «Слава павшим». Усек. Не волнуйтесь, ребята, я знаю кучу мертвецов.

Когда Билл вылез из лимузина, он увидел, что вокруг собралась громадная толпа, которая заметно отличалась от прочих тем, что хранила молчание и не пыталась прорваться сквозь заграждения, чтобы хотя бы прикоснуться к Биллу. Толстенький коротышка в черном костюме приблизился к лимузину, пожал герою Галактики руку и назвался мэром города. Билл ведать не ведал, о каком городе речь, однако сообразил, что название ему все равно ничего не скажет, а потому вежливо кивнул и принял венок.

К тому крепилась широкая полоса ткани, на которой кто-то предусмотрительно написал те слова, какие от Билла требовалось произнести. Герой Галактики сунул было венок под мышку, но Сэм прошептал, что так не годится: венок следует нести на расстоянии вытянутой руки, чтобы всем было видно. Это было не слишком удобно; хорошо хоть венок оказался не очень тяжелым.

Шагая по проходу, который разделял толпу на две части, Билл испытывал известную неловкость. На него глядели тысячи глаз, которые, казалось, замечают каждое движение. Это изрядно действовало Биллу на нервы. Предыдущие шумные сборища его нисколько не пугали, ибо они чем-то напоминали сражение, а к сражениям он привык. Теперешняя же ситуация сильно смахивала на затишье перед боем, когда знать не знаешь, чего ожидать, понимаешь только, что ничего хорошего.

Памятник находился чуть в стороне от прохода, слева, а прямо впереди громоздились развалины. Отвернуться было невозможно — всякий раз, едва Билл поворачивал голову, Сид или Сэм шептали ему на ухо: «Смотри вперед!» — и он, будучи приучен к повиновению, беспрекословно подчинялся. Потому-то Билл, хотел он того или нет, вынужден был разглядывать руины перед собой, однако ухитрился заметить краем глаза другие развалины, дома без крыш и огромную воронку, в которой поблескивала вода. Походило на то, что с городом обошлись довольно круто.

Наконец проход закончился. Билл остановился напротив груды развалин, возле которой стояли угрюмые потные люди — должно быть, спасатели. На земле валялся покореженный металлический щит, посреди которого зияла дыра. Билл без труда прочел то, что было написано на щите:

«Бомбоубежище, максимальная вместимость — 600 гражданских лиц».

Состроив гримасу, которая, как он полагал, приличествовала случаю, Билл медленно направился к памятнику. Он вспомнил, где видел щит с подобной надписью. Может, совпадение?

Памятник представлял собой скопище обломков, которые образовывали невысокую колонну. По периметру цоколя располагались стальные пластины, испещренные именами и фамилиями.

Билл положил венок к подножию монумента и в полном соответствии с полученными инструкциями произнес: «Слава павшим», после чего выпрямился по стойке смирно и отдал честь обеими правыми руками.

Всю обратную дорогу Сид с Сэмом, как ни старались, не могли выжать из него ни единого слова.

Глава 13

Билл заложил крутой вираж, обогнул пару воронок и побежал дальше; чутье бывалого солдата подсказывало ему, когда шарахаться в сторону, а когда — нырнуть в ближайшую воронку. Прогремел взрыв. Билл оглянулся и помахал рукой охранникам.

— Давайте сюда! — крикнул он, перепрыгнул через перевернутый аэрокар и присел на корточки, дожидаясь приятелей.

Сиду с Сэмом не хватало сноровки. По счастью, имперские звездолеты вели бомбардировку на удивление вяло. Охранники без единой царапины добрались до машины и собрались было перевести дыхание, но Билл не дал им такой возможности. Ведомые героем Галактики вырвиглазнийцы преодолели последние несколько метров, которые отделяли их от подъезда одного из немногих уцелевших зданий; внутри того помещался бар.

Сид с Сэмом тут же повалились на стулья. Билл решительно направился к стойке.

— Три супербургера, три двойных пива, и поживее, — распорядился он, а затем повернулся к своим спутникам: — Ребята, что вам заказать?

На улице прогрохотал очередной взрыв, от которого задребезжали стекла; девушка за стойкой упала на пол. Когда она поднялась, Билл прибавил, будто ничего и не произошло:

— Порцию чили, тарелку сосисок и бутылку колы.

Он поставил все, что получил, на поднос и возвратился к охранникам.

— Елки-палки, Билл, нам повезло.

— Точно. Кто бы мог подумать, что бар открыт! Я не пробовал бургера с... с... пожалуй, вообще никогда. Разве что видел в рекламных роликах. — Билл одним махом проглотил первый бургер и промыл пищевод первой бутылкой пива.

Девушка за стойкой включила головизор. Над стойкой возник миниатюрный президент Гротски, который, как показалось Биллу, слегка похудел со времени их встречи и сильнее прежнего смахивал на Сида, Сэма и прочую компанию.

— События развиваются так, как мы и предполагали, — заявил Гротски. — Обе стороны несут серьезные потери, с неба падает всякая дрянь — бомбы, ракеты, шрапнель, обломки самолетов и звездолетов. Я настоятельно рекомендую всем оставаться дома. Если же вам необходимо куда-либо отправиться, воспользуйтесь метрополитеном, к станциям которого ведут подземные ходы. Что касается меня, я намерен отсидеться в своем бункере.

— Елки-палки, Сид, сдается мне, старик Миллард подрастерялся.

— Нет, Сэм, ты ошибаешься. Просто у него хлопот полон рот.

— Что ж, по крайней мере, ему нечего беспокоиться о своем желудке после порции сосисок в забегаловке. — Сэм потыкал вилкой одну сосиску. — По-моему, мясом тут и не пахнет.

— Ишь чего захотел, — буркнул Билл, к подбородку которого прилипли крошки эрзац-бургеров. — Знаешь, приятель, тебе не мешало бы послужить в имперской армии. Там кормежка похлеще здешней.

— Теперь понятно, почему вы так агрессивны, — проговорил Сид.

— Гр-р-р! — прорычал Билл, проглатывая последний кусок. — Хорошо! Куда едем?

— На нейтронную шахту. Уж в ней-то мы наверняка будем в безопасности. Все тамошние сооружения находятся под землей, даже барак для почетных гостей. Откровенно говоря, я ночью почти не спал: бомбы падали слишком близко.

— Ерунда! Разве за квартал от гостиницы — это близко? — В результате недельного путешествия по местностям, которые пострадали от налетов, Билл практически перестал обращать внимание на бомбежки. Лично по нему никто не стрелял, вследствие чего жизнь на поверхности планеты рисовалась Биллу в более розовых тонах, нежели пребывание на борту «Мира на небеси». Впрочем, в глубине души он уже предвкушал тот миг, когда очутится в толще земли, где можно будет не опасаться ничего на свете.

Сэм собрал подносы и отнес их туда, где стоял рециркулятор, который перерабатывал остатки пищи и грязную посуду в хваленые супербургеры. Между тем по головизору начали передавать последнюю пресс-конференцию генерала Мудрозада.

— А вот и Уорми! — воскликнул некий младший офицер.

Военный оркестр заиграл генеральский марш, репортеры разразились аплодисментами, а на подиуме, выйдя из-за кулис, появился неустрашимый Уормвуд Мудрозад. Некоторое время он благосклонно внимал восторженной овации, затем произнес: «Спасибо, спасибо». Шум в зале постепенно стих.

— Сколько вырвиглазнийцев поместится в электрической лампочке? — справился генерал у корреспондентов.

— Сколько? — гаркнули те в унисон.

— Двое, и то, если будут совсем маленькими.

Журналисты старательно захохотали. Мудрозад мановением руки призвал к тишине.

— За минувшие двадцать четыре часа имперские войска выпустили по планете Вырвиглаз свыше двенадцати миллионов ракет: общее же количество выпущенных реактивных снарядов и бомб приближается к ста пятидесяти миллионам. Оборона мятежников, я разумею, в целом была практически подавлена еще пять дней тому назад, однако сегодня бунтовщики выстрелили по нашим кораблям шестью ракетами. Что касается бомбовых ударов, мы наносили их по предприятиям оборонной промышленности. Я захватил с собой пленку, отобранную наугад и ни в коем случае не смонтированную, чтобы показать вам последствия одной из наших атак.

На том месте, где только что стоял генерал, появилось изображение, которое Билл и охранники уже имели возможность лицезреть раньше. Ракета, охарактеризованная на сей раз как реактивный снаряд с дистанционным управлением, неотвратимо сближалась с красным крестиком. На здании, которое ей предстояло поразить, было написано: «Ракетная фабрика — легитимная военная цель».

— Мы получили сообщение, которое пока не подтвердилось, о том, что пострадала девочка-подросток. Она получила незначительные ушибы по причине выброса мусора с борта одного из наших бомбардировщиков. Если это так, общее количество жертв мирного населения с момента начала кампании составит два человека. Все прочие цифры — вражеская пропаганда. Стрелок имперского крейсера «Бим-бом» натер мозоль на пальце, которым нажимал на спусковой крючок. Таким образом, потери наших доблестных войск составляют семь человек. Корабли же целы все без исключения. Все прочие сведения — вражеская пропаганда. Кампания разворачивается в полном соответствии с планами командования. Всякие слухи — вражеская пропаганда.

Сэм кинулся вдогонку Сиду и Биллу, которые направились к двери.

— Подожди, — сказал Билл и ткнул пальцем в небо, откуда этаким диковинным градом валились на землю отстрелянные гильзы и многочисленные обломки. Где-то высоко над головами прогремел взрыв. — Истребитель, — пробормотал Билл и уточнил: — Ваш. — Мгновение спустя взрыв повторился. — Снова ваш. — Наметанный глаз Билла различал в затянутом клубами дыма небе черных мошек, которые на деле были самолетами. Сид и Сэм благоразумно помалкивали, ибо понимали, что в боевом опыте им с Биллом не тягаться. Звуки, которые доносились снаружи, воспринимались как нечто вроде музыкального сопровождения: «Тра-та-та! Бабах! Бах-бабах! Бам! Тюк! Тюк!» Наконец раздался взрыв громче предыдущих. — Эсминец, — произнес Билл, — имперский. Теперь можно идти.

Бронированный лимузин поджидал их на стоянке в паре сотен ярдов от бара, поскольку ближе подъехать не удалось. За время отсутствия людей машина не получила существенных повреждений, лишь прибавилось несколько вмятин на крыше; что касается правой фары, она разбилась день или два назад.

Путешествие до нейтронного рудника протекало сравнительно спокойно. Дважды на лимузин обрушивался шквальный заградительный огонь, один раз его снесло с дороги взрывной волной от разорвавшейся неподалеку бомбы; потом пришлось преодолеть вброд, одну за другой, две реки, мосты через которые были предусмотрительно уничтожены, и шесть раз сворачивать на бездорожье и ехать прямиком по дворам и огородам, ибо в тех местах шоссе превратилось в зыбучие пески. Несмотря на вынужденные задержки, Билл, Сид и Сэм добрались до цели менее чем за четыре часа, за которые проделали путь протяженностью в пятьдесят миль.

Нейтронный рудник выгодно отличался от большинства шахт своим внешним видом: у входа в забой — никаких механизмов для выдачи на-гора руды или того, что добывают в той или иной конкретной шахте. Ведь нейтроны чрезвычайно малы, а потому громадное их количество может разместиться в крайне ограниченном объеме. Посему нейтронный рудник, единственный во Вселенной, выглядел снаружи подобием подземного гаража, который неизвестно с какой радости охраняют вооруженные часовые, а дорога к которому упирается в массивные огнеупорные ворота.

Сразу за воротами начиналось просторное, хорошо освещенное помещение. Билл оказался в шахте во второй раз в жизни. Много лет назад, в ходе подготовки к экзаменам на должность техника-удобрителя — заветнейшая негормональная мечта Билла, которой, похоже, не суждено было сбыться, — он посетил гуановый рудник. Контраст между двумя шахтами был поистине разительным. Прежде всего, на нейтронном руднике отсутствовала пыль от сухого птичьего помета; Билл, невзирая на то что обожал все и всяческие удобрения, не мог не признать, что это — завидное преимущество.

По правде сказать, нейтронная шахта сильно смахивала на какую-нибудь фабрику, по крайней мере — на верхних уровнях. Троица миновала небольшой гараж и очутилась в приемной, где сидела секретарша в облегающем десантном комбинезоне. Девушка полностью проигнорировала появление посетителей, однако Билл обнаружил, что лично он просто не в состоянии ответить презрением на презрение. Секретарша выглядела слегка полноватой, но это ее нисколько не портило. Она олицетворяла собой в глазах Билла образ идеальной женщины, то есть была женщиной.

Билл устремился к столу, за которым восседала девушка, однако на полдороге его перехватил Сид.

— Сид и Сэм, президентские телохранители, а также Билл, знаменитый военнопленный, к директору. Он нас ждет.

Секретарша оторвалась от головизора, по которому шел фильм из разряда «мыльных опер», сняла наушники, тряхнула светлыми кудрями, перекатила во рту жвачку и оглядела вновь прибывших с головы до ног.

— Вам нужно переодеться. Здесь не кабак, а нейтронная шахта. — Она позвонила в колокольчик и крикнула: — Франт! — Из ниши в стене выехал маленький робот. — Он проводит вас в раздевалку. Тут все ходят в комбинезонах. Не вздумайте расстегиваться и воровать нейтроны. Понятно? — Не дожидаясь ответа, девушка повернулась к роботу: — Отведешь их в комнату восемь, проследишь, чтобы переоделись, а потом снова приведешь сюда. Ступай. — Она вновь взялась за наушники.

— А как насчет багажа? — поинтересовался Сэм.

— Я не вижу никакого багажа, — отозвалась секретарша, снова сняв наушники и посмотрев на мужчин.

— Он в машине.

— Багажом займетесь после встречи с директором, которая состоится через десять минут, вернее, через девять с половиной. — Девушка решительным жестом надела наушники и включила головизор. На столе перед ней заметались крохотные полуодетые прозрачные фигурки.

Робот-проводник пересек приемную и повернул за угол. Мужчины догнали его в тот самый миг, когда он входил в лифт, после чего, шагая по пятам друг за дружкой, выбрались из лабиринта коридоров и попали в крошечный номерок, который не имел ничего общего с гостиничным, за исключением названия и того факта, что также состоял из двух спален и гостиной. Вся мебель была из пластимента; похоже, ее штамповали поточным способом. Она отличалась надежностью — по ней можно было без опаски дубасить хоть кузнечным молотом — и той мягкостью, какую обычно приписывают камню.

— На переодевание у вас две минуты восемнадцать секунд, — сообщил робот. — Затем мы вернемся в приемную. И. о. капрала Билл, ваша комната справа. — Робот втянул ноги, на груди у него открылась дверца, за которой, как выяснилось, помещался секундомер.

Билл опрометью кинулся в свою комнату, срывая по дороге одежду. Выбрать комбинезон не составляло труда — тех было всего два, и оба чистые. Шеврон на рукаве привел Билла в восторг.

По истечении отведенного срока все трое вновь направились за роботом, пытаясь сообразить на ходу, каким образом осуществляется герметизация швов. Попытки оказались безуспешными, в силу чего Билл и охранники, когда подошли к столу секретарши, поддерживали костюмы обеими руками.

Девушка закатила глаза, потом встала.

— Смотрите, — сказала она, — все очень просто, — и принялась показывать на себе. Билл старался не пропустить ни единого движения, однако интересовал его вовсе не процесс. — Нажимаете здесь и здесь, проводите ладонью тут, соединяете вместе, там натягиваете, тут приглаживаете. Ясно?

Лица Сида и Сэма выражали полнейшее непонимание. Билл весь светился от счастья. Так или иначе, им все же удалось застегнуться.

В это мгновение на столе секретарши затрезвонил звонок, в углу приемной приотворилась дверь.

— Директор вас сейчас примет, — произнесла девушка и вновь повернулась к головизору.

Едва они прошли сквозь дверной проем, дверь захлопнулась, и мужчины оказались в тесном помещении размерами с их собственный номерок. Стены из пластимента, одна-единственная скамья... Они осторожно уселись на скамью и уставились на квадратное пятно на стене.

— Добрый день, добрый день, добрый день! — взревел спрятанный неизвестно где динамик. — О, извините! Секундочку, я только убавлю громкость. Для меня большая честь приветствовать вас на нашем руднике.

— Может, я чего-то не понимаю? — прошептал Билл, оглядевшись по сторонам.

— Вполне возможно, — отозвался Сид.

— Точно, — подтвердил Сэм.

— Вы меня не видите? — удивился голос. — Я здесь. Елки-палки, я же забыл включить экран! — Квадратное пятно тускло замерцало, потом на нем появилось изображение сидящего за столом человека. — Так лучше?

Если не считать венчика жиденьких волос, человек был совершенно лыс и выглядел весьма упитанным, но в остальном, вне всякого сомнения, принадлежал к той самой компании, в которую входили президент Миллард Гротски, Сид, Сэм и прочие телохранители. Тот же овал лица, те же аккуратно подстриженные черные усики... Интересно, подумалось Биллу, может, лет этак тридцать или сорок тому назад на Вырвиглазе спятил какой-нибудь клонировочный автомат?

Кроме того, директор тоже говорил «елки-палки». Билл даже не стал спрашивать почему.

— Елки-палки, Билл, а ты совсем не изменился, — сказал директор.

— Мы с вами разве встречались?

— Нет. Я видел тебя в выпусках новостей. Меня зовут Снорри Якамото. Искренне рад познакомиться.

Билл окинул взглядом похожую на келью комнатку, затем уставился на экран. За спиной директора виднелись настоящая деревянная мебель, пластиковые панели на стенах и окно, в которое светило солнце.

— Взаимно. Хороший у вас кабинетик.

— Спасибо. Елки-палки, у меня, к сожалению, не получится встретиться с вами лично, однако я распорядился, чтобы вам создали все условия. Сильвия должна обо всем позаботиться.

— Сильвия?

— Моя секретарша. Она просто чудо.

С таким заявлением Билл не мог не согласиться.

— Вечером состоится праздничный ужин, а завтра у вас экскурсия по шахте. Что скажете?

— Замечательно, — откликнулся Билл без какого бы то ни было энтузиазма в голосе.

Ужин вполне оправдал предчувствия Билла. Столовая на руднике выглядела точь-в-точь как солдатская едальня. Правда, вместо дневальных прислуживали роботы, но на том разница и заканчивалась. Предполагалось, что блюда подаются разные, однако куски подозрительно смахивали один на другой, поскольку все были мышиного цвета.

Приглашенные, которые явились на ужин после напряженного рабочего дня, держались каждый особняком и старались не вступать в разговоры. Билл ухитрился занять место рядом с Сильвией, единственной, кстати, женщиной в компании, но всякий раз, как только его рука начинала двигаться в направлении ее колена, она награждала Билла оплеухой, причем делала это походя, не отрываясь от головизора.

Короче говоря, когда ужин завершился, Билл испустил облегченный вздох.

— Елки-палки, Билл, — сказал Сэм, когда они отправились в гараж, чтобы забрать из лимузина свои вещи, — не переживай. Отдохнем завтра.

Глава 14

— Вау! Вау! Вау!

Над ухом у Билла затрезвонил будильник:

— Дзынь! Дзынь! Дзы-ы-ы-ы-ынь!

Билл так и вскинулся, сел и зашарил вокруг себя в поисках клавиатуры компьютера, забыв спросонья, где находится. Некоторое время спустя до него дошло, что он вовсе не на борту звездолета, а в нейтронной шахте. Билл вздохнул, потянулся и откинулся обратно на пластиментную подушку.

— Вау! Вау! Вау!

Билл с размаху треснул по будильнику кулаком. Пластиментное устройство с честью выдержало удар. Билл потер руку и сообразил, что хочешь не хочешь придется встать.

Будильник тут же замолчал.

Билл проковылял в гостиную, плюхнулся на кушетку, издал некий звук и слегка приподнялся, чтобы почесать зад.

Из соседней спальни появился то ли Сид, то ли Сэм — освежившийся в душе, он отчаянно сражался со своим комбинезоном:

— Елки-палки, Билл, ты чего расселся? Вот-вот заявится робот, а он не будет ждать, пока ты соизволишь проснуться.

— Гр-р-р-р-р!

То ли Сид, то ли Сэм схватил Билла за правую руку — то есть за ту, которая росла из правого плеча, — и поставил на ноги.

— Может, сунуть тебя под душ?

— Гр-р-р-р-р! Не стоит. — Билл поплелся обратно в свою спальню и вышел оттуда в наполовину натянутом комбинезоне, когда до назначенного срока оставалась ровно минута. Сид — близнецы были вместе, так что Билл различал их без труда — помог ему загерметизироваться.

— Сегодня вам предстоит осмотреть шахту, — заявил с порога робот. — Следуйте за мной. — Он развернулся и двинулся прочь.

Сильвия встретила их под вывеской «Доступ».

— Доступ? — переспросил Билл.

— Снорри — большой любитель кроссвордов.

— Понятно, — произнес Билл, который на деле ничегошеньки не понял.

— Наша нейтронная шахта уникальна, — начала Сильвия свою явно подготовленную заранее речь. — Разумеется, громадное количество различных видов вооружения не требует применения нейтронов, однако они жизненно необходимы в процессе производства нейтронных бомб. Вот почему добыча нейтронов контролируется правительством как стратегическая отрасль промышленности. Похищение нейтронов из шахты является уголовным преступлением, которое карается пожизненной ссылкой на работу на нижние уровни. По завершении экскурсии каждому из вас подарят один нейтрон в качестве сувенира, но если вы прихватите с собой хотя бы один еще, то будете немедленно арестованы.

Дверь с надписью «Доступ» скользнула в сторону, и люди спустились по пандусу в шахту. Та во многом напоминала фойе второразрядной гостиницы. Единственное ее отличие от верхних уровней состояло в том, что она была не выдолблена, а выдавлена в скале.

— Как видите, мы не жалеем расходов, стремясь обеспечить нашим работникам наилучшие условия труда. Например, верхние уровни шахты, после того как там истощились запасы нейтронов, были переоборудованы под жилые, конторские и лабораторные помещения.

Сильвия распахнула дверь и пригласила почетных гостей заглянуть внутрь, а Билла, который в результате сложных маневров оказался у нее за спиной, сильно стукнула по руке.

— Здесь ученые разрабатывают средства обнаружения нейтронных жил в окружающих породах.

В комнатке сидело за столами несколько хмурых людей в белых халатах поверх комбинезонов. Сильвия закрыла дверь прежде, чем ученые успели заметить появление посторонних.

— Лифты опускают шахтеров на рабочие уровни. Что касается уровней, они делятся на три типа: исследовательские, то есть новые штольни глубоко под землей; производственные, то есть те, где исследования завершились; и обустроенные, то есть выработанные и используемые не по прямому назначению. Мы с вами отправимся на главный производственный уровень, который расположен в двух милях от поверхности планеты.

Спуск проходил в молчании. Билл зевнул, Сэм последовал его примеру; инфекция передалась Сиду и через Сильвию возвратилась к Биллу. Так продолжалось довольно долго. Наконец Биллу надоело зевать и он произнес:

— Вообще-то я знаменитость. Стоит мне куда-то пойти, люди тут же начинают на меня бросаться. — Сильвия снова стукнула его по руке. — Да я не о том! Почему директор не вышел нам навстречу?

— Он не проводит личных встреч, — объяснила Сильвия.

— Не делает исключения даже для президента Гротски, — задумчиво прибавил Сид, — хотя они старые друзья. Президент и назначил Якамото директором, а тот общается только по головизору.

— Странно, — пробормотал Билл.

— Снорри утверждает, что боится заболеть, — сказала Сильвия.

— Я чист как стеклышко! — воскликнул Билл.

Сильвия презрительно фыркнула.

— Нет, правда! Я каждый день моюсь в душе. Спросите у Сида с Сэмом, они подтвердят.

— Неужели? — Сильвия приподняла бровь. — Значит, вот вы чем занимаетесь...

Выяснение отношений грозило затянуться на неопределенное время. По счастью, лифт достиг нужного уровня. Выйдя наружу, Сильвия вновь принялась изображать из себя экскурсовода. Билл никак не мог решить, нравится ему это или нет.

— Поскольку нейтроны необычайно малы, в естественных условиях они склонны смешиваться с песчинками, пылью или галькой. Поэтому на производственных уровнях устанавливается в первую очередь такое оборудование, которое отделяет нейтроны от примесей.

— Примесей? — переспросил Билл.

— Снорри обожает разгадывать кроссворды. За звуконепроницаемой стеной слева от вас находится сортировочный узел. Ему нет равных в шахте по занимаемой площади. Пожалуйста, держитесь поблизости. — Она в очередной раз стукнула Билла по руке. — Не так близко.

Когда Сильвия открыла дверь, раздался оглушительный грохот. Лязг, дребезг, скрежет... Транспортеры, краны и вагонетки старались вовсю, но их без труда перекрывал колоссальный сортировочный блок. Он представлял собой огромный агрегат протяженностью в добрых полмили, от одной стены пещеры до другой. Блок щетинился воронками, в которые сбрасывали куски нейтроносодержащей породы: ближе к началу — громадные валуны, ближе к концу — струи песка. За грохотом, который стоял в пещере, голоса Сильвии совершенно не было слышно, поэтому девушка просто указывала на те или иные элементы конструкции агрегата, и все ее понимали, даже Билл.

Каждая секция блока работала в общем и целом по одному и тому же принципу. Порода сквозь воронку попадала на большую решетку с крупными ячейками. Что-то просеивалось, что-то оставалось на решетке. То, что оставалось, дробили и снова засыпали в воронку вместе со следующей порцией, а то, что просеивалось, попадало на другую решетку, уже с более мелкими ячейками, и вся процедура, шумная и невыразимо скучная, повторялась заново. Билл почувствовал, что у него слипаются глаза.

Когда порода измельчалась до такой степени, что превращалась как бы в текучий порошок, ее высыпали на последнюю решетку, сквозь ячейки которой могли проникнуть только нейтроны. Их поток напоминал дождевые струи. Просочившись, нейтроны падали в специальные контейнеры. Время от времени рабочие перекрывали решетку, меняли полные контейнеры на пустые, а первые запечатывали и передавали вооруженным стражникам. Техники с детекторами нейтронов и большими увеличительными стеклами проверяли всех подряд на предмет случайного или преднамеренного похищения драгоценных частиц, которые, к примеру, вполне могли забиться в швы комбинезона.

— Далее, — сообщила Сильвия, когда группа выбралась из сортировочной пещеры в холл, где царила поразительная тишина, — мы побываем в тех штольнях, в которых добывается руда.

Но тут ожила система общественного оповещения.

— И. о. капрала Билл, будьте добры, снимите трубку любого белого телефона. И. о. капрала Билл, снимите трубку любого белого телефона.

— Я? — изумился Билл. — Кто знает, что я здесь?

— Елки-палки, Билл, — отозвался Сэм, — о наших планах писали во всех газетах.

— Ах да! Ты же мне говорил. Вот что значит читать только комиксы.

Сильвия отвела Билла к ближайшему аппарату и отошла на приличествующее случаю расстояние.

— Алло! Билл на проводе.

— Елки-палки, Билл, где вы?

— Президент Гротски, это вы? Я в шахте.

— Нет, Билл, это Снорри. Директор шахты, помнишь? Ты можешь определить, где именно находишься?

Билл огляделся по сторонам и попытался вспомнить, где побывал.

— Я снаружи большой пещеры с кучей машин.

— А, сортировочный узел. Главный производственный уровень. Выходит, у тебя в запасе около пяти минут. За тобой пришли солдаты. Если попробуешь прорваться наверх, попадешь к ним в руки; лучше спрячься где-нибудь внизу. Да, передай то же самое Сэму и Сиду.

— Прятаться? Зачем? Я знаменитость, а знаменитости не прячутся.

— Елки-палки, Билл, ты больше не знаменитость, а всего-навсего вражеский солдат. Произошел военный переворот, новое правительство хочет посадить тебя за решетку. Кстати говоря, кто-то ломится в дверь моего кабинета. Удачи, Билл. — Директор Якамото, которому, похоже, оставалось директорствовать не более минуты, повесил трубку.

— Сильвия! Где тут задний вход?

— Нигде, — ответила девушка, перекатывая во рту жвачку. — Вход у нас один-единственный. Что стряслось?

— Военный заговор! Нас с Сэмом и Сидом собираются арестовать! Да и тебя, должно быть, тоже! Мы должны спрятаться!

— Ишь какой прыткий! Я здесь совершенно ни при чем. А что со Снорри?

— Он сказал, что кто-то ломится к нему в кабинет.

— Что ж, пока они не доберутся сюда, я буду работать на него. Но учти, когда появятся новые хозяева, я начну работать на них. Тебе лучше укрыться на исследовательских уровнях, там много не отмеченных на картах проходов и штолен.

Билл устремился к лифту, увлекая за собой охранников.

Нижний уровень шахты сильно отличался от главного производственного. Каменные стены, тусклое освещение, никаких кондиционеров — словом, обыкновенная шахта.

— Сюда, — заявил Билл, предпочтя всем другим первое попавшееся ответвление.

Мгновение спустя троица затерялась в темноте.

Глава 15

— Сэм?

Тишина.

— Сид?

Молчание.

— Билл? — окликнул Билл.

— Здесь!

«Что ж, — подумалось ему, — по крайней мере, хоть я нашелся». Он не имел ни малейшего представления о том, где находится, не подозревал ни как долго пробыл во мраке, ни как отсюда выбраться; зато твердо знал, что отыскал себя самого.

Он знал также, что сумел спрятаться от солдат, а это тоже кое-что значило — правда, не слишком много. Ведь солдаты наверняка накормили бы его. Билл изрядно проголодался. С водой было проще: лужи попадались буквально на каждом шагу. А вот голод становился все сильнее, и постепенно

Билл дошел до такого состояния, когда начал прислушиваться к мысли о сдаче в плен.

Точнее, начал прикидывать, каковы могут быть последствия подобного поступка. Он чувствовал, что на подбородке и щеках отросла щетина, из чего следовало, что блуждания в темноте продолжаются по меньшей мере три или четыре дня. Что касается того, когда он в последний раз ел, тут Билл не решался полагаться на память; а в глубине сознания исподволь вызревала мысль о том, что даже пища, которой потчевали в солдатских едальнях, была не столь уж несъедобной.

Билл брел по коридору, выставив перед собой руки, чтобы избежать по возможности столкновения со стеной. Бум! Что ж, бывает. Он огляделся по сторонам — просто так, проформы ради. На нижних уровнях рудника царила непроглядная тьма, как на дне шахты.

Что там справа? Разумеется, ничего. А слева? Что за чудеса? Билл различил бледный огонек. Он поспешно протер глаза, испугавшись, что слепнет, однако огонек не исчез. Ну-ка, ну-ка... Все правильно, сказал себе Билл, все так и должно быть. Эта штука называется светом.

Не раздумывая — что, впрочем, было неудивительно, — он двинулся в направлении далекого огонька.

Сперва Билл отнюдь не торопился, однако мало-помалу сообразил, что к чему, и резко прибавил шаг. Если он не доберется до огонька, если чего-нибудь не съест, то скоро сыграет в ящик. А если он умрет, это будет означать, что от солдат можно было и не убегать. В конце концов, лучше быть живым в тюрьме, чем покойником на свободе.

И потом, доля пленника не такая уж плохая, особенно в сравнении со службой в десантных войсках. Главное — тогда не придется страдать от голода, к тому же в кромешной тьме.

Билл спотыкался и падал, но упорно продвигался все дальше по коридору и все ближе подбирался к огоньку. Тот разгорался ярче и ярче; со временем Билл стал различать стены прохода, приободрился и устремился вперед легкой рысцой.

Теперь он видел на полу пещеры камни. Билл выбился из сил, стремясь достичь огонька прежде, чем тот погаснет и оставит его умирать в темноте. Отчаяние побудило героя Галактики перейти на почти нормальный шаг.

Огонек превратился в крохотный желтый шарик, который манил Билла к себе и сулил неземное наслаждение: от него как будто исходили дразнящие запахи кофе, пива, жареных бобов и ветчины. Билл решил, что грезит наяву по причине нервного напряжения, голода и потери ориентации. Иного объяснения не было; разве что он окончательно спятил.

Может быть, может быть. Костер в шахте? Галлюцинация, можно не сомневаться! Расспросить, что ли, старика, который сидит у костра, или задать парочку вопросов мулу?

Билл поразился правдоподобию галлюцинации. Костер распространял тепло, ветчина, которая жарилась на сковороде, шипела и источала божественный аромат, а от старика пахло так, словно он не мылся с самого рождения. Впрочем, вежливым надо быть со всеми, даже с призраками.

— Здравствуйте, мистер призрак, — произнес Билл. — Меня зовут Билл.

— А? — Старик чуть приподнял свою широкополую шляпу, сунул большой палец за лямку комбинезона и спросил: — Что стряслось, сынок?

— Я знаю, вы всего лишь часть миража, созданного моим воображением. Но не найдется ли у вас, чем заморить червячка? Сказать по правде, я здорово проголодался.

— Сынок, я не призрак. Я старатель. Разве ты не видишь? Мул, борода, комбинезон, ветчина с бобами, костер... Кхе-кхе! Как говорится, все признаки налицо. Да, я старатель, разрази меня гром. Позволь представиться — Габби Остолопс. Где-то тут должен быть проффилет. — Призрак зашарил по карманам. — Да ты присаживайся. Вон тарелка, вон ложка.

Билл кое-как уселся на корточки — в его теперешнем состоянии это было сродни подвигу. Бояться он не боялся, поскольку понимал, что, упав, не ровен час, лицом в огонь, всего-навсего ударится головой о камень, ибо костер — обыкновенная галлюцинация. А головой Билл стукался достаточно часто, чтобы не обращать на подобное никакого внимания.

Как бы то ни было, оловянная миска произвела впечатление настоящей, а бобы — ну и дела! — обжигали язык и горло. Билл навидался в жизни галлюцинаций, а потому не мог не признать, что эта — чрезвычайно натуральная. Кстати сказать, за время службы Билл приобрел немало полезных привычек, в том числе — способность полностью игнорировать разницу между наваждением и реальностью, разницу, которой в армии практически не существует; поэтому он беспечно наслаждался теплом костра и вкусом пищи, стараясь не думать о привходящих обстоятельствах.

Среди тех выделялось в первую очередь следующее: он медленно, но верно умирал. Билл прикинул, сколько приложил усилий, чтобы избежать столь печального исхода, и слегка обиделся на судьбу, вследствие чего предпочел сменить тему размышлений.

Он сосредоточился на восприятии наваждения. Удивительно, до чего вкусными оказались иллюзорные бобы! Ветчина была поджарена как раз в меру, а кофе мнился самым настоящим, безо всяких примесей — желудей там или побочных продуктов переработки нефти. Попробовав пиво, Билл решил, что пивнее не бывает. Именно вкус пива окончательно убедил его в том, что все происходит отнюдь не наяву. Он осушил вторую кружку, ощутил, как по телу разливается приятная истома, и пожалел о том, что все вокруг — только иллюзия, в том числе и сытая отрыжка.

— А ты и впрямь как из голодного края, сынок.

Билл облизнулся и призадумался. Его накормили воображаемой едой, а теперь не менее воображаемый старатель хочет завести разговор. Похоже, он потихоньку чокается. Как там в поговорке? Коли спятил, то...

— Почти, — отозвался Билл. — Вы здешний призрак?

— Знаешь, сынок, я что-то не уверен, хотя на свете случается всякое. Любопытный случай. Ты слыхал такую загадку: «Кто я — человек, которому приснилось, что он стал бабочкой, или бабочка, которой приснилось, что она стала человеком»?

— Не слыхал, — признался Билл. — И какая разгадка?

— Неважно. Это древняя буддийская пословица. Но давай поговорим о тебе. Откуда ты взялся? Как долго бродил в темноте без еды и без света?

— Елки-палки, я и знать не знаю.

— Интересно, — пробормотал старатель, окинув Билла пристальным взглядом. — Знавал я одного типа, который все время твердил «елки-палки». Правда, ты будешь повыше. А почему ты не знаешь? Сдается мне, такие вещи надо знать назубок.

Билл чувствовал себя несколько неловко из-за того, что ему приходится развлекать призрака, но выхода не оставалось.

— Я спустился вниз сразу, как узнал о заговоре. Мы с моими друзьями Сидом и Сэмом убежали от солдат, которые пришли нас арестовывать. Я потерял их — сначала солдат, а потом и Сэма с Сидом. С тех пор я пытаюсь найти хоть кого-нибудь и не попасться на глаза поисковым партиям.

— А ты встречал поисковые партии?

— Вообще-то нет, но слышал разные голоса.

— Понятно. Почему же ты тогда вышел к моему костру?

— Так вы же не существуете, — объяснил Билл.

— А, вот оно что! Вполне разумно, — одобрил старик со смешком. — Расскажи мне поподробнее про заговор. Когда он состоялся, кто кого перевернул? Я не вылезал из шахты целый месяц, а потому поотстал от жизни. Снорри Якамото еще работает?

— Когда мы с ним разговаривали в последний раз, кто-то ломился в двери его кабинета. А свергли президента Гротски.

— Значит, генералы добрались-таки до Милларда! — Габби как будто принял новость близко к сердцу. — Чурбаны проклятые! Послушай, если за тобой гнались, выходит, ты приятель Милларда?

— Наверно. Мы как-то пили на пару пиво.

— Ничего не скажешь, отличная рекомендация! Я помогу тебе, сынок. Выкладывай, чего бы ты хотел?

«Что за бред? — подумалось Биллу. — Как старик может помочь, если он — обыкновенная галлюцинация? А вдруг выведет из шахты наружу? Точно, надо спросить. Коли уж на то пошло, попытка не пытка».

— Ум-м-м, — произнес воображаемый старатель и погладил свою воображаемую бороду. — Что ж, хорошо.

Спал Билл крепко и по-настоящему, то бишь наяву. Однако когда проснулся, то увидел, что Габби Остолопс со своим мулом по-прежнему здесь, стоят возле угольев костра.

— От вас не отвяжешься, — пробурчал Билл.

— Сдается мне, ты прав. Хочешь холодного кофе?

Билл взял предложенную кружку. Для иллюзорного напитка кофе был на редкость крепким, способным, будь он настоящим, излечить человека от любых галлюцинаций. Поскольку же Билл продолжал видеть перед собой Габби и мула, кофе также принадлежал к причудам воображения.

Они двинулись по туннелю, который уводил вниз; дорогу освещала лампа, что висела на шее мула, — электрическая, под старинную керосиновую, причем настолько, что внутри колбы даже мерцал хилый язычок пламени. Габби пустился рассказывать о своих невероятных и похожих одно на другое приключениях. Билл поначалу слушал, а потом сообразил, что, раз эти истории сочиняет его подсознание, он вполне может не обращать на них ни малейшего внимания.

Определить, сколько прошло времени, не представлялось возможным — по крайней мере, без часов. Билл сомневался, что при наваждении время течет с той же скоростью, что и в реальной жизни, однако не стал отказываться, когда призрак предложил остановиться и перекусить, ибо уже начинал чувствовать голод. Он с интересом наблюдал за тем, как горят воображаемые дрова — поклажа мула состояла в основном из вязанок хвороста, ибо отыскать под землей древесину было не так-то просто, — и отметил про себя, что после каждой еды, пускай она не взаправдашняя, у него прибавляется сил. Кофе оказывал примерно такое же воздействие, что было еще более невероятно.

Если не считать, что Билл зазевался и угодил ногой в кучу воображаемого помета, события развивались весьма благоприятным образом. Герой Галактики сознавал, что на деле он умирает от голода, однако это не мешало ему наслаждаться вымышленной едой. Увлекшись, Билл перестал глядеть по сторонам, а когда спохватился, выяснилось, что он остался в гордом одиночестве и в кромешной тьме. Он судорожно всхлипнул, догадавшись, что смерть совсем близко, а умирать придется одному. По щеке Билла скатилась скупая мужская слеза; он оплакивал загубленную юность, далекий дом на Фигеринадоне-II, своих приятелей Сида и Сэма, которых никогда больше не увидит, и даже безвозвратно сгинувший мираж. Билл горестно рыдал до тех пор, пока не услышал некий звук:

— Пст!

Билл поднял голову.

— Пст!

Впереди не было никого и ничего, только зевы бесчисленных туннелей.

— Пст!

Билл оглянулся. Габби! Выходит, он если и сгинул, то не навсегда! Билл вскочил, кинулся к старику и заключил того в объятия, забыв на радостях, что перед ним призрак.

— Черт побери, Билл, — прошептал старатель, — возьми себя в руки. Чего ты вопишь, будто тебя режут? А вдруг за следующим поворотом стражники? Стой здесь, а я пойду проверю.

Судя по всему, мираж становился до умопомрачения запутанным. Билл заикнулся было, что оно того не стоит, но Габби решительно пресек его доводы и скрылся за поворотом. Билл прислонился к боку воображаемого мула и вспомнил о собственном робомуле, который был у него на ферме, — верном, преданном друге, благоухавшем смазочными маслами. Мул же Габби пах так, как и положено старому и грязному животному.

— Что ж, сынок, — проговорил вернувшийся какое-то время спустя Габби, — считай, что нам повезло. Я разыскал одного своего приятеля, а он свел меня со здешними подпольщиками. Они помогут тебе выбраться отсюда. Как яблочки?

— Замечательные, сэр. Если не возражаете, я прихвачу пяток-другой. Значит, вы сейчас пропадете с глаз долой?

— Не совсем так, сынок. Мне надо все тебе объяснить. На перекрестке свернешь налево, затем направо, пройдешь сто шагов, остановишься и будешь ждать. Когда услышишь: «Слепая лисица спит на полуночном перепутье», ты должен ответить: «Но знает ли полуночное перепутье, что на нем спит слепая лисица?» Это пароль. Запомнил?

— Конечно, — откликнулся Билл, который решил про себя, что призрак может свести его только с призраком, а для того вряд ли имеет значение, какими словами ему ответят.

— Молодец. Ну, удачи тебе, Билл. А мы с мулом пойдем искать великую нейтронную жилу. Знаешь, у мулов нюх на нейтроны, как у свиней — на трюфели. Бывай!

Габби направился в туннель, и Билл вновь оказался в темноте и в одиночестве. Он повернулся, вытянул вперед руки, чтобы не врезаться носом в стену, и двинулся к месту встречи с подпольщиками. Стена отыскалась почти сразу; ведя по ней рукой, Билл без труда обнаружил необходимый правый поворот, отсчитал сто шагов, остановился и принялся ждать.

Скоро — а может, и не очень — в дальнем конце коридора замигал тусклый огонек. На всякий случай Билл притворился, что заглянул сюда просто так. К несчастью, он имел весьма смутное представление о том, как следует себя вести в подобной ситуации, а потому, когда огонек приблизился настолько, что очутился от него всего в двух или трех метрах, Билл уже по третьему кругу насвистывал некий мотивчик, то приглаживая волосы, то вытирая о рубашку ладони.

— Слепая лисица спит на полуночном перепутье, — произнес чей-то голос.

— Кто-то что-то там делает, — отозвался Билл, напрочь запамятовавший наставления Габби. Свет бил ему в глаза, поэтому он не мог рассмотреть человека, которому принадлежал голос.

— Нет. Ничего подобного.

— Да? А может, так: «Перепутье дрыхнет под полуночным солнцем»?

— Еще хуже. Ты шпион?

— Я Билл.

— Габби сказал, что тебя зовут именно так. — Невидимка вздохнул. — Постарайся вспомнить хотя бы часть пароля.

— В темноте у меня случаются провалы в памяти, — объяснил Билл.

— Слабое оправдание. Послушай, я из подполья. Это тебе о чем-нибудь говорит?

— Мы все здесь в подполье.

— Хватит, Билл! Меня послал Габби.

— Чудесно.

— Заткнись и иди за мной. — Огонек медленно двинулся прочь.

Так к Биллу пришло спасение.

Глава 16

Проникновение в рабочий барак прошло практически без сучка и задоринки. Ведь никто не ожидал, что посторонние пролезут в шахту из-под земли. Поиски Билла, с самого начала не слишком активные, давным-давно завершились, солдаты покинули рудник. Правда, новому начальству оставили распоряжение: буде герой Галактики объявится, его следует схватить, заковать в кандалы и отправить на нижние уровни.

Иными словами, про Билла все забыли, а посему он просто-напросто вразвалочку вошел в барак, сменил свой комбинезон на чистый с номером на спине и смешался с толпой.

Раньше его узнавали повсюду, куда бы он ни направился, — окружали, выпрашивали автограф, стремились хотя бы прикоснуться к рукаву знаменитости. Теперь же все было иначе. Возможно, причина заключалась в густой щетине, которой покрылось его лицо.

В общем, Билла не узнал никто — за исключением двух соседей по бараку.

Подполье на нейтронном руднике организовалось с потрясающей быстротой. Разумеется, шахтеров всегда отличала высокая степень организованности, равно как и привычка копаться в земле и погибать в завалах. А с учетом того, что после переворота в шахту сослали множество политических заключенных, проблемы, кому возглавлять сопротивление, просто не возникало, потому что не могло возникнуть.

Подпольщики моментально сообразили, что живой вражеский солдат может оказать им неоценимую помощь, вследствие чего, неустанно подчеркивая, что заботятся исключительно о благе Билла, всячески ограничили ему свободу действий: запрещали разговаривать с кем бы то ни было без предварительного согласия штаба, не разрешали даже попадаться на глаза тем, кто не принадлежал к узкому кругу посвященных.

Тем не менее Билл буквально в первый же день своего пребывания в бараке заметил, что с него не сводят взгляда двое каких-то подозрительных личностей. Один из них указал другому на Билла, они зашептались, а потом первый направился было к герою Галактики, но тут вмешался начальник штаба, комманданте Лютер Анастазиус Ламбер Хендрикс Баван Дрозофила Меланогастер Фарклхаймер, который отсек чужака от Билла и велел ему идти вон, а затем сообщил Биллу, что правительство способно подослать наемных убийц.

Комманданте Лютер Анастазиус Ламбер Хендрикс Баван Дрозофила Меланогастер Фарклхаймер выбрал себе столь высокопарный псевдоним, чтобы, во-первых, скрыть свое истинное имя, а во-вторых, задать побольше хлопот секретариату нового правительства. Он знал, что правительственные компьютеры запрограммированы на усвоение трех имен общей протяженностью до тридцати букв, и полагал, что, если ввести в какую-либо машину его новое имя, это приведет к сбою всей системы. Друзья же звали коммандате Эдом.

Билл несколько отстал от жизни, ибо с утра до вечера учился ремеслу шахтера-нейтронокопа. В свой следующий выход на работу он должен был произвести на надзирателей впечатление человека, который соображает, что делает. Кроме того, коммандате Лютер и т. д. требовал от Билла не переусердствовать в учебе, поскольку излишнее усердие могло привлечь к нему совершенно ненужное внимание. Билл сказал коммандате, что тот может не беспокоиться: мол, он всегда учился не спеша, постепенно и вдумчиво, что, собственно, и помогло ему освоить профессию предохранительного во всей ее полноте — то есть как заряжать и как разряжать.

Охранник в той штольне, где предстояло работать Биллу, исповедовал, вполне возможно, тот же самый принцип постепенности. Он верил всему, что слышал, вплоть до очевидных глупостей, и лишь кивнул, когда ему сказали, что Билл трудился тут раньше. Мало того, охранник принял как должное, что Билл замер перед своей машиной и принялся озадаченно чесать в затылке.

Герою Галактики такое отношение к себе было только на руку. Он тупо разглядывал многочисленные кнопки и рукоятки, ожидая, что вот-вот вспомнит что-нибудь полезное по поводу того, как хотя бы включается эта штука.

На передней панели машины находились две кнопки и рукоять. Одна кнопка была зеленой, вторая — красной, а рядом с рукоятью виднелась нарисованная черной краской стрелка, что указывала в двух направлениях — на Билла и от него.

Билл осторожно передвинул рукоятку из срединной позиции прочь от себя до упора. Раздался щелчок, но больше ничего не произошло. Билл перевел рукоять в противоположное положение. Щелчок повторился, однако тем дело и ограничилось.

Значит, надо попробовать иначе.

Билл мало-помалу проникался уважением к профессии шахтера-нейтронщика и тем техническим знаниям, обладание какими ею предусматривалось. Она во многом напоминала специальность техника-удобрителя, которую Билл наверняка бы получил, если бы продолжал заниматься сельским хозяйством.

Билл глубоко задумался, потом возвратил рукоять в первоначальное положение, решив, что ее поместили туда отнюдь не без основания.

Затем вновь погрузился в размышления, углубился в воспоминания, припомнил эпохальную битву, в которой спас «Божественного кормчего», отведя перекрестье прицела от зеленого огонька и наставив его на красный. Получается, что красный — цвет удачи.

Билл надавил на красную кнопку.

Ничего.

Сколько можно издеваться?! Вот уж и охранник косится в его сторону... Билл в отчаянии пихнул рукоять вперед и одновременно нажал зеленую кнопку.

Машина взревела и заколотила по стене пещеры сотнями крохотных молоточков, которые раскалывали породу. Огромные черпаки подхватывали куски и отшвыривали их подальше, громоздя кучу за кучей; позже специальные бригады пересыплют камни на транспортеры, которые доставят свой груз на сортировочный узел. Следом за сборщиками камней в шахте появятся чистильщики с пылесосами; их задача — подбирать выпавшие нейтроны, которые потом тщательно пересчитают и упакуют.

Билл кинулся за машиной, которая, похоже, собиралась бросить его на произвол судьбы, догнал и вцепился в громадные ручки. С их помощью он мог управлять агрегатом, система наведения которого на отдельно взятый нейтрон во многом напоминала экран компьютера во время игры «Кормовой стрелок» или пульт управления робомулом; иначе говоря, Биллу вовсе не приходилось чрезмерно напрягаться и демонстрировать уникальные умственные способности.

Вскоре он настолько заинтересовался процессом, что ушел в работу с головой, благо его не отвлекали ни те двое подозрительных личностей, которые, по мнению коммонданте Лютера, являлись наемными убийцами, ни сам коммонданте со своими присными.

Несмотря на шум за спиной («Нет, нам нужно всего лишь поговорить с ним! Мы должны, понимаете? Разумеется, важно. Нет, вам мы ничего не скажем»), Билл быстро уловил, что от него требуется, чтобы не привлекать внимания охраны в течение того, как он надеялся, короткого срока, какой ему предстояло здесь провести.

Комманданте Лютер рассчитывал со временем переправить Билла на поверхность, где тому вменялось в обязанность возбудить у народа сочувствие к свергнутому президенту Милларду Гротски. Генералы утверждали, что Гротски ушел в отставку по собственному желанию из-за слабого здоровья, но ложь была настолько откровенной, что ей вряд ли кто верил. Комманданте считал, что Биллу будет достаточно произнести одну-единственную зажигательную речь, в идеале — с башни танка, чтобы диктаторский режим пал, не выдержав нарастающего народного гнева. Тогда Билл вновь станет героем и знаменитостью, быть может, получит даже назначение на ответственный, но ни к чему, разумеется, не обязывающий пост в правительстве. В мечтах Билл видел себя председателем Комитета по спиртным напиткам, полагая, что эта должность связана с дегустацией упомянутых напитков.

Пока же он оставался в шахте и жизнь казалась ему не то чтобы раем, но чем-то очень близким. Неудобные кровати, спертый воздух, отвратительная кормежка, женщина всего одна, да и та работает на семнадцать уровней выше и терпеть не может Билла, горло промочить нечем, на все необходимо разрешение начальника охраны, никаких выходных, в которые, кстати, все равно нечего было бы делать, убить никто не пытается — нет, жизнь и впрямь была просто прекрасной. Билл от души радовался тому, что оказался вне досягаемости армии.

Между прочим, он всерьез подумывал о том, чтобы стать профессиональным шахтером-нейтронокопом. Последних роднило с десантниками одно обстоятельство: и те и другие были, по сути, рабами; зато шахтеры, как правило, жили гораздо дольше, а рабочие условия на руднике были не хуже, чем на борту «Мира на небеси».

Мало-помалу Билл приобрел нечто вроде фаталистического взгляда на мир. Он изучил машину как свои пять пальцев, узнал все тонкости обращения с упрямым механизмом (рукоять вперед — и машина вперед, рукоять назад — и машина назад; на словах все просто, а вот попробуйте-ка на деле!). Он без труда выполнял дневную норму, что поощрялось комманданте Лютером, который придерживался того мнения, что Биллу следует работать достаточно споро, дабы не привлекать к себе внимания, тогда как остальным — наоборот, чем медленнее, тем лучше.

По прошествии нескольких дней Билл начал надеяться, что двоим наемным убийцам каким-то образом все же удастся подобраться к нему, поскольку комманданте Лютер и его подручные с утра до вечера спорили насчет идеологии, а Билл не понимал ни грандиозности замыслов, ни сути идеологических разногласий. Посему единственным развлечением оставалась работа, выполнять которую было все равно что тянуть солдатскую лямку. Билл рассчитывал, что разговор с убийцами или даже драка — он не допускал и мысли о том, что имперский солдат не сможет справиться с двумя вырвиглазнийцами, — поможет ему развеяться.

Как-то раз к Биллу, который методично атаковал особенно крепкую нейтронную жилу, подкрался комманданте Лютер. Билл оторвался от работы и уставился на доблестного подпольщика. Он впервые в жизни наблюдал, как кто-то к кому-то подкрадывается.

— Сделай вид, что меня здесь нет, — пробормотал комманданте.

— Хорошо. — Билл повернулся к своей машине.

— Е... а... у... и... — произнес голос за его спиной. Согласно полученным инструкциям, Билл притворился, что не слышит. Далее последовала череда похожих звуков. Их он тоже проигнорировал. Кто-то похлопал его по плечу. Билл обернулся и увидел комманданте.

— Ты все понял?

— Что? — удивился Билл. — Я же делал вид, что вас здесь нет.

— Верно. — Комманданте мысленно досчитал до десяти. — Теперь сделай вид, что я здесь.

— Это труднее, — заметил Билл. — Коли вы и так здесь, выходит, я сначала должен убедить себя, что вас нет, то есть мне придется...

— Заткнись! — рявкнул комманданте, вскинул стиснутую в кулак руку, опустил, поднял, опустил снова и только тогда сумел распрямить пальцы и положить ладонь на плечо Билла. — Я здесь. Не делай никакого вида вообще. Просто прими к сведению, что я тут. Договорились?

— Конечно. Чего уж проще! Почему вы сразу не сказали?

— Мы разработали план, как вызволить тебя из шахты, — сообщил коммандант после того, как досчитал в уме до двадцати.

Билл сперва обрадовался, однако радость быстро сменилась беспокойством. Естественно, выход на поверхность означал гору супербургеров, море пива и встречи с женщинами, но в то же время сулил непрестанные бомбежки и все такое прочее. Билл хотел было возразить, но заметил на лице коммандант выражение мрачной решимости, какое привык видеть на лицах офицеров, и понял, что отвертеться не удастся.

— Какой такой план? — спросил он хмуро.

— Рядом с пещерой, в которой расположена нейтронная мельница, находится неохраняемый штрек. С помощью своей машины ты можешь прокопать туннель до того штрека, пройти по нему около двух миль и добраться до главного производственного уровня. А там проникнешь в отсек упаковки нейтронов. Понял?

— Да вроде бы, — отозвался Билл. — Я видел, как их упаковывают. Там тесновато, но ничего, проползу.

— Завтра на упаковке будут работать двое наших. Ты заберешься в ящик, и тебя отправят наружу. Бесплатная доставка! — Коммандант широко улыбнулся, донельзя, по-видимому, довольный, что оказался таким сообразительным.

— Ясно. А вы видели эти ящики?

— Нет, но мне говорили, что в них помещается куча нейтронов.

— Куча?

— Несколько миллиардов. Думаю, одному тебе места вполне хватит.

Билл покачал головой, наклонился и нарисовал в пыли на полу пещеры ящик наподобие тех, какие лицезрел в ходе экскурсии по шахте — с длиной ребра около двух футов.

— По-моему, ничего не выйдет.

Коммандант нахмурился, затем изобразил жестами ящик таких размеров, в который, пожалуй, поместился бы Билл, если бы его предварительно разобрали на части.

— А бо́льших там нет?

Билл вновь покачал головой.

— Так-так, — проговорил коммандант — Что ж, придумаем новый план. — Он двинулся прочь, бормоча что-то себе под нос.

Однако новому, не менее блестящему, нежели предыдущий, плану комманданте Лютера не суждено было осуществиться. На следующее утро на поверке перед строем рабочих появился десятник с записной книжкой в руках. Он прошелся вдоль строя, трижды остановился и трижды произнес: «Ты», а потом сказал Биллу и двум предполагаемым наемным убийцам, которых отобрал неизвестно для какой цели:

— Пойдемте со мной.

Все трое шагнули вперед — убийцы чуть ли не радостно, Билл с некоторой оглядкой, поскольку ему уже доводилось выступать добровольцем.

— Эти люди, — сообщил десятник рабочим, — единственные из вас, кто превысил дневную норму. Их решено поощрить увольнительной на все утро, обедом с управляющим шахты и сокращением срока по приговору на шесть часов.

Комманданте Лютер попробовал было подобраться к Биллу, чтобы передать ему, вне всякого сомнения, некие жизненно важные наставления, однако троих избранников окружили стеной стражники.

— Билл! — прошептал один из «убийц» по дороге к лифту.

— Молчать! — прикрикнул охранник и ткнул смельчака бластером под ребра.

Подъем на лифте проходил в молчании, но Билл заметил, что спутники упорно пытаются что-то ему растолковать посредством мимики — что именно, он не имел ни малейшего представления.

Когда лифт остановился, троицу вывели наружу и погнали по лабиринту коридоров, тишину которых нарушал лишь топот башмаков со специальными шумопроизводителями, какие носили охранники, — даже если на полу лежал ковер, звук получался такой, будто по брусчатке мостовой грохочут кованые сапоги. После пятого поворота Билл сбился со счета, перестал следить за тем, что происходит вокруг, и едва не врезался лбом в дверь с цифрой «8». В последний момент он успел-таки остановиться, иначе пресловутая восьмерка наверняка отпечаталась бы на его по-солдатски крепком лбу.

Десятник распахнул дверь; охранники препроводили своих подопечных внутрь.

— Вымойтесь и переоденьтесь в свежие комбинезоны, — бросил десятник. — Робот вас проводит. Бежать не советую.

Мы будем поблизости; к тому же отсюда все равно не выбраться. Увидимся после обеда.

Конвой удалился, за исключением двоих, которые застыли у двери.

— Добрый день, дамы, господа или какого вы там пола, — произнес робот. — Вы двое, ваша комната слева; и. о. капрала Билл, ваша комната справа. У вас в запасе шесть минут тридцать семь секунд, по истечении которых мы направимся в столовую. — Робот втянул ноги; на груди у него открылась дверца, за которой оказался секундомер.

— Сейчас некогда, Билл, — бросил один из убийц. — но мы должны поговорить с тобой.

Они разошлись по комнатам, переоделись и встретились в гостиной за тридцать секунд до назначенного срока. Билла чрезвычайно заинтриговал шеврон на рукаве комбинезона, от изучения которого он отвлекся лишь тогда, когда заметил, что «убийцы» подступили к нему чуть ли не вплотную. Герой Галактики стиснул горло одного, прежде чем второй воскликнул:

— Елки-палки, Билл! Ты что, не узнаешь нас?

— Почему же, узнаю, — откликнулся Билл, ни на секунду не ослабляя хватки. — Вы те, кто хочет убить меня.

Первый «убийца» пробормотал что-то неразборчивое и показал на свое горло. Билл слегка разжал пальцы.

— Вовсе нет. Мы пытались присоединиться к тебе. Билл, ты вправду не узнаешь нас?

Билл пристально поглядел на того, который задыхался у него в руках, потом перевел взгляд на второго, что медленно поднимался с пола. Они не были похожи ни на кого из знакомых Билла, ни даже один на другого.

— Нет. Я вас не знаю.

— Я Сид, — сказал тот, что справа.

— А я Сэм, — прибавил тот, что слева. — Нас заставили сбрить усы.

Билл посмотрел на них и покачал головой:

— Не может быть. Вы не похожи друг на друга! — Сид и Сэм поднесли пальцы к верхней губе, каждый к своей, и Билл начал улавливать в их облике нечто смутно знакомое. — Все равно не то. Сид должен быть слева, а Сэм справа.

Телохранители президента переглянулись, а затем поменялись местами.

— Теперь порядок? — справился Сэм.

— Разрази меня гром! — воскликнул Билл. — Мои дорогие друзья!

Глава 17

Билл и его заново обретенные друзья следом за роботом миновали лабиринт коридоров, вошли в лифт, куда вместе с ними втиснулись еще два охранника с бластерами на изготовку, и очутились вскоре на уровне, который Билл узнал с первого взгляда.

Точнее, он узнал не уровень, поскольку те удручающе смахивали друг на друга, а женщину, которая сидела за столом и наблюдала за мельтешением крохотных голографических фигурок. Увидеть ее было все равно что ощутить дуновение ветерка из родных краев.

— Привет, Сильвия! — окликнул Билл.

— Снова ты, — буркнула она. — Выходит, тебя не пристрелили. — Оглядев Билла с ног до головы, Сильвия указала в угол приемной, где приоткрылась дверь: — Снорри ждет. Заходи.

— Рад был встретиться, — промурлыкал Билл.

Сильвия презрительно фыркнула и отвернулась. Сид и Сэм поволокли Билла в комнатку со скамьей.

— Снорри? — спросил Сэм с подозрением.

— Ну да, — отозвался Сид с воодушевлением в голосе. — Наверно, он убедил генералов в своей полезности. Или предал нас.

— Он офицер, — сказал Билл. — Офицеры все враги. Вы что, только вчера на свет родились?

— Елки-палки, Билл, так нечестно! — На экране возник Снорри Якамото, который протянул руку, повернул регулятор и убавил громкость звука. — Может, в вашей армии и принято клеветать на офицеров, но у нас демократия. По крайней мере, была — совсем недавно.

— Предатель! — вскричал Сэм.

— Коллаборационист! — заявил Сид.

— Где наш обед? — поинтересовался Билл. — Нам обещали, что будет обед.

— Билл прав, — изрек директор. — Вам и впрямь не помешает подкрепиться, иначе вы не сможете убежать.

В стене открылся люк, из которого выехали три подноса с горячими, дымящимися супербургерами. Билл накинулся на них как зверь: он жевал, глотал, пускал слюни и плотоядно урчал, предоставив Сиду с Сэмом разбираться, что имел в виду Снорри. К тому времени, когда на подносах ничего не осталось, все вопросы, похоже, были сняты.

— А пива у вас нет? — справился Билл.

— Нет, — ответил Снорри с экрана. — Постарайтесь не забыть, что я только притворяюсь предателем. Я решил, что если останусь на своем месте, то принесу президенту Гротски гораздо больше пользы. И вот результат! Елки-палки, все, пожалуй, обернулось к лучшему, а?

— Как будто, — неохотно признал Сэм.

— Итак, ребята, через несколько минут вы отправитесь в путь. Ваша машина стоит в гараже, куда ведет мой личный тайный ход. Насколько мне известно, пропуск по-прежнему висит на лобовом стекле. Да вы ешьте, ешьте. Билл, раз ты уже сожрал все, может, перекинешься со мной парой словечек?

В стене распахнулся еще один люк, за которым начинался узкий и темный проход. Билл чувствовал, что, пока он не залезет туда, с ним ничего не случится, однако не послушался внутреннего голоса, забрался в проход и очутился в кромешной тьме, словно попал на дно шахты, ибо люк моментально захлопнулся.

— Елки-палки, Билл, давно не виделись!

Загорелся тусклый свет, который постепенно сделался ярче, и тогда стало возможным различить в нише, каковая украшала противоположную стену помещения, крохотный кабинетик. Вообще-то, с точки зрения человека, это был отнюдь не кабинетик, а целый кабинетище, но для существа семи футов ростом, которое сидело за письменным столом, он явно не подходил по размерам. Перед столом возвышалась камера, провод от которой тянулся к компьютеру последней модели с надписью над дисплеем: «Преобразователь чинджеров в людей».

— Успр! — вырыгнул Билл. — Что ты здесь делаешь?

— Елки-палки, Билл, ты не знаешь, как тяжело усидеть на месте нормальному, здоровому чинджеру! Не хочешь по-повспоминать наши похождения в учебном лагере имени Леона Троцкого, когда я скрывался под омерзительной личиной Усердного Прилежника?

— Нет! — презрительно отрезал Билл.

— Хорошо, — отозвался с нескрываемым облегчением Успр. — Откровенно говоря, я возненавидел вашу армию. Сборище ослов! Однако мне казалось, даже ты догадываешь-ся, что тут, на Вырвиглазе, не обошлось без чинджеров. Ме-ня послали сюда с заданием содействовать возникновению и развитию движения борцов за мир. Елки-палки, к сожале-нию, все пошло слегка наперекосяк. Нам, чинджерам, пред-стоит многому у вас научиться. Убивать своих — я бы нико-гда до такого не додумался!

— Та ступня, которую ты мне дал в последний раз... — на-чал Билл.

— Сейчас не время, — перебил Успр. — Сказать по сове-сти, Билл, ты изрядно разочаровал ЧРУ, Чинджерское разве-дывательное управление. Мне кажется, мы не сможем снаб-жать тебя стопами до тех пор, пока ты не провернешь какой-нибудь действительно серьезной операции. И потом, чем тебе не нравится твоя нога? По-моему, смотрится неплохо. — Успр причмокнул, затем подался вперед и устремил на Билла про-низывающий взгляд. — Ты что, не понимаешь, что в твоих руках — судьба нашего проекта? Ты единственный, кто может восстановить демократию на Вырвиглазе! Я думал, мой при-ятель Миллард пришелся тебе по душе. Елки-палки, Билл, постарайся если не для меня, то хотя бы ради него!

Билл призадумался.

— Как насчет добавки супербургеров и пива?

— Считай, что уже получил.

— Заметано! — Минуту спустя Билл вытер подбородок, облизал пальцы, рыгнул и спросил: — Значит, я смогу вы-браться отсюда?

— Разумеется, сможешь.

— Ладно. Показывай, где выход.

На поверхности планеты со времени переворота как будто не произошло сколько-нибудь существенных перемен. Бом-бы по-прежнему падали как и куда попало, дороги по-прежнему находились в отвратительном состоянии, а жизнь кипела в основном на подземных бульварах с магазинами, где собирались вырвиглазнийцы, спасавшиеся от всепрощающей любви императора, которую тот являл через свои доблестные войска.

В небе клубился дым, сквозь который с трудом просвечивало солнце; тем не менее на поверхности, если не считать бомбежек, было куда веселее, чем в шахте.

Сид, Сэм и Билл ехали в бронированном лимузине, откинув верх, и наслаждались свежим ветром, а заодно восхищались собственным остроумием, которое позволило им весьма ловко провести часовых у ворот шахты.

— Шикарная была задумка, Сэм, — проговорил Билл. — Слушай, объясни ее мне еще разок, ладно?

— Елки-палки, Билл, может, хватит? — сказал Сэм, вылезая из вороха бумаги, с которой пытался проделать нечто непонятное. — Наш замысел отличался невероятной глубиной и утонченностью. Если до тебя ничего не дошло за предыдущие восемь раз, не дойдет и в девятый. Передохни, расслабься, подыши свежим воздухом!

Билл пожал плечами, привстал и высунулся в люк, вдохнул полной грудью, поперхнулся, закашлялся, потом сокрушенно вздохнул. Через несколько часов они доберутся до города, который Сид, Сэм и Успр (телохранители продолжали считать того Снорри Якамото) выбрали для драматического представления с участием Билла — то есть для произнесения исторической речи против военной диктатуры. Они разыщут танк, Билл заберется на башню и призовет население к борьбе за демократию; генеральский режим падет, на планете воцарится мир, а Билл получит непыльную работенку.

План был достаточно прост, и Билл одобрял его всей душой, однако испытывал известное беспокойство по поводу речи.

Драматическая, так сказать, часть нисколько не тревожила Билла, ибо он, учась еще в начальной школе, занимался в театральной студии; школьная газета охарактеризовала его выступление в пьесе «Чудовище с десятью пальцами» как «бередящее сердца». Билл тогда изображал один из пальцев.

Но в той роли, несмотря на то что она потребовала от будущего героя Галактики поистине колоссального напряжения, почти не было слов, которые следовало произносить. Да что там говорить: даже в свою бытность вырвиглазнийской знаменитостью Билл изрекал на торжественных встречах от силы две-три фразы. А тут целая речь!

Успр, которому было не впервой работать с Биллом, догадывался, что поручать тому составление сколько-нибудь приличного текста по меньшей мере рискованно. Поэтому он написал речь заранее и заявил, что Биллу необходимо всего-навсего запомнить ее, слово в слово, и тогда желаемый эффект будет обеспечен наверняка.

«Запомнить! — фыркнул Билл, крутя в руках компьютерную распечатку. — Скажи спасибо, если я успею ее прочитать!»

Однако Успр уверил, что составлять новый план и сочинять новую речь просто некогда. В конце концов было решено, что единственный выход из сложившейся ситуации — воспользоваться неожиданно проявившимся талантом Сэма, который вызвался сократить речь по времени и по количеству неудобопроизносимых слов и пообещал добиться от Билла, чтобы тот вызубрил урезанный кусок, а там уповал на лучшее.

Вот почему Биллу приходилось то и дело отвлекаться от обозрения окрестностей и браться за чтение очередного листка. Он прочел большинство страниц, подарил около десятка ветру, а запомнить не запомнил практически ничего. Тем не менее, когда лимузин остановился на Главной площади города, Билл, к своему немалому удовлетворению, обнаружил, что в голове у него крутится несколько вполне патриотических фраз.

В этом средних размеров городке находился столь же средний — опять-таки по размерам — университет. Успр, опираясь на собственные глубокие познания в человеческой истории, заключил, что среди студентов должно зреть недовольство. Речь Билла воспламенит молодежь, начнется восстание, которое распространится по всему Вырвиглазу, сметет тиранов в мундирах и обернется торжеством подлинной демократии.

Сид остановил лимузин у тротуара, напротив входа в кафе и стоявших на улице столиков, за которыми сидели люди. Надо сказать, что все больше вырвиглазнийцев увлекалось новым видом спорта — обедом на свежем воздухе в период затишья между бомбежками. Время наступления затишья можно было вычислить с точностью до секунды, поскольку налетами по-прежнему руководил генерал Мудрозад, привыкший все делать по расписанию. Посреди возвышалась статуя Гар Ганчуа, основателя города, возле которой также толпились местные жители. Самая же многочисленная толпа собралась у танка, что стоял перед зданием, похожим издалека на городскую ратушу.

— Отлично, — проговорил Сэм. — Слушатели на месте. Может быть, они уже обсуждают, как им устроить революцию.

— Елки-палки, Сэм, что-то мне так не кажется, — отозвался Билл, качая головой. Елки-палки? Он сказал «елки-палки»? Вот уж точно: с кем поведешься — не вырубишь топором. — По-моему, они смотрят кино.

— Нет, ты ошибаешься. Я уверен, мы наблюдаем стоячую забастовку. Видишь, как они теснятся перед входом? Слышишь, как молчат? Великолепная тактика демонстрировать силу духа, не вызывая при том ответных насильственных действий!

— По правде говоря, я тоже сомневаюсь, — заметил Сид. — Где же лозунги? Раз забастовка, значит должны быть лозунги.

— Разумеется, — подтвердил Сэм и показал куда-то в сторону. — Пожалуйста, вон тебе лозунг. Можешь прочесть, что на нем написано?

Все трое напрягли зрение, но за дальностью расстояния не смогли разобрать ни единой буквы.

Троица выбралась из лимузина и под прикрытием домов, чтобы не привлекать к себе внимания, направилась к танку. Когда они очутились рядом с боевой машиной, Билл одним прыжком вскочил на борт и спрятался от любопытных глаз за башней; Сэм протянул ему последний вариант речи.

Билл выждал секунду-другую, а затем вспрыгнул на башню и распростер руки, приветствуя молчаливую толпу. По той пробежал ропот, который вскоре превратился в оглушительный рев.

Билл наслаждался впечатлением, какое произвело его появление перед людьми. Внезапно он различил, что, собственно, кричат собравшиеся.

— Эй, ты, а ну слезай!

Однако Билла не остановить, тем более что он преисполнился священного пыла, избытком которого страдают, как правило, профессиональные борцы за мир и свободу.

— Кому говорят, слезай!

— Друзья мои, вырвиглазнийцы! — начал Билл. Кто-то потянул его за брючину, но он притворился, что ничего не чувствует.

— Да слезешь ты или нет, дубина стоеросовая?!

— Билл! — воскликнул Сид. Оказывается, это он дергал героя Галактики за брючину.

— Спускайся, Билл! — крикнул Сэм, перекрывая голосом негодующий рев толпы, и взмахнул рукой — на случай, если Билл его не слышит. Между тем люди, что толпились у танка, принялись грозить Биллу кулаками.

— Зачем? Все идет как надо! Дайте мне, в конце концов, произнести мою речь!

Сид изловчился, ухватился поудобнее и мощным рывком скинул Билла с танка. Сэм устремился на помощь товарищу, и вдвоем они поймали незадачливого оратора прежде, чем тот ударился о мостовую. В толпе раздались хохот и улюлюканье.

— Сдается мне, Билл, нас тут не поймут. Смотри, — Сэм указал на лозунг, тот самый, который они пытались прочесть раньше.

На лозунге было написано: «Старомодный ночной кинотеатр на свежем воздухе». Билл обернулся и уставился туда, куда глядели все, кто теснился перед танком. На стене мелькали серые расплывчатые тени. Сид заметил, что все без исключения зрители — в наушниках, через которые, должно быть, передается звук, сопровождающий старинный фильм.

Билл пнул подвернувшийся под ногу камешек.

— Ладно, — проговорил он, потом вдруг наклонил голову набок и уставил в небо палец. — Я кое-что придумал! — Эту позу Билл позаимствовал из комиксов, а сейчас принял ее потому, что ему понравилось выступать перед публикой и он всячески старался показать, что обладает несомненными актерскими задатками.

— Не надо, Билл, — испугался Сэм. — Давай обойдемся без твоей идеи.

— Так будет лучше, — согласился Сид, и охранники поволокли Билла к лимузину.

Билл топнул армейской стопой. Когда грохот немного утих, он сказал:

— Вы же еще не знаете, что мне пришло на ум!

— Как сказать, — буркнул Сэм.

— Понимаешь, — пустился объяснять Сид, — если твоя нынешняя идея похожа на те, которыми ты делился с нами раньше, мы вряд ли сможем ее осуществить.

— Поехали в университет! — умоляюще воскликнул Билл. Охранники застыли как вкопанные, потом переглянулись.

— Хм-м, — протянул Сэм.

— Разумно, — одобрил Сид.

— Неужели?

— А закон средних чисел?

— Правильно. Должно сработать. Молодец, Билл! Поехали.

Центральная площадь университетского комплекса кишмя кишела людьми, так что на лимузин в такой толкотне никто не обратил ни малейшего внимания. Как ни странно, на площади также стоял танк, вокруг которого также собралась толпа. В отличие от той, которая находилась в кинотеатре, эта толпа шумела, кричала, вопила на разные голоса; над головами тут и там вздымались сжатые кулаки. В общем, ситуация казалась весьма благоприятной.

— Как у вас дела? — справился один студент, когда Билл со своими спутниками приблизился к танку.

— Пожалуй, еще один поместится, — ответил голос, исходивший как будто изнутри машины. Билл вскарабкался на башню и чуть было не провалился в открытый люк. Следуя привычке к аккуратности, он хотел закрыть отверстие, но из того внезапно высунулся человек.

— Нет, приятель, ты не войдешь — уж больно здоров. Нам бы кого поменьше. Может, девочку?

— Чего? — переспросил Билл.

— Ты внутри не поместишься, не та у тебя конституция. Нам нужен кто-нибудь пониже и похудее, и тогда мы установим рекорд по числу студентов в одном танке.

Билл заглянул в люк. Народу в танке было как сельдей в бочке. До такого не доходили даже десантники...

— Я не собираюсь никуда лезть. Мне надо произнести речь.

— А, вон оно что. Тогда, будь добр, прежде чем начнешь, передай сюда какую-нибудь девушку.

Билл выбрал из толпы миниатюрную студеночку и сунул ее в люк. Кто-то протянул ему банку пива. Билл с благодарностью выпил, отшвырнул банку в сторону и начал.

Глава 18

Вы можете победить!

Начало речи, к сожалению, не оказало на толпу того воздействия, на какое рассчитывал Билл. Успр утверждал, что речь совершенна во всех отношениях, поскольку ее сочинил чинджерский компьютер, в который была заложена специальная программа речетворчества. Тем не менее студенты никак не реагировали на вступительную фразу.

— Люди, друзья, вырвиглазнийцы! Слушайте меня! Я пришел, чтобы поддержать Гротски, а не для того, чтобы расправиться с ним!

Лица студентов не выражали ни интереса, ни сочувствия. Один, правда, следуя инструкциям, криво ухмыльнулся. Похоже, пронять их было проще простого.

— Порок на службе свободы — вовсе не экстремизм!

Предполагалось, что речь Билла побудит студентов к решительным действиям, однако те немногие, кто, казалось, стряхнул с себя общую апатию, обращали внимание не столько на героя Галактики, сколько на особ противоположного пола.

Билл не понимал, чем заслужил подобное отношение к себе; впрочем, он не понимал и того, о чем вещал с танка. Не то чтобы это имело более-менее существенное значение, но Билл чувствовал, что впечатление от выступления получается несколько смазанным.

Причина того заключалась вовсе не в недостатках самой речи. Последняя, по утверждению Успра, была начисто лишена каких-либо недостатков.

— Видишь ли, Билл, — объяснил чинджер, — окончательный текст является кульминацией чрезвычайно глубоких исследований, проведенных выдающимися учеными нашей планеты. Служба МА-пять — военные археологи — разыскала древний банк человеческой памяти и реконструировала на его основе большой словарь обиходных выражений. Что касается древности банка, суди сам: в нем упоминается свобода и независимость, а также приводятся высказывания людей, которые не состояли в родстве с императором.

Билл благоговейно присвистнул.

— Мы уверены, что истолковали эти выражения надлежащим образом. А потому, прежде чем дать задание своему компьютеру, я провел поиск в банке данных по ключевым словам вроде «свобода», «независимость», «демократия» и тому подобное и присовокупил результаты к нужному мне файлу. Отсюда следует, что твоя речь состоит из призывов, сочиненных величайшими политиками, мыслителями и ораторами человечества. Твои слова будут воздействовать на архетипы, из-за которых люди совершают альтруистические поступки. Понимаешь?

— Нет, — ответил Билл и утвердительно кивнул.

— Ничего страшного. — Успр сокрушенно вздохнул. — Доверься мне. Мы не можем проиграть.

Билл обладал некоторым опытом общения с человеческими военными гениями, из которого усвоил, что, когда тебе говорят: «Доверься мне, мы не можем проиграть», разумнее всего прижаться к земле и не поднимать головы, пока не уляжется стрельба. Что же касается опыта общения с чинджерами, тут возникла некая неопределенность. Единственным чинджером, которого Билл знал в лицо, был Успр, что, в общем-то, препятствовало проведению обобщений; к тому же неизвестно было, относится Успр к числу военных гениев своей расы или нет. Тем не менее чинджер, похоже, соображал, что говорит, и уже только тем превосходил всех и всяческих военных гениев человечества.

Вот почему Билл нисколько не усомнился в истинности слов Успра.

Герой Галактики продолжал свою речь, прерываясь лишь затем, чтобы распределить по порядку страницы или осушить залпом очередную банку пива. Он то ревел как раненый зверь, то переходил на шепот, зачаровывал аудиторию и угрожал ей страшными карами, то витийствовал, то изъяснялся, как и положено простому смертному, — то есть был в ударе.

Тем не менее студенты один за другим покидали площадь. Когда из люка показалась голова последнего студента, Билл изловчился, схватил его за плечи и принялся трясти.

— Что происходит? — рявкнул он.

— ...ста... ань... я... тря... яс... ясти!.. — отозвалась девушка.

— Чего? — опешил Билл.

— Перестань меня трясти!

Билл подчинился и опустил девушку на землю. Она расправила помятую одежду; Билл не сводил с нее заинтересованного взгляда.

— Так-то лучше.

— И впрямь лучше. Но что происходит?

— А-а, — ответила девушка. — Все бегут на лекцию в гимнастический зал. Там в бассейне состоится демонстрация проглатывания золотых рыбок с точки зрения деконструкции борьбы с аллигаторами.

— Тебе понравилась моя речь?

— Старо, скучно, противно. — Девушка зевнула.

— Противно? — поразился Сэм, помогая Биллу спрыгнуть с танка.

— Ну да. Сплошная лажа.

— Но ведь она взывает к основополагающим принципам человеческой натуры!

— Ну и что? — Девушка двинулась в направлении гимнастического зала. Мужчины последовали за ней.

Сэм хранил угрюмое молчание, зато теперь в разговор вмешался Сид.

— Вы не верите в демократию? Не верите в президента Гротски?

— Его наверняка шлепнули. Какая ему разница на том свете, верю я в него или нет?

— Разве ты не хочешь свергнуть тиранию хунты? — встрял Билл. Это была фраза из речи. — Разве тебе все равно, кому подчиняться — гражданским или военным? — На сей раз вопрос был продиктован личными переживаниями Билла.

Девушка остановилась, подождала, пока мужчины вернутся, и сказала:

— Послушайте, когда нами правил император, на планете царил мир, пускай худой, но мир. Потом появился Гротски, и имперские солдаты — олухи вроде тебя, красавчик, — она ткнула Билла пальцем в живот, — стали засыпать нас бомбами. Студентов начали забирать в армию. Короче, что при Гротски, что при хунте — все одно и то же. Так с какой стати менять шило на мыло?

— Что, другие думают точно так же? — спросил Сэм.

— А то!

— Все студенты? Вы говорили между собой?

— Разумеется. Зачем, по-вашему, мы ходим в университет?

— Чтобы гулять на вечеринках? — предположил Билл после глубокого раздумья.

— Верно. А в перерывах треплемся.

Такой возможности не предвидели ни Сид с Сэмом, ни Билл, для которого была в новинку сама идея, что студенты в колледжах не только пьют как лошади и занимаются любовью. Впрочем, неведение героя Галактики было вполне простительным, поскольку все свои знания о системе высшего образования он почерпнул из прочитанного на досуге комикса. Сид же с Сэмом пришли в ужас оттого, что всем, по-видимому, наплевать на пленение президента Гротски мятежными генералами.

Всю дорогу до гимнастического зала телохранители о чем-то вполголоса переговаривались между собой, тогда как Билл пытался убедить Калифигию — так звали девушку, — что с точки зрения морального уровня является точной копией весьма прилежного студента, а потому заслуживает приглашения на очередную вечеринку.

Калифигия лишь презрительно усмехалась, однако Билл не собирался отступать.

Однако в тот миг, когда он решил возобновить атаку, ему грубо помешали.

— Билл, мы уходим.

— Я с вами, ребята. Подождете минуточку, ладно?

— Билл, мы уходим насовсем.

— Почему?

— Мы слишком многим обязаны Милларду, чтобы прохлаждаться, пока он мается в тюрьме. Возьмем лимузин, отыщем президента, освободим его и восстановим демократию.

— Здорово! — похвалил Билл. — Удачи, ребята! — прибавил он, не отводя глаз от аппетитной попки Калифигии.

— Мы не возражаем против того, чтобы ты присоединился к нам, — произнес Сид, переступив с ноги на ногу.

Билл посмотрел на своих телохранителей, взглянул на Калифигию и вновь воззрился на Сэма с Сидом. С одной стороны, грандиозное, высокоморальное предприятие; с другой —

неопределенная возможность слегка поразвлечься. С одной стороны, хорошая компания, куча приключений, ореол славы; с другой стороны — почти неизбежные неудачи и унижения. Все решило пресловутое «почти».

— Знаете, ребята, я, пожалуй, останусь тут. Пора заняться образованием, подумать о будущем...

Разолгаться как следует Билл не успел.

Его прервал грохот разрывов. Началась дневная бомбежка.

Отдельные бомбы падали достаточно близко, а потому Билл и Калифигия помахали телохранителям и...

Бум!

— Математический факультет, — проговорила Калифигия и посмотрела на часы. — Еще же рано! Твои придурки-приятели снова изменили расписание!

Билл принялся было объяснять, что солдаты вообще и те, кто составляет расписания бомбежек, в частности вовсе не его приятели, скорее наоборот, однако Калифигия не желала ничего слушать.

— Нам надо куда-нибудь спрятаться. Только вот куда? — Она огляделась по сторонам в поисках укрытия.

Бум!

— Оздоровительный центр.

Билл отметил про себя, что оздоровительный центр располагался ближе к тому месту, где они стояли, чем математический факультет.

— Геологический! — радостно воскликнула Калифигия.

— Я не слышал взрыва, — пробормотал Билл.

— Его и не было. Это ближайшее укрытие. Побежали!

В отличие от Сэма и Сида, Калифигию не надо было учить перебежкам зигзагом. Она двигалась по ломаной линии даже тогда, когда с неба ничего не падало. Билл мысленно похвалил девушку за профессионализм и последовал ее примеру.

Он вовремя услышал свист падающей бомбы и успел толкнуть Калифигию на землю раньше, чем здание геологического факультета взлетело на воздух и превратилось в груду развалин.

Судя по всему, прятаться под крышей было несколько опасно.

Билл и Калифигия некоторое время лежали на земле, стараясь слиться с ней воедино. Билл заодно попробовал слиться с Калифигией, но не слишком решительно, ибо его отвлекали проносившиеся над головой осколки бомб, комья земли, камни и прочие довольно-таки увесистые предметы.

Но рано или поздно все кончается. Бомбежка прекратилась, земля перестала дрожать, а следом за ней кончил трястись как в лихорадке и Билл. Он поднялся и посмотрел на Калифигию, которая отряхивала одежду.

— Сдается мне, семестр закончился, — сказала девушка.

— А?

— Обернись.

Билл подчинился. Калифигия ничуть не преувеличивала. В занятиях наступил перерыв, если только не найдутся энтузиасты, которые пожелают продолжать учебу на открытом воздухе, живя притом в палатках. В общем и целом территория университета представляла собой перепаханное вдоль и поперек поле, вполне готовое для сева. Огромные воронки перемежались развалинами, в которых копошились люди, разыскивая то ли друзей, то ли вещи, то ли просто что-нибудь, что может пригодиться в хозяйстве.

По шоссе, что вело мимо университета за городские пределы, тянулись нескончаемой вереницей горожане.

Так начался исход с Главной площади.

Глава 19

К тому времени, когда они отыскали уцелевшие принадлежности Калифигии — карандаш, кружевную ночнушку, три пары носков и весьма тяжелую косметичку — и присоединились к веренице беженцев, дорога оказалась запруженной настолько, что даже те, кто ехал на машинах, передвигались не быстрее пешеходов.

Билл вызвался помочь Калифигии, однако девушка справедливо заподозрила, что ему всего-навсего хочется пощупать ее белье, а потому высокомерно отказалась от помощи. Вдобавок она вскоре обнаружила, что преспокойно может рассовать вещи по карманам. Что касается немногочисленных пожитков Билла, те укатили на бронированном лимузине вместе с Сидом и Сэмом выручать президента Гротски. Впрочем, Билл привык путешествовать налегке.

Кроме того, он привык к протяженным марш-броскам, так что пеший переход без полной выкладки весом в сотню фунтов — в большинстве частей хранились специальные запасы камней на случай, если ранец десантника окажется вдруг легче положенного, — ни капельки его не пугал; скорее наоборот — доставлял удовольствие.

По мере того как Билл мало-помалу подстраивался под ритм движения, он начал даже радоваться жизни. Рядом с ним шагала симпатичная девушка; хотя он пришелся ей не совсем по душе, все же она до сих пор не огрела его своей косметичкой, что внушало определенную надежду. Погода стояла отличная, солнце нет-нет да просвечивало сквозь клубы дыма и пелену шрапнели; под вечер ожидалась, с вероятностью около семидесяти процентов, очередная массированная бомбардировка. Башмаки — вырвиглазнийский вариант стандартных армейских, сшитые на заказ по описанию Билла, — ничуть не жали.

Словом, все было на мази. Поэтому Билл слегка удивился тому, что Калифигия пребывала в мрачном настроении. Ну да, конечно, ее дом разбомбили, университет разрушили, все, чем она владела, сгинуло без следа, большинство друзей погибло или пропало без вести, однако Билл знал на собственном опыте, что человек может притерпеться и не к такому. Сколько раз он сам оказывался в подобном, если не худшем положении! Он попытался развеселить девушку, сообщил ей, что: а) они до сих пор живы и б) останутся в живых по крайней мере в течение нескольких часов. Но Калифигия, несмотря на все ухищрения Билла, выказывала завидное упрямство.

— Это ты во всем виноват! — воскликнула она наконец.

— Я? — ошарашенно переспросил Билл. — Что я такого сделал?

— На тебе ведь мундир, — объявила девушка, ткнув пальчиком в живот героя Галактики. — Значит, ты солдат, правильно?

— Правильно, солдат, но не ваш.

— Где-то я тебя видела, — проговорила Калифигия, окидывая Билла пристальным взглядом.

— Я тот парень, который взобрался на танк. Помнишь, на площади? Я произносил речь. Ну, вспомнила?

— Да нет, чурбан, я видела тебя раньше! Говоришь, не наш? Подожди, это же форма имперской армии!

Билл с неохотой подтвердил, что да. Кстати сказать, его нынешний мундир немного отличался от стандартного образца, поскольку был пошит на Вырвиглазе из настоящей ткани, а не из переработанной бумаги.

— Так ты Билл? — справилась Калифигия, тщательно изучив с близкого расстояния армейскую стопу.

— Он самый. Разве я не представился? — Билл протянул руку.

— Знаменитый военнопленный? — Калифигия притворилась, будто не заметила его жеста.

— Между нами, — проговорил Билл, встревоженно озираясь по сторонам, — сейчас я знаменитый беглец. Потому-то и не сбриваю бороду.

— Выходит, это ты постарался?! — Девушка смерила Билла свирепым взглядом и повела рукой, подразумевая очевидно, что он виноват в бомбежках, потоках беженцев, войне вообще, заговоре генералов и гибели ее головидеотеки.

Билл прикинул, стоит ли ему ставить себе в заслугу все, что творится вокруг, и решил, что так будет нечестно; однако в глубине души он подозревал, что Калифигии на его доводы наплевать.

— Я тут ни при чем, — пролепетал он жалобно. — Я всегда был против войны, но с офицерами не спорят, им подчиняются.

— Ах да, солдат не рассуждает, солдат повинуется! Эх ты, прутик в армейском венике!

— А чем плохо быть прутиком?

Теперь изумилась Калифигия. Ответ Билла рассердил ее настолько, что она чуть ли не милю хранила гробовое молчание.

Билл же никак не мог понять, чего она, собственно, ерепенится. Впрочем, общество помалкивающей Калифигии было ему приятнее, чем общество Калифигии говорящей. Сейчас никто не мешал Биллу размышлять о том, что, несмотря на свою нелюбовь к армии, он буквально пропитался армейским духом и не мыслил для себя иного образа жизни. Он был солдатом до мозга костей. Солдат Билл. Можно даже поставить знак равенства: солдат = Билл.

Позднее, когда Билл помогал одной старухе перетащить через воронку тележку с поклажей, Калифигия вновь взялась за его воспитание.

— Ты наемный убийца!

— Не бойтесь, — сказал Билл старухе, которая бросила на него испуганный взгляд. — Да, меня наняли, но я никого еще не убил.

— Ха! — фыркнула Калифигия.

— Нет, правда, — проскулил Билл. — Убивать людей вовсе не интересно. — Он призадумался. — Одно дело, когда защищаешься, и совсем другое, когда убиваешь просто так, ради удовольствия. Я убивал только офицеров, и то меня вынуждали обстоятельства.

— Мог бы сопротивляться.

— Сопротивляться? — Ничего подобного Биллу до сих пор в голову не приходило. — Каким образом?

— Не надо было идти в армию.

— Меня забрали, — слукавил Билл. В общем-то, в его словах была доля правды. Набора как такового в империи не существовало, каждый новобранец добровольно являлся на призывной пункт и подписывал необходимые бумаги. Разумеется, сам момент подписания Билл не запомнил, поскольку находился в то время под воздействием гипноза и наркотиков, но впоследствии имел возможность увидеть свои документы и убедиться, что подпись вроде бы не подделана. Однако в силу того, что служить в армии отнюдь не рвался, он считал, что оказался в ней не по своей воле.

Тем не менее Калифигии он ничего объяснять не стал, ибо чувствовал, что она не склонна внимать голосу рассудка.

— Хорошенькое оправдание! — криво усмехнулась девушка. — Ты мог бы убежать. Перебрался бы ночью через границу, и все дела!

— Через какую границу? Моя планета целиком принадлежит империи!

— Тогда мог бы бороться, подрывать армию изнутри! Хотя подожди... Ты же герой Галактики. Ты должен сражаться за мир, прекращать, а не развязывать войны! С какой стати быть верным людям, которые подсуропили тебе такую ногу и эти нелепые клыки?

Билл остановился и уставился на свою стопу. Та ему искренне нравилась, ибо выгодно отличалась от многих предыдущих. Конечно, до настоящей человеческой ей далеко, зато она способна выкидывать всякие штучки, каких от обычной стопы не дождешься вовек. А что касается клыков, он изрядно потрудился, прежде чем сумел ими обзавестись. Разве они нелепы? Ерунда! Нет, эта девица явно несет какую-то чушь.

Билл принялся было рассказывать о своем сотрудничестве с чинджером по имени Успр, но, во-первых, не мог припомнить ничего сколько-нибудь и впрямь интересного, а во-вторых, несколько осторожничал, потому что, как ни крути, речь шла о государственной измене.

По счастью, вскоре началась очередная атака имперских войск.

Должно быть, генерал Мудрозад насмотрелся старинных головидеофильмов о войне. Во всяком случае, все произошло почти как в кино: имперский истребитель пронесся над дорогой, поливая ее пулеметным огнем. При той скорости, на которой он мчался, пули вонзались в землю на расстоянии приблизительно пятидесяти ярдов друг от друга, так что задеть они мало кого задели, но вот напугать напугали. Люди кинулись врассыпную.

Билл посмотрел вверх и увидел, что первый истребитель улетает прочь, однако вслед за ним заходит второй. В этот тревожный миг к нему сами собой вернулись навыки инструктора.

— Все с дороги! Лежать! — гаркнул он зычным голосом, который легко перекрыл гомон толпы беженцев.

Люди подчинились, как новобранцы, — без единого вопроса. Правда, Биллу пришлось повторить свой приказ еще дважды, но к тому времени, когда открыл огонь второй истребитель, на дороге никого не было, за исключением Билла и Калифигии.

Герой Галактики наблюдал за тем, как разворачиваются события, а девушка выражала ему свое презрение за то, что он осмелился кричать на людей.

Истребитель вновь устремился вниз. Билл пихнул девушку в канаву и прыгнул следом. Калифигия несколько раз перекувырнулась через голову и очутилась в бомбовой воронке, в которую мгновение спустя приземлился Билл. На том месте, где они только что стояли, вспух маленький пылевой фонтанчик.

Билл отдышался, затем выбрался обратно на дорогу, попутно предупреждая беженцев, чтобы те не вздумали высовываться. Вдалеке показался третий истребитель. Билл оглядеся. На дороге, в пределах ста ярдов от него, распростерлись два тела. Он рванулся к ближайшему. То был маленький мальчик, целый и невредимый, но перепуганный до полусмерти. Билл подхватил его и швырнул на руки засевшим в воронке по соседству беженцам.

— Ловите! — крикнул он и устремился ко второму пострадавшему, то и дело оглядываясь через плечо на истребитель. Похоже, у него в запасе всего лишь несколько секунд. Первым побуждением Билла, когда он добежал до раненого, было позвать врача, но в следующий миг герой Галактики сообразил, что врачу тут взяться неоткуда и придется действовать самому. К счастью, пуля прошла навылет, не задев кость, но мужчина жалобно застонал, когда Билл скатился вместе с ним в придорожную канаву; по-видимому, ему было больно. Дождавшись, пока пролетит третий истребитель, Билл оторвал от рубашки мужчины рукав, перетянул раненую ногу, отнес бедолагу в безопасное место и возвратился к Калифигии.

Та как раз выбралась из воронки и вся кипела от негодования.

— Как ты мог обойтись со мной...

Билл толкнул ее обратно в воронку и повалился следом. Получилось так, что он, сам того не желая, обрушился на нее с такой силой, что Калифигия потеряла сознание, а потому пропустила четвертый и последний сеанс стрельбы. Когда опасность миновала, Билл одним прыжком выскочил из воронки, прежде чем девушка, которая уже очнулась, успела вымолвить хоть слово.

Три истребителя улетели на поиски более завлекательных целей, однако четвертый по-прежнему кружил в небе над головой.

Билл осмотрелся. На дороге остались всего-навсего два пустых аэрокара. Билл сказал себе, что, если бы он сидел за штурвалом истребителя, пара покинутых машин вряд ли показалась ему заслуживающей внимания. В «Кормовом стрелке» за их уничтожение не начислили бы ни одного очка. Значит, на уме у пилота что-то другое.

— Всем лежать! — рявкнул Билл. — Они еще не кончили!

Калифигия, естественно, не послушалась. Она вылезла из воронки, отряхнулась и принялась обзывать Билла разными нехорошими словами, самыми приличными из которых были «солдафон», «невежда» и «осел».

Что ж, Билл не имел высшего образования и, как правило, не вникал в суть различных инструкций, однако, вопреки себе, за время службы в десантных войсках приобрел кое-какие познания в области вооружений, а потому довольно быстро сообразил, что именно применит пилот против попрятавшихся в воронках людей.

— Горячка, — пробормотал он.

— Да, я такая, мне говорили, но тебя это не касается, и не старайся сбить меня с толку! Тебе необходимо повысить уровень политической сознательности, понять, что ты лишь винтик в огромной военной машине...

— Горячкой, — перебил Билл, — называется самонаводящаяся ракета с тепловой системой наведения и несколькими боеголовками. Вот что я использовал бы на его месте.

— На месте пилота, — поправила Калифигия, и тут до нее дошло, что, собственно, сказал Билл. — Ты о чем?

— О том, — отозвался Билл, высматривая, где бы спрятаться, — что скоро в нас зашарашат ракетой, которая разделится на сотню маленьких ракеток, способных улавливать тепло человеческого тела. — На дороге не было ничего подходящего — аэрокары да пара-тройка деревянных повозок. — Если не зарыться под землю, можно причислять себя к покойникам. — Билл взглянул в упор на Калифигию и оскалил клыки. — Усекла? — Она кивнула, вытаращив на него глаза. — А теперь не мешай.

Он посмотрел на истребитель. Тот почему-то медлил. Тогда Билл кинулся к ближайшей повозке, выволок ее на середину дороги и устремился за второй.

Он проделывал то же самое с третьей, когда от истребителя отделились две черные точки. Билл похлопал себя по карманам, потом вспомнил, что давным-давно бросил курить, поэтому спичек у него быть не может, даже в потайных отсеках армейской стопы.

Елки-палки! Он вскинул ногу, нацелил на повозки лазер и нажал нужную кнопку. Из распределителя вылетел презерватив. Билл подобрал его и сунул в нагрудный карман, а затем нажал кнопку, которая включала огнемет. Из прорези в стопе высунулся консервный нож.

Билл затолкал тот обратно и надавил на рычажок портативной печки. Из стопы выскочило крохотное увеличительное стекло. Билл схватил лупу и поднес ее к борту повозки; сфокусировал, подержал несколько секунд, а потом принялся дуть.

Между тем черные точки становились все больше и вот-вот должны были превратиться в скопище боеголовок.

Дерево задымилось. Билл напыжился, набрал полную грудь воздуха и дунул изо всех сил. Вспыхнуло пламя.

От напряжения у Билла закружилась голова. Будучи не в состоянии бежать или идти, он пополз — как надеялся, прочь от разгоравшегося костра, преодолел пару ярдов, и тут чередой громыхнули взрывы, и Билл провалился в темноту.

Он очнулся и почувствовал, что лежит на чем-то мягком. Подобное ощущение было для него, в общем-то, непривычным, поэтому он не торопился вставать и даже не открывал глаз.

Некоторое время спустя Билл вздохнул и взялся ощупывать свое тело, чтобы установить, сильно ли пострадал в результате взрыва. К его удивлению, все оказалось в порядке — по крайней мере, на первый щуп. Он осторожно пошевелил головой. Как ни странно, та тоже была на месте.

Она покоилась на чем-то мягком и теплом. На чем-то таком, что, по всей вероятности, вряд ли могло быть подушкой.

— Ты очнулся? — По тембру голос походил на голосок Калифигии, однако в остальном был мягким, дружелюбным, как та вещь, которая вряд ли являлась подушкой.

Билл позволил себе очнуться чуть-чуть побольше.

Несмотря на известную умственную ограниченность, которой, вполне возможно, отличался герой Галактики, существовали обстоятельства, в каких он практически всегда выказывал чудеса сообразительности. Во-первых, боевые условия: Биллу внушили под гипнозом, что его главная задача в любом сражении — остаться в живых.

Во-вторых... Вдаваться в подробности, пожалуй, не стоит; достаточно сказать, что при малейшем намеке на то, что можно отнести к разряду «во-вторых», Билл моментально приходил в сознание, где бы в тот момент ни находился.

— Очнулся, — ответил он.

Разумеется, разряд «во-вторых» означал возможность интимного контакта с представительницей противоположного пола.

Билл открыл глаза и обнаружил, что лежит на заднем сиденье роскошного аэрокара.

— Мне рассказали, что ты сделал! Я хочу извиниться за те глупости, которые наговорила. Как я в тебе ошибалась!

Билл посмотрел вверх. Ну да, черные волосы, бледное личико... Все правильно, Калифигия. Интересно, потеряла она свою кружевную ночнушку или нет?

— Чем я могу загладить свою вину? — спросила девушка. Билл раскрыл было рот, чтобы ответить, однако Калифигия прижала к его губам пальчик.

— Помолчи! — промурлыкала она. — Я попробую догадаться сама.

Глава 20

Билл откинулся на спинку кресла. Похоже, аэрокары — единственный транспорт, который еще на что-то годится, учитывая, в каком состоянии большинство дорог. Солнечные панели на крыше обеспечивали достаточным количеством энергии. Если не считать незначительных трудностей, которые возникали при подъемах из-за дымной пелены, что затягивала небо Вырвиглаза, путешествовать на аэрокаре было сплошным удовольствием.

Впрочем, даже подъемы не представляли собой сколько-нибудь серьезной проблемы, ведь аэрокар, который подарили Биллу и Калифигии признательные беженцы — хозяин машины поворчал, но в конце концов, поддавшись убеждениям, согласился, — вовсе не стремился к какой-либо конкретной цели.

Машина была оборудована по последнему слову техники. Сиденья откидывались назад, образуя весьма удобное ложе. В салоне имелись кондиционер, автопилот, стерео- и головизор, микроволновая печь, автобар, туалет и компьютерная система «Нинтари суперигра».

Если бы Билл мог свернуть с дороги и нажать на кнопку, которая откидывала сиденья, он был бы счастлив. А так ему приходилось постоянно подавлять свои желания, поскольку аэрокар продвигался вместе с толпой беженцев, которые нахально таращились в окна.

Билл пригубил то, что было у него в стакане. Содержимое автобара иссякло в первый же вечер, поскольку первоначальный владелец машины заодно со всеми приятелями отнюдь, по всей видимости, не брезговал крепкими напитками; поэтому Биллу не оставалось ничего другого, как поглощать обнаруженное в потайном отделении дайкири[1], к которому требовалось привыкнуть, тем паче что в нем начисто отсутствовал ром. Вполне естественно, что дело по такому поводу продвигалось довольно туго.

Билл откровенно скучал. Поначалу это ощущение привлекло его своей новизной. С тех пор как он сделался солдатом, скучать ему было особенно некогда. Потому сперва скука показалась интересным занятием, однако очень быстро наскучила.

Что касается Калифигии, толку от нее было чуть. Билл считал, что положение студентки обязывает девушку развлекаться всеми доступными способами, но вскоре выяснилось, что Калифигия стесняется предаваться развлечениям при посторонних. В силу же того, что не могла ни заниматься сексом, ни напиваться до такого состояния, когда на посторонних становится наплевать, она принялась усердно культивировать в себе третий студенческий порок — говорила о разговорах насчет идей.

Билл и сам мог похвастаться некоторыми идеями — например, насчет того, как остаться в живых, найти выпивку или снять женщину. Однако идеи Калифигии резко отличались от всего, что когда-либо приходило ему на ум. Она заявляла, например: «Давай обсудим идею Антонена Арто о театре как о нуво лангаж физик»[2]. По крайней мере, для Билла, который постепенно научился отключаться, как только девушка произносила какое-нибудь незнакомое имя, эти слова прозвучали именно так.

Билл откинулся на спинку сиденья, глотнул дайкири и пробормотал сонным голосом: «Очень интересно».

---

[1] *Дайкири* — алкогольный коктейль из рома, лимонного сока и сахара.
[2] *Nouveau langage phisigue* — «новый физический язык», концепция известного французского режиссера, теоретика театра А. Арто *(фр.)*.

Впрочем, убить его по-прежнему никто не пытался, надежда на то, что рано или поздно им удастся где-нибудь припарковаться, пока сохранялась, в морозильнике оставалось достаточно бобов и кочанов брюссельской капусты, так что голодной смерти можно было не опасаться. К тому же Биллу впервые в жизни представилась возможность как следует отоспаться.

Он видел сны о своем детстве, о тех беззаботных днях, когда трудился на ферме от зари до зари, убирая навоз или шагая по борозде за робомулом, который пахал, но не разбивал крупных комьев земли и не отбрасывал в сторону камней. Биллу грезилось, что его вновь окликает милая добрая матушка, которая, как встарь, будит своего сына ласковым тычком под ребра...

«Проснись, олух!»

«У-у-у, мама, отстань».

«Я что, так тебе надоела?»

«У-у-у, мама...» Интересно, подумалось Биллу, что это взбрело матушке в голову?

Он открыл глаза. Калифигия. Вырвиглаз. Ну конечно! Он взглянул в окошко и увидел, что аэрокар остановился у въезда на подземный бульвар. Билл потянулся, выбрался из машины и посмотрел на небо. Судя по всему, бомбардировки не предвиделось: он различил всего лишь два имперских самолета, которые к тому же двигались в противоположном направлении.

— Билл, тебе скучно? — справилась Калифигия. Билл утвердительно кивнул. — Скучнее, чем мне?

— Может быть.

— Тогда ты поймешь меня. — Калифигия притянула Билла к себе и запечатлела на его губах прощальный поцелуй. — Я хочу навестить родных.

Она захлопнула дверцу, и аэрокар покатил прочь. На дороге заклубилась пыль.

Билл огляделся.

Он стоял один-одинешенек на пустынной автостоянке у въезда на подземный бульвар, куда не мог попасть, поскольку у него не было денег. Чуть поодаль начиналось шоссе, которое вело неизвестно куда. Билл ступил на него.

Поначалу он пытался идти походкой, которой ходят все нормальные люди, но не сумел совладать с собой и медленно, но верно принялся маршировать. Строевой шаг был у него в крови; даже если бы он извлек из своих башмаков гипноспирали, все осталось бы по-прежнему. Вдобавок Билл вынужден был признать, что, маршируя, движется гораздо быстрее. Разумеется, он не стремился к какой-либо конкретной цели; тем не менее приятно было сознавать, что он доберется туда значительно раньше.

Строевой шаг, помимо всего прочего, обладал еще одним немаловажным преимуществом. Билл настолько наловчился маршировать, что мог теперь запросто спать на ходу — по крайней мере, пока дорога шла прямо, никуда не сворачивая. Шоссе, которое он выбрал, мнилось идеально прямым; во всяком случае, на протяжении нескольких миль. Правда, вдалеке виднелись какие-то деревья...

К несчастью, когда Билл спал на ходу, ему постоянно снилось, что он марширует, поэтому отдохнуть во сне, увы, не получалось. Сейчас герою Галактики снилось, что он марширует по серой равнине в направлении маленькой рощицы. Сон был таким же серым, как равнина. Билл достиг рощицы, и тут с небес раздался глас, велевший остановиться.

Билл проснулся и увидел, что находится в маленькой рощице, стоит на шоссе, которое продолжает бег по прямой. Что его задержало?

Приблизительно в миле от шоссе дымились обломки имперского самолета-разведчика, но разве это причина, чтобы останавливаться? Биллу доводилось маршировать во сне сквозь перестрелки и бомбардировки, так что он вряд ли обратил бы внимание на заурядную авиакатастрофу.

— Смотри вверх! — распорядился небесный глас.

Билл подчинился. На дереве, на высоте около двадцати футов, висел человек в форме имперской армии.

— Привет, — сказал Билл.

— Привет, коли не шутишь, — отозвался человек.

— Твой? — спросил Билл, кивком указывая на обломки самолета.

— Мой. Мне повезло: успел выскочить.

— Что-нибудь ценное там есть?

— Вряд ли, уж больно здорово он шарахнулся.

— Жаль. — Билл повернулся, чтобы уйти.

— Эй, подожди!

— Чего?

— Я тут застрял.

— И что?

— Разве ты не поможешь мне спуститься?

— Нет, — ответил Билл по зрелом размышлении.

— На тебе ведь наша форма.

— Ну и?

— Значит, ты должен мне помочь.

Билл расхохотался.

— Мы же с тобой товарищи по оружию, — напомнил пилот.

— Гусь свинье не товарищ, — заявил Билл и пожал плечами.

— Верно, — признал пилот. — А если я тебе заплачу?

— Это другое дело. Чем?

— У меня сорок семь кредиток, — сообщил пилот, пошарив в карманах.

— Имперских?

— Естественно!

— Они здесь не в ходу. Давай дальше.

— Могу предложить спасательный комплект, — проговорил пилот после непродолжительного раздумья.

— Я до сих пор прекрасно обходился без него. Спасибо, не надо.

— Погоди! Он сильно отличается от обычного. Или ты не знаешь, что пилотов приравнивают к офицерам?

— И что там внутри? — осведомился заинтригованный Билл.

— Сейчас поглядим. Сухой паек, компас, ракетница, пилюли с ядом, медицинский спирт, туалетная бумага, шоколадка, скейтборд, носки, презервативы...

— Не так быстро, — перебил Билл. Презервативы его не интересовали, поскольку применять их было негде и не с кем, однако в списке, который огласил пилот, имелось кое-что заслуживающее внимания. — Бутылка со спиртом большая?

— Почти четверть кварты, и полная.

— Бросай, — велел Билл, становясь под дерево.

Пилот кинул вниз ранец со спасательным комплектом. Билл извлек заветную бутылку, отпихнул ранец в сторону, потом призадумался, вынул еще скейтборд и окинул взглядом дерево. Пилот висел на парашютных стропах. Их можно было бы перерезать, но тогда пилот упадет и наверняка переломает себе ноги. Нужно что-нибудь подстелить.

— Я сейчас, — сказал Билл. — Наберу веток, сложу под деревом, а ты тогда смело обрезай веревки и падай.

Пилот согласился. Билл отправился на поиски хвороста, однако не нашел ни единой более-менее подходящей веточки и догадался, что придется срубить несколько зеленых. Он уселся на землю и уставился на свою армейскую стопу, где-то внутри которой помещалась пила; ему ни разу не доводилось ею пользоваться, так что он даже слегка обрадовался, что представился случай испытать инструмент в действии. Приглядевшись повнимательнее, Билл различил под одной из множества кнопок крохотные буковки: «Пила». Он нажал на кнопку, и из стопы вырвался лазерный луч.

— Близко, — пробормотал Билл, прицелился и отсек от ствола дерева, на котором висел пилот, целую кучу веток, подобрал их, сложил вместе, так что получилась горка высотой добрых пять футов, а затем вспомнил, что надо бы отключить лазер, пока он не посшибал другие деревья и не устроил лесного пожара.

Пилот совершил мягкую посадку, после чего состоялось знакомство.

— Двоеточник? — переспросил Билл. — Диковинное имя.

— Мой отец был помешан на пунктуации, — объяснил пилот. — Когда у меня родилась сестра, ее назвали Запятой.

Вдалеке завыла сирена.

— О-хо-хо, — вздохнул Билл, — чует мое сердце, пожарный патруль. Вон там, — он указал в том направлении, откуда пришел, — подземный бульвар. Если не хочешь, чтобы тебя зацапали, беги туда и затеряйся в толпе. А я пойду в другую сторону, так что если кого-то из нас и поймают, то только одного. Идет?

Проводив пилота взглядом, Билл спорол со своего мундира все и всяческие нашивки, вскочил на скейтборд и покатил дальше по шоссе. Вскоре мимо него промчались автомобили военизированной пожарной охраны, которые и не подумали остановиться.

Билл быстро освоился со скейтбордом; по крайней мере, по прямой он катил без помех и ухитрился даже превзойти собственный рекорд скорости, который установил при ходьбе строевым шагом. Ехать и спать было значительно труднее, чем маршировать и спать, однако постепенно Билл настолько увлекся, что совершенно забыл о сне. К тому времени, когда проголодался, он достиг неглубокой долины, за которой начинались сельскохозяйственные угодья.

Билл вдохнул полной грудью аромат ферментированного навоза, столь живо напоминавший обо всем, что было связано с понятием «дом». Он заметил на поле юношу, похожего на него самого в годы детской невинности, который шагал по бороздам вслед за своим робомулом. Билл не бывал на ферме с тех пор, как покинул отчий дом, если не считать гидропонной плантации окры на борту «Баунти», а этот эпизод своей биографии он, случись такая возможность, без промедления вычеркнул бы из памяти. На ферме можно спрятаться, можно заниматься привычной работой, есть натуральную пищу, спать на настоящей кровати, подстелив под себя соломенный тюфяк, и притворяться, будто никогда в жизни не был солдатом. Может статься, мало-помалу он бы уверился в том, что и впрямь не служил в армии. Таковы были мысли, которые навеяло Биллу благоухание, исходившее от навозной кучи.

Билл знал, что в своей форме без нашивок он запросто может выдать себя за бродячего скейтбордиста, согласного на любую работу, поскольку так оно, собственно, и было. Оставалось лишь подыскать ферму поприличнее, желательно — с симпатичной хозяйской дочкой, и дело в шляпе.

Он скатился по шоссе в долину, постепенно набирая скорость, ибо дорога вела под уклон, и принялся высматривать подворье, которое отвечало бы его мечтам. Билл заметил, что шоссе здесь ровное, без каких-либо трещин и выбоин; хорошо, значит этот край каким-то образом ускользнул от внимания генерала Мудрозада. Впрочем, фермы настолько разбросаны, что не годятся в качестве даже мало-мальски достойных целей. Чтобы уничтожить хотя бы одну ферму, понадобится громадное количество бомб. Разумеется, у генерала Мудрозада бомб в избытке, однако великий полководец наверняка нашел им иное, более рачительное применение.

Билл углядел впереди домик, стены которого были выкрашены в белый цвет, а по периметру двора тянулся недавно побеленный забор. Рядом с домом виднелась шпалера, по которой карабкались стебли роз; возле шпалеры расхаживали утки. От дома к величественному клену в углу двора была протянута веревка.

Миловидная молодая женщина, огненно-рыжие волосы которой заодно с подолом голубого домашнего халатика трепал ветер, развешивала на ней весьма любопытные предметы женского туалета.

Билл сосредоточился на том, чтобы достичь домика. Он находился буквально в двух шагах от забора, когда сообразил, что не принял в расчет одну немаловажную деталь — как ему остановить скейтборд.

Поразмыслив, Билл решил, что это не составит труда, и опустил ногу, вознамерившись использовать ее как тормоз. Однако он ехал слишком быстро; движение не замедлилось ни вот настолечко, хотя от башмака отлетела едва ли не половина подметки. Повторить маневр Билл не осмелился, ибо не хотел рисковать армейской стопой.

Нет, он придумал другой способ, который не раз наблюдал и с успехом применял на дисплее компьютера. Правда, тогда у него были под рукой джойстик и пара кнопок, ну да ничего, принципы-то ведь не меняются.

Билл откинулся назад. Передние колеса скейтборда оторвались от асфальта, задняя часть, наоборот, прижалась к поверхности шоссе, и скейтборд остановился.

Но что касается Билла, у того сохранилась изрядная инерция. Он взмыл в воздух; вычертил аккуратную дугу, рухнул на землю и по привычке потерял сознание.

Глава 21

Ощущение было знакомым и в какой-то мере успокаивающим, ибо Билл уже не в первый раз приходил в себя после контузии и выбирался на свет из непроглядного мрака.

Он ощупал себя и убедился, что сломать ничего не сломал, хотя синяков прибавилось. Учитывая обстоятельства, весьма неплохо.

Прежде чем открыть глаза, Билл снова попытался почувствовать, где находится, и вновь ему показалось, что его голова лежит на чьих-то коленях. Что ж, если он не ошибается, у этого кого-то осиная талия, стройные ножки и длинные огненно-рыжие волосы.

Билл не предполагал, что знакомство состоится таким вот образом, но все повернулось к лучшему. Теперь он может рассчитывать на сочувствие хозяйки. А вдруг получится провести пару-тройку дней в постели? Как хорошо будет отдохнуть, особенно если за ним станет ухаживать ангел!

— Вы очнулись? — спросила женщина, заметив, что Билл слегка шевельнулся. — С вами все в порядке? — Какой музыкальный голос, под стать внешности!

— В полном, — отозвался Билл, сразу же позабыв о своей задумке притвориться инвалидом. Разве можно лгать той, у кого такой голос?

— Вы уверены?

— Так точно! Ничего серьезного, одни синяки.

— Как вы здесь очутились? — проговорила женщина и погладила Билла по голове. — Откуда вы? Я вас раньше не видела.

— Вообще-то я ищу работу. Опыт у меня есть...

— Отлично! — В голосе женщины прозвучала такая радость, что Биллу почудилось, будто ему поднесли в летнюю жару кружку холодного пива. — Почти всех наших мужчин забрали в армию, а мы, женщины, не в силах одни со всем управиться. Оставайтесь у меня. Плачу́ я немного, но обещаю, что буду кормить и выделю комнату наверху, рядом с моей. Вы согласны?

— Согласен. — Билл широко улыбнулся.

— И вы не сбежите к соседям?

— Не сбегу, — заявил Билл и открыл глаза.

Ему показалось, что с лицом женщины, которая наклонилась над ним, что-то не так. Во-первых, угол: ведь Билл глядел на свою хозяйку снизу вверх. Во-вторых, черты ее лица напоминали герою Галактики кого-то из друзей. А где же огненно-рыжий цвет, который он видел с дороги? По правде сказать, волосы женщины были темно-русыми с переходом в серый. Неожиданно Билла как осенило: незнакомка сильно смахивала на верного товарища его детских дней — преданного робомула.

Великие небеса, что случилось?

Билл кое-как сел и вновь уставился на женщину. Угол зрения изменился, но все остальное — ни капельки.

— Если вы и впрямь в порядке, — произнесла женщина своим роскошным контральто, — позвольте представиться. Миссис Огис. Думаю, мы станем друзьями, так что можете звать меня просто Юнис. — Она протянула руку. Билл назвался, ответил на рукопожатие и едва избежал серьезного увечья, поскольку не ожидал от какой-то там дамочки столь могучей хватки. — Пойдемте наверх, Билл, я покажу вам вашу комнату. — Юнис обольстительно улыбнулась.

Поднявшись, Билл получил возможность оценить положение дел, причем на его оценку в значительной степени повлияло зрелище, которое открылось ему, когда он карабкался вслед за миссис Огис по ступенькам лестницы на второй этаж. Юнис, по всей видимости, была старше Билла всего лишь на какой-нибудь десяток лет; она отнюдь не уступала герою Галактики ростом, а если ее плечи и были поуже, чем у Билла, это с лихвой восполнялось шириной бедер. Тем не менее, несмотря на свою несомненную привлекательность, Юнис вовсе не походила на то романтическое видение, которое предстало глазам Билла, когда он мчался по шоссе. Вдобавок она представилась как «миссис»; опыт подсказывал Биллу, что подобная форма обращения подразумевает наличие мужа.

— Думаю, комбинезон моего мужа будет вам как раз, Билл, — сказала Юнис, открывая шкаф в той комнате, которую отвела Биллу. Она не ошиблась — Билл без труда влез в комбинезон, разве что ему пришлось закатать рукава.

Что ж, надо признать откровенно: он получил совсем не то, на что надеялся. Однако ныть не стоит. В конце концов, все не так уж плохо: работа на ферме, бомбы с неба не падают, с кухни доносятся вкусные запахи, которые напоминают о доме, — матушка включала ту же самую музыку, когда готовила по средам рагу из печени с сардинами и лимбургским сыром. Билл тяжело вздохнул и отправился чистить свинарник. Судя по всему, тот не убирали несколько лет. Билл прикинул, что, может, проще промыть его водой, но потом сообразил, что водопровод при всем желании не обеспечит необходимого давления. Волей-неволей пришлось браться за лопату и тачку.

Тяжелая работа была ему не в новинку, равно как и ободряющий запах свиного навоза. Он так решительно взялся за дело, что к ужину, к собственному изумлению, вычистил целый угол свинарника.

За обильным ужином, который состоял из свиных шкварок, Билл не мог удержаться от того, чтобы не сравнить про себя хозяйства Юнис и рыжеволосой красавицы напротив.

И тут и там всем занимались женщины, однако один дом прямо-таки излучал благолепие и уют, а другой разваливался чуть ли не на глазах. Юнис, по всей видимости, старалась как могла, однако ее усилия, похоже, ни к чему не приводили, а вот рыжеволосая, кажется, успевала не только управляться по дому, но и следить за собой. Билл в итоге решил спросить про нее.

— А, это моя соседка, Мелисса Нафка. Вы должны были проехать мимо ее дома. Честный человек не станет работать на такую, как она.

— Почему? — удивился Билл, притворяясь, будто ему не слишком интересно. — Она... э... довольно симпатичная.

— Сейчас объясню. Она и пальцем не шевельнет, чтобы привести свой дом в порядок. Бесстыдница!

— Мне показалось, у нее и так все в порядке.

— Может быть, но заслуги Мелиссы в том нет. На нее трудятся все мужчины нашей долины. Но вы бы не стали, я знаю. Она никому не заплатила ни единой кредитки. Честный человек просто не захочет с ней связываться.

— Почему же мужчины ходят к ней, если она им не платит? — справился Билл с полным ртом, сосредоточенно пережевывая очередную шкварку.

— Терпеть не могу говорить о ком-либо дурно, — произнесла Юнис, подавшись вперед, словно опасалась, что кто-нибудь подслушает их разговор. — Но от правды никуда не денешься. — Она понизила голос до шепота. — Мелисса спит с ними! — Юнис откинулась на спинку стула и осведомилась: — Ну разве не ужасно? Со всеми подряд!

— Ужасно, — согласился Билл, чтобы не обидеть хозяйку, однако в мыслях позволил себе возразить. Ужин продолжался не то чтобы в молчании, но где-то близко к тому. Билл отвечал невпопад и то лишь тогда, когда не ответить было нельзя; по счастью, он не произвел на Юнис впечатления блестящего собеседника, поэтому она не очень наседала. Словом, Билл делал вид, что слушает, но на уме у него было совсем другое — он пытался сообразить, как ему поступить.

С одной стороны, он обещал Юнис, что будет работать на нее, а обещания следовало выполнять. Но с другой — он может очистить свинарник к завтрашнему утру, и тогда ему, вполне возможно, представится случай улизнуть среди дня на соседний двор. Хотя, хотя... На расчистку свинарника наверняка уйдет несколько недель. Если уж на то пошло, рук-то у него всего две!

Билл отправился спать, однако продолжал размышлять над тем, как ему выкрутиться, и ночью, и на следующее утро. Он встал, побрился и натянул чистый комбинезон — с тех позиций, что проблема вдруг возьмет да и разрешится сама собой. Но ничего подобного не произошло, сколько он ни ломал голову и ни спрашивал совета у свиней. Билл совсем было пал духом, и тут в отдалении прогремел взрыв.

Чудовищный грохот совершенно не вязался с покоем старомодной долины, жизнь в которой текла по исстари заведенному порядку, а наиболее серьезная опасность заключалась в том, как бы проскользнуть в дом рыжеволосой и не оскорбить при том чувств Юнис. Билл выскочил из свинарника, чтобы посмотреть, что случилось, и услышал второй взрыв, который прогремел чуть тише первого.

Снег? Нет, для снега сейчас не время. Однако с неба определенно что-то падало — чересчур медленно, чтобы быть дождем, градом, шрапнелью или чем-нибудь еще в том же духе. Вдобавок, хотя это «что-то» парило надо всей долиной, сыпалось оно всего-навсего из пяти или шести белых облачков.

Пропагандистские бомбы! Билл подхватил оказавшийся поблизости листок и принялся читать. Тот начинался, как и положено, с фразы: «Ваш император любит вас!»

«„Ваш император любит вас!"
Так и есть, честное слово!
С тех самых пор, когда возникла наша славная империя, фермеры были ее величайшим достоянием. Сильные, трудолюбивые, верноподданные, они любили императора, который платил им ответной любовью. Каждый из императоров стремился сохранять связь с землей и с теми, кто на ней работает; каждый император владел фермерами и проявлял о них искреннюю и неусыпную заботу. Без фермеров у нас непременно возникали бы трудности с продовольствием, а часть имперских продотрядов осталась бы без работы. Посему фермеры — источник благополучия империи; неудивительно, что император любит их больше, нежели всех остальных. Фермеры жизненно важны для армии, ибо солдаты не произво-

дят пищи, но потребляют ее в громадных количествах. Император любит солдат, а потому поистине обожает фермеров.

К сожалению, любовь императора не беспредельна. Он любит вас, однако желает всей душой, чтобы вы вернулись в его распростертые объятия. А для того ему необходимо победить мятежников, которые, ведомые невежественными главарями, отказывают нашему правителю в любви. Пища, которой вы снабжаете гнусных бунтовщиков на Вырвиглазе, — нож в сердце империи. Чем больше будут сопротивляться бунтовщики, тем больше разрушений причинит вам могущество милосердного и любящего императора.

Вот почему он, следуя против своей воли, повелел войскам уничтожить ваши дома и фермы, дабы предохранить вас от более горькой участи, каковую пророчат вам безбожные предводители мятежников. Бомбежка начнется через двадцать минут. Помните: ваш император любит вас!»

— Бежим! Бежим отсюда! — крикнул Билл, врываясь в дом. — Бежим!

В дверях он столкнулся с Юнис, которая также прочла листовку, прихватила с собой на память кое-какие безделушки и бросилась на улицу, чтобы предупредить Билла. Вдвоем они выбежали со двора и влились в бурлящую толпу, которая устремилась по дороге прочь из долины.

— Бежим! Бежим отсюда!

Вскоре Билл очутился напротив дома Мелиссы Нафки, которая находилась внутри, а потому еще не успела прочитать листовку. Впрочем, она услышала крики. Билл увидел, как мелькнули в окне второго этажа огненно-рыжие волосы; мелькнули и исчезли. Мгновение спустя она выскочила наружу. Билл замедлил шаг, чтобы насладиться зрелищем. Тело Мелиссы облегал домашний халатик; прежде чем она запахнула свою одежду, герой Галактики разглядел, что на ней нет ничего, кроме сандалий с кожаными ремнями, которые обхватывали ноги вплоть до бедер. Вслед за женщиной появились трое мужчин: первый был слишком стар, чтобы служить в армии, а двое других — чересчур молоды. Наверное, отец с сыновьями. Все они застегивали на бегу брюки и натягивали рубашки, стараясь не задеть кровоточащих рубцов на спинах.

Билл сокрушенно вздохнул. Очередная упущенная возможность. Пожалуй, он вернется сюда после того, как имперские звездолеты закончат стирать с лица земли мирное поселение, вернется и отыщет женщину своей мечты. Однако это подождет; сейчас главное — унести подобру-поздорову ноги.

— Елки-палки, бежим, пока целы!

Глава 22

Прислушиваясь к грохоту разрывов за спиной, Билл внимательно изучал окрестности и вдруг заметил впереди каменный амбар. Тот уже слегка пострадал от бомбежки, а потому Билл решил, что в нем можно спрятаться. Амбар отнюдь не производил впечатления сооружения, которое стоит бомбить дважды. Герой Галактики припустил через поле и вскоре достиг здания.

К его удивлению, дверь оказалась закрытой. Он сперва не поверил. Снова подергал ручку, а затем ударил плечом. Дверь не поддалась ни на йоту, зато плечо пронзила острая боль.

Выбора не оставалось. Билл призадумался, затем обошел амбар и проник внутрь через огромную дыру в стене.

Как выяснилось при осмотре, на деле бомбежка причинила зданию изрядный урон.

Часть крыши обрушилась на пол, образовав этакую живописную груду обломков. Что касается стен, все они находились в крайне плачевном состоянии, за исключением той, что содержала в себе дверь. Некое подобие крыши сохранилось разве что над углами амбара. По запаху, который витал над развалинами, Билл заключил, что те, кто скрывался внутри, либо погибли на месте, либо покинули амбар в сильной спешке. Если кто и уцелел, он наверняка схоронился под обломками крыши и был, по всей вероятности, перепуган до полусмерти, а значит, вполне возможно, опасен.

Тем не менее больше укрыться было негде, и Билл твердо вознамерился добиться своего, несмотря на привходящие обстоятельства.

Говорят, что большинство животных становятся опасными тогда, когда их загнали в угол или когда они защищают своих детенышей. В общем и целом так оно, наверно, и есть.

Однако лишь немногие животные способны устоять перед натиском разъяренного солдата имперской армии, который озабочен спасением собственной жизни. А в том, что Билл разъярен, сомневаться не приходилось.

На его глазах одна из бомб угодила в дом Мелиссы Нафки, из чего следовало, что женщина вряд ли когда-нибудь вернется в долину. К тому же Билл видел, как ее подобрал водитель какого-то автомобиля и как последний немедля рванулся вперед. Иными словами, тут ловить было нечего.

Однако следующая бомба поразила здание винного магазина, что означало, что Биллу просто необходимо подольше задержаться в здешних краях.

Атака имперских кораблей была поистине шедевром в том, что касалось точности бомбометания. Все обошлось без жертв — пострадали всего двое или трое, причем одним из них был старик, тот самый, что выскочил из дома Мелиссы; он запутался в волочившихся по земле штанах и растянул ногу. Однако звездолеты обработали местность настолько основательно, что жить в окрестностях стало невозможно. Билл поневоле восхитился меткостью своих бывших собратьев по оружию.

Впрочем, ему подумалось, что восхищаться лучше из надежного укрытия, а потому он пересек амбар, стукнул кулаком по груде обломков и громко крикнул.

Ответа не последовало.

Что ж, хороший знак, если только тот, кто прячется внутри, не слишком напуган, чтобы отозваться.

Билл приготовился к встрече с неизведанным и проник под плиту, составлявшую некогда часть крыши. Он очутился в темноте. Присмотревшись, Билл различил в дальнем углу диковинный блеск. То мерцало, отражая свет, который попадал сюда сквозь бесчисленные щели, множество глаз. Билл пересчитал глаза, прикинул, сколько тут может быть народу, и его сердце медленно, но верно поползло в пятки. Однако некоторое время спустя он собрался с духом и шагнул от щели, через которую забрался в укрытие, давая своим глазам привыкнуть к мраку.

В углу зашевелились, потом послышался звук, похожий на человеческий шепот. Биллу почудилось, будто он разбирает слова: «форма», «спрятаться», «тише»...

Наконец глаза освоились с темнотой и Билл смог разглядеть, с кем, собственно, ему предстоит встретиться.

— Привет, ребята, — поздоровался он.

— Ты кто такой? — справился один из мужчин.

— Билл. — Герой Галактики сделал шаг вперед и протянул руку.

— На кого ты работаешь?

— На Юнис Огис. — Рука Билла мало-помалу начала опускаться.

— Она состоит на воинском учете?

Прежде чем Билл успел ответить — и хорошо, поскольку он не имел ни малейшего представления, о чем речь, — вмешался второй мужчина:

— Нет. По крайней мере, раньше не состояла.

— Сдается мне, никакого учета уже не существует, — заявил Билл, — разве что кто-то считает трупы. Долину разбомбили вдоль и поперек. Однако я что-то не пойму, о чем вы толкуете..

— Ты что, не читаешь газет? — спросил первый.

Билл поразмыслил, а затем отрицательно помотал головой,

— А про переворот слыхал?

— Спрашиваешь? Я убегаю от хунты.

— Они тоже теперь убегают. Значит, про второй переворот не знаешь?

— Второй? — Билл озадаченно моргнул.

— Ну да, — подтвердил новый голос из темноты. — Двое парней по имени Сид и Сэм пару дней назад освободили президента Гротски, растормошили народ, привлекли на свою сторону армию и свергли генералов. Ты бы слышал, какую речугу они толкнули с танка!

Билл снова моргнул — иного ответа у него не было.

— Ну вот, Гротски вернулся в свой кабинет и объявил, что выбора нет: мол, ситуация складывается так, что он вынужден ввести военное положение и приостановить действие конституции. И шут с ней, главное, что демократия восстановлена!

— Замечательно, — выдавил Билл. — А что Сид и Сэм? Что с ними сталось?

— О, они получили назначения в Комитет по спиртным напиткам. Хорошенькая благодарность, а?

— Елки-палки, — проговорил Билл и тяжело опустился на землю.

— А ты что здесь делаешь? Прячешься от набора, как и мы?

— Может быть. — Билл хмыкнул и уставился в небо над головой. — Пожалуй, я прячусь от дождя.

— Да ты никак спятил? Дождя ведь нет и в помине!

— Все равно, с неба падает всякая дрянь, а мне жутко не хочется, чтобы она валилась на меня.

— Выходит, ты один из нас?

Билла окружила целая толпа. Люди принялись пожимать ему руку, хлопать по плечам — словом, наперебой выказывать дружеские чувства.

Биллу доводилось и раньше попадать в такой переплет, когда каждый норовит объясниться в любви; обычно это случалось в барах, а компанию составляли те, кто находился в изрядном подпитии. Впрочем, он решил не спешить с выводами, поскольку ничуть не стремился ни затевать стычку, ни покидать уютное убежище.

— Один из кого? — уточнил он.

— Из тех, кто уклонился от призыва.

— Что-то новенькое, — пробормотал Билл, не ведавший ни сном ни духом, что на Вырвиглазе, оказывается, существует такая вещь, как призыв в армию.

— Реформа президента Гротски, — объяснил мужчина, который, по-видимому, являлся предводителем ватаги пройдох. — Раз демократия спасена, все как один должны защищать с оружием основные демократические свободы. Поэтому в армию забирают всех подряд, от восемнадцати до тридцати пяти. Нас учат беспрекословно повиноваться, потому что иначе отстоять независимость невозможно.

— Точно, — согласился Билл. — Разумная мысль.

— Мы поддерживаем своего президента, однако расходимся с ним в идеологических тонкостях, ибо вовсе не горим желанием превратиться из людей в кровавую мешанину.

— Разумно, — повторил Билл с одобрением в голосе.

В амбаре установилась искренняя, дружеская атмосфера. Еще бы — никто не собирался выдавать кого бы то ни было властям, а власти, по всей вероятности, не могли добраться до укрытия по причине бомбардировки, которая и не думала прекращаться. Грохот разрывов свидетельствовал о том, что имперские корабли методично, со знанием дела, продолжают засыпать поля, плантации клубники и посадки кольраби бомбами, которые превращают пажити в безликую бурую массу.

Как ни странно, череда взрывов служила как бы музыкальным сопровождением неторопливой приятельской беседы.

Внезапно сквозь щель под плитой в убежище проникла темная фигура. Человек осторожно выпрямился, и Билла вдруг захлестнуло волной панического ужаса.

— Добрый день, — поздоровался незнакомец.

— Как это вас не задело? — спросил Билл, убедившись, что остальные не намерены подавать голоса.

— Привычка.

Билл вскочил, отпихнул незваного гостя, продрался сквозь щель, но не добежал и до середины амбара, как очутился в окружении людей в форме, которые навели на него свои бластеры и защелкали предохранителями.

Герой Галактики замер.

Его примеру последовали все прочие; правда, они остановились не раньше, чем повалили Билла наземь, прямо в кучу навоза.

Незнакомец, которого едва не затоптали, выбрался из укрытия, отряхнулся и достал из кармана пластиковую карточку.

— «Приветствую вас, — прочитал он. В ответ раздался дружный стон. — Ваш демократически избранный президент и верные ему представители Генерального штаба рады встрече с поборниками свободы и демократии. Во имя сохранения важнейших прав и свобод личности вы зачисляетесь в армию независимости планеты Вырвиглаз!» — Он сунул карточку обратно в карман. — Вопросы есть?

Кто-то поднял руку. Сверкнуло пламя, и в ладони смельчака возникла сквозная дыра.

— Перевяжите рану. Еще вопросы будут?

Молчание подтвердило, что всем все понятно.

Занятия в лагере имени Хинлайна[1] не доставляли Биллу ровным счетом никаких хлопот. Единственное отличие этого лагеря от всех прочих, в каких довелось побывать герою Га-

---

[1] Намек на фамилию известного американского писателя-фантаста Роберта Э. Хайнлайна.

лактики, состояло в том, что он располагался под землей, на месте бывшего бульвара. А так — все та же муштра, к которой Билл привык настолько, что мог выполнять все команды даже во сне, чем, собственно, и занимался.

Офицеров особенно поразило его умение маршировать, не просыпаясь ни на секунду. Они поняли сразу: вот человек, который знает, что делает.

Состоялось совещание командиров, на котором приняли решение, что обладатель такого таланта и таких клыков заслуживает непременного поощрения.

В результате Билл сделался сержантом вырвиглазнийской армии.

Повышение в чине пришлось ему весьма и весьма по душе.

В любой армии сержанты прежде всего наблюдают за солдатами, а в боевых действиях участвуют лишь в случае крайней необходимости. Если не считать офицеров, то получится, что сержанты работают меньше, чем кто бы то ни было другой. Кроме того, у них есть свой клуб. Вдобавок воинская культура на Вырвиглазе достигла таких высот, что в сержантском клубе подавали настоящее пиво, а вовсе не то эрзац-пойло, которым поили имперских солдат. В общем, Билл был доволен тем, как повернулась судьба.

Однако что-то его беспокоило — то ли угрызения совести, то ли неутоленное любопытство, а может быть, рези в животе по причине съеденного накануне вечером хаггиса[1].

Впрочем, Билл и впрямь задумался, нет ли некоторого противоречия в том, что он находится в составе двух воюющих между собой армий. Кому хранить верность? Вырвиглазнийцам, раз они присвоили ему звание сержанта? Или императору, который сделал его героем Галактики? Или все же президенту Гротски, благо император вот уже семнадцать месяцев не выплачивает Биллу жалованья?

Рези в животе наконец улеглись, однако беспокойство осталось. Билл охотно согласился бы забыть про него и не вспоминать ни при каких обстоятельствах, равно как и до конца жизни не притрагиваться к хаггису. Но тут, как обычно бывает в романах, вмешался слепой жребий.

---

[1] *Хаггис* — шотландское блюдо, бараний рубец, начиненный потрохами со специями.

Поскольку поверхность планеты Вырвиглаз превратилась, по сути, в одну громадную воронку, неустрашимый генерал Уормвуд Мудрозад объявил, что настала пора высаживать доблестный десант.

Президент Гротски провозгласил всеобщую мобилизацию и потребовал от всех без исключения воинов героического самопожертвования.

Начальник лагеря имени Хинлайна считал, что талант следует всемерно поощрять. Через час после получения приказа Билл со своим взводом двинулся на передовую.

Глава 23

Отправление на передовую оказало на Билла поистине изумительное воздействие. В обычных условиях одна только мысль о чем-либо подобном повергла бы его в глубокое уныние. Теперь же он отчасти даже радовался, ибо сумел избавиться от надоедливого беспокойства, которое причиняло ему столько неудобств. Он понял, что принадлежность к той или иной армии не имеет ни малейшего значения, поскольку обе армии, похоже, сговорились прикончить известного всей Вселенной героя Галактики.

Вместе со своим взводом, который состоял целиком из необученных, смурных, бестолковых и сексуально озабоченных новобранцев, Билл переходил от офицера к офицеру, причем по мере приближения к передовой те неуклонно понижались в чинах, с полковника до лейтенанта. В итоге, после долгих блужданий, Билл отрапортовал о своем прибытии и. о. лейтенанта Гаруну аль-Розенблатту, с трудом удержавшись от того, чтобы не назваться и. о. капрала. Он уже открыл было рот, но вовремя спохватился, поскольку сообразил, что в этой армии носит звание сержанта и на него могут посмотреть косо, если узнают, что он числится также в войсках противника, — перестанут платить жалованье, поставят пометку в личное дело, а там, гляди, и расстреляют. Билл же всей душой хотел сохранить незапятнанным хотя бы один послужной список, а уж остаться в живых было его заветнейшей мечтой.

В гражданской жизни, которая оборвалась после полудня в прошлый вторник, Розенблатт был художником. Изображал он в основном цветы и специализировался на декоративной отделке загородных поместий. Разумеется, человек со столь богатым опытом просто не мог не стать офицером и не получить назначения в разведку. Взводу Билла полагалось заменить то подразделение, которое лейтенант потерял позавчера. Именно потерял — оставил вблизи вражеских позиций, залюбовавшись на восхитительный экземпляр ныне необычайно редкого тысячелистника; он долго ждал своих солдат, но те так и не появились.

— Ну, сержант? — Розенблатт нахмурился и что-то пробормотал себе под нос.

— Билл, — вставил Билл.

— Ах да, конечно, ваше имя упоминалось в приказе. Сержант Билл. Ну да ладно, все равно я не собираюсь его запоминать. Вы покинете меня, как и все остальные... — Лейтенант застонал и смахнул предательскую слезу.

— Никак нет, сэр! — наидоблестнейше гаркнул Билл. — Мы останемся с вами до конца! Мы верные солдаты... — («Нет, не императора, это другая армия. Что тут у них?») — Республики! — Билл свирепо поглядел на своих новобранцев. Те одобрительно загудели.

— Покинете, покинете, — отмахнулся офицер. — У меня солдаты не задерживаются. Одни попадают в плен, другие убегают, третьи погибают; в общем, никто не возвращается. Я непригоден к службе...

— Как и все мы, сэр, — уверил Билл. — Но так уж заведено. Как бы то ни было, мы прибыли в ваше распоряжение. — Он положил руку на плечо рыдающему Розенблатту. — Мы вернемся, можете не сомневаться. Вы видите перед собой бывалых солдат. Мои ребята целую неделю обучались в лагере. Мы соберем все сведения, какие вам только понадобятся, и обязательно вернемся. — Билл оглянулся на свой взвод. Новобранцы благоразумно отступили подальше. — Доверьтесь мне, — проговорил Билл, переходя на тот единственный язык, который, насколько он знал, был доступен пониманию любого офицера.

— Что ж, хорошо. — Розенблатт утер слезы. — Если вы настаиваете... — Он окинул взвод Билла испытующим взглядом. — Надо признать, вид у вас вполне боевой. Ну, за дело...

Билл обнял командира, искренне сочувствуя его горю.

— Сэр, может, вы скажете, что мы должны сделать?

— Какая удачная мысль, сержант! — просиял Розенблатт. — Нужно пойти вон туда, — он махнул рукой в сторону, — и узнать, что там происходит, где противник, и вообще...

— Разрешите предложить, сэр?

— Что? Да, пожалуйста.

— Вы слишком ценный человек, чтобы рисковать своей жизнью. К тому же у меня больше опыта. Оставайтесь здесь и разрабатывайте стратегию, а мы сходим разведаем, что к чему. Вы и оглянуться не успеете, как мы вернемся. А к тому времени вы наверняка решите, как быть дальше. Идет?

— Не знаю, не знаю...

— Сэр, — заявил Билл, — вы можете следить за нами в бинокль. Доверьтесь мне. — Он оскалил клыки и состроил свирепую гримасу.

Артиллерийская стрельба, в которой каждодневно практиковались обе враждующие стороны, превратила участок ничейной земли в подобие свежевспаханного поля. Пока это была единственная трудность, с которой столкнулся взвод: солдаты Билла беспрерывно спотыкались и валились в воронки, вследствие чего вскоре стали похожи на вдоволь понюхавших пороху ветеранов, хотя и не участвовали еще ни в одной битве.

По идее, стычки с противником следовало всячески избегать, однако Билл, наоборот, стремился к ней, чтобы проверить, на что годятся новобранцы. Поэтому он подвел взвод настолько близко к вражеским окопам, что те можно было различить невооруженным глазом, и даже осмелился помахать своим недавним товарищам. Как ни странно, никто не стрелял, да и махать в ответ тоже, по-видимому, не собирался. Стрелять самому Биллу не хотелось: чего доброго, десантники примут вызов и начнут палить на поражение, а не в белый свет, показывая офицерам, что отнюдь не спят на посту. Вот если бы использовать артиллерию...

— Лейтенант, — прошептал Билл в портативную рацию, которую дал ему с собой Розенблатт.

Тишина.

— Лейтенант Розенблатт, — прошептал он чуть громче. Снова тишина. Билл окликнул лейтенанта нормальным голосом. Тот упорно не отзывался. — Ты, осел! — рявкнул герой Галактики.

Из динамика донесся испуганный вопль.

— Сэр? — прошептал Билл.

— Слушаю, сержант. Что вам нужно?

— От нас до противника рукой подать, но видно плохо. Если подобраться еще ближе, я, наверно, смогу определить, где расположены огневые точки.

— И чем же я могу помочь?

— Сэр, мне необходима артиллерийская поддержка.

— Что вы такое говорите, сержант?

Билл принялся втолковывать лейтенанту, что имел в виду, затем прикинул свое местонахождение и прибавил:

— Скажите им, чтобы смотрели, куда стреляют, а то, не ровен час, перепутают...

Спустя несколько минут загрохотали орудия, и вокруг того места, где находился взвод Билла, начали рваться снаряды.

Лейтенант не подвел: по своим артиллерия пока не била. Тогда Билл осторожно пополз вперед, косясь одним глазом на разрывы, а другим — на вражеские окопы. Он довольно быстро убедился, что такой способ не слишком удачен и чрезвычайно утомителен, а потому целиком сосредоточился на наблюдении за снарядами.

Заметив, что один из них явно намеревается взорваться в опасной близости, Билл вскочил и побежал, а за мгновение до взрыва подпрыгнул в воздух, и взрывная волна швырнула его в окоп, где героя Галактики подхватили заботливые руки донельзя удивленных имперских десантников.

— Привет, ребята, — воскликнул Билл. — Наконец-то я дома!

Никто толком не знал, как поступить со странным перебежчиком, который так неожиданно свалился в окоп. На нем были нашивки сержанта вырвиглазнийской армии, из чего следовало, что он военнопленный или, может быть, дезертир. С другой стороны, его форма напоминала покроем мундир имперского десантника, что позволяло причислить диковинного солдата к подлым предателям. Однако ткань, из которой был пошит упомянутый мундир, отличалась настолько высоким качеством, что наводила на мысль о попытке гнусного шпионажа. Чтобы обезопасить себя от возможных неприятностей, десантники заковали Билла в кандалы и отправили в тыл.

Он всю дорогу улыбался и говорил: «Я пленный, понимаете? ВП», на что ему отвечали: «Естественно. Мы же сами взяли вас в плен». Он пробовал возразить, что явился добровольно, и услышал в ответ, что разницы тут никакой нет. Тогда Билл снова назвался пленным, и все началось сначала.

Впрочем, главным было то, что передовая с каждой минутой оказывалась дальше и дальше, а заветный шкафчик со стопами — все ближе, может статься, и ближе.

Именно воспоминание о шкафчике побудило Билла принять окончательное решение. Он изрядно устал от своей армейской стопы, а подходящей замены на Вырвиглазе было не найти. То есть, если он хотел обзавестись чем-либо поудобнее, ему следовало попасть в лагерь имени Бубонной Чумы. Отсюда вытекало, что первым делом надо вернуться в имперскую армию.

Кроме того, Билл опасался, если окопная война со временем перерастет в настоящую, быть подстреленным своими собственными товарищами и полагал, что, останься он с вырвиглазнийцами, подобной участи не избежать.

Вот почему Билл улыбался и счастливо позвякивал кандалами, не подозревая, что создал своим появлением сложнейшую административную проблему. Офицеры, к которым доставляли перебежчика, не желали брать на себя такую ответственность и, подальше от греха, отправляли Билла все глубже в тыл.

Разумеется, каждый из них, чтобы не быть обвиненным в пренебрежении долгом, приказывал добавить цепей; в итоге из очередной полковничьей резиденции полицейским пришлось героя Галактики не выводить, а выкатывать, словно то был не человек, а бочонок с вином.

Но вот, не в силах пошевелить ни рукой, ни ногой, весь в цепях, из-под которых виднелось только лицо с улыбкой до ушей, как у повредившегося в уме, Билл предстал — прикатился — пред светлые очи главнокомандующего.

— Добрый день, сэр! Я вернулся!

Генерал Мудрозад медленно повернулся и уставился на клубок хромированной стали.

— Клянусь Господом, мне знаком этот голос! — Генерал попытался раздвинуть цепи, чтобы получше разглядеть лицо Билла, но у него ничего не вышло. — Снять кандалы! Немедленно!

Адъютанты, штабные офицеры, охранники и все прочие, кто находился в помещении, кинулись выполнять приказ Мудрозада. Слева от Билла завязался кулачный бой: там сошлись врукопашную два офицера и женщина-сержант. Последняя могучим ударом повергла на пол капитана, а затем рухнула сама, получив от лейтенанта пинок в солнечное сплетение. То был не единичный случай; борьба продолжалась повсеместно, и Билл пережил несколько неприятных минут, пока его крутили и вертели во все стороны.

Наконец цепи сняли и генерал узрел перед собой того, кого назначил в свое время стрелком Господа.

Билл надеялся, что Мудрозад не забыл о своей щедрости.

— Ты?! — взревел генерал.

— Я вернулся! — воскликнул Билл, польщенный тем, что его все же узнали, и распростер объятия.

— Заковать его в кандалы! — распорядился Мудрозад.

Эта задача была потруднее прежней, поскольку Билл отнюдь не выказывал готовности сотрудничать, но превосходство в численности позволило офицерам справиться с непокорным солдатом. Вскоре Билл вновь оказался с ног до головы в цепях.

— Что ты можешь сказать в свое оправдание?

— Ссрргм ффмрфф хммфф. Мм нрнф ффррм мрффм. Мрггнфф!

— На каком языке он изъясняется? Позвать переводчика! — приказал Мудрозад.

Все, кто был в помещении и имел звание ниже полковника, бросились к двери, крича наперебой, что знают, какой это язык и кто может с него переводить. Сержант — та самая, что была повержена на пол и только-только поднялась, — сообразила, что к двери ей все равно не пробиться, а потому решила предложить кое-что новенькое.

— У него во рту железо. Снимите цепь с головы.

— Стоять! — рявкнул Мудрозад. Столпотворение мгновенно прекратилось. — Почему бы нам не снять цепь с головы этого мерзавца?

— А не опасно, сэр? — справился полковник.

— Замечательная идея, господин генерал! — одобрил майор.

— Вы великий мыслитель, сэр, — присовокупил капитан.

— Сэр, я преклоняюсь перед вашим гением, — заявил лейтенант.

— Идея-то моя, — пробормотала женщина-сержант.

— Сержант, снимите кандалы! — распорядился генерал.

Женщина прекрасно справилась с порученным заданием: она ловко выдернула кончик цепи изо рта у Билла, едва не лишив того клыков.

— Ну, Билл, что ты теперь можешь сказать в свое оправдание?

Билл покачнулся, однако устоял в вертикальном положении и попытался определить, какой из генералов, что маячил перед его глазами, всамделишный. Мудрозад всегда отчасти напоминал ему призрак; по такому поводу выбрать из множества одного-единственного представлялось несколько затруднительным. Впрочем, генералы стояли так близко друг к другу, что можно было и не вдаваться в подробности.

— И. о. капрала Билл прибыл в ваше распоряжение, сэр! — Билл хотел было отдать честь, но сумел лишь слабо звякнуть цепями. Что касается позы, его еще при заматывании вытянули по стойке смирно.

— Вот как? Нет, вы только послушайте, каков наглец! Скажи-ка нам, дезертир Билл, изменник Билл, почему на тебе вырвиглазнийские нашивки? И где твой настоящий мундир? Ишь, вырядился!

— Сэр, — возразил Билл, — я не замышлял ничего дурного.

— Налицо неприкрытое оскорбление офицерской чести! Твой мундир сшит из ткани, а не из переработанной бумаги!

— Я тут ни при чем, — пролепетал Билл. — Мою форму забрали в госпитале.

— Ага! Вдобавок принимал помощь от врага! Трижды предатель! — Генерал повернулся и указал на троих офицеров. — Вы, вы и вы. Что скажете?

Офицеры с ужасом переглянулись, как бы умоляя один другого заговорить первым. Наконец самый смелый из них пришел, по всей видимости, к выводу, что неправильный ответ менее опасен, чем никакой.

— В расход! — гаркнул он.

— Что значит «в расход»? — с угрозой в голосе переспросил генерал. — Мне надо знать, виновен или не виновен!

— Виновен!

— Виновен!

— Виновен!

— Так точно, сэр, полностью виновен!

— Совершенно виновен!

— Целиком виновен!

— Хватит! — Мудрозад обернулся к Биллу. — Что ж, Билл, тебя судили по закону. Мы установили, что ты виновен в дезертирстве и прочих преступлениях, которые будут перечислены в приговоре. Хочешь что-нибудь сказать?

— Я слишком молод, чтобы умирать! — ответил Билл не раздумывая.

— Сынок, — проговорил генерал отеческим тоном и положил руку на голову Биллу, поскольку из-за кандалов до плеча достать не мог при всем желании, — выбирать тебе не приходится. Да благословит тебя Господь, мой мальчик. Ладно, ведите его на расстрел!

Полицейские было покатили Билла к выходу, но вдруг в помещении появился худой мужчина в серой шинели — должно быть, вылез из шкафа, потому что больше ему взяться было неоткуда; мужчина зашептал что-то на ухо генералу, который, как ни удивительно, внимательно слушал.

Билл заметил это лишь в силу того, что полицейские никак не могли взгромоздить его на тележку, на которой привезли сюда. Стоило им затащить героя Галактики на платформу, как он тут же скатывался обратно. Если бы не цепи, Билл наверняка получил бы серьезное увечье, чему, несомненно, обрадовался бы от всей души, когда бы не печальная необходимость погибнуть во цвете лет. В конце концов полицейские все же добились своего.

— Стойте! — окликнул их генерал. — Билл, хочешь оправдаться в моих глазах?

Весь генеральный штаб в изумлении разинул рот.

— Конечно, — отозвался Билл. — Я останусь в живых?

— Нет.

— А проживу хоть немного еще?

— Да.

— Что мне делать? — спросил Билл, благо выбора не было.

Глава 24

Ожидая, когда начнется стартовый отсчет, Билл проверял напоследок свое снаряжение.

Пилюля с ядом? Здесь.

Портативный радиопередатчик, замаскированный под таракана-прусака? Здесь.

Все здесь.

Остается только ждать.

Билл не знал в точности, чего ждет. Ему никогда раньше не доводилось выстреливаться из катапульты. Та представляла собой этакое громоздкое старомодное сооружение, из чего следовало, что ее, вполне возможно, предназначали для аристократов; хотя вряд ли — тогда она была бы поудобнее.

Полицейские сняли с Билла кандалы, что, естественно, делало жизнь более приятной и облегчало выполнение секретной самоубийственной миссии. Однако сами полисмены, похоже, и не думали уходить. Они выстроились на платформе над Биллом, нацелив бластеры на особенно им любимые части его собственного тела.

По всей видимости, ни одно путешествие при помощи катапульты не обходилось без долгого ожидания в громадном ковше, в котором лежал сейчас Билл. Кроме того, оно как будто было связано с определенным риском. Иначе зачем на его спине закрепили ранец с неким автоматическим устройством? Хотя ведь человек в серой шинели сказал, что Биллу вовсе не обязательно знать, для чего оно служит и каким образом действует.

Так что Билл просто лежал и ждал — неизвестно чего.

— Готов? — спросил офицер, голова которого показалась над краем ковша.

— Готов к стартовому отсчету, сэр! — отчеканил Билл.

— Что? Ах да. Пять, четыре, три, два, один. Пошел! — Офицер махнул рукой и быстро отскочил в сторону. Билл услышал, как тренькнула перерубленная веревка, а в следующее мгновение взмыл в воздух.

В общем и целом ощущения были весьма интригующими, где-то даже приятными. Ничто не препятствовало Биллу наслаждаться полетом — ни транспортное средство, ни скафандр наподобие того, который выдавали коммандос. Свободный и почти счастливый, Билл мчался над полем битвы, распугивая уцелевших в войне птиц.

Какое-то время спустя он достиг верхней точки дуги, по которой поднимался в небо, и устремился вниз.

Билл отметил про себя, что размахивание руками, в подражание птицам, ни к чему хорошему не приводит. В бесполезности же молитв, панических возгласов и истошных воплей он убедился на собственном опыте, и уже довольно давно.

Интересно, подумалось ему вдруг, а что, если в ранце бомба? Нет, чересчур уж сложно; затевать такое, чтобы прикончить какого-то там и. о. капрала. А может быть, на нем опробуют новый способ казни?

Биллу велели, когда он начнет снижаться, свернуться калачиком. Истощив запас молитв и причитаний, герой Галактики вспомнил о полученных инструкциях. Мол, если он свернется, то на экране радара вполне сойдет за обыкновенный артиллерийский снаряд. Билл полагал, что шансов на выживание у него оттого вовсе не прибавится; впрочем, они были настолько ничтожны, что вопрос о том, в какой позе лететь, представлялся совершенно несущественным. Билл подтянул колени к груди и, вспомнив детство, сунул в рот палец.

Когда-то это помогало, но на сей раз он едва не лишился переднего зуба.

В нескольких футах от земли — Билл определил расстояние наугад, поскольку крепко-накрепко зажмурил глаза, — героя Галактики как следует встряхнуло, и он на долю секунды замер в воздухе благодаря тому, что заработал находившийся в ранце генератор антигравитации.

Из сопла в нижней части ранца вылетели ракеты, предназначенные для того, чтобы сымитировать разрыв снаряда. В следующий миг пряжки на ремнях ранца расстегнулись, и Билл рухнул на землю с высоты добрых десяти футов. Ранец же медленно опустился следом; из него высунулись автоматические лопатки, которые тут же набросали поверх столь очевидной улики кучку свежевырытого грунта.

Билл поднялся, отряхнул комбинезон и огляделся по сторонам. Похоже, его появление прошло незамеченным. Он выкинул пилюлю с ядом и проверил передатчик. Тот по-прежнему выглядел как таракан и вовсю шевелил крохотными ножками и усиками.

Что ж, пора выяснить, где он находится. Человек в серой шинели уверял, что Билл приземлится поблизости от ставки верховного командования вырвиглазнийской армии, куда ему впоследствии предстояло поместить миниатюрный радиомаяк.

Билл внимательно изучал окрестности. Невдалеке виднелось нечто вроде норы, размерами приблизительно со вход в нейтронную шахту. Вокруг норы царило странное оживление; внутрь и наружу сновали грузовики и аэрокары, тянулись нескончаемой вереницей люди, так что громадные ворота практически не закрывались. Поскольку ничего другого в пределах досягаемости не наблюдалось, если не считать окопов и пары уборных, Билл постепенно пришел к логическому выводу, что отверстие, по всей вероятности, совпадает с местонахождением вражеской ставки. По крайней мере, если он проникнет туда, то будет в безопасности, — вдруг генерал Мудрозад прикажет устроить артобстрел, чтобы замаскировать прибытие своего лазутчика?

Герой Галактики пристроился в хвост колонне солдат, которая направлялась строевым шагом прямиком к отверстию в земле. У офицера, шагавшего во главе колонны, на входе что-то спросили, но всех остальных пропустили без малейшей задержки в ворота под надписью: «Истинно демократическая и свободная армия наидемократичнейшей и республиканской планеты Вырвиглаз. Секретная ставка верховного командования». Все правильно! У Билла отлегло от сердца.

Миновав ворота, колонна остановилась, и офицер приказал рассчитаться. Билл сообразил, что ему следует что-то предпринять, и поживее. Офицер наверняка доподлинно знает численность своего отряда. Так что придется, когда очередь при пересчете дойдет до него, или промолчать — что неминуемо вызовет подозрение у последнего в строю, — или назвать тот же самый номер, что и предыдущий солдат; вполне возможно, что это пройдет незамеченным.

Билл уставился прямо перед собой, в затылок тому, кто замыкал отряд. Ему бросилось в глаза, что стрижка солдата не соответствует уставу. Очевидно, в вырвиглазнийской армии царит анархия, если рядовым позволено расхаживать с не обритыми наголо головами. Между тем перекличка продолжалась; большинство солдат откликались звонкими мальчишескими голосами. Должно быть, дела у вырвиглазнийцев совсем плохи, если они набирают в армию зеленых юнцов.

— Сорок пятый! — пискнул солдат, который стоял впереди Билла.

— Сорок пятый! — тут же отчеканил Билл, чтобы одурачить врагов.

Наступила тишина. Затем Билл услышал шаги: офицер, похоже, двигался в его направлении. Герой Галактики постарался пошире развести плечи.

657

— Направо! — произнес кто-то командирским тоном.

Билл повернулся по всем правилам строевой подготовки и воззрился на тулью офицерской фуражки.

— Что ты здесь делаешь?

— Сержант Билл прибыл в ваше распоряжение, сэр!

— Я знаю, кто ты такой, болван! С чего ты взял, что я приму тебя за одного из своих солдат? Или соскучился? Как мило с твоей стороны!

Ничего подобного от офицера Биллу слышать еще не доводилось. Он перевел взгляд с фуражки на лицо.

— Калифигия!

— Майор Калифигия, — поправила девушка, указывая на свой шеврон. — Не забывай, что мы с тобой на службе!

Билл огляделся и обнаружил, что он не только самый высокий из всех солдат в строю, но и единственный мужчина.

— Какая это часть? — справился он.

— Третий добровольческий батальон домашних хозяек! — сообщила майор Калифигия. — Мы все как одна готовы защищать домашний очаг от кровожадных врагов! Наша задача — проникнуть на вражескую территорию, устроиться на работу в качестве прислуги и установить, где получится, мины замедленного действия. Однако мы заболтались. Президент Гротски будет очень рад тебя видеть.

По дороге в штаб Калифигия в подробностях объяснила Биллу, что вторжение на планету целиком и полностью изменило ее взгляды на войну как таковую, в результате чего она превратилась из студентки-пацифистки в пылающую жаждой мщения деву-воительницу. Понизив голос, Калифигия призналась, что Билл — один из ее героев.

— Если тебя освободят, мне бы хотелось обсудить с тобой различные способы ведения рукопашной, — сказала она, подмигнув на прощание, у двери, что вела в помещение, где располагалось верховное вырвиглазнийское командование.

Билл не стал говорить Калифигии, что согласно плану ему предстоит погибнуть. Он уже успел убедиться, что всякие планы хороши лишь на бумаге, а потому прикинул, что у него, глядишь, и выгорит провести часок-другой наедине с доблестной майоршей.

Герой Галактики распахнул дверь и в первый момент чуть не оглох от стоящего внутри гомона. Люди, которых в помещении находилось великое множество, наперебой выкрикивали поступающие с передовой сводки, требовали новых данных, надрывали глотки, разговаривая по телефонам и по рациям, разбирали по косточкам стратегию действий, а в углу играл джазовый оркестрик. Как ни странно, при появлении Билла все сразу умолкли и вытаращились на могучую фигуру в дверном проеме.

— Привет, ребята! — воскликнул Билл. — Я вернулся!

— Нам доложили, что ты погиб, — проговорил Миллард Гротски, на котором был мундир фельдмаршала, медленно поднимаясь из-за стола.

— Ерунда, — отозвался Билл с улыбкой. — Я жив и здоров.

— Отлично, — сказал Гротски. — Значит, мы теперь можем предать тебя суду за дезертирство.

Крыть было нечем. Билл догадывался, что его поступок — побег из одной армии и присоединение к другой — впрямь может рассматриваться как дезертирство.

— Мне нужны три добровольца! — объявил Гротски и прибавил, когда выяснилось, что добровольцев не предвидится: — На роль судей. — Тут же вверх взметнулся целый лес рук.

Через несколько минут посреди помещения образовалось свободное пространство. Президент уселся за стол, судьи расположились чуть в стороне, а Билла усадили на раскладной стульчик.

— Уважаемые судьи, дамы и господа! — произнес Гротски. — Я рад приветствовать вас на первом заседании первого трибунала независимой, демократической и законопослушной республики Вырвиглаз. Если позволите, я хотел бы выступить с краткой вступительной речью. — Он указал на Билла. — Этот человек дезертировал из нашей армии. Его следует расстрелять. Благодарю за внимание. Итак, каков будет приговор?

Судьи переглянулись, потом тот, который сидел в середине, пожал плечами и сказал:

— По-моему, разумно.

— Идет.

— Договорились.

— Можно ли нам вернуться к работе?

— Возражаю, — возразил Билл.

— Против чего? — удивился второй судья.

— Против приговора!

— Однако суд состоялся, — заметил третий. — Что вас не устраивает?

— Почему мне не дали слова, чтобы оправдаться?

Судьи повернулись к президенту.

— Елки-палки, Билл, — пробормотал Гротски, — это же наш первый трибунал! Тебе что, полагается адвокат?

— Конечно! Когда меня судили в прошлый раз, ну в имперской армии, то адвокат присутствовал с самого начала.

— Хм-м. — Гротски посоветовался со своими помощниками, а затем сказал: — К сожалению, все адвокаты на передовой. Мы отправили их туда, чтобы они больше никому не докучали. Пожалуй, ты можешь попробовать сам. Говори. — Он откинулся на спинку кресла.

— Я не виноват, — заявил Билл. Время поджимало, мыслить требовалось чем быстрее, тем лучше, а особой сообразительностью он не отличался никогда. Тем не менее, осознав, что над ним нависла смертельная опасность, он поднатужился и напряг свои немногочисленные извилины. — Во-первых, я подданный империи, а вовсе не гражданин вашей республики, так что для того, чтобы вступить в вырвиглазнийскую армию, мне надо вернуться домой и отказаться от подданства. Тогда и будем разбираться. Ну как?

— Неплохо, — одобрил Гротски. — Судьи?

— Ничего подобного, — ответил один из членов трибунала, набрав что-то на дисплее компьютера. — Гражданство необходимо только в том случае, если человека призывают в армию, а вы записались добровольно. Видите? — Он повернул дисплей так, чтобы было видно всем. Слово «призван» было аккуратно зачеркнуто, а над ним значилось «доброволец».

— Ваша взяла, — буркнул Билл и встрепенулся, вспомнив, о чем шла речь на предыдущем суде. — Вы ведь объявили военное положение? — Президент утвердительно кивнул. — Выходит, планета как бы превратилась в огромную базу, территории которой я не покидал. Значит, никакого дезертирства не было, правильно?

— Можно я отвечу? — спросил третий судья, поднимая руку. Гротски одарил его милостивым кивком. — Лейтенант Розенблатт сообщил нам, что, когда он видел вас в последний раз, вы летели над землей, будучи подброшенными в воздух взрывной волной. Впоследствии вы появились вблизи нашей ставки, причем опять-таки с воздуха. Отсюда следует, что в течение некоторого времени ваши ноги не касались поверхности планеты. Приговор остается в силе.

— Так нечестно! — проскулил Билл. — Я не могу быть дезертиром, потому что числюсь в имперской армии! Я всего лишь докладывался своему командиру! — Он с мольбой в глазах посмотрел на судей, а потом осторожно улыбнулся.

— Это мне нравится, — провозгласил президент. — Молодец!

— Клянусь небом, он, кажется, выкрутится, — признал первый судья.

— Точно, — согласился второй.

— Без сомнения, — подтвердил третий. — Обвинение в дезертирстве снимается. — Когда аплодисменты стихли, он прибавил: — Этот человек не дезертир, а шпион. Виновен!

— Замечательно! — обрадовался Гротски. — Увести его и расстрелять немедля! — Двое военных полицейских подхватили Билла под руки и поволокли к двери, но не сделали и пяти шагов, как президент крикнул: — Стоять! — и заговорил о чем-то с человеком, чье лицо возникло на видеоэкране.

— Снорри! — взмолился Билл. — Снорри, спаси меня!

— Слишком поздно, Билл, — сообщил Гротски, — Снорри Якамото оказался лазутчиком чинджеров. Мы его разоблачили, но он исчез и избежал таким образом справедливого наказания. А это Боджер Полукрона, мой новый советник по разведке. Поздоровайся, Боджер.

— Елки-палки, Билл, — сказал Боджер, — ну и здорово ты вляпался!

Ответить Билл не смог, поскольку рот ему закрыла могучая длань полисмена.

— А что, если мы предложим тебе, взамен расстрела, выполнить одну самоубийственную миссию? Согласишься?

Гротски кивнул, как бы подбадривая героя Галактики. Самоубийственная миссия была Биллу не в новинку — кстати сказать, он здесь-то очутился по схожему поводу, — а потому он утвердительно кивнул в ответ.

Глава 25

Возможно, Боджер и впрямь являлся новым советником президента Гротски по разведке — Билл слышал, как один из штабных офицеров сказал другому: «Как нам было хорошо без этого паршивого Боджера!» — однако его идея показалась герою Галактики смутно знакомой.

Билла привязали к баллисте. В отличие от катапульты, которую использовали имперские войска, баллиста представляла собой последнее слово военной техники. Она напоминала формой гигантский лук; Биллу предстояло лететь на огромном дротике. Суть замысла состояла в том, что на экране радара дротик с Биллом покажется обыкновенным артиллерийским снарядом. Сержанту вменялось в обязанности приземлиться поблизости от ставки противника и пронести туда радиомаяк, замаскированный под рулон туалетной бумаги. Этот маяк должен был впоследствии навести на цель вырвиглазнийскую ракету.

— Как там с отсчетом? — справился Билл у техника, который присматривал за баллистой.

— Какой еще отсчет? — пробурчал тот и дернул за рычаг. Фьюить!

До сих пор Биллу как-то не приводилось сталкиваться с метательными снарядами. Он обычно пользовался либо энергетическим оружием вроде бластера, либо управляемыми ракетами наподобие тех, которыми стрелял с борта «Мира на небеси». Поэтому у него не было совершенно никакого опыта в поражении мишени посредством предмета, который просто перемещался по воздуху из пункта в пункт.

Если бы не печальная насущная необходимость, Билл вряд ли когда-нибудь открыл для себя принцип гироскопической стабилизации, который заключался в следующем: чтобы лететь по прямой, метательный снаряд должен непрерывно вращаться вокруг собственной оси. Чем быстрее вращение, тем прямее полет.

Судя по поведению дротика, тот явно не намеревался отклоняться хотя бы на пядь от проложенного курса.

Дротик вонзился в землю, пряжки привязных ремней расстегнулись, и Билл упал наземь — и чуть было не промахнулся.

Небо над головой бешено кружилось, поэтому Билл перекатился на живот. Земля кружилась тоже, поэтому он зажмурился. Вращались даже закрытые глаза, его приводила в ужас одна только мысль о том, чтобы их открыть.

Однако мало-помалу Вселенная как будто пришла в равновесие; Билл попривык, открыл глаза и попытался определить, где находится. Выяснилось, что он приземлился за линией имперских окопов, невдалеке от ставки командования.

Билл твердо знал, что ему делать.

Он высмотрел в окопах отряд новобранцев позеленее и поиспуганнее. Вот! Эти подойдут в самый раз! Перепуганные до полусмерти юнцы, зеленые не столько от молодости, сколько от страха.

— Что, небось в штаны наложили?! — рявкнул он в своей лучшей инструкторской манере, прыгая в окоп и хватая подвернувшийся под руку бластер. — А ну за мной! Воевать так воевать, сосунки несчастные! — Он повел новобранцев в атаку, не забывая подбадривать при преодолении очередного окопа: — Ура! Вперед! Вперед! За императора! И за ваших мамаш!

Когда позади остался последний имперский окоп, Билл остановился, взмахнул над головой бластером и с криком: «Победа или смерть!» — устремился в одиночку на вырвиглазнийские позиции.

Пробежав приблизительно половину расстояния, он исподтишка огляделся. В небе начали вспухать облачка разрывов. Шрапнель! Если какой-нибудь снаряд угодит чуть левее, футов этак на пятьдесят...

Бабах! Билл нырнул в глубокую воронку, прикинув, что, пока он в ней прячется, его нельзя будет заметить ни с той ни с другой стороны. Воронка сулила то, о чем он мечтал с первого дня службы, — безопасность. Главное сейчас — не высовываться, а там можно спокойно поразмыслить о будущем.

Однако размышления не затянулись. За спиной Билла послышался рев, который нарастал с каждой секундой. Звук подозрительно напоминал... Нет, не может быть! Тем не менее от правды было никуда не деться: походило на то, что имперские войска перешли в решительное наступление.

Так оно и оказалось. Солдаты империи ринулись на противника, втаптывая в грязь все, что только попадалось им под ноги.

Очнувшись, Билл обнаружил, что находится в госпитале и с головы до ног закутан в бинты, как некоторое время назад — в кандалы. Он сомневался, чему отдать предпочтение, ибо и так и так не мог пошевелиться и был едва в состоянии говорить. Тело по-прежнему болело в тех местах, где по нему пробежались солдатские башмаки. Неужели, подумалось Биллу, на него наступил целый полк? Воспоминания обрывались на том моменте, когда волна атакующих докатилась до спасительной воронки. Билл не знал даже, в каком очутился госпитале, но спрашивать не решался из опасения, что его опознают и не замедлят привести в исполнение смертный приговор.

Вот почему он просто лежал на кровати и глядел в потолок. Если бы не бинты, которые препятствовали малейшему движению, он бы включил головизор. Впрочем, есть ли тот в палате? Жуть! И головы не повернешь! Ну и жизнь — немногим лучше смерти.

Какое-то время спустя в палату вошла медсестра, которой понадобилось сменить капельницу. Процедура была весьма болезненной, так что Билл слегка воспрял духом. Он придерживался убеждения, что боль приходит и уходит, а вот неподвижность может остаться навсегда, поэтому боль гораздо приятнее.

Пока сестра возилась с капельницей, Билл присмотрелся к ней повнимательнее. Она настолько смахивала на генерала Мудрозада, что герой Галактики сперва заподозрил, что видит перед собой самого главнокомандующего, облаченного в белый халат. Однако при ближайшем рассмотрении выяснилось, что сестра усатее генерала, да и вид у нее более мужественный. Кроме того, на рукаве халата помещалась нашивка с эмблемой имперского корпуса медсестер и девизом: «Лечи, чтобы заболело». Значит, он у своих! Билл облегченно вздохнул и погрузился в блаженный мрак беспамятства.

Когда он снова пришел в себя, медсестра была рядом. Билл, как и полагалось настоящему десантнику, жалобно застонал, показывая, что еле удерживается от того, чтобы не завопить дурным голосом. Если верить легендам, на женский медперсонал это действовало безотказно и приводило порой к назначению массажа или психотропных лекарств. Кстати сказать, в скольких госпиталях он ни перебывал, эта уловка ни разу не срабатывала, но таково уж свойство человеческого разума — цепляться за миф, пускай тот продемонстрировал полный отрыв от жизни.

Поэтому Билл испытал настоящее потрясение, когда медсестра вдруг обратила внимание на его стоны. Она проверила компьютерную распечатку в изножье кровати, чтобы выяснить, вероятно, где у него не слишком болит, потом погладила Билла по голове и спросила:

— Больно? Неужели нельзя потерпеть? — Билл моргнул в знак того, что не может ответить, ибо проглотил от боли язык. — Перестань немедленно! К тебе сейчас придет посетитель. Ну-ка держи!

Она сунула в рот героя Галактики какую-то пилюлю и вышла из палаты. Билл принялся ощупывать снадобье зубами и языком. Нет, на пилюлю что-то не похоже. Один конец закругленный, другой плоский... Он попробовал раскусить. Пилюля не поддалась. Это же пуля! Ему сунули пулю! А проклятые бинты не дают возможности вытащить ее изо рта! Погоди-ка, погоди-ка...

Медсестра упоминала про какого-то посетителя. Билл призадумался. Знакомых у него на флоте вроде бы не было, если, конечно, не считать генерала Мудрозада, а тот, узнай он, что Билл жив, наверняка прислал бы в госпиталь расстрельную команду.

Очень скоро Билл убедился, что недооценил своего командира. В коридоре послышался многоголосый гомон, а в следующее мгновение в палату вступил генерал Мудрозад собственной персоной!

— Где тут наш герой? Сынок, тебе, должно быть, благоволит Господь, если ты сумел остаться в живых после той героической атаки. Кто-нибудь знает, как его зовут? Под бинтами ни ангела не видно!

Билл решил, что выдавать себя не стоит, чуть передвинул языком пулю во рту и застонал, чтобы показать, что оказался в героях вполне заслуженно.

— Ладно, забудем. Мой мальчик, ты совершил великий подвиг! Вдохновленные твоим примером, наши воины отбросили думы о смерти, прониклись духом победы и устремились на врага! То, что они почти все погибли, нисколько не умаляет величия твоего поступка, отважный ты осел! Подумать только! Какое необходимо мужество и сколько требуется глупости, чтобы повести за собой людей в пасть смерти! От имени императора я награждаю тебя за твою доблесть... Какие медали у нас остались? — К генералу подбежал адъютант, который держал в руках небольшую шкатулку. Мудрозад принялся перебирать ее содержимое. — А, вот! Я награждаю тебя орденом Галактических пьянчуг! Отныне тебе разрешается заказывать одну бесплатную выпивку в любом офицерском клубе; разумеется, при условии, что ты когда-нибудь станешь офицером, а это, по-моему, маловероятно.

Генерал приколол медаль к груди Билла. По счастью, Билл предусмотрительно стиснул зубами пулю, а то бы издал вопль, который, без сомнения, никак не подходил к торжественности момента.

— Ну, сынок, что скажешь? Может, у тебя есть просьбы?

— Так точно, сэр! — отрапортовал Билл, ухитрившись проглотить пулю. — Я хотел бы получить новую ступню. — Он постарался пошевелить ногой.

— Считай, что получил, — уверил генерал. — Доктор, позаботьтесь!

Билл вздохнул. Похоже, его заветная мечта вот-вот должна была осуществиться.

Через несколько минут в палату явились санитары, и Билла повезли в операционную. Некоторое время спустя — ему показалось, что операция продолжалась всего лишь какой-то миг, ибо он почти сразу потерял сознание, — Билл очнулся на своей койке, медленно потянулся и пошевелил ступнями.

Ба! Герой Галактики согнул пальцы правой ноги. Гнутся, честное слово, гнутся!

— Сестра! Сестра!

На крик Билла прибежала не только сестра, но и врач.

— Что случилось? Больно?

— Нога! Моя нога! — выдавил Билл, сам себя не помня от радости.

— Болит? — уточнил врач. — Так и должно быть. Не беспокойся, скоро все будет в порядке.

— Нет! Нет! — Билл глубоко вздохнул и попытался расслабиться. — Я хочу видеть свою ногу.

— А! — Врач принялся осторожно сматывать бинт. Билл различил сквозь последний слой розовый цвет кожи. Затем медсестра приподняла его голову, а врач с торжеством в голосе воскликнул: — Смотри!

Билл утратил дар речи. Правая нога заканчивалась ступней — настоящей, розовой, человеческой.

Он пригляделся повнимательнее. Пальцы почему-то смотрели не в ту сторону. Ну да ладно. Главное, что теперь у него нормальная нога!

— Ну что? — спросил врач.

— Замечательно, — отозвался Билл. — Наконец-то у меня две человеческие ступни!

Доктор, похоже, немного смутился. Билл заподозрил неладное.

— Что такое?

— Да, в общем, ничего особенного. Генерал приказал пришить тебе ступню, но у нас, к сожалению, ощущается в них хронический недостаток. Думаю, тебе это известно. Как бы то ни было, единственная ступня, которая имелась в нашем распоряжении, — твоя левая. Я уверен, что новая ступня тебе понравится, поскольку ты пользуешься ей с самого рождения.

— А что с левой? — взвизгнул Билл, разразившись предварительно столь отборными ругательствами, что температура тела у врача упала на добрых десять градусов.

— Тебе понравится, обязательно понравится. Лично я гордился бы такой ступней, — бормотал врач, разматывая бинт. Руки у него дрожали, зубы выбивали дробь. — Я уверен, ты ещё поблагодаришь нас.

Билл испустил пронзительный вопль. На месте левой ступни, которая переместилась на правую ногу, красовалась чья-то пятерня — волосатая, уродливая пятерня с грязными ногтями и татуировкой на тыльной стороне ладони. Татуировка гласила: «Смерть чинджерам!»

Билл стиснул пятерню в кулак, замахнулся и сокрушительным ударом уложил врача на пол. Вбежавшие в палату медсестры поволокли беднягу прочь.

— Ты привыкнешь к ней, — простонал врач. — Она тебе непременно понравится.

Пересаженная конечность заживала с удивительной быстротой, однако Биллу потребовалось время, чтобы заново научиться ходить. Сперва он пытался ступать на растопыренную пятерню, затем попробовал передвигаться на кончиках пальцев и на кулаке. Все способы передвижения оказались весьма неудобными. Билл находил единственное утешение в том, что, стиснув ногу в кулак, ковылял по госпиталю в поисках врача, который благоразумно старался не попадаться ему на глаза, понимая, что при нечаянной встрече явно не избежать кровопролития.

Как-то, совершая ежедневный обход палат и коридоров, Билл задержался у доски объявлений. На ней висели императорские указы. Билл летаргически принялся читать.

«Ваш император любит вас! „Так и есть, честное слово!“ Нижеследующее — точная запись сказанного его императорским величеством. Император и Генеральный штаб благодарят всех солдат, мужчин и женщин, которые совершили щедрые добровольно-принудительные пожертвования в Благотворительный фонд по сбору средств на императорский день рождения. Ваши пожертвования позволили императору приобрести то, что он давно желал всей душой: мозговой трансплантат с коэффициентом интеллектуальности тридцать пять единиц. Солдаты доблестной победоносной армии, гордитесь тем, что вам посчастливилось доставить столько удовольствия своему правителю всего лишь за счет недельного жалованья!»

Интересно, подумалось Биллу, какая это была неделя? Может, одна из тех, когда он был на Вырвиглазе? Кстати, а что вырвиглазнийцы? Собираются ли они платить ему за верную службу республике? Скорее всего, смертный приговор означает, что про бабки можно забыть. Так, что там дальше?

«Ваш император любит вас! „Так и есть, честное слово“ — император. Штаб по ведению императорского домашнего хозяйства с глубоким прискорбием извещает, что императорскую семью снова постигла трагедия. Вследствие неисправностей в системе циркуляции выяснилось, что мозг верховного адмирала имперского флота Квётча в течение шести последних лет находился в невменяемом состоянии. Все приказы адмирала за указанный срок объявляются недействительными».

Вот не повезло, подумал Билл. Ему доводилось служить под началом офицеров, которые страдали той же болезнью, что и адмирал, и он убедился на собственном опыте: невменяемость нисколько не мешала им командовать. Разумеется, никто из них не был родственником императора. Наверное, это совсем другое.

На доске имелись иные эдикты, однако Биллу совершенно не хотелось вникать в то, что там написано. Он побрел обратно в палату. По дороге ему таки встретился негодяй-врач. Билл занес кулак, но промахнулся, угодил в стену и пробил в ней дырку. Временами он начинал радоваться тому, что приобрел третью руку, однако, будь у него выбор, все же предпочел бы нормальную ступню.

Билл уселся на краешек кровати и взялся чистить ногти. Ничего не скажешь, удобно. Но противно.

Внезапно он сообразил, что ему изрядно опротивела не только нога, но и армия, война и все такое прочее. А ведь скоро его выпишут и наверняка отправят на передовую. Нет, надо что-нибудь придумать, и побыстрее!

Однако никаких мыслей — ни быстрых, ни медленных — в голове не возникало, и потому Билл все глубже погружался в пучину отчаяния. Он включил головизор, просмотрел все каналы. Сплошная реклама. В одной говорилось о том, что армии требуются вербовщики. Пышногрудая блондинка в мундире в обтяжку призывала население записываться в ряды доблестных имперских войск.

— Нам нужны смельчаки, которых не пугает мысль о службе императору на бурлящих задворках империи, которые готовы вербовать солдат, необходимых для ведения той войны, что покончит со всеми войнами на свете. Это особая профессия, она подразумевает особые навыки. Вот почему мы приглашаем ветеранов, в первую очередь — тех, кто по состоянию здоровья непригоден к участию в боевых действиях. Послужите своему императору. Мы будем рады даже тем, у кого две правых руки, три ладони и клыки во рту. Приходите. Вас зовет император!

— Зовет, зовет, — вздохнул Билл, пожимая самому себе руку, и наклонился чуть вперед, чтобы дотянуться ногой до клыков.

Величайшая сага всех времен и народов о Билле — герое Галактики приближалась к непредвиденному концу.

Ее готовилась сменить другая: сага о Билле — сержанте-вербовщике.

Содержание